Syreni śpiew

Val
McDermid

Syreni śpiew

Z angielskiego przełożyła
Magdalena Jędrzejak

POL NORDICA

Tytuł oryginału: „The Mermaids Singing"

Ilustracja na okładce: CORBIS/FREE

Projekt okładki: Jerzy Dobrucki

Redakcja: Rajmund Kalicki

ISBN 83-7264-266-4

Druk: FINIDR, Czechy

Adres wydawcy:
POL-NORDICA Publishing Sp. z o.o.
05-400 Otwock, ul. Powstańców Warszawy 3
tel. 0 22 719-50-80
e-mail: polnord@polnordica.com.pl
http://www.polnordica.com.pl

Wydawca jest członkiem Polskiej Izby Książki, Ogólnopolskiego
Stowarzyszenia Wydawców oraz Izby Wydawców Prasy

PODZIĘKOWANIA

Zawsze jest rzeczą niepokojącą, gdy życie chce naśladować sztukę. Do tej książki zaczęłam się przymierzać wiosną 1992 roku, na długo przed zabójstwami, które wstrząsnęły londyńską społecznością gejów. Mam szczerą nadzieję, że na tych stronicach nie znajdzie się nic, co sprawiłoby komukolwiek przykrość ani kogokolwiek dotknęło.

Jak zawsze czerpałam obficie z cudzej wiedzy i gruntownie przepytałam znajomych podczas przygotowywania warsztatu i pisząc „Syreni śpiew". W pierwszej kolejności chciałabym podziękować starszemu psychologowi klinicznemu i ekspertowi kryminalnemu Mike'owi Berry'emu z Ashworth Top Security Psychiatric Hospital w Liverpoolu za tak hojne szafowanie czasem oraz wiedzą fachową w trakcie powstawania tej książki. Refleksje i informacje, które od niego uzyskałam, okazały się bezcenne, jak również niebywale skuteczne w wywoływaniu martwej ciszy w samym środku rozmowy podczas uroczystych kolacji.

Dziękuję także Peterowi Byramowi z Responsive College Unit w Blackburn, który udzielał mi porad co do niuansów terminologii komputerowej. Dwie osoby – Alison Scott oraz Frankie Hegarty – przekazały mi wiele użytecznych informacji w kwestiach medycznych. Nadinspektor policji Sussex, Mike Benison, był tak uprzejmy, że cudem wygospodarował czas w swoim napiętym grafiku, by wtajemniczyć mnie w sposób prowadzenia dochodzeń w sprawach o wielokrotne morderstwa. Jai Penna, Diana Cooper i Paula Tyler udowodniły po raz kolejny, że niektórzy prawnicy – prawniczki – nie skąpią swego czasu ani wiedzy.

Za wsparcie, cierpliwość oraz nieustającą gotowość służenia radą szczególne podziękowania chciałabym złożyć Brygid Baillie i Lisanne Radice. Z pewnością nie było im łatwo obcować z kimś, kto całe dnie miał w głowie seryjnego mordercę...

Położone na północy miasto Bradfield jest całkowicie tworem mojej wyobraźni. Światopogląd oraz zachowania przypisane przedstawicielom różnych zawodów, włączając w to funkcjonariuszy policji, wybrane zostały raczej z potrzeby fabularnej niż zadośćuczynienia prawdzie. W Wielkiej Brytanii mamy to szczęście, że seryjnych zabójców jest niewielu; to dlatego, że większość z nich zostaje ujęta po pierwszym morderstwie. Miejmy nadzieję, że dzięki psychologom i policji tak już pozostanie.

Tookie Flystock, mojej ukochanej
seryjnej zabójczyni insektów

Nasłuchując, jak syreny śpiewem zwołują się gdzieś.
Nie sądzę, aby dla mnie zaśpiewały.

„Pieśń miłosna J. Alfreda Prufrocka"
T. S. Eliot, w przekładzie Bogdana Barana

Dusza tortur jest rodzaju męskiego.

Fragment opisu jednego z eksponatów
Muzeum Kryminologii i Tortur,
San Gimignano, Włochy

Motta rozdziałów zostały zaczerpnięte
z „*O morderstwie jako jednej ze sztuk pięknych*"
Thomasa De Quincey (1827)

Z 3,5-CALOWEJ DYSKIETKI O NAZWIE: KOPIA_ZA-PASOWA.007; PLIK MIŁOŚĆ.001

Ten pierwszy raz pamięta się zawsze. Czy nie tak mówi się o seksie? O ileż prawdziwsze staje się to stwierdzenie w przypadku morderstwa. Nigdy nie zapomnę jedynej w swoim rodzaju, rozkosznej chwili, w której rozegrał się ów dziwny i egzotyczny dramat. Spoglądając wstecz po tylu doświadczeniach, widzę jasno, że ten mój debiut był zwykłą amatorszczyzną, nie stracił jednak mocy budzenia dreszczyku emocji, choć już dawno przestał mnie zadowalać.

Wszystko to stało się dla mnie jasne dopiero, gdy okoliczności sprowokowały mnie do działania, bo przygotowania do morderstwa, bez udziału mojej świadomości, rozpoczęły się znacznie wcześniej. Wyobraźcie sobie sierpniowy dzień w Toskanii. Klimatyzowany autokar błyskawicznie przerzuca nas z miasta do miasta. Komplet snobów z północy, udających wielkich znawców kultury, wyłazi ze skóry, aby każdą bezcenną minutę naszej dwutygodniowej wycieczki zapełnić czymś pamiętnym, co przebiłoby swojskie Castle Howard czy Chatsworth.

Podobała mi się Florencja, kościoły i galerie sztuki pełne dziwnie kontrastujących ze sobą obrazów męczeństwa i Madonn. Potem zawrotna wspinaczka na szczyt kopuły Brunelleschiego, wieńczącej ogromną katedrę, oczarowanie krętymi schodkami prowadzącymi z galerii na maluteńki taras widokowy, zniszczone, kamienne stopnie, ściśle wpasowane między sufit a zewnętrzną czaszę stanowiącą dach. Wokół mnie sceneria jakby żywcem przeniesiona z mojego komputera: to jak gra przygodowa, tylko że rozgrywająca się w realnym świecie, szukam drogi przez labirynt ku światłu dnia. Brakuje jedynie potworów do uśmiercania po drodze. A potem wyjście z cienia prosto w słońce i zdumienie, że nawet tu, wysoko, na końcu karłowatych schodków czyha sprzedawca pocztówek i kiczowatych pamiątek; niski, czarniawy, uśmiechnięty mężczyzna o sylwetce przygarbionej od lat tarabanienia się na górę z całym tym kramem. Gdyby to naprawdę była gra, można by u niego kupić jakiś magiczny talizman. A tak skończyło się na pocztówkach, tylu, że nie przychodziło mi do głowy, komu jeszcze mam je powysyłać.

Po Florencji, San Gimignano. Miasteczko wyrastało z zielonej toskańskiej równiny, kruszejące wieże wdzierały się w niebo jak palce kogoś, kto pochowany żywcem próbuje się wydostać spod ziemi. Przewodnik trajkotał bez końca o „średniowiecznym Manhattanie"; kolejne oklepane porównanie wydłużające listę banałów, jakimi tuczono nas niczym brojlery od naszego przybycia do Calais.

Kiedy zbliżaliśmy się do miasteczka, ogarniało mnie coraz większe podniecenie. Cała Florencja usiana była reklamami jedynej atrakcji turystycznej, na jakiej obejrzeniu naprawdę mi zależało. Z ulicznych latarni, w przepychu krwistej czerwieni i złota, majestatycznie powiewały chorągwie, kategorycznie wzywając mnie do zwiedzenia Museo Criminologico di San Gimignano. Zaglądam do „Rozmówek" i stwierdzam z zadowoleniem, że udało mi się bezbłędnie rozszyfrować napis drobnym drukiem. Muzeum Kryminalistyki i Tortur. Nie trzeba chyba dodawać, że ten przybytek nie figurował w programie kulturalnym naszej wycieczki.

U celu pielgrzymki staję właściwie bez żadnych poszukiwań: ulotkę reklamującą muzeum, z załączoną mapką dojazdu, wepchnięto mi w ręce raptem kilkanaście metrów za masywną, kamienną bramą osadzoną w średniowiecznych murach. Rozkoszując się błogim wyczekiwaniem, krążę tu i tam, i nie mogę się nadziwić pomnikom nierówności społecznej, jakiej symbolami są te wieże. Każdy potężny ród szczycił się własną ufortyfikowaną wieżą i bronił jej przed sąsiadami całym arsenałem broni, od wrzącego ołowiu po działa. W okresie rozkwitu w mieście było ponoć kilkaset takich wieżyc. W porównaniu ze średniowiecznym San Gimignano, najgorsza portowa dzielnica w sobotę wieczorem to przedszkole, a podpici marynarze to amatorzy we wszczynaniu rozróbek.

W końcu muzeum przygarnia mnie z nieodpartą siłą. Ruszam przez środek piazza, wrzucając do studni dwubarwną dwustulirową monetę na szczęście, idę kilka metrów boczną uliczką, pośród starożytnych, kamiennych ścian, z których łopoczą znajome, szkarłatno-złote chorągwie. Z podniecenia krew brzęczy mi w uszach jak głodny moskit, gdy wkraczam do chłodnej sieni i spokojnie kupuję bilet wstępu oraz ilustrowany przewodnik, wydany na błyszczącym papierze.

Od czego mam zacząć, by opisać to doświadczenie? Namacalna rzeczywistość okazała się nieskończenie bardziej porywająca niż wszystkie zdjęcia, filmy czy książki, jakie przewinęły się przez moje ręce. Pierwszym eksponatem było łoże sprawiedliwości, opatrzone w plakietkę w językach włoskim i angielskim, gdzie z lubością i szczegółowo rozwodzono się nad jego zastosowaniem. Ramiona wyskakiwały z barków, stawy biodrowe i kolanowe pękały do wtóru trzaskającej chrząstki i więzadeł, kręgosłupy napinały się, tracąc przyrodzony kształt, póki kręgi nie rozsypały się jak paciorki z zerwanego naszyjnika. „Ofiary" - lakonicznie stwierdzała plakietka - „często zyskiwały od piętnastu do dwudziestu centymetrów wzrostu od chwili rozpoczęcia tortur". Nadzwyczajne umysły mieli ci inkwizytorzy. Nie wystarczało im przesłuchiwanie heretyków, gdy ci żyli jeszcze i cierpieli; odpowiedzi na dalsze pytania wydobywali z ich zmasakrowanych ciał.

Wystawa była pomnikiem geniuszu człowieka. Któż nie podziwiałby umysłów badających ludzkie ciało z taką drobiazgowością, że zdolne były obmyślić równie bezbłędne, perfekcyjnie dawkowane cierpienie? Mimo niezbyt rozwiniętej wiedzy technicznej w tych średniowiecznych mózgach zrodził się system tortur tak wyrafinowany, że stosuje się go po dziś dzień. Wydaje się, że jedyną innowacją, jaką zdolne było wprowadzić nowożytne, postindustrialne społeczeństwo, było zastosowanie elektryczności; zawsze to dodatkowy dreszczyk emocji.

W zachwycie przechodzę z sali do sali, podziwiając kolejne zabawki, od masywnych kolców Żelaznej Dziewicy począwszy, po subtelniejsze i bardziej wytworne mechanizmy gruszek, tych smukłych, segmentowanych, jajowatych narzędzi, które wkładano niegdyś w pochwę albo odbyt ofiary. Potem, za poruszeniem koła zapadkowego, segmenty rozsuwały się i rozwierały, dopóki gruszka nie przeszła metamorfozy w dziwny kwiat o płatkach najeżonych ostrymi jak brzytwa metalowymi zębami. Wtedy ją wyjmowano. Czasem ofiary przeżywały, co przypuszczalnie było okrutniejszym losem.

Zauważam niepokój i grozę na twarzach oraz w głosach części zwiedzających, ale umiem rozpoznać hipokryzję. Potajemnie rozkoszują się każdą minutą swojej pielgrzymki i tylko obawa przed utratą twarzy powstrzymuje ich przed okazaniem podniecenia. Jedynie dzieci są szczere w swojej gorącej fascynacji. Mogę się założyć, że w tych chłodnych, pastelowych salach nie jestem jedyną osobą, której zrobiło się gorąco między nogami w przypływie seksualnej żądzy, bo wiem, że zakładu nie przegram. I po raz tysięczny zastanawiam się, ilu wakacyjnym numerkom pikanterii dodało potajemne wspomnienie wizyty w muzeum tortur.

Na dworze, na skąpanym w słońcu dziedzińcu, zamknięty w klatce szkielet w pozycji kucznej, o kościach tak czystych, jakby z mięsa odarły je sępy. Za dawnych dni, kiedy wieże dumnie sięgały ku niebu, podobne klatki wieszano na zewnętrznych murach San Gimignano; to ostrzeżenie w tej samej mierze kierowane do mieszkańców, jak i do przybyszy z zewnątrz – oto miasto, w którym prawo surowo karze tych, co je łamią. Czuję, że między mną a tymi mieszczanami istnieje dziwne duchowe powinowactwo. Doskonale rozumiem potrzebę karania za zdradę.

Nieopodal szkieletu olbrzymie, podkute metalem koło o grubych szprychach opiera się o ścianę. Wygląda jak eksponat z muzeum rolnictwa. Jednak tabliczka przykręcona do ściany wyjaśnia, że powierzono mu znacznie bardziej wyrafinowaną funkcję. Do takich kół przywiązywano zbrodniarzy.

Najpierw chłostano ich kańczugami, których uderzenia oddzierały mięso od kości, wystawiały wnętrzności na chciwe spojrzenia tłuszczy. Potem kości łamano żelaznymi drągami. Trudno mi powiedzieć, czemu, ale zaczynam myśleć o jednej z kart Tarota, o Kole Fortuny.

Pewnego dnia doznaję olśnienia i już wiem, że będę zabijać. Wspomnienie muzeum tortur staje się moją muzą, a tak się składa, że od dzieciństwa mam talent do majsterkowania.

Po tym pierwszym razie jakaś cząstka mnie zapragnęła, aby kolejne okazały się zbędne. Równocześnie pojawiła się pewność, że jeśli mimo wszystko następny raz się przydarzy, to będzie on lepszy. Dzięki błędom uczymy się rozumieć niedoskonałość naszych czynów. Na szczęście praktyka czyni mistrza.

1

„Panowie, mam zaszczyt być powołanym przez wasz komitet do spełnienia trudnego zadania i odczytania William-sowego wykładu O morderstwie jako jednej ze sztuk pięknych *– zadania, które mogło wydawać się dość łatwe trzy czy cztery wieki temu, kiedy to znano się na owej sztuce mało i kiedy wiedziano o niewielu wspaniałych jej przykładach; w obecnym wieku natomiast, kiedy znakomite arcydzieła wykonywane są zawodowo, musi się uznać za oczywiste, że gdy idzie o styl krytyki odnoszącej się do tych arcydzieł, opinia publiczna będzie domagała się czegoś w odpowiednim stopniu udoskonalonego".*

(przełożył Mirosław Bielewicz)

Tony Hill podłożył ręce pod głowę i wpatrywał się w sufit. Wokół misternej gipsowej róży, na której środku zamocowano lampę, rozciągała się pajęczyna cienkich pęknięć, ale nawet tego nie zauważał. Słaby blask świtu, pomarańczowy od światła sodowych latarni, sączył się przez trójkątną szczelinę między zasłonami, lecz i to go nie zainteresowało. Podświadomie zarejestrował odgłos, z jakim włączył się bojler centralnego ogrzewania, szykując się do dania odporu wilgotnemu, zimowemu powietrzu, które wdzierało się szparami wokół okien i drzwi. Miał zimny nos i piasek w oczach. Nie potrafił sobie przypomnieć, kiedy ostatnio wyspał się jak człowiek. Niespokojne rozmyślania o tym, co go czeka w ciągu dnia, tylko po części tłumaczyły, dlaczego całą noc to przysypiał na parę chwil, to się budził, bo chodziło przecież o coś więcej. O znacznie więcej.

Jakby i tak nie miał aż nadto zmartwień. Wiedział, czego się od niego oczekuje, ale stanięcie na wysokości zadania to zupełnie inna historia. Reszta świata jakoś radziła sobie z takimi sprawami, stres w najgorszym razie okupując przelotnym skurczem żołądka, ale nie Tony. Całą jego energię pochłaniało utrzymywanie pozorów spokoju, za którym się krył jak za maską i który pozwalał mu jakoś dotrwać do końca. W takich okolicznościach rozumiał, jak wiele kosztuje aktorów ze szkoły „method acting" ich naładowana emocjami, natchniona gra, która porywała widownię. Wieczorem będzie się nadawał wyłącznie do podjęcia kolejnej daremnej próby przespania ośmiu godzin.

Zmienił pozycję, wyciągnął rękę spod głowy i przegarnął krótkie, ciemne włosy. Poskrobał się po zarośniętym podbródku i westchnął. Wiedział, co chce dzisiaj osiągnąć, równocześnie jednak rozumiał doskonale, że realizacja jego zamierzeń równałaby się zawodowemu samobójstwu. I nic mu nie pomagała pewność, że w Bradfield grasuje seryjny zabójca. Nie mógł sobie pozwolić na wyjście przed orkiestrę i ogłoszenie tego faktu wszem i wobec. Skulił się, bo żołądek podszedł mu do gardła. Z westchnieniem odrzucił kołdrę i wstał, potrząsając nogami, żeby pozbyć się harmonijkowatych fałdek na nogawkach workowatej piżamy.

Tony poczłapał do łazienki i pstryknął światło. Opróżniając pęcherz, wolną ręką włączył radio. W „Bradfield Sound" podawali właśnie informacje dla zmotoryzowanych; spiker obwieszczał przewidywane na dzisiejszy ranek korki z entuzjazmem, któremu żaden kierowca nie dorównałby bez końskiej dawki Prozacu. Wdzięczny losowi za to, że dziś nie musi siadać za kółkiem, Tony stanął przed umywalką.

Spojrzał w głęboko osadzone, niebieskie oczy, mętne z niewyspania. Ktokolwiek powiedział, że oczy są zwierciadłem duszy, był prawdziwym mistrzem we wciskaniu kitu, pomyślał cierpko. Choć może to i lepiej, bo w przeciwnym razie nie miałby w domu ani jednego całego lustra. Rozpiął piżamę pod szyją i otworzył szafkę, żeby wyjąć piankę do golenia. Znieruchomiał, przypadkowo spojrzawszy na swoją rękę; drżała jak jasna cholera. Ze złością zatrzasnął drzwiczki, aż hukinęło, i sięgnął po maszynkę. Nie znosił takiego golenia, nigdy nie dawało mu uczucia świeżości ani czystości jak golenie na mokro. Zawsze to jednak lepiej mieć mętne wrażenie, że jest się niedogolonym, niż pokazać się wśród ludzi jako ilustracja śmierci wskutek tysiąca draśnięć*.

Kolejny minus golarki był taki, że nie musiał szczególnie skupiać się na tym, co robi, więc jego umysł mógł nieskrępowanie roztrząsać dzisiejszy grafik zajęć. Czasami wolałby wierzyć, że wszyscy są tacy jak on, że każdego ranka wstają z łóżka i wybierają osobowość sceniczną na dany dzień. Po latach zgłębiania umysłów bliźnich rozumiał jednak, że prawda przedstawia się trochę inaczej. Gros ludzi dokonuje wyboru spośród naprawdę szczuplutkiej galerii postaci. Niewątpliwie niektórzy byliby wdzięczni losowi za równie szeroką gamę wyborów jak ta, którą dzięki wiedzy, doświadczeniu i z konieczności dysponował Tony. On jednak wdzięczny nie był.

Kiedy wyłączył maszynkę, usłyszał gorączkowe akordy zwiastujące skrót wiadomości „Bradfield Sound". Ze złym przeczuciem zwrócił się twarzą do radioodbiornika, spięty i czujny jak biegacz średniodystansowy czekający na strzał startera. Kiedy pięciominutowy blok informacyjny dobiegł końca, odetchnął z ulgą i odsunął kotarę prysznica. Podświadomie spodziewał się sensacji, której nie byłby w stanie zlekceważyć. Jednak dotąd liczba ofiar nie wzrosła. Stanęło na trzech.

Na drugim końcu miasta John Brandon, naczelnik wydziału kryminalnego policji miejskiej w Bradfield, garbił się nad umywalką i smętnie spoglądał w łazienkowe lustro. Nawet piana z mydła do golenia, upodobniająca jego twarz do oblicza świętego Mikołaja, nie zdołała nadać mu dobrotliwego wyrazu. Gdyby nie wybrał pracy w policji, byłby idealnym kandydatem na dyrektora zakładu pogrzebowego. Miał prawie metr dziewięćdziesiąt wzrostu, był szczupły, jeśli nie

---

*Starochińska metoda egzekucji polegająca na robieniu tysiąca draśnięć na ciele skazańca, który po kilku dniach umierał wskutek wykrwawienia (przyp. tłum.).

wręcz chudy, miał głęboko osadzone ciemne oczy i przedwcześnie szpakowaciejące włosy. Nawet kiedy się uśmiechał, jego pociągła twarz roztaczała jakimś cudem aurę melancholii. Dzisiaj, pomyślał, wyglądam jak posokowiec z nieżytem górnych dróg oddechowych. Nastrój też miał pod psem, i to nie bez ważkiego powodu. Wiedział, że to, co zamierza zrobić, nie bardziej przypadnie komendantowi do gustu niż oranżystom obecność katolickiego księdza w ich Loży.

Brandon westchnął ciężko, obryzgując lustro pianą. Komendant Derek Armthwaite, szef policji okręgu Bradfield, miał płonące oczy wizjonera, lecz w tym, co widziały, nie było nic obrazoburczego. Ten człowiek uważał Stary Testament za znacznie bardziej odpowiedni podręcznik dla funkcjonariuszy od Ustawy o Policji i Dowodach Kryminalnych. Uważał, że większość nowoczesnych metod pracy policyjnej jest nie tylko nieskuteczna, ale i heretycka. Wyrażał to przekonaniem, że przywrócenie rózgi i batoga o wiele szybciej obniżyłoby statystyki przestępczości niż jakakolwiek liczba pracowników socjalnych, socjologów i psychologów. Gdyby się domyślał, co takiego Brandon planuje na dzisiejszy ranek, natychmiast przeniósłby go do drogówki; dla policjanta była to wizja równie przyjemna, jak dla Jonasza uwięzienie w brzuchu wieloryba.

Nim przygnębienie zdążyło nadwątlić niezłomność zamiarów Brandona, z zadumy wyrwało go bębnienie do drzwi.

– Tato? – zawołała jego starsza córka. – Długo jeszcze?

Brandon chwycił brzytwę, opłukał ostrze w umywalce i przeciągnął nim po policzku.

– Pięć minut, Karen – odkrzyknął. – Przepraszam, kochanie.

W domu, w którym jest trójka nastolatków i jedna łazienka, nieczęsto miewa się okazję do refleksji.

Carol Jordan odstawiła do połowy wypitą kawę na brzeg umywalki i weszła pod natrysk, potykając się o czarnego kocura, który ocierał się o jej kostki.

– Za minutę, Nelson – wymamrotała i zamknęła drzwi kabiny przed jego pytającym miauknięciem. – Tylko nie obudź Michaela.

Swego czasu Carol wyobrażała sobie, że awans na inspektora śledczego, a co za tym idzie, wyrwanie się z systemu zmianowego, pozwoli jej sypiać bite osiem godzin na dobę, za czym tęskniła niezmiennie od pierwszego tygodnia służby. Po prostu takie już jej pieskie szczęście, że awans zbiegł się w czasie z tym, co jej ekipa określała we własnym gronie mianem „homobójstw". Jakkolwiek głośno nadinspektor Tom Cross zarzekałby się na konferencjach prasowych i w pokoju sztabowym, że między tymi zabójstwami nie ma absolutnie żadnego związku i że nic nie wskazuje na obecność seryjnego mordercy w Bradfield, w sekcjach do spraw zabójstw sądzono inaczej.

Kiedy polała się na nią kaskada gorącej wody, zmieniając jej blond włosy w popielate, Carol pomyślała, nie po raz pierwszy zresztą, że postawa Crossa, podobnie jak i komendanta, wynika raczej z jego uprzedzeń i wcale nie służy miejscowej społeczności. Im dłużej będzie zaprzeczał, że seryjny morderca atakuje mężczyzn, którzy za fasadą szacownych obywateli prowadzą potajemnie homoseksualny tryb życia, tym więcej homoseksualistów zginie. Skoro nie można, jak za dawnych dobrych czasów, oczyścić ulic, pakując kogo trzeba do aresztu, to niech się ich pozbędzie seryjny zabójca. Czy ten cel osiągnie, siejąc śmierć, czy tylko strach, to już nie grało większej roli.

Taka strategia sprawiała, że na marne szły długie godziny, które Carol i jej koledzy poświęcali śledztwu. Nie wspominając o setkach tysięcy funtów z kieszeni podatników, jakie pochłaniały prace dochodzeniowe, zwłaszcza odkąd Cross wymógł na nich, aby każde z zabójstw traktowali jako całkowicie odrębne dochodzenie. Ilekroć któraś z ekip zgłaszała, że znalazła potencjalny związek między poszczególnymi sprawami, Tom Cross obalał go, odwołując się do pięciu różnic. Nie miał najmniejszego znaczenia fakt, że podobieństwa w każdym przypadku były inne, a różnice nieodmiennie stanowiły ten sam oklepany kwintet. Cross był tu szefem. A zastępca komendanta całkowicie wyłączył się ze sporu i poszedł na chorobowe, wymawiając się tym swoim oportunistycznym krzyżem.

Carol wmasowała szampon we włosy aż do utworzenia się obfitej piany i poczuła, że powoli przytomnieje pod strumieniami ciepłej wody. Cóż, przynajmniej ten wycinek śledztwa, za który sama odpowiada, nie ugrzęźnie na mieliźnie niewzruszonej bigoterii „Popeye'a" Crossa. Nawet jeśli część młodszych oficerów z jej ekipy skłonna jest traktować ograniczone horyzonty szefa jako wymówkę dla własnego bumelanctwa, ona nie zamierza poprzestać na innym niż pełne zaangażowanie się w pracę, i to w sposób wolny od stronniczości jej szefostwa. Harowała w pocie czoła przez większą część ostatnich dziewięciu lat, najpierw na dobre stopnie, potem, aby udowodnić, że zasłużyła na przyśpieszony awans. I nie pozwoli, żeby jej kariera utknęła w martwym punkcie tylko dlatego, że popełniła błąd i wybrała jednostkę zarządzaną przez neandertalczyków.

Ugruntowana w swojej decyzji Carol wyszła z kabiny, wyprostowana, z buntowniczym błyskiem w zielonych oczach.

– No, chodź, Nelson – powiedziała, zakładając szlafrok i porywając na ręce sporą, umięśnioną kulkę czarnej sierści. – Pobuszujmy w czerwonym mięsie, chłopie.

Tony studiował obraz z rzutnika, wyświetlony na ekranie za jego plecami, jeszcze pięć końcowych sekund. Ponieważ lwia część widowni przejawiała kompletny brak zainteresowania jego wykładem, demonstracyjnie nie robiąc notatek, chciał, by mieli okazję podświadomie przyswoić sobie ogólny schemat, którym próbował zilustrować proces „profilowania", czyli tworzenia psychologicznego portretu sprawcy.

Ponownie zwrócił się do słuchaczy.

– Nie muszę wam mówić tego, co już wiecie. To nie profilerzy łapią przestępców. Robią to ludzie w mundurach.

Uśmiechnął się do audytorium, na które składali się starsi stopniem funkcjonariusze policji oraz przedstawiciele *Home Office*[*]. Chciał tym aktem samokrytyki sprowokować ich do jakiejkolwiek reakcji. Kilka osób dało się skusić, jednak więk-

---

[*]Home Office – nadzorujące siły policyjne brytyjskie Ministerstwo Spraw Wewnętrznych, łączące kompetencje Ministerstwa Spraw Wewnętrznych oraz Ministerstwa Sprawiedliwości (przyp. tłum.).

szość twarzy nadal wyglądała jak wykuta z kamienia, a głowy pozostały sceptycznie przekrzywione.

Obojętnie, w jak ładne słówka Tony ubrałby prawdę, wiedział, że nie zdoła przekonać do siebie starszych oficerów; dla nich był oderwanym od rzeczywistości uniwersyteckim mądralą, który poucza ich, jak mają wykonywać swoją pracę. Ze stłumionym westchnieniem zajrzał do notatek i podjął wątek, dążąc do nawiązania możliwie najpełniejszego kontaktu wzrokowego.

– A jednak czasem my, profilerzy, potrafimy spojrzeć na sprawy inaczej – oznajmił. – I ta nowa perspektywa może całkowicie zmienić postać rzeczy. Umarli wcale nie zabierają swoich tajemnic do grobu. Przemawiają zza niego, z tym, że psychologom opowiadają inne historie niż policjantom.

– Oto przykład. Zwłoki znalezione w krzakach jakieś trzy metry od drogi. Oficer śledczy odnotuje ten fakt. Sprawdzi cały teren pod kątem obecności śladów. Czy są odciski butów? Czy morderca coś zostawił? Czy na krzakach nie zaczepiły się jakieś włókna? Ale dla mnie ten jednostkowy fakt jest jedynie punktem wyjściowym do spekulacji, które, rozpatrywane łącznie z innymi dostępnymi danymi, mogą pozwolić na wyciągnięcie pomocnych dla policji wniosków o mordercy. Zadaję sobie pytanie, czy ciało zostało w tym miejscu umieszczone celowo? A może morderca był zbyt zmęczony, żeby zanieść je dalej? Starał się ukryć zwłoki czy pozbyć się ich byle gdzie? Jeżeli to pierwsze, to po jakim czasie chciał lub spodziewał się, że zostaną odnalezione? Jakie znaczenie ma dla niego to miejsce? – Tony rozłożył ręce w otwartym, pytającym geście.

Audytorium nadal gapiło się w niego obojętnie. Boże, ile jeszcze zawodowych sztuczek będzie musiał wyciągnąć z kapelusza, nim doczeka się jakiegoś odzewu? Krople potu u nasady karku zlały się w strumyczek, który zaczął mu ściekać za kołnierzyk koszuli. Nieprzyjemne uczucie, które przypomniało Tony'emu, kto tak naprawdę kryje się za maską, którą przywdział na swój dzisiejszy występ na forum publicznym.

Tony chrząknął głośno, pomyślał o wrażeniu, jakie chce wywrzeć, zamiast o swoim samopoczuciu, i spróbował jeszcze raz.

– Profilowanie to kolejne narzędzie, które może dopomóc oficerom śledczym w zawężeniu pola dochodzenia. Nasza praca to szukanie rozsądnego wyjaśnienia tego, co dziwaczne. Nie podamy wam nazwiska sprawcy, jego adresu ani numeru telefonu. Niemniej jednak *możemy* wam dopomóc, określając rys psychologiczny osoby, która popełnia przestępstwo danego typu. Czasem potrafimy wskazać, w jakiej okolicy przypuszczalnie by mieszkała, jakiego rodzaju zawodu byśmy się po niej spodziewali. Wiem, że niektórzy spośród was podważają sens tworzenia ogólnokrajowej jednostki do spraw profilowania kryminalnego. Nie jesteście w swoich odczuciach odosobnieni. Cywile też podnieśli krzyk.

Nareszcie, pomyślał Tony z ogromną ulgą. Uśmiechy i przytakujące skinienia. Osiągnięcie tego etapu zajęło mu czterdzieści minut, w końcu jednak obojętność słuchaczy zaczęła kruszeć. Nie oznaczało to, że mógł się całkowicie odprężyć, ale i tak poczuł się znacznie swobodniej.

– Bądź co bądź – mówił – to nie Ameryka. U nas za każdym rogiem nie czai się seryjny zabójca. Stanowimy populację, w której przeszło dziewięćdziesiąt procent morderstw popełnianych jest przez członków rodziny lub osoby znane ofiarom.

Teraz naprawdę dali się porwać jego słowom. Kilka par nóg i rąk rozkrzyżowało się równocześnie jak na wielokrotnie przećwiczonej musztrze.

– Ale profilowanie nie sprowadza się do wyłapywania kolejnych Hanibalów Kanibalów. Jest przydatne w odniesieniu do szerokiej gamy przestępstw. Jak dotąd osiągnęliśmy znaczące sukcesy w typowaniu sprawców porwań samolotów, kurierów narkotykowych, autorów anonimów, szantażystów, seryjnych gwałcicieli i podpalaczy. I, co nie mniej ważne, portrety psychologiczne okazały się nader użytecznym narzędziem, które pozwala nam dopomóc policji w wyborze optymalnej techniki przesłuchiwania podejrzanych o ciężkie przestępstwa. Nie chcę powiedzieć, jakoby funkcjonariuszom brakowało umiejętności prowadzenia przesłuchań; rzecz w tym, że nasza wiedza kliniczna pozwoliła wypracować inne taktyki, które niejednokrotnie przynoszą lepsze efekty od standardowych.

Tony zrobił głęboki wdech i, pochylony do przodu, zacisnął palce na krawędzi pulpitu. Uwaga zamykająca wykład brzmiała dobrze, kiedy Tony ćwiczył ją przed lustrem w łazience. Teraz mógł jedynie modlić się, że zdoła uderzyć we właściwą nutę, nie wchodząc tym starym wygom na ambicję.

– Razem z moim zespołem przeszło rok temu rozpoczęliśmy zamierzone na dwa lata studium dotyczące projektu utworzenia National Crime Profiling Task Force, czyli ogólnokrajowej jednostki do spraw profilowania kryminalnego. Złożyłem wstępny raport w Home Office, które potwierdziło z dniem wczorajszym wstępną decyzję o powołaniu tej jednostki, jak tylko przedłożę raport końcowy. Panie i panowie, to będzie rewolucja w walce z przestępczością. Macie rok na dołożenie starań, by przebiegała w sposób, który będzie najbardziej wam odpowiadał. Moi koledzy i ja jesteśmy otwarci na wszelkie sugestie. Wszyscy jesteśmy po tej samej stronie. Chcemy poznać wasze zdanie, bo zależy nam na wymiernych efektach. Nie mniej niż wam zależy nam na tym, żeby brutalni seryjni przestępcy trafili za kratki. Wierzę, że moglibyśmy wam dopomóc. Wiem, że wy możecie pomóc nam.

Tony cofnął się i napawał brawami, nie dlatego, iż były one szczególnie owacyjne, ale dlatego, że oznaczały koniec czterdziestu pięciu minut, na myśl o których od tygodni oblewał go zimny pot. Publiczne wystąpienia nigdy nie mieściły się w ramach jego wyobrażeń o komforcie, przeciwnie, nienawidził ich tak bardzo, że zrezygnował z kariery akademickiej zaraz po doktoracie, ponieważ nie potrafił stawić czoła upiorowi w postaci pełnej sali wykładowej. I wcale nie z obawy przed blamażem. O dziwo, penetrowanie pokrętnych zakamarków umysłów niepoczytalnych zbrodniarzy wydawało mu się znacznie mniej stresujące.

Kiedy ucichły grzecznościowe oklaski, siedzący w pierwszym rzędzie zwierzchnik Tony'ego z ramienia Home Office, podniósł się z krzesła. Podczas gdy Tony budził w starszych stopniem funkcjonariuszach podszytą sceptycyzmem nieufność, George Rasmussen prowokował ogólną irytację skuteczniej niż masowa inwazja pcheł. W uśmiechu, który wykwitał na zawołanie, demonstrował nazbyt wiele zębów i niepokojąco upodobniał się do piosenkarza George'a Formby'ego*, co nie licowało z rangą piastowanego przez niego urzędu. Wykwintny krój jego szarego, prążkowanego garnituru oraz bezustanne, hałaśliwe epatowanie akcentem rodem z prestiżowej prywatnej szkoły miały w sobie coś tak karykaturalnego, że Tony zaczynał podejrzewać, że w rzeczywistości Rasmussen odebrał wykształcenie w podrzędnym śródmiejskim gimnazjum. Słuchając go jednym uchem, Tony przetasował notatki i schował przezrocza do teczki. Wdzięczni za fascynującą prezentację, ple, ple... na kawę i absolutnie przepyszne ciasteczka, ple, ple... okazja do zadania nieformalnych pytań, ple, ple... przypomnieć wszystkim państwu, że zgłoszenia do doktora Hilla należy składać nie później niż...

Szuranie nogami zagłuszyło dalszą część Rasmussenowej tyrady. Kiedy przyszło wybierać między mową dziękczynną w wykonaniu urzędnika państwowego a kubkiem kawy, decyzja była dziecinnie prosta. Nawet dla kolegów Rasmussena. Tony oddychał głęboko. Czas wyjść z roli wykładowcy. Teraz musi stać się czarującym erudytą, świetnym słuchaczem i równym chłopem, który naprawdę jest po ich stronie.

John Brandon wstał i zrobił przejście dla siedzących dalej osób. Obserwowanie Tony'ego Hilla podczas wykładu okazało się mniej pouczające, niż na to liczył. Wprawdzie o profilowaniu kryminalnym nauczył się sporo, ale o Tonym jako o osobie nadal wiedział tyle co nic, no może tylko to, że sprawiał wrażenie pewnego siebie, choć nie aroganckiego. Ostatnie trzy kwadranse ani trochę nie umocniły go w przekonaniu, że to, co zamierza, jest najrozsądniejszym rozwiązaniem. Niemniej jednak innego nie widział. Brandon zaczął powoli

---

*George Formby - brytyjski komik i piosenkarz, autor m.in. utworu „Andy the Handy Man" - „Andy Złota Rączka" (przyp. tłum.).

przesuwać się wzdłuż ściany pod prąd strumienia wychodzących, dopóki nie zrównał się z Rasmussenem. Pod koniec przemówienia, gdy słuchacze zaczęli manifestacyjnie szykować się do wyjścia, urzędnik ostro przeszedł do finiszu, sztuczny uśmiech zniknął jak zmyty gąbką. Teraz Rasmussen zbierał dokumenty z siedzenia krzesła. Brandon prześlizgnął się obok niego i podszedł prosto do Tony'ego, który zapinał właśnie sprzączki u sfatygowanej walizki gladestonówki.

Brandon chrząknął i zagadnął:

– Doktorze Hill?

Tony spojrzał na niego z uprzejmym, pytającym wyrazem twarzy. Brandon przemógł skrępowanie.

– Nie poznaliśmy się jeszcze, ale pracuje pan na moim podwórku. Nazywam się John Brandon...

– Naczelnik wydziału kryminalnego? – przerwał Tony i oczy mu się uśmiechnęły. Słyszał o Johnie Brandonie wystarczająco dużo, by wiedzieć, że to człowiek, którego warto mieć po swojej stronie. – Jestem zachwycony, że mogę pana poznać, panie Brandon – dodał, przesycając głos ciepłem.

– Johnie. Na imię mi John – odparł Brandon z niezamierzonym pośpiechem. Stwierdził ze zdumieniem, że jest dziwnie podenerwowany. W spokoju i w pewności siebie Tony'ego Hilla było coś, co wytrącało go z równowagi. – Zastanawiam się, czy moglibyśmy zamienić słowo...?

Nim Tony zdążył odpowiedzieć, Rasmussen zmaterializował się między nim a Brandonem.

– Panowie wybaczą – przerwał bez cienia żenady; znowu miał uśmiech przylepiony do ust. – Tony, jeślibyś zechciał teraz przejść do sali kawiarnianej, to wiem, że nasi przyjaciele z policji chętnie z tobą pogawędzą w mniej oficjalnej atmosferze. Panie Brandon, pozwoli pan z nami.

Brandona zaczynała brać cholera. Czuł się wystarczająco niezręcznie, by nie uśmiechało mu się przejście do salki pełnej gliniarzy wlewających w siebie hektolitry kawy i wiecznie nadstawiających uszu ważniaków z ministerstwa. Zależało mu na poufnej rozmowie.

28

– Jeśli można, chciałbym z doktorem Hillem zamienić słówko na osobności.

Tony zerknął na Rasmussena i zauważył nieznaczne pogłębienie się pary równoległych zmarszczek między brwiami zwierzchnika. W zwykłych okolicznościach z radością jeszcze bardziej rozjuszyłby Rasmussena i ciągnął rozmowę z Brandonem. Zawsze lubił wbijać szpile bufonom, sprowadzać przeświadczonych o własnej ważności do świadomych swojej niemocy. Jednak zbyt wiele zależało od wyniku dzisiejszych spotkań z policją, toteż po namyśle odmówił sobie tej przyjemności. Ograniczył się do tego, że z rozmysłem odwrócił się plecami do Rasmussena i odezwał się wprost do Brandona:

– John, po lunchu będziesz wracał samochodem do Bradfield?

Brandon skinął potakująco.

– Skoro tak, to może byś mnie podrzucił? Przyjechałem pociągiem, ale jeśli nie masz nic przeciwko temu, to wolałbym w drodze powrotnej nie telepać się pociągiem. Zawsze możesz mnie wysadzić na przedmieściach, jeżeli nie chcesz, żeby ktoś widział, jak bratasz się z takimi jak ja. Wiesz, elegancik, spodnie w kancik.

Brandon uśmiechnął się, a jego pociągła twarz zmarszczyła się jak pysk małpy.

– Myślę, że to nie będzie konieczne. Z przyjemnością podwiozę cię pod samą kwaterę główną.

Odsunął się i patrzył, jak Rasmussen ciągnie Tony'ego do wyjścia, gardłując bez wytchnienia. Nadal był nieswój, choć psycholog zniknął już z pola widzenia. Może po prostu przyzwyczaił się, że panuje nad wszystkim, co się dzieje na jego terenie i konieczność proszenia o pomoc stała się dla niego czymś obcym i deprymującym. Innego oczywistego wytłumaczenia nie znajdował. Brandon wzruszył ramionami i podążył za tłumem do sali kawiarnianej.

Tony zapiął pasy i napawał się komfortem jazdy nieoznakowanym policyjnym range roverem. Milczał, gdy Brandon manewrował na parkingu przed kwaterą główną policji manchesterskiej i gdy przebijał się ku sieci dróg ekspresowych. Nie chciał go rozpraszać, bo wiedział, że niełatwo jest znaleźć drogę w obcym mieście. Kiedy toczące się po śliskiej nawierzchni auto włączyło się na pas szybkiego ruchu, Tony przerwał ciszę.

– Jeśli to ci cokolwiek ułatwi, to podejrzewam, że wiem, o czym chcesz ze mną porozmawiać.

Dłonie Brandona zacisnęły się na kierownicy.

– Myślałem, że jesteś psychologiem, a nie jasnowidzem – zażartował i sam się sobie zdziwił. Nie szczycił się wybitnym poczuciem humoru, a do dowcipkowania uciekał się jedynie w sytuacjach stresowych. Brandon nie mógł się oswoić z myślą, że czuje się tak niepewnie, prosząc o zwykłą przysługę.

– Może wtedy niektórzy z twoich kolegów raczyliby mnie zauważyć – stwierdził Tony kwaśno. – Więc jak, chcesz, żebym zgadywał i ryzykował, że wyjdę na kompletnego idiotę?

Brandon rzucił Tony'emu ukradkowe spojrzenie. Psycholog wyglądał na zrelaksowanego, dłonie miał oparte na udach, nogi swobodnie skrzyżowane. Mimo to odnosiło się wrażenie, że znacznie swobodniej czułby się po domowemu, ubrany w dżinsy i sweter zamiast w garnitur, który, jak nawet Brandon potrafił zauważyć, nie tyle wyszedł z mody, co był wręcz przedpotopowy. Brandona to nie raziło, tym bardziej że w uszach rozbrzmiewały mu uszczypliwe komentarze, jakimi jego córki zwyczajowo kwitowały jego cywilną garderobę. Odezwał się zapalczywie:

– Myślę, że mamy w Bradfield czynnego seryjnego zabójcę.

Tony zaśmiał się cicho, z zadowoleniem.

– Zaczynałem tracić nadzieję, że to zauważycie – odpowiedział ironicznie.

– Wcale nie jest to jednogłośna opinia – poczuł się w obowiązku uprzedzić Brandon.

– Tyle to zdążyłem już wyłapać z prasy – wyznał Tony. – Jeżeli to dla ciebie jakakolwiek pociecha, to jestem zdania, że twój wniosek jest słuszny. Choć naturalnie całkowitej pewności nie mam, opieram się tylko na tym, co wyczytałem z gazet.

- Po twoich wypowiedziach cytowanych przez *The Sentinel Times* ostatnim razem można było odnieść inne wrażenie - wytknął Brandon.

- Moja praca polega na współpracy z policją, nie na podkopywaniu jej autorytetu. Zakładałem, że kierują wami określone operacyjne powody i dlatego wolicie wstrzymać się z ujawnianiem hipotezy o seryjnym mordercy. Zastrzegłem, że moja wypowiedź to jedynie przypuszczenie, oparte na wiedzy fachowej oraz informacjach dostępnych w środkach masowego przekazu - dodał Tony, lecz jego bezpośredni ton kontrastował z nagłym usztywnieniem palców, zajętych robieniem fałdek na materiale spodni.

Brandon uśmiechnął się, świadomy jedynie tej barwy głosu.

- Też prawda. Więc jak, jesteś skłonny wyciągnąć do nas pomocną dłoń?

Tony poczuł cieplutką falę satysfakcji. O niczym innym nie marzył od tygodni.

- Kawałek stąd jest całkiem sympatyczny przydrożny barek. Może filiżankę herbaty?

Inspektor śledcza Carol Jordan wpatrywała się w wór zmasakrowanej tkanki, który jeszcze niedawno był człowiekiem, pilnując, by jej oczy zachowały ograniczoną ostrość widzenia. Pożałowała, że chciało się jej schodzić do kantyny po zleżałą kanapkę z serem. Z niepojętych dla niej przyczyn nikt nie obruszał się, gdy młodzi policjanci - mężczyźni - rzygali jak koty, skonfrontowani z ofiarami brutalnych mordów; spotykali się wręcz z powszechnym współczuciem. Natomiast pomimo obiegowej opinii, jakoby kobiety były do tego fachu za miękkie, ilekroć jakaś nieszczęsna policjantka zwymiotowała na skraju miejsca przestępstwa, natychmiast traciła cały respekt, na jaki zdołała wcześniej zapracować, i stawała się obiektem lekceważenia, tematem szatnianych dowcipów kowbojów z kantyny. I gdzie tu logika, pomyślała Carol z goryczą i mocniej zwarła szczęki. Wsunęła ręce do kieszeni trencza i zacisnęła pięści, aż czubki paznokci wbiły się jej w skórę dłoni.

Carol poczuła, że ktoś dotyka jej ramienia. Uszczęśliwiona, że ma pretekst, by oderwać wzrok od makabrycznego znaleziska, odwróciła się i ujrzała przed sobą pochyloną sylwetkę sierżanta. Don Merrick górował nad swoją szefową o dobre dwadzieścia centymetrów i odruchowo przyjmował dziwną, przygarbioną postawę, ilekroć z nią rozmawiał. Z początku to przyzwyczajenie wydawało się jej na tyle pocieszne, że opowiadała o nim, żeby zabawić znajomych przy drinkach albo podczas okazjonalnej kolacji, o ile jakimś cudem trafił się jej wolny wieczór. Teraz nawet tego nie zauważała.

– Cały teren zabezpieczony, pani inspektor – oświadczył; miękki akcent zdradzał chłopka z „Geordielandu"*. – Patolog już tu jedzie. Jak się to pani widzi? To czwarty z naszej serii?

– Lepiej żeby nadinspektor nie słyszał, co mówisz, Don – odpowiedziała pół żartem, pół serio. – Choć na moje oko to rzeczywiście numer cztery.

Carol rozejrzała się dookoła. Znajdowali się w rejonie Temple Fields, na podwórzu za pubem stworzonym z myślą o wybranej klienteli, którym trzy wieczory w tygodniu geje dzielili się z lesbijkami, oblegającymi barek na piętrze. Wbrew docinkom męskich szowinistów, z którymi pracowała i których pokonała w wyścigu do awansu, nie był to bar, do jakiego Carol miałaby powody kiedykolwiek zaglądać.

– A co z bramą?

– Łom – odparł Merrick lakonicznie. – Nie jest podłączona do systemu alarmowego.

Carol przyjrzała się wysokim kontenerom na śmieci i poustawianym jedna na drugiej skrzynkom z pustymi butelkami.

– Bo też i po co – mruknęła. – Co na to wszystko właściciel?

– Whalley właśnie z nim rozmawia, pani inspektor. Wygląda na to, że wczoraj zamknął lokal jakieś pół godziny przed północą. Za barami trzymają takie pojemniki na kółkach, specjalnie na puste butelki, i po zamknięciu po prostu wytacza-

---

*Zwyczajowa nazwa rejonu w północno-wschodniej Anglii (okolice Newcastle-upon-Tyme), której mieszkańcy mówią charakterystycznym dialektem (przyp. tłum.).

ją je na podwórze, o tam. - Merrick machnął ręką w stronę wejścia na tyłach budynku, gdzie stały trzy niebieskie, plastikowe pojemniki, każdy wielkości wózka w supermarkecie. - Nie sortują tego wcześniej jak po południu.

- I właśnie wtedy to znaleźli? - spytała Carol, wskazując kciukiem za siebie.

- Leżał na widoku. Wystawiony na gniew żywiołów, można by powiedzieć.

Carol skinęła głową. Przebiegł ją dreszcz, który nie miał nic wspólnego z przenikliwym, północno-wschodnim wiatrem. Postąpiła krok w stronę bramy.

- W porządalu. Na razie zostawmy to naszym technikom. Tutaj tylko zawadzamy.

Merrick podążył za nią; przejście było tak wąskie, że z trudem przecisnąłby się tędy samochód. Alejka była teraz odgrodzona taśmami policyjnymi i strzeżona na każdym końcu przez parę posterunkowych w mundurach.

- Dobrze zna swoje podwórko - powiedziała cicho, w zamyśleniu. Potem ruszyła dalej, zwrócona tyłem, nie odrywając oczu od metalowej bramy. Merrick kroczył za nią, czekając na dalsze rozkazy.

Na końcu alejki Carol zatrzymała się i okręciła na pięcie, żeby sprawdzić, co się dzieje na głównej ulicy. Naprzeciw wznosił się wysoki budynek, dawny magazyn, w którym obecnie mieściły się zakłady rzemieślnicze. W nocy zapewne świecił pustkami, ale w biały dzień niemal w każdym z okien widać było twarze ciekawskich, z ciepłego wnętrza śledzących rozgrywający się w dole dramat.

- Marne szanse, żeby ktoś wyglądał z okna w krytycznym momencie, jak myślę - mruknęła.

- Nawet jakby wyglądał, to i tak nie zwróciłby uwagi - odparł cynicznie Merrick. - Po fajrancie na tych ulicach ruch aż miło. W każdej bramie, w każdej alejce, w połowie zaparkowanych samochodów urzęduje para figo-fago i dmucha się, aż im dupska odpadają. Nic dziwnego, że szef nazywa Temple Fields Sodomą i Gomorą.

- A wiesz, że często się nad tym zastanawiałam? To dość jasne, co tam kręcili w Sodomie, ale jaki, twoim zdaniem, był grzech Gomory? - zagadnęła Carol.

Merrick wyglądał na zmieszanego. To w niepokojącym stopniu upodobniło go do labradora o smutnych ślepiach.

- Nie łapię - wykrztusił.

- Nieważne. Dziwię się, że pan Armtwhaite nie nasłał na nich obyczajówki i nie kazał wszystkich zgarnąć za obrazę moralności - zmieniła temat.

- Raz próbował, będzie jakie parę lat temu - zwierzył się Merrick w zaufaniu. - Skończyło się tym, że członkom Komisji Policji zagotowało się pod tyłkami. Żarł się z nimi, ale zagrozili mu interwencją Home Office. A że po całej tej szopce z trójcą z Holmwood wiedział, że nie może przeginać, bo u polityków ma przechlapane, to się wycofał. Co nie znaczy, że nie lubi wziąć tych tutaj w obroty, jak tylko trafi się okazja.

- No, tak. Oby tylko sympatyczny morderca z sąsiedztwa zostawił dla nas solidniejszy punkt zaczepienia niż ostatnim razem, bo ukochany pan komendant gotów wziąć w obroty kogoś innego. - Carol wyprostowała plecy. - Dobra, Don. Przejdź się raz, dwa po tutejszych lokalach, popukaj do drzwi. A wieczorem wszyscy gromadnie wylegniemy na ulice pogawędzić z klientami tego przybytku.

Zanim skończyła, zza policyjnej taśmy dobiegło ją wołanie:

- Inspektor Jordan? Penny Burgess z *The Sentinel Times*. Pani inspektor? Co tam macie ciekawego?

Carol przymknęła oczy. Radzenie sobie z bigoterią zwierzchników to jedna sprawa. Ale zapanowanie nad prasą bywa nieskończenie trudniejsze. Żałując, że nie została na podwórzu przy koszmarnie okaleczonych zwłokach, Carol zrobiła głęboki wdech i podeszła do taśmy.

- Niech się upewnię, czy dobrze zrozumiałem. Chcesz, żebym do was dołączył na czas dochodzenia w sprawie o te morderstwa, ale nie chcesz, żebym komukolwiek o tym fakcie wspominał? - W oczach Tony'ego malowało się rozbawienie, choć w gruncie rzeczy był wściekły, że policyjnej starszyźnie tak trudno uwierzyć, że ma do zaoferowania coś wartościowego.

Brandon westchnął. Tony mu niczego nie ułatwiał. Z drugiej strony, co w tym dziwnego?

– Chcę uniknąć jakichkolwiek przecieków do prasy o tym, że nam pomagasz. Moja jedyna szansa na oficjalne włączenie cię do śledztwa, to przekonanie komendanta, że nie spróbujesz cichaczem zająć miejsca jego i jego gliniarzy w świetle jupiterów.

– No i nie pójdzie fama, że Dereck Armthwaite, „Bicz Boży", zwraca się o pomoc do szamanów – dodał Tony; dziwna nuta w jego głosie zdradzała więcej, niżby sobie tego życzył.

Twarz Brandona wykrzywiła się w cynicznym uśmiechu. Dobrze wiedzieć, że mimo wszystko można wzburzyć tę gładką taflę.

– Skoro tak mówisz, Tony. Formalnie to kwestia operacyjna i właściwie nic mu do tego, dopóki nie zrobię czegoś sprzecznego z interesami policji i polityką Home Office. A tak się składa, że polityką naszej jednostki jest korzystać z pomocy fachowców, ilekroć to stosowne.

Tony parsknął śmiechem.

– Myślisz, że uzna mnie za „stosownego"?

– Myślę, że nie będzie chciał kolejnej konfrontacji z ministerstwem ani z Komisją Policji. Za półtora roku przechodzi na emeryturkę, a marzy mu się „sir" przed nazwiskiem.

Brandon nie wierzył, że to mówi. Nielojalność takiego kalibru nie zdarzyła mu się nawet w rozmowie ze ślubną małżonką, a co dopiero w obecności kompletnie obcego człowieka. Co ten Tony Hill ma w sobie, że tak łatwo się przed nim otworzyć? Widać w tych psychologicznych dyrdymałach coś jednak jest. Brandon pocieszył się myślą, że przynajmniej zaprzągł to „coś" w służbę sprawiedliwości.

– I co ty na to?

– Od kiedy zaczynam?

Z 3,5-CALOWEJ DYSKIETKI O NAZWIE: KOPIA_ZA-PASOWA.007; PLIK MIŁOŚĆ.002

Już za pierwszym razem było oczywiste, że całe przedsięwzięcie muszę obmyślić z większą pieczołowitością niż dyrektor teatru prapremierę sztuki. Początkowy etap przypominał cyzelowanie tego doświadczenia w myśli, póki nie upodobniło się do jasnego i promienistego snu, pojawiającego się za każdym zmrużeniem powiek. Kolejny polegał na sprawdzeniu, nie raz, ale dla pewności dwa razy, każdego niemal choreograficznego kroku, by uwagi nie uszedł żaden istotny szczegół, który mógłby zagrozić mojej wolności. Patrząc wstecz, widzę, że film, który powstał w moim umyśle, był równie przyjemny jak sam akt.

Pierwszym moim krokiem będzie znalezienie bezpiecznego miejsca, do którego go zabiorę, miejsca, gdzie mielibyśmy trochę intymności. Od razu skreślam swój dom. Dzień w dzień słucham obleśnych kłótni sąsiadów, szczekania ich histerycznego owczarka niemieckiego i irytującego dudnienia basu ich wieży grającej; ani mi się śni dzielić z nimi moją apoteozę. Ponadto mieszkam w segmencie, a w innych przy mojej ulicy mieszka nazbyt wielu ciekawskich, szpiegujących zza uchylonych zasłon. Bezpieczniej będzie, jeśli przybycie i zniknięcie Adama przebiegnie bez świadków.

Przez chwilę kusiło mnie, żeby wynająć garaż, ale pomysł ten upadł z podobnych powodów. W dodatku rozwiązanie to wydało mi się zbyt toporne, za bardzo przypominało banały ze świata telewizji i filmu. Marzyło mi się coś na miarę tego, co miało nastąpić. Nagle przypominam sobie o ciotce mojej matki. Doris i jej mąż Henry hodowali niegdyś owce wysoko na wrzosowiskach za Bradfield. Henry zmarł cztery lata temu. Doris przez pewien czas usiłowała sama radzić sobie z dobytkiem, ale w zeszłym roku, kiedy jej syn Ken zaprosił ją na przedłużone wakacje do swojej rodziny w Nowej Zelandii, sprzedała owce i spakowała manatki. Kevin napisał do mnie przed Bożym Narodzeniem, że matka przeszła lekki atak serca i w najbliższym czasie do kraju nie wróci.

Wieczorem, w pierwszej spokojnej chwili, wykręcam numer Kena. Wydaje się zaskoczony, słysząc mój głos w słuchawce, ale mówi tylko:

– Pewnie dzwonisz z pracy.

– Od wieków noszę się z zamiarem, żeby do ciebie zadzwonić – zapewniam. – Chcę się dowiedzieć, jak zdrowie cioteczki Doris. – Kiedy się rozmawia za pośrednictwem satelity, znacznie łatwiej jest o odpowiednio żarliwy ton głosu. Potem już tylko dbam o to, by w odpowiednich momentach wydawać stosowne pomruki, a Ken przynudza o stanie zdrowia matki, żony, trójki dzieciaków i stada owiec.

Po dziesięciu minutach mam tego powyżej uszu.

– Druga sprawa jest taka, Ken, że martwię się o dom – rzucam kłamstwo. – Stoi na całkowitym odludziu i ktoś powinien mieć na niego oko.

– Nie powiem, że nie masz racji – słyszę. – Jej prawnik miał się tym zająć, ale nie sądzę, żeby choć raz jego stopa postała na terenie farmy.

– Mogę się stąd wyrwać i sprawdzić, co i jak, jeśli chcesz. Teraz, kiedy znowu mieszkam w Bradfield, nie byłby to żaden kłopot.

– Naprawdę? Piekielny ciężar spadłby mi z serca, powiem ci szczerze. Między nami, nie jestem pewny, czy mama kiedykolwiek będzie czuła się na tyle dobrze, żeby się od nas wyprowadzić, a byłoby mi cholernie przykro myśleć, że coś złego dzieje się z naszym domem rodzinnym – mówi Ken rzewnie.

Byłoby mu cholernie przykro myśleć, że coś złego dzieje się z jego spadkiem, to chyba bliższe prawdy. Już ja Kena znam. Dziesięć dni później klucze trafiają do mojej kieszeni. W najbliższy wolny dzień funduję sobie krajoznawczą wycieczkę na stare śmieci, żeby porównać wspomnienia z rzeczywistością. Zryta koleinami droga do farmy Start Hill jest znacznie bardziej niż kiedyś zaniedbana i zarośnięta. Mój jeep z napędem na cztery koła rzęzi, ale jakoś pokonuje pięć kilometrów do najbliższej jednopasmówki. W odległości kilkunastu metrów od posępnej małej chałupy wyłączam silnik i nasłuchuję. Przenikliwy wiatr z położonych wyżej wrzosowisk szeleści nad zapuszczonymi żywopłotami, sporadycznie odzywają się ptaki. Ale odgłosów ludzkiej obecności nie słychać. Nic, nawet odległego warkotu samochodów.

Wysiadam z jeepa i rozglądam się. Jedna ściana owczarni zmieniła się w stertę gruzu, jakby trafiła między gigantyczne żarna, ale ku mojej radości nie widać nigdzie pamiątek po przypadkowych turystach: odpadków po piknikach, rdzewiejących puszek po piwie, pogniecionych gazet, papierosowych niedopałków, zużytych prezerwatyw. Wracam do budynku, otwieram drzwi i wchodzę do środka.

Wnętrze jest skromne; raptem dwa pokoiki na parterze, dwa na piętrze. Całość prezentuje się zupełnie inaczej niż przytulna farmerska chata, jaka zapisała się w mojej pamięci. Wszystkie ślady po domownikach – zdjęcia, ozdoby, miedzioryty przedstawiające konie, antyki – znikły, zapewne popakowane w skrzynie i oddane do przechowania: środek ostrożności bardzo typowy dla mieszkańców Yorkshire. W pewnym sensie sprawiło mi to ulgę – nie ma tu nic, co mogłoby ożywić wspomnienia, a tym samym przeszkodzić mi w zrobieniu tego, co konieczne. Dom na powrót stał się czystą tablicą, z której wymazano dawne upokorzenia, chwile wstydu i cały ból. Nic z mojej przeszłości nie czaiło się, by mnie zaskoczyć. Nie czuło się tu mojego dawnego „ja".

Przechodzę przez kuchnię do spiżarni. Półki są puste. Bóg jeden wie, co Doris zrobiła ze stłoczonymi rządkami dżemów, pikli i win domowej roboty. Może przesłała je statkiem do Nowej Zelandii, by uchronić się przed spożywaniem cudzoziemskich wiktuałów. Stoję w drzwiach i gapię się na podłogę. Czuję, jak na twarzy wykwita mi głupkowaty grymas ulgi. Pamięć mnie nie zawiodła. W podłodze jest drewniana klapa. Kucam i ciągnę za zardzewiałe żelazne kółko. Po kilku sekundach klapa unosi się ze zgrzytem zawiasów. Wdycham piwniczne powietrze z coraz głębszym przeświadczeniem, że bogowie mnie nie opuścili. Koniec z zamartwianiem się, że okaże się zawilgłe, cuchnące, zastałe. Jest chłodne i świeże – i ma lekko słodkawy zapach.

Zapalam gazową lampkę turystyczną i ostrożnie schodzę po kamiennych schodkach. W jej świetle ukazuje się spore pomieszczenie, na oko sześć na dziewięć metrów. Podłoga jest wyłożona podłużną kostką brukową, o jedną ze ścian, na całej długości, opiera się szeroka kamienna ława. Unoszę lampkę wyżej i oglądam solidne belki stropu. Sufit z listew i gipsu to jedyna rzecz, jaka wymaga naprawy. Bez trudu załatam go okładziną gipsową, z dwojakim pożytkiem: poza kwestiami estetycznymi, zapobiegnie przedostawaniu się światła przez klepki podłogowe do pomieszczenia nad piwnicą. Prostopadle do kamiennej ławki zamontowano prosty zlewozmywak. Przypominam sobie, że farma zaopatrywała się w wodę z własnego źródła. Kran się zaskorupił, kiedy jednak udało mi się go odkręcić, popłynął czysty i klarowny strumień. Koło schodków stoi stół warsztatowy o porysowanym blacie, z imadłami, zaciskami i narzędziami Harry'ego, w schludnym rządku na ścianie. Siadam na kamiennej ławce i obejmuję się ramionami. Kilka godzin wystarczy, by zmienić piwnicę w loch wspanialszy od wszystkiego, co kiedykolwiek zdołali wymyślić programiści gier. Poza tym nie muszę się martwić o stworzenie defaultowego „słabego punktu", dzięki któremu moi łowcy przygód mogliby zbiec.

Wypadom na farmę poświęcam każdą wolną chwilę. Z końcem tygodnia finalizuję prace remontowe. Nic wymyślnego: założenie kłódki i wewnętrznych bolców przy klapie. Oprócz tego naprawa sufitu, parokrotne pobielenie ścian; w końcu zależy mi na tym, żeby w pomieszczeniu było możliwie jasno, bo to pozwoli na uzyskanie lepszej jakości nagrania. Kropką nad i jest podpięcie rozgałęźnika do głównego obwodu – i w mojej piwniczne jest światło.

Dużo czasu i namysłu kosztowało mnie ustalenie, w jaki sposób ukarać Adama. Koniec końców padło na to, co Francuzi określają mianem chevalet, Hiszpanie escalero, Niemcy ladder, Włosi vegla, Polacy madejowego łoża, a poetyczni Anglicy Córką diuka Exeteru. Tę ostatnią, eufemistyczną nazwę łoże sprawiedliwości zawdzięcza Johnowi Hollandowi, diukowi Exeteru i earlowi Huntingdon. Po obfitującej w sukcesy karierze wojskowej diuk został konstablem Tower of London i mniej więcej około 1420 roku sprowadził to wyborne narzędzie perswazji na angielskie wybrzeże.

Pierwotna wersja składała się z prostokątnej ramy umieszczonej na czterech podpórkach. Więźnia umieszczano pod nią i przywiązywano za nadgarstki i kostki. Na każdym rogu jeden sznur przechodził przez kołowrót obsługiwany przez strażnika za pomocą poręcznych lewarków. To prymitywne i uciążliwe w obsłudze urządzenie stało się z biegiem lat bardziej wyrafinowane, a w końcu upodobniło się do czegoś w rodzaju stołu lub poziomo położonej drabiny, wzbogaconej w części środkowej o kolczasty walec; za każdym poruszeniem torturowanego, kolce darły mu skórę na plecach. Wprowadzono także systemy przekładni, które połączyły wszystkie cztery sznury, by machinę można było obsługiwać w pojedynkę.

Na szczęście ci, którzy przez wieki stosowali to narzędzie kary, pozostawili szczegółowe opisy i rysunki. Bardzo przydały mi się także zdjęcia z przewodnika po muzeum; dzięki programowi CAD udało mi się zaprojektować własny wariant łoża sprawiedliwości. Mechanizm powstał z elementów rozebranej na części staroświeckiej wyżymaczki, wyszperanej w sklepie z antykami. Potem wystarczyło dokupić na aukcji stary stół jadalniany z mahoniu. Po przetransportowaniu go na farmę i umieszczeniu w kuchni przyszła pora na odpiłowanie masywnych nóg, praca mozolna, lecz towarzyszył jej podziw dla mistrzowskiego rzemiosła, utrwalonego w litym drewnie. Zbudowanie łoża zajęło mi kilka dni. Potem pozostawało jedynie moje dzieło wypróbować.

2

„I niechaj wyobrazi sobie teraz czytelnik oszalałą zupełnie zgrozę, gdy w pełnej wyczekiwania ciszy, w której pilnowano tylko i wyglądano, aż nieznane ramię zada cios ponownie, nie wierząc przy tym, by na zuchwałość podobnego czynu można się było zdobyć już teraz - gdy więc oczy wszystkich pilnie baczyły - [...] zdarzył się drugi wypadek o takim samym tajemniczym charakterze, takie samo nie oszczędzające nikogo morderstwo zostało popełnione dokładnie w tejże dzielnicy".

(przełożył Mirosław Bielewicz)

Ledwie Brandon uruchomił silnik, rozdzwoniła się komórka wsunięta w uchwyt na desce rozdzielczej. Chwycił aparat i rzucił zwięźle:

- Brandon.

Przytłumiony, komputerowo wygenerowany głos oznajmił:

- Masz nowe wiadomości. Aby je odsłuchać, wybierz tonowo numer 121. Masz nowe wiadomości...

Brandon nacisnął kolejno trzy klawisze i ponownie przycisnął telefon do ucha. Tym razem Tony nie słyszał komunikatu. Po chwili Brandon wybrał inny numer.

- Moja sekretarka - wyjaśnił sucho. - Przepraszam za to... Halo, Martina? Tu John. Szukałaś mnie?

Po kilku sekundach Brandon zacisnął powieki, jakby go coś rozbolało.

- Gdzie? - spytał głucho. - OK, przyjąłem. Będę tam w ciągu pół godziny. Kto się tym zajmuje? Świetnie, dzięki, Martina. - Brandon otworzył oczy i przerwał połączenie. Ostrożnie odłożył komórkę na miejsce i zwrócił się przodem do Tony'ego. -

Pytałeś, od kiedy możesz zacząć? Co powiesz na to, żeby od zaraz?

– Kolejne zwłoki? – spytał Tony.

– Kolejne – potwierdził Brandon ponuro, poprawiając się za kierownicą, i energicznie wrzucił bieg. – Jak się zapatrujesz na oględziny miejsca zbrodni?

Tony wzruszył ramionami.

– Pewnie zwrócę lunch, ale i tak traktuję to jak nieoczekiwaną premię, jeśli w ogóle uda mi się rozpocząć oględziny we względnie godziwym stanie.

– Nie ma nic godziwego w stanie, w jakim to chore bydlę ich zostawia – wycedził Brandon, wjeżdżając na boczny pas ekspresówki. Wskazówka doszła do dziewięćdziesięciu pięciu mil na godzinę, nim przestał dociskać pedał gazu.

– Wrócił do Temple Fields? – spytał Tony.

Zupełnie zaskoczony Brandon rzucił mu zdawkowe spojrzenie; Tony patrzył przed siebie, marszcząc ciemne brwi.

– Skąd wiesz?

Było to pytanie, na które Tony wolał nie odpowiadać.

– Nazwij to przeczuciem – powiedział, żeby zyskać na czasie. – Myślę, że ostatnim razem bał się, że w Temple Fields może się zrobić trochę za gorąco. Porzucenie ciała trzeciej ofiary w Carlton Park mogło to zmienić. Policja przestała węszyć, możliwe, że osłabła także czujność mieszkańców. Ale on lubi Temple Fields. Albo dlatego, że zna tę okolicę od podszewki, albo też odgrywa ona ważną rolę w jego wyobraźni. A może ma dla niego określoną wymowę symboliczną – Tony myślał głośno.

– Zawsze wyjeżdżasz z tuzinem najrozmaitszych hipotez, kiedy ktoś podrzuci ci suchy fakt? – mruknął Brandon, migając światłami na bmw, które niechętnie rezygnowało z królowania na najszybszym pasie. – Zjedź, łajzo, zanim napuszczę na ciebie drogówkę – warknął ze złością.

– Staram się – stwierdził Tony. – Właśnie tak pracuję. Dowody stopniowo zmuszają mnie do wykluczania początkowych hipotez. – Umilkł, gdy wyobraził sobie, co zastanie na miejscu zbrodni.

Miał pustkę w żołądku, mięśnie mu drgały jak muzykowi tuż przed koncertem. Dotąd oglądał jedynie pochodzące z drugiej ręki, złagodzone obrazy miejsc przestępstw. Nieważne, jak dobrzy byli fotograf i technicy kryminalistyczni, zawsze była to interpretacja cudzej wizji. Tym razem miał jak nigdy zbliżyć się do mordercy. Dla człowieka, który od najmłodszych lat krył się za tarczą wyuczonych zachowań, przeniknięcie za fasady, za którymi krył się zabójca, naprawdę było grą wartą świeczki.

Carol powtórzyła:
– Bez komentarza.
Po raz jedenasty. Usta Penny Burgess zacisnęły się, oczy nerwowo omiatały miejsce zbrodni. Dziennikarka rozpaczliwie rozglądała się teraz za kimś, z kogo dałoby się wycisnąć więcej informacji niż z Carol. „Popeye" Cross może i był męską szowinistyczną świnią, ale w przerwach między typowymi dla niego, pobłażliwymi uwagami zdarzało mu się sypnąć także i paroma wartymi zapamiętania, pikantnymi komentarzami, świetnie nadającymi się dla prasy. Nie wypatrzywszy ofiary, głęboko zawiedziona, ponownie zwróciła się do Carol.
– I gdzie się podziała kobieca solidarność, Carol? – spytała z wyrzutem. – Śmiało, niechże nam pani coś podrzuci. Z pewnością znajdzie się coś, co może mi pani powiedzieć oprócz tego „bez komentarza".
– Przykro mi, pani Burgess. Ostatnią rzeczą, jakiej pani czytelnikom trzeba, są niepoparte faktami, naprędce formułowane wnioski. Jak tylko będę znała jakieś konkrety, obiecuję, że pani dowie się pierwsza. – Carol złagodziła te słowa uśmiechem.
Chciała odejść, ale Penny uczepiła się rękawa jej płaszcza.
– Nieoficjalnie...? – błagała. – Żebym wiedziała, czego się trzymać? Zanim napiszę coś, przez co wyjdę na kretynkę? Carol, nie musi mi pani mówić, jak to jest. Pracuję wśród facetów, którzy tylko czekają, żeby mi się noga podwinęła.
Carol westchnęła. Trudno było się oprzeć tej logice. Jedynie myśl o tym, jak w pokoju sztabowym zinterpretowałby

przesadną wylewność Tom Cross, kazała jej trzymać język za zębami.

– Nie mogę – wyznała szczerze. – Tak czy inaczej, jeśli o mnie chodzi, to jak dotąd radzi sobie pani całkiem nieźle. – Kiedy wypowiadała te słowa, zza rogu wyłonił się znajomy range rover. – O cholera – zaklęła i wyrwała się dziennikarce.

Jeszcze tego jej do szczęścia brakowało, żeby John Brandon uznał, że to Carol jest źródłem przecieków, które pomogły *The Sentinel Times* wywołać zbiorową histerię wokół seryjnego mordercy. Carol energicznie ruszyła w kierunku samochodu Brandona w momencie, gdy auto zatrzymało się z piskiem opon; kierowca czekał na podniesienie taśm, broniących wstępu gapiom. Przystanęła, patrząc, jak posterunkowi popisują się przed naczelnikiem swoją prężnością. Range rover przechylił się do przodu i wtedy Carol zauważyła nieznajomego, siedzącego na miejscu dla pasażera. Kiedy Brandon i jego towarzysz wysiedli, otaksowała Tony'ego spojrzeniem, powierzając jego cechy szczególne bankowi pamięci, w którego prowadzeniu zdążyła się wyćwiczyć. Nigdy nie wiadomo, kiedy trzeba się będzie przymierzyć do portretu pamięciowego. Około stu siedemdziesięciu centymetrów wzrostu, szerokie ramiona, wąskie biodra, proporcjonalne nogi, krótkie ciemne włosy, przedziałek z boku, ciemne oczy, chyba niebieskie, pod oczami cienie, jasna karnacja, przeciętny nos, szerokie usta o dolnej wardze pełniejszej od górnej. Ale ubrany tak, że strach patrzeć. Niemodny garnitur, starszy nawet od tego, w którym paradował Brandon. Choć raczej nie znoszony. Wniosek: oto człowiek, dla którego garnitur nie jest codziennym strojem roboczym. Nie szasta pieniędzmi, więc garnitur będzie w użyciu, dopóki całkiem się nie zedrze. Wniosek drugi: najpewniej nie jest ani żonaty, ani w stałym związku. Kobieta, której partner potrzebowałby garnituru jedynie okazjonalnie, wymogłaby na nim kupno czegoś ponadczasowego i klasycznego, co po kilku latach nie wyglądałoby niedorzecznie.

Kiedy to pomyślała, Brandon już stał obok niej i gestem przyzywał ciemnowłosego mężczyznę.

- Carol - odezwał się powitalnym tonem.
- Tak, panie Brandon - odparła.
- Tony, chciałbym, żebyś poznał inspektor Carol Jordan. Carol, oto doktor Tony Hill z Home Office.

Tony uśmiechnął się i wyciągnął rękę. Niebrzydki uśmiech, który Carol dołączyła do zbioru jego znaków szczególnych, podając mu swoją. Uścisk dłoni też niczego sobie. Niespocony, stanowczy, bez typowo męskiej potrzeby miażdżenia kości, jaką przejawiało tak wielu funkcjonariuszy starszych stopniem.
- Bardzo mi miło panią poznać - powiedział.

Zaskakująco niski głos i jakby lekki akcent z północy. Carol starała się nie uśmiechać zbyt szeroko.
- Miło mi - odwzajemniła powitalną formułkę.
- Carol szefuje jednej z ekip dochodzeniowych, które pracują nad tymi zabójstwami. Zajmujesz się numerem dwa, jeśli się nie mylę, Carol? - spytał Brandon, z góry znając odpowiedź.
- Tak, sir. Paulem Gibbsem.
- Tony odpowiada za badania nad pewnym projektem pod patronatem Home Office. Chodzi o powołanie ogólnokrajowej jednostki do spraw profilowania kryminalnego. Poprosiłem, żeby rzucił okiem na te morderstwa, przekonał się, czy może nam udzielić jakichś wskazówek. - Brandon świdrował Carol wzrokiem; chciał się upewnić, że zrozumiała, że powinna też czytać między wierszami.
- Byłabym wdzięczna za wszelką pomoc, jakiej doktor Hill zechciałby nam udzielić, sir. Wprawdzie tylko zerknęłam na miejsce zbrodni, ale nie sądzę, żebyśmy znaleźli solidniejszy punkt zaczepienia niż we wcześniejszych przypadkach. - Carol zasygnalizowała, że aluzja została wychwycona.

Oboje balansowali na tej samej cienkiej linie, choć znajdowali się na jej przeciwnych końcach. Brandon nie mógł publicznie podważać operacyjnej władzy Toma Crossa, Carol natomiast, o ile chciała wieść znośną egzystencję w policji miasta Bradfield, nie mogła otwarcie przeciwstawiać się bezpośredniemu zwierzchnikowi, nawet jeśli naczelnik wydziału ją popierał.
- Zerknijmy na nie wszyscy - zaproponował Brandon. -

Szczegóły możesz mi zreferować w drodze. A więc, co tu mamy?

Carol ruszyła pierwsza.

- Jest na podwórzu za pubem. Miejsce odnalezienia zwłok w oczywisty sposób nie jest miejscem zgonu. Ani śladu krwi. Biały mężczyzna przed trzydziestką, nagi, o nieustalonych personaliach. Wydaje się, że był przed śmiercią torturowany. Oba ramiona wyglądają na przemieszczone w stawach, biodra i kolana przypuszczalnie też. Na skórze głowy ślady po wyrwanych kępkach włosów. Leży na brzuchu, więc nie mogliśmy w pełni określić skali obrażeń. Gdybym miała zgadywać, powiedziałabym, że przyczyną śmierci była głęboka rana cięta gardła. Ciało najwyraźniej zostało umyte, zanim sprawca je tu podrzucił. - Carol zakończyła tę głuchą recytację przy bramie na podwórze. Obejrzała się na Tony'ego. Jedynym efektem, jaki wywarła, było nieznaczne zaciśnięcie się jego ust. - Jest pan gotowy? - spytała.

Kiwnął głową i zrobił głęboki wdech.

- Bardziej już nie będę - mruknął.

- Proszę, trzymaj się z tej strony taśm, Tony - dodał Brandon. - Technicy i tak będą mieli pełne ręce roboty i nie trzeba, żebyśmy nasiali im śladów.

Carol otworzyła bramę i puściła ich przodem. Jeżeli Tony łudził się, że jej słowa przygotowały go na to, co miał zobaczyć, to jedno spojrzenie uświadomiło mu, że grubo się mylił. Widok był groteskowy. Makabryczne wrażenie potęgował jeszcze nienaturalny brak krwi. Rozum natychmiast podpowiadał, że tak zdruzgotane ciało powinno być wyspą w jeziorze skrzepłej krwi, przypominać kostkę lodu w szklance „krwawej mary". Nigdy dotąd nie widział tak czystego nieboszczyka poza murami zakładu pogrzebowego. Zamiast spoczywać w spokojnej pozie, niczym posąg z marmuru, to ciało o rozrzuconych, wiotkich członkach było karykaturą ludzkiej sylwetki, pozbawioną stawów marionetką, znieruchomiałą tam, gdzie upadła w chwili przecięcia sznurków.

Kiedy obaj mężczyźni wkroczyli na podwórze, policyjny

fotograf przestał pstrykać zdjęcia i, rozpoznając Brandona, skinął głową.

– W porządku, Harry – mruknął Brandon, pozornie nieporuszony koszmarnym widokiem. Nikt nie widział kurczowo zaciśniętych pięści, ukrytych w kieszeniach impregnowanej kurtki.

– Zrobiłem już wszystko w dalekim i średnim planie, panie Brandon. Zostały mi same zbliżenia – wyjaśnił fotograf. – Jest sporo ran i sińców; nie chcę niczego przegapić.

– Tak trzymać – pochwalił Brandon.

Carol wtrąciła zza jego pleców:

– Harry, jak już skończysz, strzelisz dla mnie fotki wszystkich samochodów zaparkowanych w najbliższej okolicy?

Fotograf uniósł brwi.

– Wszystkich?

– Wszystkich – potwierdziła Carol.

– Dobre rozumowanie, Carol – podchwycił Brandon, nim skrzywiony fotograf zdążył dorzucić swoje trzy grosze. – Zawsze jest szansa, choć nikła, że nasz chłoptaś opuścił miejsce zbrodni pieszo albo samochodem ofiary. Swój mógł zaparkować gdzieś tutaj, żeby wrócić po niego później. A jak przychodzi do mowy obrońców, to ze zdjęciami zawsze trochę trudniej im się spierać niż z zapiskami w notesie kogoś z drogówki.

Fotograf sapnął głośno i ponownie zwrócił się w stronę zwłok. Ta krótka wymiana zdań dała Tony'emu czas na opanowanie rewolucji w żołądku. Postąpił krok w kierunku ciała, równocześnie zaś podjął pierwszą, trudną próbę zrozumienia umysłu, którego bawiło zmienienie żywego człowieka w ochłap tkanki.

– W co ty grasz? – pytał w myśli. – Co to dla ciebie znaczy? Jak to okaleczone ciało przekłada się na twoje żądze? Pomyśleć tylko, że miałem się za speca od kontrolowania sytuacji. Z ciebie to dopiero numer, co? Naprawdę wyjątkowy. Istny maniak na punkcie kontrolowania innych, maniak nad maniakami. Będziesz jednym z tych, o których pisze się książki. Witaj u progu sławy.

Raptem Tony uświadomił sobie, że niebezpiecznie zbliża się

do uczucia podziwu dla umysłu niebywale złożonego, a przy tym wynaturzonego, i zmusił się do skupienia na makabrycznych konkretach. Głęboka, ziejąca rana szyi prawie tego człowieka zdekapitowała: głowę miał przekrzywioną, niczym na zawiasach trzymała się karku na krwawym strzępie skóry. Tony starał się oddychać głęboko.

– W *The Sentinel Times* pisano, że wszystkie ofiary zmarły wskutek poderżnięcia gardła. Czy to się zgadza?

– Owszem – potwierdziła Carol. – Wszyscy byli przed śmiercią torturowani, ale za każdym razem to właśnie rana gardła stanowiła bezpośrednią przyczynę zgonu.

– Zawsze są takie głębokie?

Carol z powątpiewaniem potrząsnęła głową.

– Pełną wiedzę mam jedynie na temat drugiego przypadku, ale daleko mu było do takiej jatki. Ale widziałam zdjęcia dwóch poprzednich ofiar i ostatnia wyglądała prawie tak paskudnie jak ten tutaj.

Dzięki Bogu za choć jeden podręcznikowy objaw, pomyślał Tony. Cofnął się o parę kroków i zlustrował podwórze. Gdyby nie zwłoki, nic nie odróżniałoby go od podwórzy za każdym innym pubem. Skrzynki pustych butelek, ustawione jedna na drugiej, opierały się o ściany, pokrywy na dużych przemysłowych pojemnikach na śmiecie, wyposażonych w kółka, były szczelnie zamknięte. Niczego oczywistego nie zabrano, niczego oczywistego nie pozostawiono, jedynie to zmasakrowane ciało.

Brandon chrząknął.

– Ehem, wygląda mi na to, że wszystko jest pod kontrolą, Carol. Lepiej pójdę pomówić z dziennikarzami. Widziałem, jak Penny Burgess próbowała urwać ci rękaw od płaszcza, jak tu podjeżdżałem. Bez wątpienia tymczasem pojawiła się tu reszta sfory. Do zobaczenia później w kwaterze głównej. Wpadnij do mojego gabinetu. Chcę z tobą pomówić o roli doktora Hilla. Tony, zostawiam cię w dobrych rękach, pod opieką Carol. Jak już będzie po wszystkim, może zaaranżujesz sesyjkę z nią, żeby miała okazję przejrzeć wszystkie akta.

Tony skinął głową.

48

- Dobra myśl. Dzięki, John.

- Będziemy w kontakcie. I jeszcze raz dziękuję. - Zaraz potem Brandon się zmył, starannie zamykając za sobą bramę.

- A więc jest pan specem od psychologicznych portretów przestępców? - zagadnęła Carol.

- Staram się, jak mogę - odpowiedział ostrożnie.

- Chwała Bogu, że miłościwie nam panujący w końcu się opamiętali - stwierdziła sucho. - Zaczynałam myśleć, że nigdy nie przejrzą na oczy i nie przyznają, że mamy do czynienia z seryjnym zabójcą.

- Zatem jest nas dwoje - podchwycił Tony. - Podejrzenia miałem od czasu pierwszego zabójstwa, drugie dało mi pewność.

- Zakładam, że nikogo pan o tym nie informował, żeby nie pchać się na afisz - skwitowała Carol ze znużeniem. - Cholerna biurokracja.

- To delikatna sprawa. Nawet po powołaniu ogólnokrajowej jednostki, jak myślę, w dalszym ciągu będziemy zmuszeni czekać, aż ktoś zwróci się do nas o pomoc.

Odpowiedź Carol zagłuszył przeraźliwy zgrzyt otwieranej bramy. Oboje odwrócili się jak na komendę. W bramie stał jeden z najpotężniej zbudowanych mężczyzn, jakich Tony kiedykolwiek widział. Masywna muskulatura przywodziła na myśl zawodnika rugby, który ukończywszy karierę sportową przestał dbać o kondycję i dorobił się piwnego brzuszyska, które o dobrych kilkanaście centymetrów poprzedzało szeroką klatę. Do tego mętne, bure oczka, wyzierające z mięsistej twarzy w nieustającym wytrzeszczu, który stał się źródłem przezwiska nadinspektora Toma Crossa. Usta - zupełnie jak u jego komiksowego imiennika, marynarza Popeye'a - były nieproporcjonalnie małe i sercowate jak u kupidynka. Mysie włosy zaczesane na łysinkę przypominały mnisią tonsurę.

- Sir - powitała zjawę Carol.

Wypłowiałe brwi ściągnęły się w grymasie niezadowolenia. Sądząc z głębokości zmarszczek, które pokazały się na czole „Wyłupiastookiego", był to grymas nierzadko goszczący na jego obliczu.

- Coś pan, do ciężkiej cholery, za jeden? - spytał napastliwie, kiwając serdelowatym palcem w kierunku Tony'ego. Tony odruchowo odnotował w pamięci obgryziony paznokieć. Zanim zdążył odpowiedzieć, Carol wyjaśniła lekkim tonem:

– Sir, to doktor Tony Hill z Home Office. Realizuje program badawczy, w następstwie którego powołana zostanie ogólnokrajowa jednostka do spraw profilowania kryminalnego. Doktorze Hill, pozwoli pan, że przedstawię nadinspektora Toma Crossa. Dowodzi ogółem dochodzeń w sprawach o zabójstwa.

Drugą połowę wypowiedzi Carol zagłuszyła tubalna odpowiedź Crossa.

– Co ty, u diabła, knujesz, kobieto? To miejsce przestępstwa. Morderstwa. Nie można pozwalać, żeby pierwszy lepszy Tom, Dick czy inny gryzipiórek z Home Office wałęsał się tu jak krowa po pastwisku.

Carol przymknęła oczy na ułamek sekundy dłużej niż przy zwykłym mrugnięciu. Potem odezwała się wesolutkim tonem, który wprawił Tony'ego w osłupienie.

– Sir, pan Brandon przywiózł doktora Hilla ze sobą. Naczelnik jest zdania, że doktor Hill może nam pomóc w stworzeniu profilu psychologicznego sprawcy tych zabójstw.

– Jak to, sprawcy? Ile razy mam się powtarzać? W Bradfield nie ma żadnego seryjnego zabójcy. Jest tylko obleśna banda pederastów morderców, którzy naśladują jeden drugiego. Wiesz, na czym polega problem z takimi ekspresowo awansowanymi? – spytał Cross agresywnie, pochylając się nad Carol.

– Jestem pewna, że pan zaraz mi to powie, sir – odpowiedziała ze słodyczą Carol.

Crossa zatkało. Skonsternowana mina upodabniała go do psa, który słyszy brzęczenie muchy, ale nie może jej dojrzeć. Potem wypalił gniewnie:

– Wszystkim wam marzy się chwała. Chcecie splendoru, nagłówków na pierwszych stronach gazet. Nie chce się wam zakasać rękawów. Dla was harówa przy trzech śledztwach to zawracanie dupy, więc próbujecie sklecić z nich jedno, żeby przy najmniejszym wysiłku cieszyć się największym zainteresowaniem prasy. No a ty... – dodał, zwracając się w stronę Tony'ego. – Możesz raz, dwa zbierać się z mojego miejsca przestępstwa. Ostatnie, czego nam trzeba, to liberały o krwawiących sercach, co to będą nam opowiadać, że szukamy jakiegoś biednego sukinsyna, któremu niedobrzy rodzice nie chcieli kupić pluszowego misia, jak był mały. Złoczyńców łapie się nie dzięki psychologicznym dyrdymałom, ale rzetelnej policyjnej robocie.

Tony uśmiechnął się.

– Zgadzam się z panem w całej rozciągłości, panie nadinspektrze. Niemniej jednak pan naczelnik najwyraźniej jest zdania, że mógłbym pomóc wam w ukierunkowaniu tej waszej policyjnej pracy w taki sposób, aby stała się bardziej skuteczna.

Z Crossa był za stary wróbel, żeby złapać się na taką grzecznościową formułkę.

– Dowodzę najskuteczniejszą ekipą w tej jednostce – odparował. – Nie potrzebuję, żeby jakiś cholerny mądrala z „dr" przed nazwiskiem pouczał mnie, jak tropić pedałów o morderczych skłonnościach. – Łypnął na Carol. – Odprowadzi pani *doktora* Hilla na zewnątrz, pani inspektor. – Powiedział to tak, by jej stopień zabrzmiał jak obelga. – A jak się z tym pani upora, będzie pani mogła tu wrócić i pokrótce zreferować mi, co wiemy o naszym najnowszym mordercy.

– Doskonale, sir. Och, nawiasem mówiąc, może zechciałby pan dołączyć do pana naczelnika. Zwołał właśnie zaimprowizowaną konferencję prasową przed wejściem do pubu. – Tym razem słodycz była zaprawiona jadem.

Cross zerknął jeszcze w kierunku nieosłoniętych niczym zwłok leżących na podwórzu.

– No, *ten* to się chyba nigdzie nie wybiera, prawda? – rzucił błyskotliwie. – Słusznie, pani inspektor, będę oczekiwał raportu, jak tylko skończę z naczelnikiem i z prasą.

Obrócił się na pięcie i oddalił się równie energicznie i hałaśliwie, jak się pojawił.

Carol delikatnie ujęła Tony'ego za łokieć i popchnęła go w stronę bramy.

– Szkoda byłoby to przegapić – szepnęła mu do ucha, podążając za Crossem.

Pół tuzina dziennikarzy dołączyło do Penny Burgess, tuż za żółtymi plastykowymi taśmami. John Brandon stał po drugiej stronie, zwrócony twarzą do wyczekującego tłumu. Nim Carol i Tony doszli na miejsce, usłyszeli, jak prasa zarzuca naczelnika mnóstwem pytań. Zatrzymali się w pewnej odległości i czekali, patrząc, jak Cross przepycha się obok posterunkowego w mundurze, warującego u boku Brandona, i wrzeszczy:

– Nie wszyscy na raz, panie i panowie. Każdy zostanie wysłuchany.

Brandon wykonał półobrót w kierunku Crossa; jego twarz była kompletnie pozbawiona wyrazu.

– Dziękuję panu, panie nadinspektorze Cross.

– Czy w Bradfield na wolności przebywa seryjny morderca? – spytała Penny Burgess; jej głos przeciął zapadłą na mgnienie ciszę jak krakanie kruka.

– Nie ma powodów, by przypuszczać... – zaczął Cross.

Brandon przerwał mu lodowato:

– Zostaw to mnie, Tom. Jak mówiłem przed chwilą, dziś po południu znaleźliśmy zwłoki białego mężczyzny w wieku około trzydziestu lat lub niewiele po trzydziestce. Jest za wcześnie na stuprocentową pewność, ale pewne szczegóły wskazują, że to zabójstwo może mieć związek z trzema wcześniejszymi morderstwami, które popełniono w Bradfield w ciągu ostatnich dziewięciu miesięcy.

– Czy to znaczy, że przypisujecie te morderstwa jednemu seryjnemu zabójcy? – dopytywał się młody dziennikarz, wysuwając przed siebie kasetowy dyktafon, jakby dzierżył w ręce bat.

– Bierzemy pod uwagę możliwość, że ten sam sprawca odpowiada za wszystkie cztery przestępstwa, owszem.

Cross wyglądał tak, jakby chciał komuś przyłożyć. Ręce opuszczone wzdłuż boków były kurczowo zaciśnięte, brwi zjechały mu tak nisko, że musiały ograniczać pole widzenia.

– Choć na tym etapie to tylko jedna z wielu hipotez – obwieścił zaczepnym tonem.

Penny znowu ubiegła konkurencję.

- W jaki sposób zmieni ona podejście policji do tego śledztwa, panie Brandon?

- Z dniem dzisiejszym łączymy trzy wcześniejsze dochodzenia w sprawach o morderstwo z najnowszą sprawą. Poprowadzi je duża jednostka operacyjna do spraw ciężkich przestępstw kryminalnych. Zamierzamy w pełni korzystać z możliwości systemu komputerowego Home Office, pozwalającego na analizę dostępnych danych, i jesteśmy przeświadczeni, że przy jego pomocy zdołamy odkryć nowe tropy - oznajmił Brandon z żałobną miną kłócącą się z optymizmem, który rozbrzmiewał w jego głosie.

Równało się to oficjalnemu wytoczeniu najcięższych dział: z systemu o nazwie „Home Office Large Major Enquiry System", w skrócie „HOLMES", ułatwiającego zarządzanie bazami danych uzyskanych z poszczególnych dochodzeń i umożliwiającego ich koordynowanie na potrzeby jednego zbiorczego śledztwa, korzystano jedynie w najpoważniejszych sprawach.

- No, dajcie mu popalić - mruknęła pod nosem Carol.

- Czy to aby nie spóźniona decyzja? Czy sprawca nie dostał forów tylko dlatego, że wbrew faktom upieraliście się, że żadnego seryjnego zabójcy nie ma? - rozkrzyczał się gniewnie jakiś głos z tyłu grupy dziennikarzy.

Brandon wyprostował się i zrobił surową minę.

- Jesteśmy policjantami, a nie jasnowidzami. Nie uprzedzamy faktów teoriami. Niech państwo będą spokojni, zrobimy wszystko, co w naszej mocy, żeby zabójca stanął przed sądem najszybciej, jak to tylko w ludzkiej mocy.

- Będziecie korzystać z pomocy profilera kryminalnego? - znowu Penny Burgess. Tom Cross rzucił Tony'emu spojrzenie szczerej nienawiści.

Brandon uśmiechnął się.

- Nie mam już nic do dodania, panie i panowie. Nasz rzecznik złoży później stosowne oświadczenie. A teraz, jeśli państwo wybaczą, praca czeka.

Z dobrotliwą miną skłonił się w stronę dziennikarzy, stanowczym gestem ujmując Crossa za łokieć. Obaj tyłem wycofali się w głąb uliczki, Cross wściekły i sztywno wyprostowany, jakby kij połknął. Carol i Tony poszli za nimi, trzymając się w odległości kilku kroków. Dogonił ich okrzyk Penny Burgess:

– Pani inspektor Jordan? Widzę nową twarz. Któż to taki?

– Boże, nic się przed tą babą nie ukryje – żachnęła się Carol.

– W takim razie lepiej, żebym nie pchał się jej przed oczy – zaniepokoił się Tony. – Wzmianka o mnie w reportażu na pierwszej stronie gazety mogłaby się skończyć poważnym uszczerbkiem na zdrowiu.

Carol zamarła w pół kroku.

– Chce pan powiedzieć, że zabójca mógłby obrać sobie pana za cel?

Tony wyszczerzył zęby w szerokim uśmiechu.

– Nie. Chcę przez to powiedzieć, że nadinspektorowi groziłby atak apopleksji.

Carol aż korciło, żeby odpowiedzieć mu uśmiechem. Ten człowiek w niczym nie przypominał żadnego z urzędasów z Home Office, z którymi się dotąd użerała. Nie dość, że wyraźnie obdarzony był poczuciem humoru, to jeszcze nie miał nic przeciwko szczypcie złośliwości. Ponadto niewątpliwie zaliczał się do kategorii mężczyzn, których jej przyjaciółka Lucy określała mianem „niełatwych do rozgryzienia". Wszelkie znaki na niebie i ziemi wskazywały, że to pierwszy interesujący przedstawiciel płci przeciwnej, jakiego poznała, odkąd wstąpiła do służby.

– Może i ma pan rację – przytaknęła, przezornie nadając głosowi na tyle neutralne brzmienie, by nikt nie mógł obrócić tych słów przeciwko niej.

Dotarli na róg w samą porę, by zobaczyć, jak Tom Cross naciera na Brandona.

– Z całym szacunkiem sir, właśnie zakwestionował pan wszystko, co powtarzałem tym gnojkom, od kiedy ten obwoźny cyrk ruszył w trasę.

– Czas inaczej podejść do sprawy, Tom – odpowiedział Brandon zimno.

– To czemu najpierw nie omówił pan tego ze mną, zamiast

robić ze mnie palanta na oczach tych kmiotków? O moich ludziach nie wspomnę.

Cross wojowniczo nachylił się w stronę zwierzchnika. Rękę nadal miał uniesioną, palec wskazujący wyprostowany, jakby zamierzał dźgnąć nim Brandona w pierś. Ale zdroworozsądkowe karierowiczostwo przeważyło i ręka znieruchomiała wzdłuż boku.

– Uważasz, że gdybym cię zaprosił do swojego gabinetu i zasugerował zmianę strategii, to bym się jej doczekał? – Pod nutą uprzejmości w głosie Brandona dźwięczała stal i Cross to wychwycił.

Żuchwa wyjechała mu do przodu.

– Ostatecznie to ja podejmuję decyzje operacyjne – wycedził.

Za maską wrogości Tony ujrzał przez chwilę małego chłopca, napastliwego, wyżywającego się na słabszych od siebie i wściekłego na dorosłych, w których mocy wciąż jeszcze leżało zrobienie z nim porządku.

– Ale to ja jestem naczelnikiem tego wydziału i to ja ponoszę odpowiedzialność za całokształt. Do mnie należą decyzje dotyczące polityki tej jednostki i właśnie podjąłem taką, która przypadkiem zazębia się z twoją sferą operacyjną. Odtąd prowadzimy jedno zbiorcze dochodzenie w sprawie o ciężkie przestępstwo. Czy to jasne, Tom? A może jeszcze ci mało?

Carol po raz pierwszy w swojej karierze miała okazję się przekonać, jaka cecha umożliwiła Johnowi Brandonowi dochrapanie się tak wysokiego stołka. Groźba w jego głosie nie była jedynie pozą. Nie ulegało wątpliwości, że jest gotów zrobić wszystko, co okaże się konieczne, by dopiąć swego. Promieniował niezachwianą pewnością siebie człowieka przyzwyczajonego do stawiania na swoim. Tom Cross nie miał tu nic do gadania, toteż natychmiast uczepił się Carol.

– Nie ma pani nic do roboty, pani inspektor?

– Miałam panu złożyć raport, sir – wyjaśniła. – Prosił pan, żebym czekała po konferencji prasowej.

– Zanim się do tego zabierzecie... Tom, pozwól, że cię

przedstawię doktorowi Tony'emu Hillowi – wtrącił gładko Brandon, skinieniem przywołując Tony'ego.

– Już się poznaliśmy – burknął Cross, naburmuszony jak dzieciak z podstawówki.

– Doktor Hill zgodził się ściśle z nami współpracować przy tym śledztwie. Ma większe doświadczenie w sporządzaniu portretów psychologicznych seryjnych przestępców niż jakikolwiek inny specjalista w kraju. Ponadto obiecał nie afiszować się ze swoim wkładem w śledztwo.

Tony posłał Crossowi samokrytyczny, dyplomatyczny uśmiech.

– Zgadza się. Ostatnie, czego bym chciał, to to żeby z pańskiego dochodzenia zrobił się jakiś obwoźny cyrk. Gdy przyjdzie do dzielenia zasług, jak już przygwoździmy tego drania, to uznanie, rzecz jasna, przypadnie pańskiej ekipie. Było nie było, to pańscy ludzie odwalają całą robotę.

– Tu się pan nie myli – wymamrotał Cross. – Tylko nie chcę, żeby ktoś plątał się nam pod nogami, właził w paradę.

– Nikt z nas tego nie chce, Tom – uciął Brandon. – Właśnie dlatego poprosiłem Carol, żeby występowała w roli łączniczki między nami a Tonym.

– Nie mogę sobie pozwolić na utratę starszego stopniem oficera w takim momencie – zaprotestował Cross.

– I wcale go nie tracisz. Zyskujesz panią oficer, która będzie miała całościowy wgląd we wszystkie cztery sprawy. To może się okazać nieocenione, Tom. – Zerknął na zegarek. – Pora na mnie. Komendant zapewne oczekuje sprawozdania w sprawie ostatniego zabójstwa. Informuj mnie na bieżąco, Tom. – Powściągliwie kiwnął ręką na pożegnanie, ruszył w stronę ulicy i zniknął z pola widzenia.

Cross wyciągnął z kieszeni paczkę papierosów i przypalił jednego.

– Wiesz, na czym polega twój problem? – odezwał się do Carol. – Nie jesteś taka sprytna, za jaką się uważasz. Jeden fałszywy krok, jedno przekroczenie kompetencji, a zrobię sobie z twoich flaków ażurowe gacie.

Zaciągnął się i dmuchnął dymem w Carol. Teatralność tego gestu zaprzepaścił powiew wiatru, który porwał sine smużki, nim te zdążyły dosięgnąć jej twarzy. Ze zniesmaczoną miną Cross odwrócił się i odmaszerował na miejsce przestępstwa.

– W tym fachu poznaje się wielu uroczych ludzi – stwierdziła Carol.

– Przynajmniej się dowiedziałem, komu tutaj wieją pomyślne wiatry – zażartował Tony. Kiedy to mówił, poczuł na twarzy kroplę deszczu.

– O cholera – jęknęła Carol. – Tylko tego jeszcze brakowało. Proszę posłuchać, czy moglibyśmy przełożyć to spotkanie na jutro? Wieczorem zgarnęłabym akta i chociaż pobieżnie je przejrzała. Potem pan spokojnie w nich ugrzęźnie.

– Świetnie. W moim gabinecie, o dziesiątej?

– Doskonale. Jak pana znajdę?

Tony podał Carol adres, po czym patrzył za nią, kiedy oddalała się szybkim krokiem. Interesująca kobieta. W dodatku atrakcyjna, jak zgodnie orzekłaby większość mężczyzn. Zdarzały się chwile, gdy niemal żałował, że nie potrafi z siebie wykrzesać tak naturalnych odruchów. Ale już dawno minęły czasy, gdy pozwoliłby sobie na cień zainteresowania kobietą taką jak Carol Jordan.

Było po siódmej wieczorem, gdy Carol wreszcie dotarła do kwatery głównej. Kiedy wybrała wewnętrzny numer Johna Brandona, przekonała się, mile zaskoczona, że nadal siedział za biurkiem.

– Wstąp do mnie na górę – poprosił.

Jeszcze większa niespodzianka spotkała ją, gdy weszła do sekretariatu: stał przy ekspresie do kawy z dwoma parującymi kubkami w rękach.

– Z mlekiem i cukrem? – spytał.

– Ani to, ani to – odparła. – Cóż za nieoczekiwana przyjemność.

– Rzuciłem palenie pięć lat temu – wyznał Brandon. – Teraz tylko dzięki kofeinie jako tako się trzymam. Zapraszam do środka.

Carol weszła do gabinetu gnana ciekawością. Pierwszy raz przekraczała te progi. Na wystrój wnętrza składała się regulaminowa kremowa farba, meble takie same jak w gabinecie Crossa, z tym że tutaj drewno lśniło, wolne od zmatowień, rys, śladów spalenizny po niedopałkach papierosów i charakterystycznych pierścieni na politurze od stawiania na niej kubków z gorącą zawartością. W odróżnieniu od większości starszych oficerów Brandon nie ozdobił ścian zdjęciami kolegów i listami pochwalnymi w ramkach. Zamiast tego powiesił pół tuzina reprodukcji, przedstawiających Bradfield na przełomie wieków. Barwne, choć nostalgiczne, często przesłonięte strugami deszczu, pięknie współgrały z niezwykłym widokiem z okna na siódmym piętrze. Jedynym sztampowym bibelotem było zdjęcie jego żony i dzieci, które stało na biurku. Ale nawet i ono nie było upozowaną, studyjną fotografią, lecz powiększoną fotką z wakacji, pstrykniętą na pokładzie żaglówki. Wniosek: Brandon starał się sprawiać wrażenie szorstkiego, bezpośredniego, rutynowego gliniarza, ale były to tylko pozory, za którymi kryła się natura znacznie bardziej złożona i skłonna do refleksji.

Powściągliwym gestem zaprosił Carol na jeden z dwóch foteli przed biurkiem, po czym sam zasiadł w drugim.

– Chcę, żeby jedno było jasne – zaczął bez zbędnych wstępów. – Sprawozdania składasz nadinspektorowi Crossowi. To on odpowiada za tę operację. Chcę jednak mieć do wglądu kopie twoich raportów i sprawozdań doktora Hilla, na bieżąco dowiadywać się o wszystkich teoriach, jakie moglibyście razem wysnuć, a których nie bylibyście jeszcze gotowi przelać na papier. Myślisz, że poradzisz sobie z odrobiną żonglerki?

Brwi Carol powędrowały w górę.

– Istnieje tylko jeden sposób, by się o tym przekonać, sir – stwierdziła pogodnie.

Usta Brandona drgnęły i ułożyły się w półuśmiech. Zawsze wolał szczerość od owijania w bawełnę.

– W porządku. Zależy mi na tym, żebyś miała swobodny dostęp do akt. Jakikolwiek problem z ich uzyskaniem, wrażenie, że ktoś pogrywa z tobą i doktorem Hillem, mam o tym wiedzieć, kimkolwiek byłaby osoba odpowiedzialna za zwłokę. Jutro rano osobiście porozmawiam z ludźmi z wydziału i dopilnuję, żeby nikt nie miał cienia wątpliwości co do nowych reguł gry. Czy z mojej strony czegoś ci potrzeba?

Dodatkowe dwanaście godzin do każdej doby na początek by wystarczyło, pomyślała Carol ze znużeniem. Zamiłowanie do nowych wyzwań jest cacy, cacy. Tym razem jednak zanosiło się na to, że cały czas będzie ciężko i pod górkę.

Tony zamknął za sobą drzwi. Rzucił teczkę na podłogę i oparł się o ścianę. Nareszcie ma, czego chciał. Zaczęła się wojna na intelekt, jego intuicja przeciwko zasiekom zabójcy. Gdzieś poprzez labirynt zbrodni biegła kręta, trudna do odnalezienia ścieżka do umysłu mordercy. Tony musiał jedynie wziąć się na sposób, by z niej nie zboczyć, wystrzegając się złudnych cieni, nie dając się zwieść na manowce.

Wzruszeniem ramion oderwał się od ściany, nagle skrajnie wyczerpany. Skierował się do kuchni, po drodze ściągając krawat i rozpinając koszulę. Zimne piwo, a potem znajdzie siły, żeby przejrzeć szczupłą kolekcję artykułów prasowych poświęconych trzem wcześniejszym morderstwom. Kiedy otworzył lodówkę i sięgnął po boddingtonsa, rozdzwonił się telefon. Tony zatrzasnął drzwiczki i złapał słuchawkę, żonglując zimną puszką.

– Halo? – rzucił.

– Anthony... – zagruchał głos w słuchawce.

Tony z trudem przełknął ślinę.

– To nie najlepszy moment – powiedział zimno, wcinając się w matowy kontralt na linii. Postawił puszkę na kuchennym blacie i jedną ręką podważył pierścień na wieczku.

– Zgrywamy nieprzystępnego? Och, no, cóż, to część zabawy, prawda? Chociaż można by przypuszczać, że już się wyleczyłeś z tych dziecinnych dąsów. Nie mów, że wszystko popsujesz i znowu rzucisz słuchawką, tylko o to cię proszę. – Głos był przekorny, tuż pod powierzchnią buzował śmiech.

– Wcale nie zgrywam nieprzystępnego – obruszył się. – To

naprawdę nie jest dobry moment. – Czuł, jak stopniowo wzbiera w nim złość.

– Wszystko zależy od ciebie. Ty tu jesteś mężczyzną. Ty tu rządzisz. Oczywiście, o ile nie masz ochoty na małą odmianę. Jeśli wiesz, co mam na myśli... – te słowa były westchnieniem, prowokowały dwuznacznością. – W końcu to sprawa wyłącznie między tobą a mną. Między dorosłymi i za obopólną zgodą, jak to się mówi.

– Czyli nie mam prawa powiedzieć „nie", przynajmniej nie w tej chwili? A może tylko kobiety mają do tego prawo? – spytał, wychwytując napięcie we własnym głosie, czując, jak gniew niczym żółć podchodzi mu do gardła.

– Boże, Anthony, masz taki seksowny głos, kiedy się złościsz – zamruczał głos.

Mocno zdeprymowany Tony odsunął słuchawkę od ucha, gapiąc się na nią jak na przedmiot z innej planety. Zastanawiał się czasem, czy słowa przechodzące przez jego usta są tymi samymi, jakie trafiają do uszu jego rozmówców. Z kliniczną obojętnością, której nie potrafił najwyraźniej dać odczuć osobie na drugim końcu linii, zauważył, że ściska słuchawkę tak mocno, że palce mu pobielały. Po chwili ponownie przytknął telefon do ucha.

– Od samego słuchania twojego głosu robię się mokra, Anthony. Nie jesteś ciekawy, co mam na sobie, co robię w tej chwili? – głos był uwodzicielski, szmer oddechu głośniejszy niż na początku rozmowy.

– Słuchaj, to był ciężki dzień. W dodatku mam kupę roboty i choć przepadam za naszymi gierkami, nie jestem dziś w nastroju. – Zdenerwowany Tony rozglądał się rozpaczliwie po kuchni, jakby szukał najbliższego wyjścia.

– Poznaję po twoim głosie, że jesteś strasznie spięty, kochanie. Pozwól, żebym rozładowała to napięcie, dała ci ukojenie. Zabawmy się. Potraktuj mnie jak formę relaksu. Wiesz, że z nikim nie jest ci tak dobrze jak ze mną. Taki ogier jak ty i taka królowa seksu jak ja... to nieuniknione. A na rozgrzewkę zafunduję ci najsprośniejszą, najseksowniejszą, najbardziej napaloną rozmowę telefoniczną, jaką zaliczyliśmy do tej pory.

Niespodziewanie jego gniew znalazł słaby punkt w tamie i przerwał ją bez trudu.

– Nie dziś! – wrzasnął Tony, rzucając słuchawką z taką siłą, że puszka piwa na blacie podskoczyła.

Aksamitna piana wezbrała w trójkątnym otworze na wieczku. Tony wpatrywał się w nią z obrzydzeniem. Złapał puszkę i cisnął ją do zlewu; zagrzechotała o nierdzewną stal, potem poturlała się w bok, piwo i piana bryzgały brązowymi i kremowymi strugami. Tony rzucił się na kanapę i ukrył twarz w dłoniach. Dzisiaj, mając w perspektywie wpatrywanie się w otchłań cudzych koszmarów, nie życzył sobie nieuniknionej konfrontacji z własną słabością, której nieodmiennie doświadczał po takich rozmowach. Telefon znowu się odezwał, ale Tony trwał w bezruchu, z kurczowo zaciśniętymi powiekami. Kiedy włączyła się automatyczna sekretarka, rozmówca lub, jak przypuszczał, rozmówczyni przerwała połączenie.

– Suka – powiedział z nienawiścią. – Suka.

Z 3,5-CALOWEJ DYSKIETKI O NAZWIE: KOPIA_ZAPASOWA.007; PLIK MIŁOŚĆ.003

Kiedy sąsiedzi wychodzą rano do pracy, zostawiają swojego wilczura luzem na posesji. Przez cały dzień biega niestrudzenie w tę i z powrotem, przemierzając zygzakiem wybetonowane podwórze ze skrupulatnością strażnika więziennego dotkniętego pracoholizmem. Jest klocowaty, czarny, podpalany i ma długą, skołtunioną sierść. Ilekroć ktoś wchodzi na sąsiednie podwórko, ujada; długi, gardłowy szczek, który ciągnie się dłużej niż odwiedziny najbardziej nawet namolnego intruza. Kiedy na naszej uliczce pojawiają się śmieciarze, żeby podciągnąć kontenery na kółkach pod samą śmieciarkę, pies wpada w histerię: wspina się na tylne łapy, przednimi orze ciężką, drewnianą bramę. Często patrzę na niego z okna mojej drugiej sypialni. Pyskiem sięga niemal górnej części bramy. Doskonały, naprawdę.

W najbliższy poniedziałek kupuję rano kilka funtów mięsa na steki i tnę je w grubą kostkę, zgodnie z zaleceniami wszystkich najlepszych książek kulinarnych. Następnie na każdej kostce wykonuję niewielkie nacięcie i umieszczam w nim pastylkę środka na uspokojenie, który uparcie przepisuje mi lekarz. Wcale go nie potrzebuję, a tym bardziej nie zażywam, ale intuicja podpowiadała mi, że pewnego pięknego dnia znajdę dla niego zastosowanie.

Wychodzę tylnymi drzwiami i w doskonałym humorze słucham histerycznego ujadania. Mam powody do wesołości; to ostatni raz, kiedy muszę znosić ten jazgot. Zanurzam rękę w misce wypełnionej wilgotnym mięsem; jest przyjemnie chłodne i śliskie w dotyku. Potem garściami przerzucam je ponad parkanem. Wracam do środka, myję dłonie i z powrotem wędruję na stanowisko obserwacyjne przy komputerze. Wybieram nastrojową krainę Darkseed, wyciszając podniecenie gotyckim i makabrycznym światem podziemi, który znam dziś jak swoje pięć palców. Mimo zaabsorbowania grą nie potrafię się powstrzymać, żeby co kilka minut nie zerknąć przez okno. Po pewnym czasie pies przypadł do ziemi i rozciągnął się z wywalonym jęzorem. Wychodzę z gry i biorę do ręki lornetkę. Wygląda na to, że oddycha, ale przestał się ruszać.

Zbiegam na dół, zgarniając po drodze wcześniej spakowany przybornik i wsiadam do jeepa. Cofam auto w głąb uliczki, póki tylne światła nie znajdą się na linii wjazdu na sąsiednie podwórko. Wyłączam silnik. Cisza. Z pełną satysfakcją chwytam łom i wyskakuję z auta. Sforsowanie bramy zajmuje mi kilka chwil. Kiedy brama otwiera się na oścież, widzę, że pies ani drgnie. Otwieram przybornik i klękam przy nim. Wpycham mu jęzor do pyska, pysk oklejam taśmą chirurgiczną. Następnie to samo robię z łapami, przednimi i tylnymi oddzielnie, po czym zaciągam go do jeepa. Jest ciężki, ale dbam o kondycję, toteż bez większych problemów wpycham go na tylne siedzenie.

Jego oddech wydobywa się w postaci cichego pochrapywania, kiedy dojeżdżamy do farmy, ale nie dostrzegam oznak przytomności, nawet wówczas, gdy kciukiem podnoszę mu powieki. Pakuję go na taczkę, pozostawioną wcześniej tak, by była pod ręką, wwożę do domu i przez otwartą klapę spycham z piwnicznych schodów. Włączam światło i wrzucam psa na łoże sprawiedliwości; jest ciężki i bezwładny jak wór ziemniaków. Odwracam się i lustruję kolekcję noży; wiszą na przymocowanym do ściany pasie magnetycznym, profesjonalnie naostrzone: tasak, nóż do filetowania, duży nóż do siekania, nożyk do warzyw i przycinak, jakiego używają rzemieślnicy. Decyduję się na ten ostatni: rozcinam taśmę na łapach i układam psa płasko na brzuchu. Zapinam pas wokół jego tułowia, aby pewnie przytwierdzić go do ramiaka. I to wtedy dotarło do mnie, że pojawił się problem.

Nie wiadomo kiedy pies przestał oddychać. Przyciskam głowę do jego obrośniętej szorstkimi kłakami piersi, nasłuchuję pracy serca, ale jest za późno. Widocznie dawka leku była źle obliczona i dostał za dużo. Szaleję z wściekłości, nie da się ukryć. Śmierć psa wprawdzie nie wpłynie na praktyczną stronę naukowego testowania zbudowanej przeze mnie machiny, ale pozbawia mnie możliwości rozkoszowania się jego cierpieniem; mizerna to zemsta za tysiące razy, kiedy szczekanie tego zidiociałego bydlaka brutalnie wyrywało mnie ze snu, zwłaszcza po powrocie z nocnej zmiany. A tak zdechł nie zaznawszy bólu. Ostatnim, czego doświadczył na tej ziemi, był smak kilku funtów mięsa na steki. Myśl, że zdechł uszczęśliwiony, sprawia mi wielką przykrość.

Ale na tym nie koniec; wkrótce odkrywam kolejny problem. Pasy mocujące były projektowane z myślą o krępowaniu ludzkich kostek i nadgarstków. Pies natomiast ma inną budowę i jego łapy co rusz wyślizgiwały się z uchwytów.

Szybko wpadam na właściwe rozwiązanie. Daleko mu do elegancji, niemniej do moich celów się nada. Zostało mi trochę piętnastocentymetrowych gwoździ, niewykorzystanych podczas napraw i adaptowania piwnicy do jej nowej roli. Ostrożnie umieszczam przednią lewą łapę w taki sposób, by znalazła się nad prześwitem w deszczułkach. Staram się wymacać odstęp między kośćmi i jednym uderzeniem dwuobuchowego młotka, pod kątem prostym, wbijam gwóźdź tuż ponad stawem. Mocuję pas poniżej gwoździa i napinam go energicznym szarpnięciem. Powinien wytrzymać wystarczająco długo, taką mam przynajmniej nadzieję.

Zabawa z pozostałymi łapami zajmuje mi niecałe pięć minut. Kiedy pies jest już solidnie umocowany, nareszcie mogę przejść do głównego punktu programu. Perspektywa przeprowadzenia czysto naukowego eksperymentu wystarcza, by zaczęło we mnie narastać gorączkowe podniecenie, w gardle mi zasycha i nie mogę przełknąć śliny. Niemal bez udziału świadomej myśli, prawie przypadkowo, moja dłoń obejmuje uchwyt drabiny. Przyglądam się jej obojętnie jak dłoni obcego człowieka: muska koło zębate, pieści pojedyncze metalowe zęby, by w końcu spocząć na rękojeści. W powietrzu ciągle jeszcze wisi lekka woń smaru, łącząca się z nikłym zapachem farby i stęchłym, psim smrodkiem mojego asystenta przy tym doświadczeniu. Oddycham głęboko, wstrząsa mną dreszczyk wyczekiwania, i powoli zaczynam obracać rękojeść.

3

„Nie obstaję także przy twierdzeniu, iż każdy, kto jest
w morderstwo zamieszany, musi mieć bardzo nieprawidło-
wy sposób myślenia, jak również niesłuszne doprawdy za-
sady postępowania".

(przełożył Mirosław Bielewicz)

Don Merrick rozpiął rozporek. Z westchnieniem ulgi roz-
luźnił mięśnie i opróżnił napęczniały pęcherz. Za jego plecami otworzyły się drzwi kabiny. Błogość, jaką odczuwał, ulotniła się w chwili, gdy na jego ramieniu spoczęła ciężka dłoń.

– Sierżant Merrick. Właśnie się za panem rozglądałem –
ucieszył się Tom Cross tubalnie. Z niezbadanych przyczyn
Merrick przekonał się nagle, że nie jest w stanie dokończyć
tego, co przed chwilą zaczął.

– ... dobry, sir – wydukał, otrząsając członek z ostatnich kro-
pelek i szybko upychając go w spodnie, poza zasięg wzroku
Crossa.

– Pewnie chwaliła się swoim nowym zadaniem, ta twoja
szefowa, co? – spytał Cross, uosobienie dobrodusznej męskiej
solidarności.

– Coś wspominała, owszem, sir. – Merrick spoglądał tęsknie w kierunku drzwi. Ale ucieczka nie wchodziła w grę. Nie
teraz, kiedy na jego ramieniu nadal jak imadło zaciskały się
palce Crossa.

– Słyszałem, że wkrótce podchodzisz do egzaminów na inspektora – zauważył Cross lekkim tonem.

Merricka ścisnęło w żołądku.

– To prawda, sir.

– Skoro tak, to przyda ci się tylu wysoko postawionych przyjaciół, ilu tylko można znaleźć, co, chłopie?

Merrick zmusił się do rozchylenia ust w grymasie, który, jak miał nadzieję, dorówna promiennemu uśmiechowi Crossa.

– Skoro pan tak mówi, sir.

– Masz zadatki na dobrego oficera, Merrick. O ile będziesz pamiętał, komu jesteś winien lojalność. Wiem, że inspektor Jordan będzie miała urwanie głowy przez kilka najbliższych tygodni. Całkiem możliwe, że nie zawsze starczy jej czasu na informowanie mnie o wszystkim z odpowiednim *wyprzedzeniem*. – Cross łypnął na niego groźnie. – Liczę na to, że nie omieszkasz na bieżąco informować o postępach w sprawie. Rozumiesz mnie, chłopcze?

Merrick kiwnął głową.

– Tak jest, sir.

Cross puścił go i podszedł do drzwi. Otworzył je, obejrzał się w stronę Merricka i dodał:

– Zwłaszcza jak zacznie się dymać z naszym przyjacielem doktorem.

Drzwi zamknęły się cicho.

– Kurwa mać – jęknął Merrick głucho, stanął przed umywalką i zaczął energicznie szorować ręce pod gorącą wodą.

Tony kwitł za biurkiem od ósmej rano. Jak dotąd ograniczył się jedynie do skserowania formularza raportu z zakresu analizy kryminalistycznej, który stworzył z myślą o niepowołanej jeszcze jednostce. W dużej mierze wzorował się na kwestionariuszu opracowanym i używanym przez FBI jako narzędzie pomocnicze w programie ujmowania sprawców brutalnych przestępstw. Ten miał służyć standardowej klasyfikacji wszystkich danych, od wiktymologicznych po poszlaki kryminalistyczne. Z roztargnieniem przetasował kserówki, po czym ułożył wycinki z gazet w schludny stosik. Z lenistwa rozgrzeszał się, powtarzając sobie w duchu, że dopóki nie pojawi się Carol z policyjnymi aktami, i tak niewiele by zdziałał. Ale wiedział, że to tylko wymówka.

Prawda bowiem przedstawiała się tak, że nie potrafił się skupić i miał ku temu powód. Ona znowu zawładnęła jego myślami. Tajemnicza nieznajoma. Z początku czuł się bezbronny, niechętny do współuczestnictwa. Zupełnie jak jego pacjenci, pomyślał ironicznie. Ileż to razy podpierał się maksymą, że na pewnym poziomie każdemu niełatwo przychodzi poddanie się terapii? W pierwszych dniach rzucał słuchawką tak wiele razy, że stracił już rachubę. Ale ona nie dała się zbyć, w dalszym ciągu cierpliwie ponawiała kojące namowy, dopóki się nie odprężył, nie dał się w to wciągnąć.

Całkiem wytrąciła go z równowagi. Podejrzewał, że od samego początku instynktownie wyczuwała, co jest jego słabym punktem, a jednak nigdy tej wiedzy nie wykorzystała. Była ucieleśnieniem męskich fantazji na temat idealnej kochanki, zdolna do wszystkiego, od delikatności po wyuzdanie. Kluczowe pytanie, na które Tony nie potrafił odpowiedzieć, dotyczyło tego, czy jest żałosny, ponieważ reaguje na obsceniczne telefony od kobiety, której nawet nie widział na oczy, czy też raczej powinien sobie pogratulować, że doskonale się przystosował do sytuacji, że rozszyfrował, czego mu potrzeba i co mu pomaga. Obawiał się, że – o ile już nie jest chorobliwie od tych rozmów uzależniony – uzależni się niebawem. Od pewnego czasu był niezdolny do utrzymywania normalnych kontaktów seksualnych, ale nie miał pojęcia, czy przez ten telefoniczny seks pogłębia swoją dolegliwość, czy raczej zmierza ku wyzdrowieniu? Jedynym sposobem sprawdzenia, która z tych hipotez jest trafna, było przejście od fantazji do rzeczywistości. On jednak za bardzo się bał kolejnego upokorzenia, żeby się o to pokusić. Toteż zanosiło się na to, że tymczasem będzie musiał poprzestać na tajemniczej nieznajomej, dzięki której znowu czuł się mężczyzną, a prześladujące go demony wracały do świata podziemi.

Tony z westchnieniem sięgnął po kubek. Kawa była zimna, ale i tak ją wypił. Zaczął mimowolnie odtwarzać w myśli przebieg wcześniejszych erotycznych seansów. Jakby nie dość długo dumał nad nimi we wczesnych godzinach porannych, kiedy sen uciekał mu równie skutecznie jak nękający Bradfield seryjny zabójca policji. Głos tej kobiety dźwięczał mu w uszach, natarczywy i niemożliwy do zagłuszenia jak muzyka z cudzego walkmana w ciasnym przedziale pociągu. Usiłował stłumić emocje i traktować te telefony z wyrozumowaną obojętnością, która tylekroć przydawała mu się w pracy. Musiał jedynie „wyłączyć" własną jaźń, zupełnie tak samo jak wtedy, gdy analizował wynaturzone fantazje pacjentów. Z pewnością nie brakowało mu doświadczenia w wypieraniu się niezaprzeczalnego faktu, że niektóre z tych rojeń pobrzmiewają w nim niepokojącym echem.

Uciszyć ten głos. Zająć myśli analizą. Kim ona jest? Co ją motywuje? Może, podobnie jak on, najzwyczajniej lubi grzebać się w umysłach popaprańców. To przynajmniej wyjaśniałoby, dlaczego przewierciła się przez mury obronne, którymi się otoczył. To pewne, że nie należała do kategorii kobiet pracujących w obleśnych seks-telefonach. Zanim zabrał się do najnowszego programu na potrzeby Home Office, przez pewien czas prowadził badania nad usługami tego rodzaju. Znaczna liczba skazanych niedawno przestępców, z którymi miał do czynienia, przyznawała, że regularnie wydzwaniała pod płatne numery erotyczne, by wylewać z siebie fantazje seksualne, choćby i najbardziej dziwaczne, obsceniczne czy perwersyjne, prosto w uszy nędznie opłacanych telefonistek, zachęcanych przez szefów do znoszenia fanaberii klientów, o ile tylko ci chcą płacić. Co więcej, sam dzwonił do kilku takich linii, żeby sprawdzić, co mają do zaoferowania i ocenić, podpierając się stenogramami przeprowadzonych przez siebie rozmów, jak daleko kobieta może się posunąć, zanim obrzydzenie przeważy nad chęcią zysku albo rozpaczliwą potrzebą zarobienia na utrzymanie.

Na koniec przeprowadził ankietę wśród wybranej grupy telefonistek. Jedynym, co je łączyło, było poczucie, że są wykorzystywane i upokarzane, choć część maskowała ten fakt pogardą dla klientów. Wyciągnął szereg wniosków, ale nie wszystkie ujął w swojej rozprawie. Niektóre pominął jako zbyt niekonwencjonalne, by nie powiedzieć, z sufitu, inne dlatego, że obawiał się, że mogłyby za bardzo obnażyć jego własną psychikę. Z tego drugiego powodu przemilczał chociażby swoją hipotezę, że reakcja mężczyzny, który w przeszłości korzystał z seks-telefonu, na obsceniczny telefon od przedstawicielki płci przeciwnej, będzie zasadniczo się różnić od reakcji kobiety w analogicznej sytuacji. Zamiast odłożyć słuchawkę, ewentualnie zgłosić sprawę firmie Telecom, większość mężczyzn byłaby rozbawiona lub podniecona. Tak czy owak, słuchałaby dalej.

Teraz pozostawało tylko rozgryźć, dlaczego tę kobietę, w odróżnieniu od pracownic seks-linii, tak bardzo pociąga telefoniczny seks z nieznajomym. Zrozumieć, co ona z tego ma, przede wszystkim dla zaspokojenia akademickiej ciekawości, równie silnej – jeśli nie silniejszej – jak pokusa, by zbadać seksualny plac zabaw, jaki przed nim otworzyła. Może powinien się zastanowić nad zaproponowaniem spotkania. Zanim pomysł zdążył się skrystalizować, zadzwonił telefon. Tony wzdrygnął się, a jego ręka zastygła w połowie mimowolnej podróży w kierunku słuchawki.

– Och, na litość boską – mruknął ze zniecierpliwieniem i potrząsnął głową jak nurek głębinowy w chwili wynurzania się nad powierzchnię. Przytknął słuchawkę do ucha i rzucił: – Tony Hill.

– Doktorze Hill, Carol Jordan z tej strony.

Tony milczał. Czuł ulgę: nie zdziwiłoby go, gdyby myślami ściągnął na siebie kolejny telefon od anonimowej kochanki.

– Inspektor Jordan... Z policji miejskiej w Bradfield... – Głos Carol rozbrzmiał w zapadłej nagle ciszy.

– Halo? Tak, przepraszam, próbowałem właśnie... zrobić trochę miejsca na biurku – zająknął się Tony; lewa noga zaczęła mu podskakiwać jak filiżanka herbaty na blacie w jadącym pociągu.

– Strasznie mi przykro, że tak to wyszło, ale nie wyrobię się na dziesiątą. Pan Brandon wezwał cały wydział na odprawę i sądzę, że wypada mi się pojawić.

– Tak, tak, doskonale to rozumiem – podchwycił Tony;

wolną ręką ujął długopis i bezwiednie nagryzmolił żonkila. - Będzie pani wystarczająco trudno pośredniczyć między nami w taki sposób, żeby nikt nie odniósł wrażenia, że przestała pani być częścią zespołu. Nie ma sprawy.

– Dzięki. Proszę posłuchać, myślę, że odprawa nie potrwa zbyt długo. Podjadę do pana, jak tylko będę mogła. Przypuszczam, że około jedenastej, o ile to nie burzy pańskiego harmonogramu.

– No, to załatwione – odparł z ulgą, zadowolony, że nie pozostanie mu za dużo czasu na rozmyślania, zanim będą mogli zabrać się z Carol do roboty. – Nie mam dzisiaj innych spotkań, więc proszę się nie śpieszyć. To dla mnie żaden kłopot.

– W porządku. Zatem do zobaczenia.

Carol odłożyła słuchawkę na widełki. Na razie szło jak z płatka. W dodatku Tony Hill nie wydawał się więźniem profesjonalnej pychy, w odróżnieniu od kilkorga ekspertów, z jakimi miała wcześniej do czynienia. Był jedynym, który dostrzegł, że czeka ją niełatwe zadanie, okazał współczucie, nie popadając przy tym w protekcjonalny ton, i chętnie przystał na rozwiązanie, które przysparzało jej najmniej kłopotów. Ze zniecierpliwieniem odsunęła od siebie wspomnienie chwili, kiedy pomyślała, że jest pociągający. Nie miała ani czasu, ani ochoty angażować się uczuciowo. Dzielenie mieszkania z bratem i nieustanne wysiłki, by podtrzymać kontakt z kilkorgiem najbliższych przyjaciół, pochłaniały całą energię, jaka jej zostawała po dniu pracy. Ponadto sposób, w jaki zakończył się jej ostatni związek, był tak bolesnym ciosem dla jej samooceny, że nie zamierzała z marszu wdać się w kolejny.

Romans z chirurgiem urazowym z Londynu nie przetrwał jej przenosin z „Met" – prestiżowej londyńskiej „Metropolitan Police" – do znacznie skromniejszej jednostki w Bradfield. Jeśli chodzi o Roberta, to Carol sama podjęła decyzję o przeprowadzce na północ i życiu w ustawicznej zimnicy. Kursowanie w tę i z powrotem uważał za jej świętą powinność. Ani mu się śniło trwonić cenny czas w przerwach między dyżurami na niepotrzebne nabijanie licznika swojego bmw, żeby tłuc się do beznadziejnego miasta, którego jedyną zaletę stanowiła obecność Carol. Poza tym pielęgniarki były znacznie mniej humorzaste i wymagające, a nadgodziny i pracę zmianową rozumiały równie dobrze jak policjantka, jeśli nie lepiej. Jego rażący egoizm wstrząsnął Carol, poczuła się oszukana, obrabowana z uczucia i energii, jaką zainwestowała w kochanie Roba. Niech sobie Tony Hill będzie przystojny, czarujący, a nawet – jeśli jego reputacja nie jest na wyrost – inteligentny i błyskotliwy. Carol nie pozwoli, by kolejny mężczyzna złamał jej serce. A już na pewno nie kolega z pracy. Jeżeli zauważyła, że trudno jej przestać o nim myśleć, to tylko dlatego, że była świadoma, ile może się od niego nauczyć, współpracując z nim nad tą sprawą, a nie dlatego, że wpadł jej w oko.

Carol przegarnęła włosy i ziewnęła. W ciągu ostatniej doby spędziła w domu dokładnie pięćdziesiąt siedem minut. Z czego dwadzieścia pod prysznicem na z góry skazanej na niepowodzenie próbie uodpornienia się na skutki niewyspania. Znaczna część wieczoru minęła jej na chodzeniu od drzwi do drzwi i zbieraniu niczego nie wnoszących wywiadów wśród podenerwowanych mieszkańców, robotników i stałych klientów Temple Fields z jego lokalami dla gejów. Reakcje przesłuchiwanych oscylowały od całkowitej odmowy współpracy po miotanie najgorszymi wyzwiskami. Carol nie była tym zdziwiona. Okolica wręcz zionęła kontrastami.

Z jednej strony, właściciele lokali nie chcieli, żeby w okolicy szwendały się gliny, bo to odstrasza klientelę i zmniejsza ich zyski. Z drugiej, gejowscy aktywiści gniewnie domagali się należytej ochrony teraz, kiedy policja raczyła przyznać, że na wolności grasuje seryjny zabójca homoseksualistów. Co do klienteli, to jedną grupę stanowili ci, którzy umierali ze strachu na myśl o wezwaniu na komisariat, co groziłoby ujawnieniem orientacji pilnie skrywanej przed żonami, kolegami i rodzicami. Kolejna to ci, co radośnie zgrywali wielkich chojraków, zarzekali się, że kto jak kto, ale oni przenigdy nie wpakowaliby się w sytuację, w której zarżnąłby ich jakiś maniak o szklistych oczach. Jeszcze inna werbowała się z żądnych makabrycznych szczegółów, w niejasny – i zdaniem Carol, chory – sposób podniecających się myślą o tym, co może się wydarzyć, kiedy człowiek traci nad sobą kontrolę. Nie zabrakło także garstki bezkompromisowych lesbijskich separatystek, które nie kryły zadowolenia wobec faktu, że tym razem ofiarami są mężczyźni. – Może teraz zrozumieją, dlaczego byłyśmy takie zbulwersowane, kiedy policja poszukiwała Rozpruwacza z Yorkshire, a mężczyźni napomykali, że samotne kobiety powinno się objąć godziną policyjną – szydziła jedna podczas rozmowy z Carol.

Serdecznie tym wszystkim zmęczona Carol pojechała do kwatery głównej z zamiarem przeselekcjonowania informacji z akt prowadzonych dochodzeń. W pokoju ekipy do spraw zabójstw było dziwnie cicho: większość śledczych działała w terenie, na Temple Fields, i eksperymentowała z różnymi strategiami przesłuchania, część wolała wykorzystać tych parę wolnych godzin, by nadrobić zaległości w piciu, życiu erotycznym albo spaniu. Zamieniła wcześniej parę zdań z inspektorami prowadzącymi dwa pozostałe dochodzenia z tej serii, i obaj, choć niechętnie, zgodzili się udostępnić zgromadzone przez siebie akta pod warunkiem, że jutro z samego rana zastaną wszystkie materiały na swoich biurkach. Właśnie takiej odpowiedzi się spodziewała, pozornie świadczącej o gotowości do współpracy, ale w gruncie rzeczy obliczonej na przysporzenie jej dodatkowego bólu głowy.

Gdy przekroczyła próg swojego gabinetu, widok potwornej ilości papierzysk napełnił ją odrazą. Pomieszczenie tonęło w stosach stenogramów z przesłuchań, raportów techników kryminalistycznych i patologów, teczek ze zdjęciami. Dlaczego, na Boga, Tom Cross wcześniej nie zdecydował się na użycie HOLMES-a, chociażby po drugim morderstwie? Przynajmniej cała ta masa materiałów byłaby dostępna w komputerze, opatrzona indeksami i odnośnikami. Jej rola ograniczałaby się do przekonania jednego z indeksatorów pracujących na HOLMES-ie, aby wydrukował dane potrzebne Tony'emu. Wycofała się i z jękiem zamknęła drzwi, byle nie patrzeć na ten bałagan, po czym powędrowała pustymi korytarzami do kanciapy, w której zwykle urzędował sierżant. Czas się przekonać, jak jest z respektowaniem wydanych przez naczelnika instrukcji, by wszyscy funkcjonariusze z nią współpracowali. Bez dodatkowej pary rąk nie uporałaby się z robotą do samego rana.

Sierżant, acz niechętnie, pomocy jej udzielił. Mimo to przebrnięcie przez wszystkie zebrane dokumenty było prawdziwą harówką. Carol pobieżnie przeglądała raporty z poszczególnych dochodzeń: wybierała wszystko, co, w jej poczuciu, mogło okazać się znaczące, wybrane materiały przekazywała naburmuszonemu pomocnikowi do skserowania. Po chwili zrobiła się z tego wysoka sterta. Kiedy z wybiciem szóstej sierżant zmył się do domu, umęczona Carol wepchnęła wszystkie kserokopie do kilku kartonowych pudeł i, potykając się, zaniosła do samochodu. Pozwoliła sobie na luksus zabrania kompletów fotografii ofiar i miejsc przestępstw, wypełniwszy z myślą o innych ekipach dochodzeniowych kwestionariusz zamówienia na świeże odbitki.

I dopiero wtedy wróciła do domu. Ale i tam nie zaznała wytchnienia. Nelson warował pod drzwiami, a ledwie weszła, zaczął zataczać coraz ciaśniejsze ósemki wokół jej kostek, pomiaukując z pretensją, aż zmusił ją do skierowania kroków do kuchni, gdzie leżał otwieracz do konserw. Kiedy ustawiła przed nim miseczkę z jedzeniem, przyjrzał się karmie z wyraźną podejrzliwością i zmarszczył czółko. W końcu głód przezwyciężył w nim chęć ukarania niedobrej pani i kocur błyskawicznie pochłonął całą porcję.

– Miło widzieć, że się za mną stęskniłeś – burknęła Carol w drodze do łazienki.

Wzięła prysznic, a kiedy skończyła, Nelson najwyraźniej postanowił jej wybaczyć. Chodził za nią krok w krok, przypominając o sobie miauczeniem rytmicznym jak sygnał zajętej linii i siadając na każdym fragmencie garderoby, który Carol wyciągała z szafy i rozkładała na łóżku.

– Ależ z ciebie zaraza – fuknęła Carol, wyciągając czarne

dżinsy spod sprężystego, czarnego ciałka. Nelson nie przestał jej adorować, miauczenie przeszło w miarowe, błogie pomrukiwanie. Wciągnęła dżinsy i podziwiała ich krój w lustrze na drzwiach szafy. Portki od Katharine Hammett, ale Carol dała za nie jedynie dwadzieścia funtów w sklepie z używaną odzieżą przy Kensington Church Street, dokąd wybierała się dwa razy do roku polować na markowe ciuchy, na jakie inaczej nie byłoby jej stać, nawet przy obecnej pensji. Kremowa lniana koszula, na którą się w końcu zdecydowała, miała metkę „French Connection", natomiast prążkowany, szary cardigan kupiła na męskim stoisku w supermarkecie. Carol zeskubała kilka czarnych kocich włosów ze sweterka i złowiła pełne wyrzutu spojrzenie Nelsona.

– Wiesz, że cię kocham. Po prostu nie muszę się w ciebie ubierać – wyjaśniła przepraszającym tonem.

– To dopiero byłby szok, gdyby ci odpowiedział – od progu napłynął męski głos.

Carol zwróciła się w stronę brata. Oparty niedbale o framugę drzwi, był w samych bokserkach, jasne włosy miał zmierzwione, oczy zamglone od snu. Jego twarz zaskakująco przypominała twarz Carol, zupełnie jakby ktoś zeskanował jej zdjęcie i lekko przetworzył je na komputerze, nieznacznie tylko zmieniając rysy z kobiecych na męskie.

– Nie obudziłam cię chyba? – spytała niespokojnie.

– Eee tam. Muszę dzisiaj jechać do Londynu. Pociąg z forsą nadjeżdża.

– Amerykanie? – domyśliła się Carol, przykucnęła i podrapała kota po łebku. Nelson przewrócił się na plecy, odsłaniając brzuch i wyraźnie dopominając się pieszczot.

– Bingo. Negocjują wersję demo tego, co zrobiliśmy do tej pory. Ciągle powtarzam Carlowi, że to, co mamy, nie wygląda szczególnie imponująco, ale on powiada, że w gruncie rzeczy chcą się tylko upewnić, że nie pompują pieniędzy na badania w czarną dziurę.

– Blaski posady w firmie pracującej nad rozwojem oprogramowania – mruknęła Carol, mierzwiąc sierść Nelsona.

- Przodującej firmie, zapomniałaś dodać - zażartował Michael bez cienia zadęcia. - A ty jak żyjesz? Co słychać w fabryce truposzczaków? Wczoraj wieczorem podali w wiadomościach, że nadzialiście się na kolejnego.

- Na to wygląda. Najważniejsze, że miłościwie nam panujący przyznali w końcu, że mamy na wolności seryjnego zabójcę. I ściągnęli do współpracy profilera.

Michael gwizdnął.

- Ja pierniczę, policja miasta Bradfield wkracza w dwudziesty wiek. Jak Popeye to przyjął?

Carol się skrzywiła.

- Jest zachwycony. Zupełnie jakby ktoś dziabnął go patykiem w oko. Uważa, że to „strata cholernego czasu" - podsumowała Carol sztucznie pogrubionym głosem, naśladując bradfieldzki akcent Toma Crossa. - Później, kiedy na mnie padło koordynowanie przepływu informacji między jednostką a profilerem, humorek mu się poprawił.

Michael zrobił cyniczną minę i pokiwał głową.

- Dwie pieczenie przy jednym ogniu.

Carol uśmiechnęła się krzywo.

- Taa... Po moim trupie. - Wstała. Nelson zaprotestował cicho. Carol westchnęła i podeszła do drzwi. - Wracam do pracy, Nelson. Dzięki za oderwanie moich myśli od tych zwłok - rzuciła na odchodnym.

Michael odsunął się i zrobił Carol przejście. Kiedy go mijała, porwał ją w objęcia i uściskał mocno.

- Nie bierz jeńców, siostrzyczko - mruknął, odsuwając się.

Carol parsknęła śmiechem.

- Nie wydaje mi się, żebyś zrozumiał, na czym polega praca policjantki, braciszku.

Kiedy usiadła za kierownicą, i kot, i Michael poszli w zapomnienie. Znowu została sam na sam z zabójcą.

Po kilku godzinach - oraz po nocnej lekturze raportów zespołów dochodzeniowych - dom wydawał się Carol wspomnieniem równie odległym jak zeszłoroczny letni urlop w Ithace. Carol resztką sił zwlokła się z krzesła, pozbierała rozrzucone kserokopie i poczłapała do sali odpraw wydziału kryminalnego.

Gdy weszła do środka, wolne były już tylko same miejsca stojące. Funkcjonariusze z innych komisariatów lawirowali w tłumie, szukając dogodniejszego kąta. Paru posterunkowych z jej zespołu usunęło się, by ją przepuścić, ktoś chciał jej ustąpić swoje krzesło.

– Pieprzony wazeliniarz – dobiegł ją sceniczny szept z drugiego końca pokoju. Carol nie rozpoznała tego głosu; nie był to nikt z jej podwładnych. Uśmiechem podziękowała uprzejmemu młodszemu oficerowi, po czym przycupnęła na skraju biurka obok Dona Merricka, który powitał ją apatycznym skinieniem. Zegar wskazywał dziewiątą dwadzieścia dziewięć. Pomieszczenie cuchnęło tanimi cygarami, kawą i mokrymi płaszczami.

Jeden z inspektorów złowił spojrzenie Carol i zaczął przedzierać się w jej stronę. Zanim jednak zdążyli zamienić choćby słowo, drzwi otworzyły się na oścież i do środka wparował Tom Cross, krok przed Johnem Brandonem. Nadinspektor z podejrzanie dobroduszną miną przemaszerował przez środek sali. Tłumek rozstąpił się na boki, dzięki czemu powstała ścieżka, którą Cross i Brandon podeszli do białej tablicy na ścianie w głębi pomieszczenia.

– ... doberek, chłopaki – odezwał się jowialnie Cross. – I dziewczyny – dodał po wyraźnym namyśle. – Nie ma chyba wśród nas nikogo, kto by nie wiedział, że spadły nam na głowę cztery niewyjaśnione morderstwa. Ustaliliśmy personalia pierwszych trzech zamordowanych: Adama Scotta, Paula Gibbsa i Garetha Finnegana. Na identyfikację czwartego nawet się jeszcze nie zanosi. Chłopaki z labu patologicznego właśnie nad nim pracują. Robią, co mogą, żeby jego twarz wyglądała tak, żeby psy nie wyły na jej widok, jak przekażemy zdjęcia prasie.

Carol policzyła do dziesięciu. Tymczasem wyraz twarzy Crossa, o ile w ogóle się zmienił, to zmierzał raczej ku jeszcze większej dobroduszności.

– Jak wszyscy wiecie, nie należę do osób, które mają w zwyczaju teoretyzować na wyrost, przed uzyskaniem dowodów. Toteż nie rwałem się z oficjalnym komunikatem, że te zabójstwa są ze sobą powiązane, bo przewidywałem histerię w mediach, które sami sobie ściągnęlibyśmy na kark. Z dzisiejszych porannych gazet wnioskuję, że trafiłem w dziesiątkę – oznajmił z tryumfem, wskazując kolejno kilka egzemplarzy, które wcześniej rozdał wśród śledczych. – Ale w świetle ostatniego zabójstwa musimy ponownie przemyśleć naszą strategię. Z dniem wczorajszym, o dwunastej w południe, połączyłem te cztery dochodzenia w jedno śledztwo w sprawie o ciężkie przestępstwo kryminalne.

Zebrani powitali jego oświadczenie pomrukami aprobaty. Don Merrick pochylił się i szepnął Carol do ucha:

– Zmienia melodię częściej niż szafa grająca.

Skinęła głową.

– Szkoda tylko, że równie często nie zmienia skarpetek.

Cross posłał jej rozjuszone spojrzenie. Niemożliwe, żeby usłyszał, o czym rozmawiają, ale zauważył chyba, że Carol porusza ustami i lepszego pretekstu nie potrzebował.

– Uspokójcie się – skarcił ich surowo. – Jeszcze nie skończyłem. A więc, nie trzeba szczególnych talentów detektywistycznych, żeby zauważyć, że komisariat jest za mały dla nas *oraz* dla funkcjonariuszy wykonujących rutynowe czynności, toteż zaraz po tym spotkaniu przenosimy operację do dawnego komisariatu przy Scargill Street, który, jak niektórzy z was zapewne pamiętają, stoi od pół roku zamknięty na cztery spusty. Ubiegłej nocy urzędowała tam ekipa serwisantów, geniuszy komputerowych i inżynierów z British Telecom, żeby komisariat nadawał się do tymczasowego użytku.

Odpowiedział mu chóralny jęk. Nikt nie uronił łezki, gdy stary wiktoriański budynek przy Scargill Street zamykano. Hulające przeciągi, ciasnota, brak miejsc parkingowych, damskich toalet – praktycznie wszystkiego z wyjątkiem cel dla aresztantów – kwalifikowały gmach do kapitalnego remontu. Jak to jednak bywa, w budżecie wiecznie brakowało pieniędzy na realizację tego zamiaru.

- Wiem, wiem - odparł Cross, ucinając zbiorowe lamenty. - Za to wszyscy będziemy pod jednym dachem i będę was miał na oku. Osobiście odpowiadam za całokształt śledztwa. Raporty będziecie zdawać dwóm inspektorom: Bobowi Stansfieldowi i Kevinowi Matthewsowi, którzy za minutę obdzielą was zadaniami. Inspektor Jordan będzie miała huk innych zajęć, na wniosek pana Brandona. - Cross uczynił pauzę. - Nad którymi, jestem tego pewny, ochoczo będziecie z nią współpracować.

Carol usztywniła kark i rozejrzała się po sali. Większość twarzy w zasięgu jej wzroku wyrażała jawną niechęć. Kilka głów zwróciło się w jej stronę. W spojrzeniach, które się w nią wlepiły, nie było ciepła. Nawet ci, co może i poparliby inicjatywę współpracy z profilerem, byli niezłe wkurzeni, że pierwszoplanowa fucha przypadła w udziale kobiecie zamiast któremuś z facetów.

- Tak więc Bob przejmie operacyjne obowiązki inspektor Jordan w sprawach Paula Gibbsa oraz Adama Scotta, Kevin natomiast zajmie się wczorajszą ofiarą, jak również Garrethem Finneganem. Spece od HOLMES-a już zostali wezwani i zaczną wprowadzać dane, jak tylko ekipa remontowa puści kable, gdzie potrzeba. Inspektor Dave Woolcott, którego niektórzy z was pamiętają jeszcze jako sierżanta, będzie odpowiadał za zespół operatorów HOLMES-a. Oddaję panu głos, panie Brandon. - Cross wycofał się i zaprosił naczelnika do zajęcia stanowiska gestem na granicy bezczelności i uprzejmości.

Brandon przez chwilę rozglądał się z namaszczeniem. Czuł się jak miotacz przygotowujący się do najważniejszej zagrywki w życiu. Większość zebranych na sali śledczych była zobojętniała i sfrustrowana. Wielu z nich całymi miesiącami ślęczało nad którymś z wcześniejszych zabójstw, mimo to konkretne wyniki mogli zliczyć na palcach jednej ręki. Wrodzony talent do motywowania podwładnych, którym szczycił się Tom Cross, obrósł już w legendy, ale tym razem czekała go trudna przeprawa, w dużej mierze przez ośli upór, jakoby między pierwszymi trzema zabójstwami nie było związku. Pora pokonać Toma Crossa zgodnie z wytyczonymi przez niego samego regułami gry. Brutalna szczerość nie leżała w charakterze Brandona, ale ćwiczył całe rano: pod prysznicem, przed lustrem, kiedy się golił, w myślach, gdy jadł jajko sadzone na tości i gdy jechał na komisariat. Brandon wsunął rękę do kieszeni i ścisnął kciuk na szczęście.

– To prawdopodobnie najtrudniejsze zadanie w historii tej jednostki. O ile wiemy, ten facet działa jedynie w Bradfield. W pewnym sensie nawet się z tego cieszę, bo nigdy nie widziałem lepszych oficerów śledczych od tych, jacy zebrali się tu, w tej sali. Jeżeli ktokolwiek może przyskrzynić tego bydlaka, to tylko wy. Możecie liczyć nie na stu-, ale studziesięcioprocentowe poparcie ze strony starszych oficerów, macie również moją osobistą gwarancję, że wszystko, czego będziecie potrzebować, zostanie wam udostępnione, czy politykom będzie się to podobało, czy nie – wojownicza nuta w głosie Brandona sprawiła, że zebrani zaszemrali potakująco.

– Będziemy działać w sposób nowatorski, i to pod niejednym względem. Wszyscy wiecie o planach Home Office co do powołania ogólnokrajowej jednostki do spraw tworzenia portretów psychologicznych wielokrotnych przestępców. Cóż, nam przypada w udziale rola królików doświadczalnych. Doktor Tony Hill, człowiek, który orzeka o oficjalnym stanowisku Home Office, przyjął moją propozycję współpracy. Owszem, wiem, że są pośród was i tacy, którzy uważają pracę profilera za kupę bzdur. Ale czy się to wam podoba, czy nie, współdziałanie z profilerami to część naszej przyszłości. Jeżeli przyjmiemy pomoc tego człowieka, zwiększą się nasze szanse na to, że pewnego pięknego dnia nasza jednostka będzie taka, w jakiej każdy z nas pracowałby z radością. Jeśli go wkurzymy, wylądujemy z cholernie ciężkim kamieniem młyńskim u szyi. Czy to jasne dla wszystkich obecnych?

Brandon potoczył po sali surowym spojrzeniem, nie omieszkawszy zatrzymać go na twarzy Toma Crossa. Potakujące skinienia wahały się od entuzjastycznych po niechętne.

– Cieszę się, że się rozumiemy. Praca doktora Hilla będzie polegała na oszacowaniu dowodów, które mu przedstawimy, i na stworzeniu profilu psychologicznego zabójcy, dzięki czemu może uda się nam zawęzić dochodzenie. Inspektor Jordan będzie z mojego mianowania oficer łącznikową między wydziałem zabójstw a doktorem Hillem. Inspektor Jordan, może pani na chwilę wstać?

Zaskoczona i zmieszana Carol podniosła się niezbyt wdzięcznie, upuszczając teczkę z aktami na podłogę. Don Merrick bez wahania padł na kolana i zaczął zbierać wysypujące się dokumenty.

– Informacja dla osób z innych oddziałów i nieznających inspektor Jordan osobiście: oto i ona.

Niezły tekst, Brandon, pomyślała. Jakby w sali było całe mnóstwo śledczych w spódnicy, do wyboru, do koloru.

– Inspektor Jordan będzie miała dostęp do każdego bez wyjątku dokumentu związanego z tym śledztwem. Chcę, aby była na bieżąco i w sposób wyczerpujący informowana o wszystkich postępach w sprawie. Każdy, kto znajdzie obiecujący trop, winien go omówić zarówno z nią, jak i ze swoim bezpośrednim zwierzchnikiem, bądź też z nadinspektorem Tomem Crossem. Wszelkie prośby inspektor Jordan proszę realizować w trybie pilnym. Jeśli dowiem się, że ktoś, obojętnie kto, zgrywa cwaniaczka i próbuje zepchnąć inspektor Jordan lub doktora Hilla poza nawias śledztwa, nie będę się patyczkował. To samo dotyczy każdego, kto puściłby bodaj najmniejszy przeciek do prasy, dotyczący zbiorczego dochodzenia. Radzę dobrze się zastanowić, czy to się opłaci. Jeżeli nie chcecie znowu wbić się w mundur i pieszo patrolować ulice Bradfield przez resztę policyjnej kariery, róbcie wszystko, co w ludzkiej mocy, żeby dopomóc koleżance. To nie są zawody sportowe. Wszyscy jesteśmy po tej samej stronie. Doktor Hill nie wyręczy was w ujęciu mordercy. To już wasze...

Brandon urwał w pół zdania. Nikt nie zauważył, kiedy otworzyły się drzwi, ale słowa sierżanta z wydziału łączności przykuły powszechną uwagę skuteczniej niż wystrzał z broni palnej.

– Przepraszam, że przerywam, sir – odezwał się przez ściśnięte gardło. – Mamy personalia tego z wczoraj. Sir, to jeden z naszych.

Z 3,5-CALOWEJ DYSKIETKI O NAZWIE: KOPIA_ZA-PASOWA.007; PLIK MIŁOŚĆ.004

Pewien amerykański dziennikarz powiedział: „Widziałem przyszłość i to się sprawdza*". Jakby mi to z ust wyjął. Próba na psie rozwiała resztkę moich wątpliwości: Adam nie będzie stanowił żadnego problemu.

Do końca tygodnia nie opuszczał mnie stan skrajnego napięcia nerwowego. Korciło mnie nawet, żeby wypróbować na sobie któryś z leków uspokajających, przepisanych przez lekarza, ale wystarczyło mi siły, żeby tę pokusę odeprzeć. To nie czas na uleganie słabości. Nie mogę sobie pozwolić na najmniejsze osłabienie samokontroli. Lata samodyscypliny popłaciły; wątpię, czy którykolwiek z kolegów z pracy zauważył w moim zachowaniu coś niezwykłego, może tylko z tym wyjątkiem, że zabrakło mi wewnętrznej dyscypliny, żeby wziąć nadgodziny w weekend, choć zwykle zgłaszam się na ochotnika.

W poniedziałek rano moja gotowość sięga zenitu. Wszystko jest dopięte na ostatni guzik, czuję się jak czeladnik cechu morderców na chwilę przed pasowaniem na mistrza. Pogoda także mi sprzyja. Jest rześki, bezchmurny jesienny poranek, jeden z tych, jakie wywołują uśmiech nawet na ustach nieszczęśników pięć dni w tygodniu tłukących się z przedmieść do centrum i z powrotem. Tuż przed ósmą przejeżdżam pod domem Adama; to nowo wybudowany, trzykondygnacyjny segment z parterowym garażem. Zasłony w oknie jego sypialni są zaciągnięte, butelka mleka nadal stoi przed drzwiami, połowa Daily Mail wystaje ze skrzynki na listy. Parkuję parę przecznic

---

*Amerykański komunista i dziennikarz Lincoln Steffens w 1912 r. o swojej wizycie w Rosji (przyp. tłum.).

dalej, przed rzędem sklepów, i wracam na piechotę. Kroczę jego ulicą; rozpiera mnie radość, że dotąd wszystko przebiega zgodnie z harmonogramem. Teraz zasłony w oknie sypialni są już rozsunięte, mleko i gazeta znikły. Docieram do końca ulicy, przechodzę przez jezdnię, idę na skwer i siadam na ławce.

Rozkładam własny egzemplarz Daily Mail i wyobrażam sobie, że Adam czyta te same artykuły, na które patrzę w tej chwili niewidzącym wzrokiem. Nieznacznie zmieniam pozycję, żeby widzieć jego frontowe drzwi bez konieczności zapuszczania żurawia zza gazety i co pewien czas czujnie zerkam kątem oka. Jak w zegarku: dokładnie dwadzieścia minut po ósmej drzwi otwierają się i w progu ukazuje się Adam. Nieśpiesznie składam gazetę, wrzucam ją do stojącego przy ławce kosza na śmieci i spacerowym krokiem ruszam za nim ulicą.

Pętla tramwajowa znajduje się niecałe dziesięć minut drogi dalej. Nieomal depczę mu po piętach, gdy wchodzi na zatłoczony przystanek. Po paru chwilach tramwaj wtacza się na pętlę, a on daje się porwać strumieniowi pasażerów. Trzymam się na dystans, pozwalam, by rozdzieliło nas kilka osób; nie chcę niepotrzebnego ryzyka.

Wspina się na palce i szuka kogoś wzrokiem. Już ja dobrze wiem, kogo. Ich oczy się spotykają, Adam macha ręką i przeciska się przez tłum, a potem przez całą drogę do miasta trajkoczą jak najęci. Obserwuję go. Pochyla się do przodu. Znam każdy wyraz jego twarzy, każdą pozę, każdy ruch szczupłego, muskularnego ciała. Jego włosy, kędziorki na karku wciąż jeszcze wilgotne po kąpieli, skórę zaróżowioną i błyszczącą po niedawnym goleniu, zapach wody kolońskiej marki Aramis. Rozmawiają, raptem on wybucha śmiechem, ja zaś czuję w ustach kwaśny smak żółci. Smak zdrady. Jak mógł? To ze mną powinien teraz rozmawiać, to moja bliskość powinna sprawiać, że jego twarz się rozpromienia, że na jego ciepłych ustach gości ten piękny uśmiech. Jeśli nawet upór w dążeniu do celu bodaj na sekundę we mnie osłabł, to widok tej parki, cieszącej się swoim towarzystwem w ten ładny poniedziałkowy ranek, zmienił moją stanowczość w granit.

Jak zawsze, wysiadł z tramwaju na Woolmarket Square. Zachowuję odległość paru metrów od niego. Odwraca się, żeby pomachać swojej niebawem-pogrążonej-w-żałobie ukochanej. Szybko zwracam się bokiem i udaję, że studiuję rozkład jazdy. Ostatnie, czego mi teraz trzeba, to żeby mnie zauważył, uprzytomnił sobie, że ktoś go śledzi. Odczekuję kilka sekund i ostrożnie ruszam za nim. W lewo, w Bellwether Street. To widzę jego ciemne włosy, to tracę je z oczu, kiedy jego głowa niknie w tłumie urzędników biurowych i sklepowych spieszących chodnikami. Adam przecina alejkę po prawej, ja wyłaniam się na Crown Plaza w porę, by zobaczyć, jak wchodzi do budynku Inland Revenue, gdzie pracuje. Myślę z zadowoleniem, że pozornie to poniedziałek, jakich wiele, i podążam przez plac, mijając przysadzisty biurowiec ze szkła i metalu, po czym wchodzę do pasażu handlowego pod niedawno odrestaurowanymi, wiktoriańskimi arkadami.

Mam sporo czasu do zabicia. To skojarzenie także wywołuje uśmiech na mojej twarzy.

Przenoszę się do Biblioteki Centralnej, żeby się nieco dokształcić. Nie doszło nic nowego, zatem poprzestaję na starym ulubieńcu: Killing for Company. Przypadek Dennisa Nilsena nigdy nie przestał mnie zarazem fascynować i brzydzić. Zamordował piętnastu młodych mężczyzn, ale ich zniknięcia nawet nie zauważono. Nikt nie miał zielonego pojęcia, że na wolności grasuje homoseksualny seryjny zabójca, prześladujący bezdomnych i samotnych. Zaprzyjaźniał się z nimi, zabierał do domu, poił, ale obcować z nimi potrafił dopiero wówczas, gdy stawali się doskonali poprzez śmierć. Wtedy, i tylko wtedy, mógł ich tulić, uprawiać z nimi seks, cieszyć się jak najcenniejszym skarbem. I to jest dopiero chore. Nie zrobili przecież nic, by zasłużyć sobie na taki los; nie popełnili zdrady, aktu wiarołomstwa.

Jedynym błędem Nilsena był sposób pozbywania się ciał. Zupełnie jakby podświadomie chciał zostać ujęty. Ćwiartowanie ich i gotowanie było w porządku, ale spłukiwanie fragmentów zwłok w sedesie? Dla człowieka tak inteligentnego musiało być jasne, że kanały ściekowe nie uporają się z taką ilością ciała stałego. Nie pojmuję, dlaczego po prostu nie karmił tym mięchem psa.

Zawsze jednak warto uczyć się na cudzych błędach. Idiotyczne potknięcia seryjnych zabójców pozostają dla mnie źródłem nieustającego zdumienia. Nie trzeba przesadnie rozbuchanego intelektu, żeby rozszyfrować, jak działa policja oraz laboratorium kryminalistyczne, i przedsięwziąć odpowiednie środki ostrożności, tym bardziej że ludzie zarabiający na życie łapaniem zabójców byli uprzejmi napisać szczegółowe podręczniki poświęcone swej pracy. Z drugiej strony, my, czytelnicy, dowiadujemy się jedynie o tych przypadkach, w których sprawcę złapano. Wiem, że moje nazwisko nigdy nie dołączy do katalogów fuszerek. Nie po tak rzetelnych przygotowaniach, przemyśleniu każdego ryzyka i przeciwważeniu go spodziewanymi korzyściami. Jedynym zapisem mojej pracy będzie ten dziennik, który nie ukaże się w druku, dopóki moje ostatnie tchnienie nie przejdzie do rzędu odległych wspomnień. Żałuję tylko, że ominie mnie przyjemność czytania recenzji.

Na upatrzone stanowisko obserwacyjne udaję się około czwartej, choć wiem, że Adamowi nie zdarza się wyjść z pracy wcześniej niż za kwadrans piąta. Siedzę przy samym oknie Burger Kinga przy Woolmarket Square; idealne stanowisko, żeby mieć na widoku ujście alei prowadzącej do biurowca. Jak na komendę, o czwartej czterdzieści siedem pojawia się Adam i spieszy w stronę przystanku tramwajowego. Dołączam do stłoczonej ludzkiej ciżby i milcząco uśmiecham się do siebie, słuchając pisku nadjeżdżającego tramwaju. Naciesz się przejażdżką, Adamie. Będzie twoją ostatnią.

4

„Rzecz w tym, iż »upodobałem« go sobie i powziąłem nie-
złomne postanowienie, by dzieło rozpocząć od jego gardła".
(przełożyła Magdalena Jędrzejak)

Kiedy Damien Connolly, informatyk położonego na południowym krańcu miasta komisariatu Oddziału F, nie pojawił
się na swojej zmianie, sierżant dyżurna nie była szczególnie
zaniepokojona. Wprawdzie posterunkowy Connolly należał
do grona najlepszych operatorów w jednostce, przeszkolo-
nych do pracy z HOLMES-em, ale też notorycznie miewał
problemy z punktualnością. Przynajmniej dwa razy w tygodniu wpadał na komisariat jak torpeda dobre dziesięć minut
po rozpoczęciu się jego zmiany. Dopiero po półgodzinie od
chwili, gdy powinien objąć dyżur, sierżant Claire Bonner poczuła przypływ irytacji. Nawet Connolly miał dość oleju
w głowie, by wiedzieć, że jeśli zamierza się spóźnić o więcej
niż o kwadrans, powinien zadzwonić i ją uprzedzić. W dodatku wybrał sobie akurat taki dzień, kiedy kwatera główna domagała się pełnego obsadzenia stanowisk informatycznych
w związku ze sprawą tego seryjnego mordercy.

Sierżant Bonner westchnęła ciężko. Odszukała w aktach
numer domowy Connolly'ego i wybrała go szybko. Telefon
dzwonił i dzwonił, aż w końcu połączenie zostało automatycznie przerwane. Trochę ją to zaniepokoiło. Connolly sprawiał wrażenie odludka. Był cichszy i bardziej zamyślony niż
większość funkcjonariuszy ze zmiany sierżant Bonner, zawsze trzymał się na dystans, nawet kiedy uczestniczył w życiu towarzyskim komisariatu, choć zdarzało się to nieczęsto.

Jeśli chodzi o nią, nie sądziła, by mogła być mowa o jakiejś dziewczynie, w której łóżku Connolly najzwyczajniej zaspał. Cała jego rodzina mieszkała w Glasgow, w samym Bradfield nie miał żadnych krewnych, więc nie było nawet do kogo zadzwonić i spytać. Sierżant Bonner wróciła myślami do wczorajszego dnia. Jej zmiana miała wolne. Zaraz po nocnym dyżurze Connolly wybrał się na śniadanie razem z nią i kilkorgiem innych funkcjonariuszy. Nie przebąkiwał o żadnych planach, mówił tylko, że chce nadrobić zaległości w spaniu i pomajstrować przy swoim samochodzie, wiekowym austinie healeyu, bodajże model roadster.

Bonner pofatygowała się do dyspozytorni zamienić słówko z zaprzyjaźnionym sierżantem zajmującym się sprawami administracyjnymi. Poprosiła, żeby podesłał wóz patrolowy pod dom Connolly'ego, żeby ktoś sprawdził, czy nic mu się nie stało.

– Dopilnuj, żeby zajrzeli do garażu. Może to jego cholerne auto runęło z podnośnika i przygniotło go na amen – dodała i wróciła do swojego biurka.

O ósmej z minutami sierżant z dyspozytorni wszedł do jej pokoju.

– Chłopaki sprawdziły dom Connolly'ego. Nie otwiera drzwi. Porządnie powęszyli dookoła, ale nigdzie go nie widać, choć okna ma odsłonięte. Na progu przed drzwiami stoi butelka mleka. Żadnych oznak życia, na ile mogli się zorientować. Przyuważyli tylko jedną dziwną rzecz. Samochód jest zaparkowany na ulicy, a to zupełnie do Connolly'ego niepodobne. Nie muszę ci chyba mówić, że traktuje ten wózek jak klejnot koronny.

Sierżant Bonner zmarszczyła czoło.

– Może ktoś u niego pomieszkuje? Ktoś z rodziny albo dziewczyna? Może zwolnił miejsce w garażu na samochód gościa?

Dyspozytor pokręcił głowę.

– Eee, raczej nie. Chłopaki zaglądały przez okno. Garaż jest pusty. No i to mleko...

Sierżant Bonner wzruszyła ramionami.

– Skoro tak, to niewiele więcej możemy zrobić, prawda?

- No, dwadzieścia jeden lat skończył jakiś czas temu. Myślałby kto, że powinien mieć dość rozumu, żeby nie przepaść jak kamień w wodę, ale wiesz, co się mówi o takich jak on. Cicha woda...

Sierżant Bonner westchnęła.

- Wyrwę mu nogi z tyłka, jak tylko się tu pokaże. A propos, poprosiłam Joeya Smitha, żeby wziął za niego zastępstwo, więc informatyka na naszej zmianie nie zabraknie.

Dyspozytor uniósł oczy ku sufitowi.

- Ty to umiesz człowiekowi umilić dzień, co? Nie mogłaś ściągnąć kogokolwiek innego, byle kogo? Smith jest na etapie opanowywania abecadła.

Zanim sierżant Bonner zdążyła się obruszyć, przerwało im pukanie do drzwi.

- Tak? - zawołała. - Proszę wejść.

Do środka niepewnie weszła jedna z funkcjonariuszek z dyspozytorni. Wyglądała jakby było jej słabo.

- Szefowo... - to jedno słowo zdradzało ogromny niepokój. - Pomyślałam, że powinna pani na to zerknąć. - Wyciągnęła przed siebie wydruk z faksu; dolna krawędź była poszarpana, jakby w pośpiechu oderwano go od rolki papieru.

Stojący bliżej dyspozytor sięgnął po dokument i przebiegł go wzrokiem. Raptem wstrzymał oddech i przymknął oczy. W milczeniu podał faks sierżant Bonner.

W pierwszej chwili zobaczyła jedynie kontrastowy, czarno-biały portret. Przez moment, gdy jej umysł bezwiednie bronił się przed potwornością prawdy, pomyślała ze zdziwieniem, kogo podkusiło, żeby wyrywać się z oficjalnym zgłoszeniem Connolly'ego jako osoby zaginionej. Potem jednak jej oczy uporządkowały czarne znaczki na papierze w litery i złożyły w słowa. *„Do wszystkich komisariatów; pilne. Portret niezidentyfikowanej ofiary morderstwa, znalezionej wczoraj po południu na podwórku za lokalem The Queen of Hearts na Temple Fields, Bradfield. Zdjęcie zostanie dosłane dziś w godzinach przedpołudniowych. Prosimy o rozpowszechnienie i umieszczenie na widoku publicznym. Wszel-*

kie informacje kierować do inspektora Kevina Matthewsa,
pokój zgłoszeń, komisariat przy Scargill Street, wew. 2456".

Sierżant Bonner spojrzała z rozpaczą na parę milczących dyspozytorów.

– O pomyłce nie może być mowy, prawda?

Umundurowana policjantka opuściła wzrok; była blada, na jej skórze wykwitły kropelki potu.

– Nie wydaje mi się, szefowo – odparła zdławionym głosem. – To Connolly. To znaczy, nie nazwałabym tego udaną podobizną, ale to na pewno on.

Dyspozytor sięgnął po faks.

– Połączę się z inspektorem Matthewsem – rzucił.

Bonner odepchnęła się od biurka i wstała.

– Lepiej podjadę do kostnicy. Będą potrzebowali oficjalnej identyfikacji najszybciej, jak to możliwe, żeby wziąć się do pracy.

– To całkowicie zmienia grę – stwierdził Tony z zasępioną miną.

– Fakt, stawka poszła w górę – przytaknęła Carol.

– Pytanie, które teraz sobie zadaję, brzmi: czy ten nasz Handy Andy wiedział, że to był gliniarz, czy nie – mruknął Tony, okręcając się na krześle, i zapatrzył się w widoczne za oknem dachy budynków.

– Przepraszam...?

Uśmiechnął się krzywo.

– Nie, nie, to ja przepraszam. Zawsze nadaję im przezwiska. Dzięki temu przestają być tacy bezosobowi. – Obrócił się twarzą do Carol. – Czy to pani przeszkadza?

Carol pokręciła głową.

– „Handy Andy", coś jak złota rączka z programów z cyklu „Zrób-to-sam"? Zawsze to lepsze od ksywki, którą ukuli na komisariacie.

– A mianowicie? – spytał Tony, unosząc brwi.

– Homobójca – wyjaśniła Carol z jawnym niesmakiem.

– To daje człowiekowi wiele do myślenia – zauważył Tony

lekkim tonem. – Ale skoro to komuś pomaga uporać się ze strachem i gniewem, to pewnie nie jest takie złe.

– Mnie się nie podoba. I nie sądzę, żeby nazywanie go Homobójcą sprawiło, żeby ktokolwiek zaczął podchodzić do sprawy bardziej osobiście.

– A co sprawia, że stała się osobista dla pani? Fakt, że tym razem odebrał życie jednemu z waszych?

– Już wcześniej miałam takie poczucie. Zaraz po drugim morderstwie, tym, w sprawie którego prowadziłam dochodzenie, pomyślałam, że mamy do czynienia z seryjnym przestępcą. I właśnie wtedy śledztwo stało się dla mnie czymś osobistym. Chcę przygwoździć tego drania. Jako policjantka, człowiek, wszystko jedno.

Wzburzenie w głosie Carol dodało Tony'emu pewności siebie. Oto kobieta, która nie zawaha się pociągnąć za wszystkie sznurki, żeby dostał to, czego może potrzebować do wypełnienia swojej misji. Równocześnie ton jej głosu i słowa, które wybrała, niosły w sobie wyzwanie, były obliczone na pokazanie mu, że ma gdzieś, jak Tony zinterpretuje jej gorliwość. Była odpowiedzią na jego problemy. Przynajmniej na gruncie zawodowym.

– Zatem jest nas dwoje, bo ja także tego chcę – zapewnił Tony. – I razem zdołamy tego dokonać. Ale tylko razem. Wie pani, kiedy pierwszy raz samodzielnie przymierzyłem się do stworzenia portretu psychologicznego, chodziło o seryjnego podpalacza. Po jakichś sześciu dużych pożarach wiedziałem, jak się do tego zabiera, dlaczego to robi, co z tego ma. Wiedziałem dokładnie, jaki z niego szurnięty drań, a mimo to nie umiałem przyporządkować do tego konkretnej twarzy ani nazwiska. Frustracja doprowadzała mnie do obłędu. Długo to trwało, ale w końcu uświadomiłem sobie, że identyfikowanie sprawcy nie należy do moich obowiązków. To wasze zadanie. Ja mogę jedynie popchnąć was we właściwym kierunku.

Carol uśmiechnęła się ponuro.

– Proszę go wskazać, a wyrwę przed siebie jak pies myśliwski – odpowiedziała. – Ale dlaczego uważa pan za istotne, czy morderca wiedział, że Damien Connolly to policjant?

Tony przegarnął włosy; sterczały jak nastroszona fryzura punkowa.

– OK. Mamy dwa scenariusze. Handy Andy mógł nie wiedzieć, że Damien Connolly pracuje w policji. Może to zwykły zbieg okoliczności, wyjątkowo przykry dla was, niemniej jednak tylko przypadek. Choć ten scenariusz raczej mnie nie przekonuje, bo moja hipoteza, oparta na nielicznych danych, z jakimi miałem okazję się zapoznać, byłaby taka, że nie są to przypadkowe ofiary, typowane losowo. Myślę, że starannie je dobiera i szczegółowo wszystko planuje. Pani by się z tym zgodziła?

– Niczego nie zostawia losowi, to oczywiste – przytaknęła Carol.

– Racja. Może też być i tak, że Handy Andy świetnie wiedział, że czwarta ofiara służy w policji. To założenie otwierałoby cały szereg możliwości. Pierwsza: Handy Andy wie, że zabił gliniarza, ale ten fakt jest kompletnie bez związku z symbolicznym znaczeniem, jakie ma dla niego akt morderstwa. Innymi słowy, Damien Connolly spełniał wszystkie pozostałe kryteria, według których Handy Andy dokonuje selekcji ofiar, i zginąłby, obojętnie czy byłby gliniarzem, czy kierowcą autobusu. Jednak do mnie najbardziej przemawia zaprzeczenie tej tezy. Mianowicie to, że zawód Damiena stanowił jeden z kluczowych powodów, dla których Handy Andy *wybrał* go na czwartą ofiarę.

– Chce pan powiedzieć, że gra nam na nosie? – spytała Carol. Chwała Bogu, szybko kojarzy. To mu znacznie ułatwi pracę. Aż dziw, że ta kobieta tak wysoko zaszła w policyjnej hierarchii przy swojej urodzie i bystrości. Każdy z tych atrybutów, niepoparty drugim, skróciłby jej drogę do awansu.

– To pewne, że i takiej ewentualności nie można wykluczyć – przyznał Tony. – Ale najprawdopodobniej, moim zdaniem, kierowała nim próżność. Myślę, że był wściekły, że policja kryminalna tak długo nie chciała dostrzec jego istnienia. We własnych oczach odnosi niebywałe sukcesy w swej dziedzinie. Jest najlepszy. Wierzy, że należą mu się powszechne hołdy. Tymczasem popularność omija go przez opieszałość policjantów, którzy wzbraniają się przyznać, że za wszystkimi zabójstwami kryje się jeden sprawca. No, owszem, od czasu odnalezienia drugiej ofiary *The Sentinel Times* przebąkuje o pojawieniu się seryjnego zabójcy, ale to nie to samo, co oficjalny komunikat władz. A możliwe, że po trzecim morderstwie sam nieumyślnie dolałem oliwy do ognia.

– Chodzi panu o ten wywiad dla *The Sentinel Times?*

– Ano. Sugestia, że mamy być może do czynienia z dwoma działającymi oddzielnie sprawcami, musiała porządnie go wkurzyć. Pewnie poczuł się niedoceniony jako mistrz w swoim rzemiośle.

– Dobry Boże... – jęknęła Carol, rozdarta między odrazą a fascynacją. – Więc wyszedł na miasto i zabił policjanta, żebyśmy zaczęli go poważnie traktować?

– Możliwe. Oczywiście, nie pierwszego lepszego policjanta. Wprawdzie danie nauczki policyjnym szychom było dla Handy'ego Andy'ego istotne, ale najważniejszy pozostaje mechanizm doboru ofiar, tak aby spełniały bardzo osobiste kryteria.

Carol ściągnęła brwi.

– Czyli chce pan powiedzieć, że Connolly ma w sobie coś, co odróżnia go od większości gliniarzy?

– Na to wygląda.

– Może to kwestia orientacji i takie tam sprawy – zastanawiała się Carol. – Mam na myśli to, że w policji nie służy zbyt wielu gejów. A ci tak się z tym kryją, że mieliby gwarantowane złoto w mistrzostwach świata w chowanego.

– Hola, hola – zaśmiał się Tony, rozkładając dłonie w takim geście, jakby nie chciał, żeby się zbliżyła. – Tylko bez teoretyzowania na wyrost, nim pojawią się dowody. Jeszcze nie wiemy, czy Damien był gejem. Niemniej jednak przydałoby się dowiedzieć, w jakich godzinach Damien pracował w ostatnim czasie. Powiedzmy, w ostatnich dwóch miesiącach. Dzięki temu zorientowalibyśmy się, w jakich porach przebywał w domu, co z kolei mogłoby ułatwić życie policjantom, którzy robili wywiady u sąsiadów. Warto byłoby też podpytać funkcjonariuszy z jego zmiany, czy zawsze wychodził sam, czy też może podwoził kogoś do domu. Musimy w miarę możności jak najwięcej dowiedzieć się o Damienie Connollym jako o człowieku i jako o gliniarzu.

Carol wyciągnęła notes.

– Zmiany – mruknęła, robiąc notatkę.

– To wszystko mówi nam o Handym Andym jeszcze jedno – dodał Tony powoli, wypowiadając myśl, która właśnie zaczynała mu świtać w głowie.

Carol przyjrzała mu się uważnie.

– Proszę mówić dalej – zachęciła.

– Jest bardzo, ale to bardzo dobry w tym, co robi – stwierdził Tony bez wyrazu. – Niech się pani nad tym zastanowi. Policjant to wyszkolony obserwator. Nawet najtępszy glina jest bardziej wyczulony na to, co się wokół niego dzieje od przeciętnego zjadacza chleba. A z tego, co mi pani mówi, Damien Connolly był przytomnym chłopakiem. W dodatku zajmował się zestawianiem baz danych, miał pełniejszy ogląd sytuacji od większości innych funkcjonariuszy, toteż musiał także bardziej mieć się na baczności. O ile rozumiem, praca policyjnego speca od systemu informatycznego polega na tym, że jest chodzącą encyklopedią komisariatu. Można kolekcjonować śliczniutkie karty katalogowe z wszystkimi informacjami o miejscowych złoczyńcach i o tym, jaki *modus operandi*, czy jak wy mawiacie, „MO", każdy z nich stosuje, jeśli jednak operator systemu nie jest szczególnie bystry, cały system nie jest wart funta kłaków, mam rację?

– Trafił pan w dziesiątkę. Dobry spec od systemu jest wart tyle, co tuzin ludzi w terenie – przyznała Carol. – A wszyscy są zgodni co do tego, że Connolly był jednym z najlepszych.

Tony rozsiadł się na krześle.

– Zatem jeśli Handy Andy śledził Damiena, a temu nie uruchomiły się dzwonki alarmowe, to musi być cholernie dobry. Przyznaj, Carol, gdyby ktoś regularnie snuł się za tobą, zauważyłabyś coś, prawda?

– Mam taką szczerą, psiakrew, nadzieję – ucięła Carol sucho. - Ale jestem kobietą. Może jesteśmy trochę bardziej wyczulone na takie sprawy.

Tony pokręcił głową.

- Moim zdaniem, taki bystry glina jak Damien zauważyłby, że ktoś się za nim szwenda, chyba że byłby to profesjonalista.

- Sugeruje pan, że zachodzi możliwość, że szukamy kogoś z policji? - rzecz niespotykana, Carol bezwiednie podniosła głos.

- Owszem. Nie mogę ani tego wykluczyć, ani potwierdzić, dopóki nie zapoznam się z wszystkimi dowodami. To one? - spytał, skinieniem głowy wskazując tekturowe pudło, które Carol, wchodząc, postawiła przy drzwiach.

- Tylko część. Jeszcze jeden karton i teczki ze zdjęciami zostawiłam w samochodzie. A i to po porządnej selekcji.

Tony zrobił pocieszną minę.

- Lepiej, że to spadło na panią niż na mnie. To jak, idziemy po nie?

Carol wstała.

- Może pan weźmie się do pracy, ja tymczasem sama zejdę po resztę?

- Chcę zacząć od przejrzenia zdjęć, więc równie dobrze mogę pójść z panią i pomóc - zaproponował.

- Dzięki - ustąpiła Carol.

Stanęli w przeciwnych końcach windy, oboje skrępowani swoją fizyczną bliskością.

- Nie ma pani tutejszego akcentu - zauważył Tony, kiedy drzwi się zamknęły.

Jeżeli jego współpraca z Carol Jordan miała okazać się owocna, powinien się zorientować, co nią powoduje, na gruncie osobistym, jak i zawodowym. Im więcej zdoła się dowiedzieć, tym lepiej.

- Czy aby nie zarzekał się pan przed chwilą, że pracę detektywistyczną pozostawia pan nam?

- Jesteśmy dobrzy w stwierdzaniu tego, co oczywiste, my psycholodzy. Czy nie to mają nam za złe nasi krytycy z policji?

- Rozszyfrował mnie pan. Jestem z Warwick, to znaczy,

stamtąd pochodzę. Potem uniwerek w Manchesterze i ekspresowe przyjęcie w szeregi „The Met". A pan? Nie uważam się za mistrzynię w rozpoznawaniu po akcencie, ale tyle, że pochodzi pan z północy, to zauważyłam, choć bradfieldzki akcent to też raczej nie jest - odparła Carol.

- Urodziłem się i wychowałem w Halifaxie. Uniwersytet Londyński, potem doktorat na Oksfordzie. Osiem lat pracy w placówkach psychiatrycznych. Półtora roku temu „łowcy głów" zaproponowali mi przeprowadzenie programu na potrzeby Home Office. - Trzeba trochę dać, żeby wiele dostać, cierpko pomyślał Tony. Tylko kto tu właściwie kogo sonduje?

- Zatem oboje jesteśmy ludźmi z zewnątrz - podsumowała krótko Carol.

- Może dlatego John Brandon wybrał panią na łączniczkę między mną a jednostką.

Kiedy drzwi windy rozsunęły się, przeszli przez podziemny parking do sektora dla gości, gdzie Carol zaparkowała auto. Tony wyciągnął z bagażnika wyładowane pudło.

- Nie wygląda pani na taką siłaczkę - stęknął.

Carol pozbierała teczki z fotografiami i uśmiechnęła się szeroko.

- W dodatku jestem mistrzynią „cluedo" - pochwaliła się. - Posłuchaj, Tony... Mogę ci mówić po imieniu? Gdyby więc ten maniak rzeczywiście pracował w policji, to czego powinniśmy się spodziewać?

- Niepotrzebnie to powiedziałem. To teoria na wyrost i nie chcę, żebyś przywiązywała do niej jakąkolwiek wagę, dobrze? Proszę o wykreślenie jej ze stenogramu - wysapał Tony.

- Dobrze, ale jakie byłyby oznaki? - nie odpuściła.

Tony odpowiedział dopiero, kiedy ponownie znaleźli się w windzie.

- Zachowania świadczące o znajomości procedur policyjnych i kryminalistycznych - skapitulował. - Choć samo w sobie to o niczym jeszcze nie świadczy. Jest tyle książek o autentycznych zbrodniach, tyle programów telewizyjnych o pracy dochodzeniówki, że takie rzeczy może wiedzieć praktycznie każdy. Najważniejsze, to mieć otwarty umysł. Inaczej wszystkie starania pójdą na marne.

Carol stłumiła westchnienie.

– W porządku. Pod warunkiem, że mi obiecasz, że kiedy już przejrzysz te materiały, a nadal będziesz brał pod uwagę taką ewentualność, nie omieszkasz mi o tym wspomnieć. Bo jeśli jest w tym coś więcej, niż gdybanie, bylibyśmy zmuszeni gruntownie przemyśleć sposób, w jaki prowadzimy to śledztwo.

– Słowo – odparł. Drzwi windy otworzyły się, jakby chciały postawić kropkę po ostatnim zdaniu.

Już w gabinecie Tony wysunął z folderu pierwszy zestaw zdjęć.

– Zanim zaczniesz, mógłbyś mi z grubsza powiedzieć, jak się zamierzasz do tego zabrać? – poprosiła Carol z notatnikiem w pogotowiu.

– W pierwszej kolejności przejrzę wszystkie zdjęcia i poproszę, żebyś mi przekazała dotychczasowe wyniki dochodzenia. Kiedy się z tym uporamy, sam odbębnię papierkową robotę. Potem zwykle sporządzam portrety psychologiczne ofiar. Dopiero wtedy przysiądziemy nad tym – pokiwał formularzami. – Na koniec zostawiam najtrudniejsze: profil sprawcy. Twoim zdaniem brzmi to dorzecznie?

– Nawet bardzo. Jak sądzisz, ile to potrwa?

Tony ściągnął brwi.

– Trudno powiedzieć. Kilka dni, to minimum. Ale wygląda na to, że Handy Andy działa w ośmiotygodniowym cyklu i nic nie wskazuje na to, by się rozkręcał. Nawiasem mówiąc, to rzecz niezwykła. Jak przestudiuję te materiały, będę miał lepsze wyobrażenie, ale wedle wszelkiego prawdopodobieństwa będziemy mieć trochę czasu, zanim ponownie zabije. Gwoli jasności, możliwe, że zdążył już sobie upatrzyć następną ofiarę, tym ważniejsze jest, żeby informacje o ewentualnych postępach w sprawie nie przenikały do prasy. Ostatnim, czego chcemy, to wystąpić w roli katalizatora, który skróci odstęp między morderstwami.

Carol jęknęła.

- Zawsze z ciebie taki optymista?

- Skrzywienie zawodowe. A, i jeszcze jedno...? Jeśli będziecie mieli wstępnych podejrzanych, na tym etapie wolałbym nic o nich nie wiedzieć. Nie chciałbym podświadomie zmodyfikować profilu tak, by pasował do któregoś z nich, a takie ryzyko istnieje.

Carol parsknęła ironicznie.

- Chciałabym, żebyśmy mieli tyle szczęścia.

- Jest aż tak źle?

- Och, ściągnęliśmy na komisariat wszystkich notowanych w związku z wykroczeniami i przestępstwami wobec homoseksualistów, od czynów lubieżnych po brutalne przestępstwa, ale na moje oko nic z tego nie będzie.

Tony zrobił współczująca minę, po czym podniósł zdjęcia zwłok Adama Scotta i zaczął je powoli przeglądać. Sięgnął po długopis i przysunął bliżej blok papieru formatu A4. Zerknął na Carol.

- Kawy? - spytał. - Już wcześniej chciałem zaproponować, ale nasza rozmowa całkowicie mnie zaabsorbowała.

Carol poczuła się jak współspiskowiec. Jej także przyjemnie się rozmawiało, choć miała z tego powodu pewne wyrzuty sumienia: uważała, że wielokrotne zabójstwo nie powinno być źródłem przyjemności. Tony traktował ją jak równą sobie, a przy tym nie próbował upiec własnej pieczeni przy jej ogniu. Celem nadrzędnym było dotarcie do prawdy, a nie podbechtanie własnego ja. Bardzo jej brakowało takich rozmów, od kiedy zajęła się tą sprawą.

- Mnie także - wyznała. - Chyba dojrzałam do momentu, w którym kawa staje się sprawą życia i śmierci. Chcesz, to zaraz przyniosę.

- Dobry Boże, nie! - zaśmiał się Tony. - Nie po to cię zaprosiłem. Poczekaj, zaraz wrócę. Jaką lubisz?

- Czarną, bez cukru. Najchętniej w kroplówce, podaną dożylnie.

Tony wyjął z szafki duży termos i zniknął w korytarzu. Po upływie pięciu minut wrócił z dwoma parującymi kubkami i termosem.

- Jest pełny. Pomyślałem sobie, że pewnie trochę tu posiedzimy. Częstuj się, jak tylko będziesz miała ochotę.

Carol z wdzięcznością pociągnęła łyk.

- Ożenisz się ze mną? - rzuciła żartobliwie, przybierając przesadnie romantyczny ton.

Tony roześmiał się, aby zamaskować falę niepokoju, pod wpływem którego przemieściła mu się treść w żołądku; znajoma reakcja na najbardziej nawet niewinny flirt.

- Za kilka dni broniłabyś się przed tym rękami i nogami - wykręcił się żartem, ponownie ogniskując uwagę na fotografiach. - Ofiara numer jeden. Adam Scott - powiedział cicho, notując coś na bloku papieru.

Obejrzał wszystkie zdjęcia, jedno po drugim, potem wrócił do pierwszego. Przedstawiało ono plac miejski z wysokim domem w stylu georgiańskim, nowoczesnym blokowcem po drugiej stronie, oraz rzędem sklepików, barów i restauracji. W centralnej części placu mieścił się publiczny skwer, który przecinały dwie równoległe dróżki. Na środku stał bogato zdobiony, wiktoriański wodotrysk z wodą pitną. Skwer otaczał ceglany mur, wysoki na metr. Dwa boki placu okalały gęste zarośla. Okolica sprawiała dość obskurne wrażenie, na budynkach miejscami łuszczył się tynk. Tony wyobraził sobie, że stoi na rogu, chłonąc widok, wdychając przepojone spalinami miejskie powietrze, zaprawione wonią zwietrzałego alkoholu i wyziewami z fast foodów, wsłuchując się w nocne odgłosy miasta. Wycie silników, stukot obcasów o chodniki, okazjonalne śmiechy i krzyki niesione przez wiatr, ćwierkanie szpaków, wybitych ze snu przez nieustannie sączące się światło sodowych latarni. Gdzie stałeś, Andy? Skąd obserwowałeś teren? Co widziałeś? Co słyszałeś? Co *czułeś*? Dlaczego tutaj?

Drugie zdjęcie przedstawiało fragment muru i zarośli od strony ulicy. Zdjęcie było na tyle wyraźne, że Tony dojrzał małe żelazne kwadraty wieńczące mur, jedyną pozostałość po balustradach, które przypuszczalnie usunięto podczas wojny i przetopiono na broń i łuski na naboje. Część krzaków miała połamane gałęzie, na ziemi walały się liście. Na trzeciej fotografii widniały zwłoki mężczyzny; leżał twarzą do ziemi, kończyny miał wiotkie i wykręcone pod nienaturalnym kątem. Tony pozwolił, by zdjęcie go wessało, próbował wejść w rolę Handy'ego Andy'ego. Jakie to było uczucie, Andy? Byłeś dumny? Przestraszony? W stanie uniesienia? Odczułeś ukłucie żalu, porzucając obiekt swego pożądania? Jak długo syciłeś oczy tym widokiem, tym dziwnym *tableau*, który sam stworzyłeś? Spłoszył cię odgłos kroków? Czy po prostu ci się znudziło?

Tony bezwiednie podniósł wzrok i zauważył, że Carol mu się przygląda. Z zaskoczeniem odnotował fakt, iż po raz pierwszy w życiu nie czuje się skrępowany wpatrzonymi w niego kobiecymi oczami. Może dlatego, że ich relacje opierały się na solidnej zawodowej podstawie, a przy tym wolne były od bezpośredniej rywalizacji. Stopniowo opuszczało go napięcie.

– Miejsce znalezienia ciała. Opowiedz mi o tym.

– Crompton Gardens. Ogrody w sercu Temple Fields, na styku tak zwanej „gejowskiej wioski" i dzielnicy czerwonych latarni. W nocy kiepsko oświetlone, przede wszystkim dlatego, że lampy uliczne notorycznie padają ofiarą wandali. Handlarze seksem wolą się parać swoim zajęciem po ciemku. A takie akcje są w Crompton Gardens na porządku dziennym, po krzakach i na parkowych ławkach pod drzewami, w bramach biur, w piwnicach okolicznych budynków. Prostytutki obojga płci i przypadkowe podrywki. Przez całą noc ciągle się tam ktoś pałęta, ale nie radzę liczyć, że ktokolwiek zgłosi się z informacją, że widział cokolwiek niezwykłego, nawet jeśli miałby coś do powiedzenia – uprzedziła Carol, Tony tymczasem robił notatki.

– Pogoda? – spytał.

– Bezdeszczowa noc, ale ziemia była wilgotna.

Tony ponownie zainteresował się zdjęciami. Ciało sfotografowano pod różnymi kątami. Następnie, po usunięciu zwłok, utrwalono na kliszy w zbliżeniu, miejsce przy miejscu, plac pod nim. Nie było widocznych odcisków butów, tylko parę walających się skrawków czarnego plastiku. Wskazał je czubkiem długopisu.

– Wiemy, co to takiego?

- Worki na śmiecie, używane przez pracowników Miejskiego Przedsiębiorstwa Oczyszczania w całym Bradfield. Standardowe, jakich pełno w firmach, blokach... wszędzie tam, gdzie nie sprawdzają się kontenery na kółkach. Worki z tworzywa o tej grubości są w użyciu od ostatnich dwóch lat. Jak widzisz, nie ma nic, co pozwoliłoby nam określić, czy te strzępy leżały tam wcześniej, czy też pozostawił je sprawca - wyjaśniła Carol.

Tony uniósł brwi.

- Widzę, że od wczoraj wykułaś się na blachę.

Carol wyszczerzyła zęby w uśmiechu.

- Kusi mnie, żeby poudawać super agentkę, ale muszę wyznać, że już wcześniej postawiłam sobie za punkt honoru dowiedzieć się wszystkiego, co tylko się da, o dwóch pozostałych dochodzeniach. Byłam przekonana, że jest między nimi związek, nawet jeśli szefostwo było innego zdania. A żeby być fair wobec kolegów, dodam, że śledczy którzy je prowadzili, nie mieli uprzedzeń. Bez ceregieli pozwalali mi nie raz na grzebanie w materiałach. Całonocna orka jedynie odświeżyła moją pamięć, to wszystko.

- Byłaś na nogach przez całą noc?

- Jak sam mówiłeś, skrzywienie zawodowe. Będę trzymać fason mniej więcej do czwartej po południu. Potem spadnie to na mnie jak uderzenie młotem - przyznała się Carol.

- Przyjęto do wiadomości i zrozumiano - odparł Tony.

Ponownie skupił się na zdjęciach. Zajął się serią z sekcji. Dopiero kiedy zwłoki ułożono na plecach na białym blacie, w pełni uwidoczniły się straszliwe obrażenia. Tony powoli przestudiował całą sekwencję zdjęć, czasami wracając na chwilę do któregoś z wcześniejszych. Gdy przymknął powieki, widział, jak ciało Adama Scotta stopniowo okrywa się ranami i siniakami przypominającymi kwiaty z innej planety. Potrafił niemal przywołać w zwolnionym tempie widok dłoni, które zdrową tkankę zmieniły w ten straszny obraz. Po kilku chwilach otworzył oczy.

- Te siniaki na szyi i klatce piersiowej... - mruknął. - Co patolog na to?

- Malinki. Coś jak ślad miłosnego ukąszenia.

Pochylająca się głowa, drapieżna, w dziwacznej parodii miłości.

- A obrażenia szyi i klatki piersiowej? Te trzy miejsca, z których usunięto fragmenty tkanki? - pytał Tony nieobecnym głosem.

- Pośmiertne. Może je zjada?

- Może - rzucił Tony z powątpiewaniem. - Były inne sińce, z tego, co pamiętasz?

- Chyba coś było - głos Carol zdradzał zaskoczenie.

Tony skinął głową.

- Sam sprawdzę w raporcie patologa. To bystry chłopak, ten nasz Handy Andy. Z marszu mogę powiedzieć tylko tyle, że raczej nie wycinał fragmentów ciała, żeby zachować makabryczną pamiątkę, ani też nie jest kanibalem. Skłaniałbym się do poglądu, że chciał usunąć ślady po ugryzieniach. Handy Andy wie o stomatologii sądowej wystarczająco dużo, żeby zdawać sobie sprawę z tego, że identyfikacja na podstawie uzębienia wystarczy, by trafił za kratki. Toteż kiedy szał minął, ochłonął i usunął potencjalne dowody. Rany cięte genitaliów... zadane przed - czy pośmiertnie?

- Po. Patolog wspominał, że są dość płytkie.

Tony pozwolił sobie na uśmieszek satysfakcji.

- A mówił, co spowodowało uraz kończyn? Na tych pierwszych zdjęciach ofiara przypomina szmacianą lalkę.

Carol westchnęła.

- Nie chciał, żeby uznawać to za oficjalny wniosek. Kończyny były przemieszczone w stawach, wypadła także część kręgów. Powiedział... - zrobiła pauzę i, naśladując napuszony ton patologa, dokończyła: - „Proszę mnie nie cytować, ale spodziewałbym się podobnych obrażeń u kogoś, kogo hiszpańska inkwizycja torturowała na łożu sprawiedliwości".

- Na łożu sprawiedliwości? Cholera, naprawdę mamy do czynienia z szaleńcem. No, dobrze. Następny zestaw. Paul Gibbs. To ty prowadziłaś śledztwo, jeśli się nie mylę? - upewnił się Tony, odkładając zdjęcia Adama Scotta do folderu, po czym wyjął zawartość drugiego. Krok po kroku powtórzył cały proces, którego Carol była świadkiem przed chwilą. - A więc, jak się ma to miejsce do pierwszego? - spytał Tony.

- Poczekaj minutę. Pokażę ci.

Carol otworzyła jedno z pudeł i wyjęła mapę w dużej skali. Rozprostowała ją i rozłożyła na podłodze. Tony wstał zza biurka i przykucnął obok. Owionął ją jego zapach, mieszanina szamponu i nikłej, zwierzęcej woni. Żadnego płynu po goleniu „dla prawdziwego macho", żadnej wody kolońskiej. Patrzyła na jego blade, kanciaste dłonie oparte o mapę, krótkie, niemal pucołowate palce o schludnie przyciętych paznokciach, z rzadka porośnięte kępkami czarnych włosków. Poczuła zarazem odrazę i budzące się pożądanie. Zachowujesz się żałośnie, jak smarkata, skarciła się gniewnie. Jak małolata zadurzona w pierwszym nauczycielu, który pochwalił jej pracę domową. Dorośnij, Jordan!

Pod pretekstem wskazania na mapie, gdzie znaleziono zwłoki, Carol odsunęła się dyskretnie.

- Tu mamy Crompton Gardens - wyjaśniła. - Canal Street biegnie jakieś pół mili dalej, o tu. A klub Queen of Hearts jest tu, z grubsza w połowie drogi między nimi.

- Czy słusznie byłoby zakładać, że sprawca dobrze zna ten rejon? - spytał Tony, zajęty tworzeniem w wyobraźni mapy miejsc zbrodni.

- Sądzę, że tak. Crompton Gardens to dość oczywiste miejsce, żeby pozbyć się zwłok, ale wybór pozostałych dwóch świadczy o dobrej znajomości topografii Temple Fields. - Carol usiadła po turecku na podłodze; próbowała określić punkt wypadowy mordercy.

- Muszę obejrzeć te miejsca. Najchętniej o tej samej porze, w której porzucono tam ciała. Znamy przybliżoną godzinę? - sondował Tony.

- Nie w przypadku Adama. Szacunkowy czas śmierci to północ z marginesem godziny w obie strony, czyli nie wcześniej niż o jedenastej. O Paulu wiemy tyle, że brama pubu była pusta jeszcze parę minut po trzeciej nad ranem. Czas zgonu Garetha przypada między siódmą a dziesiątą wieczorem w dniu poprzedzającym znalezienie ciała. A co do Damiena, to jeszcze o wpół do dwunastej na podwórzu nic się nie działo – wyrecytowała Carol; zamknęła oczy, żeby nie uronić żadnego szczegółu.

Tony przyłapał się na tym, że wpatruje się w twarz Carol, zadowolony ze swobody, jaką dawały mu jej przymknięte powieki. Nawet bez blasku ożywienia w niebieskich oczach każdy uznałby ją za piękną kobietę. Owalna twarz, szerokie czoło, gładka, jasna skóra i te gęste włosy koloru blond, przycięte z lekką niedbałością. Silne, stanowcze usta. Zmarszczka, która pojawiała się między jej brwiami w chwilach namysłu. Jednak jego podziw był chłodny, zupełnie jakby patrzył na jedno ze zdjęć ze szpitalnej kartoteki. Dlaczego, ilekroć patrzy na kobietę, którą każdy normalny mężczyzna uznałby za atrakcyjną, coś się w nim wyłącza? Czy to dlatego, że w zarodku dusi pierwsze drgnienie w sercu, bojąc się, że straci kontrolę nad sytuacją, narazi się na kolejne upokorzenie? Oczy Carol otworzyły się i natychmiast pojawił się w nich wyraz zaskoczenia; przyłapała go na podglądactwie.

Zapiekły go uszy i szybko pochylił się nad mapą.

– Czyli nocny marek – powiedział szybko. – Chciałbym zerknąć na tę okolicę dziś wieczorem, jeśli to możliwe. Spróbujesz znaleźć kogoś, kto by mnie oprowadził, a sama nadrobisz zaległości w spaniu.

Carol potrząsnęła głową.

– Nie. Jeśli wyrobimy się przed piątą, to pojadę do domu i zaliczę kilkugodzinną drzemkę. Wpadnę po ciebie koło północy i wybierzemy się razem. Jeśli ci to odpowiada – zmitygowała się.

– Jak najbardziej – zapewnił Tony. Podniósł się i wycofał na pozycję za biurkiem. – O ile ty nie masz innych planów. – Podniósł zdjęcia i zmusił się, by raz jeszcze spojrzeć na nie oczami Handy'ego Andy'ego. – Tego to dosłownie zmasakrował, nie sądzisz?

– Paul to jedyna ofiara, która została tak ciężko pobita. Gareth ma rany cięte twarzy, ale nic aż tak drastycznego. Twarz Paula została dosłownie strzaskana na miazgę: złamany nos, powybijane zęby, zgruchotane kości policzkowe, zwichnięta żuchwa. Do tego potworne obrażenia okolic odbytu. Właściwie to został wypatroszony. Różnice w rozległości i charakterze obrażeń stanowiły jeden z powodów, dla których nadinspektor był przekonany, że mamy do czynienia z różnymi sprawcami. Ponadto nie doszło do przemieszczenia kończyn w stawach, tak jak to się stało w trzech pozostałych przypadkach.

– To ten, o którym gazety pisały, że był zakryty workami na śmieci?

Carol przytaknęła.

– Strzępy podobnych znaleźliśmy pod ciałem Adama.

Przeszli do Garetha Finnegana.

– Będę musiał porządnie to sobie przemyśleć – westchnął Tony. – Morderca zmienił schemat działania co najmniej w dwóch punktach. Po pierwsze, miejsce pozbycia się ciała, z Temple Fields na Carlton Park. To w dalszym ciągu rewir gejów, ale zawsze to jakaś nieprawidłowość. – Raptem urwał i zaniósł się głuchym śmiechem. – Co ja wygaduję. Jakby całe jego zachowanie nie stanowiło jednej wielkiej nieprawidłowości. Druga sprawa to list i kaseta wideo, przesłane do redakcji The Sentinel Times. Dlaczego ujawnił informacje na temat tej ofiary, skoro nic podobnego nie robił w odniesieniu do poprzednich?

– Myślałam nad tym – wyznała Carol. – Przyszło mi do głowy, że można by to tłumaczyć tak, że w przeciwnym razie leżałyby tam całe dnie, jeśli nie tygodnie, zanim ktokolwiek by je znalazł.

Tony uniesieniem kciuka zasygnalizował, że zdążył to sobie zanotować.

– Te rany na dłoniach i stopach... Wiem, że to brzmi niedorzecznie, ale wyglądałoby, że został ukrzyżowany.

– Patolog nie był zachwycony perspektywą znalezienia się takiej rewelacji w oficjalnym raporcie. Ale obrażenia kończyn górnych w połączeniu z przemieszczeniem obu stawów ramiennych sprawiają, że ukrzyżowanie to wniosek, któremu trudno się oprzeć, tym bardziej gdy pamiętać, że zgon przypuszczalnie nastąpił w Boże Narodzenie.

Carol podniosła się z podłogi, trąc oczy, jakby mogła tym gestem odpędzić senność. Nie zdołała opanować potężnego ziewnięcia, od którego zatrzeszczało jej w szczęce. Zaczęła krążyć po pokoju, próbując wzruszeniem ramion rozluźnić napięte mięśnie.

– Chory bydlak – mruknęła.

– Okaleczenia genitaliów kolejnych ofiar stają się coraz bardziej rozległe – napomknął Tony. – Tego praktycznie wykastrował. Podobnie jest z ranami śmiertelnymi. Wszystkim poderżnął gardła, ale za każdym razem rana jest głębsza.

– Czy to nam cokolwiek mówi? – spytała Carol ledwie zrozumiale, bo znowu ziewnęła.

– Podobnie jak wasz patolog, wolałbym wstrzymać się z ostateczną opinią – zastrzegł się Tony, pochłonięty ostatnim zestawem zdjęć.

Po raz pierwszy za maską profesjonalisty Carol przelotnie ujrzała człowieka. Twarz Tony'ego, choć trwało to zaledwie chwilę, zastygła z masce przerażenia, oczy mu się rozszerzyły, usta prawie znikły, kiedy ze świstem wciągał powietrze. Nie była tym zaskoczona. Kiedy przewrócili Damiena Connolly'ego na plecy, jeden ze śledczych – mierzący ponad metr osiemdziesiąt kawał chłopa, gracz w rugby – runął jak kłoda; dosłownie ścięło go z nóg. Nawet doświadczony patolog policyjny na moment odwrócił wzrok, bo wyraźnie szarpnęły nim mdłości.

Stężenie pośmiertne usztywniło kończyny Damiena Connolly'ego w jakiejś parodii ludzkiego gestu. Wybite stawy sterczały pod dziwacznymi kątami jak w śnie wariata. Ale było tego więcej – i to gorszych rzeczy. W usta wepchnięto mu jego własny, odcięty penis. Tułów, od klatki piersiowej po pachwiny, pokrywały oparzeliny, przypadkowa konfiguracja czerwono-czarnych gwiazdek wielkości około centymetra.

– Mój Boże... – wyszeptał Tony.

– Zaczyna nabierać wprawy, nie uważasz? – spytała Carol cierpko. – Jest dumny ze swojego dzieła, prawda?

Tony nie odpowiedział. Zmusił się do przestudiowania odrażających fotografii z taką samą uwagą, jaką poświęcił poprzednim.

– Carol – odezwał się w końcu. – Czy ktoś domyśla się, czego sprawca użył do wypalenia tych śladów?

– Nie znalazł się taki mądry – żachnęła się.

– Dziwne są – myślał głośno. – Różne wzory. Nie złapał pierwszej rzeczy, jaka nawinęła mu się pod rękę, i której stale by potem używał. Widzę przynajmniej pięć różnych kształtów. Znasz kogoś, kto umie przeprowadzić komputerową analizę wzoru? Żebyśmy się mogli przekonać, czy nie ma tu ukrytego przesłania dla nas? Chryste, tych oparzeń jest chyba kilkadziesiąt!

Carol znowu potarła oczy.

– Nie wiem. Ja i komputery tworzymy z grubsza równie kompatybilną parę jak książę i księżna Walii. Popytam, jak wrócę na komisariat. A jeśli nikt się nie trafi, poproszę brata.

– Brata?

– Michael to geniusz komputerowy. Pracuje w firmie zajmującej się oprogramowaniem do gier. Potrzeba ci kogoś, kto dowolny wzór przeanalizuje, pomajstruje przy nim i finalnie przerobi na zręcznościówkę typu „strzelaj-do-wszystkiego-co-się-rusza", to trafiłeś pod właściwy adres.

– A umie trzymać gębę na kłódkę?

– Gdyby nie umiał, nie robiłby w tej branży. Miliony funtów zależą od tego, czy firma, w której pracuje, wdrapie się na kolejny szczebelek, czy ubiegnie ją konkurencja. Zaufaj mi, już on wie, kiedy milczeć.

Tony uśmiechnął się.

– Nie chciałbym, żebyś pomyślała, że szukam dziury w całym.

– Nie pomyślałam tak.

Tony westchnął.

– Jak słowo daję, szkoda, że nie ściągnęliście mnie wcześniej. Handy Andy na tym nie poprzestanie. Za bardzo jest rozkochany w tej robocie. Spójrz tylko na zdjęcia. Ten bydlak zamierza nadal więzić i torturować, i zabijać, dopóki go nie złapiecie. Carol, ten facet zabija dla sławy.

Z 3,5-CALOWEJ DYSKIETKI O NAZWIE: KOPIA_ZAPASOWA.007; PLIK MIŁOŚĆ.005

Śmiało idę ścieżką i naciskam dzwonek przy drzwiach Adama. Upływa kilka sekund, nim otwiera, przywabiony melodyjką, ja w tym czasie układam twarz w to, co, jak wierzę, wygląda na przepraszający uśmieszek. Widzę niewyraźny zarys jego głowy i ramion, gdy maszeruje przez hol. Potem drzwi otwierają się i stajemy twarzą w twarz. Patrzy na mnie z niepewnym, pytającym uśmiechem. Jakby w życiu nie widział mnie na oczy.

– Przepraszam, że pana niepokoję – mówię. – Tylko że samochód mi się zepsuł, a nie wiem, gdzie jest budka telefoniczna, i tak mi jakoś przyszło do głowy, że może pozwoliłby mi pan skorzystać z telefonu? Tylko wezwę pomoc drogową. Zapłacę za rozmowę, oczywiście... – pozwalam, by mój głos cichł z każdym słowem.

Jego uśmiech staje się szerszy i bardziej odprężony, w kącikach ciemnych oczu pojawiają się drobne zmarszczki.

– Nie ma sprawy. Proszę śmiało. – Wycofuje się, a ja przekraczam próg. Wskazuje gestem w głąb przedpokoju. – Telefon jest w gabinecie. Tędy i w prawo.

Wolno idę holem, nadstawiając uszu w oczekiwaniu na odgłos zamykających się drzwi wejściowych. Kiedy zapadka zamka z trzaskiem wskakuje na swoje miejsce, słyszę:

– Nie ma nic gorszego, prawda?

– Tylko sprawdzę numer – odpowiadam i zatrzymuję się w wejściu do gabinetu, żeby sięgnąć do plecaka. Adam zmierza w moją stronę, a kiedy wyciągam gaz łzawiący, dzieli nas od siebie zaledwie kilkadziesiąt centymetrów. Idealnie. Mierzę mu prosto w oczy i trach!

Ryczy z bólu i zatacza się do tyłu, ku ścianie, orząc palcami twarz. Doskakuję do niego. Stopę wciskam między jego kostki, dłonie opieram mu na ramionach. Szybki obrót i pada na ziemię, zarywa twarzą w dywan, z trudem łapiąc oddech. Kilka sekund i już na nim siedzę, łapię za nadgarstek i wykręcam mu rękę, równocześnie zatrzaskując na niej obręcz kajdanek. Szarpie się pode mną, łzy ciekną mu strumieniami, ale cudem unieruchamiam drugie ramię, choć wali na oślep, i zatrzaskuję drugą obręcz kajdanek.

Dziko młóci pode mną nogami, ale ważę dość, by przyszpilić go do podłogi. Wyciągam z plecaka plastikową torebkę, taką z zaciskiem strunowym. Otwieram ją, wyjmuję gazik namoczony w chloroformie i zakrywam nim jego nos i usta. Mdląca woń unosi się ku moim nozdrzom i czuję lekki zawrót głowy, zapowiedź nudności. Oby tylko chloroform nie okazał się zwietrzały; przechowuję butelkę od paru lat, od kiedy udało mi się ją podwędzić z ambulatorium na pokładzie sowieckiego statku po nocy z pierwszym oficerem.

Adam szarpie się histerycznie, ale mój zimny kompresik odcina mu dostęp powietrza i w ciągu kilku minut jego nogi zaprzestają daremnej młócki. Na wszelki wypadek czekam jeszcze chwilę, następnie przetaczam się na bok i szczelnie oklejam mu nogi taśmą chirurgiczną. Na powrót umieszczam gazik z chloroformem w bezpiecznym opakowaniu, po czym zaklejam Adamowi usta.

Wstaję i oddycham głęboko. Jak dotąd nie mogę narzekać. Następnie wyciągam parę lateksowych rękawiczek i zastanawiam się na spokojnie. Nie jest mi obca teoria Francuza Edmonda Locarda, specjalisty w dziedzinie medycyny sądowej, przedstawiona w 1912 roku podczas procesu o morderstwo i głosząca, że po każdym fizycznym kontakcie dwojga osób pozostaje ślad; przestępca zawsze zabiera na sobie coś z miejsca zbrodni i coś po sobie zostawia. Mając to na względzie, występuję dziś w starannie dobranym stroju: levisy 501, bliźniaczo podobne do tych, w których często widuję Adama. Do tego workowaty biały sweter z dekoltem w serek, jakie noszą krykieciści; na moich oczach Adam kupił identyczny w Marks & Spencer kilka tygodni temu. Wszelkie zbłąkane nitki, jakie mogę zgubić, w nieunikniony sposób zostaną przypisane garderobie Adama.

Szybko rozglądam się po gabinecie. Wzrok zatrzymuję na automatycznej sekretarce. To jeden z tych staroświeckich modeli na jedną kasetę. Otwieram kieszeń i z uśmiechem wyciągam taśmę. Miło mieć pamiątkę z zapisem jego normalnego głosu. Wiem, że ścieżka dźwiękowa mojego filmiku nie będzie brzmiała tak beztrosko.

Brama garażu jest zamknięta na klucz. Wracam na górę. Niebawem znajduję marynarkę Adama, przerzuconą przez oparcie krzesła w jadalni. Pęk kluczy czeka w lewej kieszeni. Zbiegam do garażu, otwieram bramę i bagażnik dwuletniego forda escorta, model hatchback. Potem idę po Adama. Jest już, rzecz jasna, przytomny. Oczy ma spanikowane, zza knebla wydobywają się zdławione stęknięcia. Uśmiecham się do niego z góry i przyciskam mu do twarzy gazik z chloroformem. Tym razem, naturalnie, niewiele może zrobić we własnej obronie.

Podciągam go do pozycji siedzącej, po czym przynoszę z gabinetu krzesło. Z wysiłkiem sadzam na nim Adama. Teraz udaje mi się przerzucić go przez ramię i na chwiejnych nogach przenieść do garażu. Wrzucam go do bagażnika i zatrzaskuję klapę; nic nie zdradza obecności dodatkowego pasażera.

Sprawdzam godzinę. Szósta z minutami. Postanawiam zaczekać godzinę, aż zrobi się na tyle ciemno, by nikt z sąsiadów nie zauważył przypadkiem nieznajomej twarzy w samochodzie Adama, wyjeżdżającym z jego garażu. Czas zapełniam przeglądaniem jego życia. Pliki zdjęć przedstawiają przyjaciół, rodzinę podczas bożonarodzeniowej kolacji. I widzę, że moja osoba idealnie by się w ten obrazek wpasowała. Mogliśmy mieć wszystko, gdyby nie był głupcem.

Z zadumy wyrywa mnie natarczywy dźwięk telefonu. Niech dzwoni. Przechodzę do kuchni. Sięgam po mleczko do czyszczenia i jakąś ścierkę, po czym szoruję do czysta wszystkie pomalowane lub polakierowane przedmioty w holu. Użytą ścierkę chowam do plecaka i biorę odkurzacz. Powoli i metodycznie sprzątam cały hol, wymazując ślady walki z niezniszczalnego, ręcznie tkanego dywanu. Wlokę odkurzacz za sobą, prosto do garażu; wyglądał, jakby zawsze sobie tu stał, w rogu. Myślę z zadowoleniem, że udało mi się usunąć wszystkie dowody swojej bytności. Wsiadam do samochodu Adama, naciskam brelok pilota przy kluczykach i odpalam silnik, tymczasem brama garażu podjeżdża do góry.

Zamykam ją za sobą i ruszam w drogę. Z bagażnika dobiegają stłumione dźwięki. Grzebię w schowku, dopóki nie znajduję kasety „Wet, Wet, Wet". Wpycham ją do odtwarzacza i podkręcam fonię. Podśpiewując do muzyki, wyjeżdżam z miasta i jadę na wrzosowiska.

Już wcześniej przyszło mi do głowy, że samochód Adama nie zdoła wdrapać się pod stromiznę; teraz przekonuję się, że moje obawy były w pełni usprawiedliwione. Półtora kilometra przed farmą droga okazuje się zbyt zarośnięta i pożłobiona koleinami. Z westchnieniem wysiadam i resztę trasy pokonuję pieszo. Wracam z taczką. Kiedy otwieram bagażnik i chcę go na nią przełożyć, oczy ma szeroko otwarte i nieruchome. Zdławione krzyki spływają po mnie jak woda. Bezceremonialnie wywlekam go z samochodu. Potem mozolny kilometr pod górkę, bo tak się miota, że trudno mi sterować taczką. Szczęśliwie, cioteczka Doris była dość przewidująca, żeby nabyć solidną taczkę budowlaną, wyposażoną z przodu w dwa kółka.

Wwożę go do domu i otwieram klapę w podłodze. Piwnica w dole jest ciemna i zapraszająca. Oczy Adama rozszerzają się z przerażenia. Głaszczę jego miękkie włosy i mówię:

– Witaj w komnacie rozkoszy.

5

„Co się zaś tyczy [...] tłuszczy czytającej gazety, to łatwo byle czym schlebić jej gustom, byle było to dostatecznie krwawe. Atoli umysł o pewnej wrażliwości wymaga czegoś więcej".

(przełożyła Magdalena Jędrzejak)

Odprowadziwszy Carol do samochodu, Tony ruszył przez kampus i kupił wieczorną gazetę. Jeżeli rozgłos był tym, za czym tęsknił Handy Andy, to jego marzenia w końcu się spełniły. Lęk i nienawiść przebijały ze stronic *The Bradfield Evening Sentinel Times*. Ściślej rzecz biorąc, z pięciu stronic. Pierwsza, druga, trzecia, dwudziesta czwarta oraz dwudziesta piąta, plus komentarz redakcyjny, poświęcone były Homobójcy. Gdyby sugerować się tym przydomkiem, przecieki zdarzały się policji równie często jak komisjom rządowym.

– Nie spodoba ci się, że nazywają cię Homobójcą, prawda, Andy? – powiedział cicho Tony i zawrócił.

Po powrocie do gabinetu zasiadł za biurkiem i przestudiował gazetę. Penny Burgess miała prawdziwe używanie. Na stronie tytułowej nagłówek wielką, grubą czcionką krzyczał: „HOMOBÓJCA ZNÓW ATAKUJE!". Następny, mniejszymi literami, głosił: „POLICJA PRZYZNAJE, ŻE W MIEŚCIE GRASUJE SERYJNY ZABÓJCA". Pod nim umieszczono drastyczną relację ze znalezienia ciała Damiena Connolly'ego z jego zdjęciem zrobionym podczas parady po przysiędze. Z kolei na drugiej i trzeciej stronie zamieszczono mocno podkolorowany skrót trzech wcześniejszych spraw, łącznie ze schematyczną mapką.

– Kręcenie bicza z piasku i tyle – mruknął Tony, spoglądając na rozkładówkę. Tytuł „GEJE DRŻĄ PRZED POTWOR-NYM HOMOBÓJCĄ" nie pozostawiał czytelnikom wątpli-wości co do tego, komu, zdaniem *The Sentinel Times*, grozi niebezpieczeństwo. Artykuł skupiał się na rzekomej histerii, dzierżącej za gardło gejowską społeczność miasta Bradfield, i opatrzony był serią zdjęć z kafejek, barów i klubów, przed-stawiających środowisko gejów w wystarczająco nieprzychyl-nym świetle, by schlebić uprzedzeniom czytelników.

– O rety – westchnął Tony. – Wcale ci się to nie spodoba, Andy.

Ponownie zainteresował się komentarzem od redakcji.

Nareszcie – czytał – policja przestała zaprzeczać temu, co wielu z nas podejrzewało od pewnego czasu. W Bradfield gra-suje seryjny zabójca, którego ofiary werbują się spośród mło-dych, samotnych mężczyzn uczęszczających do najpodlejsze-go sortu barów dla gejów.

To hańba, że policja wcześniej nie ostrzegła homoseksu-alistów naszego miasta, aby mieli się na baczności. W oży-wającym po zmroku świecie anonimowych kontaktów i przypadkowego seksu, nietrudno temu drapieżnemu po-tworowi znajdować chętne ofiary. Milczenie policji mogło jedynie ułatwić zabójcy jego zbrodniczą działalność.

Zapewne opieszałość w ujawnianiu tej sprawy pogłębiła także nieufność społeczności gejów w stosunku do policji, budząc obawy, że życie homoseksualistów jest dla władz mniej cenne od życia pozostałych mieszkańców miasta.

Źle się dzieje, skoro trzeba było śmierci „niewinnych" ko-biet po serii mordów na prostytutkach, aby policja zaintere-sowała się Rozpruwaczem z Yorkshire. I źle się stało, że mu-siał zginąć funkcjonariusz policji, by policja miasta Bradfield poważnie zajęła się Homobójcą.

Mimo wszystko apelujemy do społeczności gejowskiej o pełną współpracę z policją. Domagamy się także, by po-licja prowadziła śledztwo w sprawie tych potwornych mor-dów w sposób skrupulatny i wykazując się zrozumieniem dla obaw homoseksualistów z Bradfield. Im szybciej ten brutalny morderca zostanie ujęty, tym prędzej wszyscy będziemy mogli odetchnąć spokojnie.

– Typowa mieszanina moralizatorstwa, świętego oburzenia i nierealistycznych żądań – zwierzył się Tony diabelskiemu bluszczowi, stojącemu w doniczce na parapecie. Wyciął artykuły i ułożył je, jeden obok drugiego, na biurku. Włączył dyktafon na mikrokasetę i zaczął dyktować:

– *The Bradfield Sentinel Times*, dwudziesty siódmy lutego. Handy Andy nareszcie doczekał się upragnionej sławy. Zastanawiam się, jaką przywiązuje do tego wagę. Jeden z dogmatów profilowania seryjnych przestępców zakłada, że rozgłos jest dla nich jak powietrze; nie mogą bez niego żyć. Ale tym razem wcale nie jestem taki pewny, czy to dla niego kluczowa sprawa. Nie słał listów po dwóch pierwszych zabójstwach, choć żadne z nich nie było szczególnie nagłośnione przez media bezpośrednio po znalezieniu ciał. Wprawdzie po trzecim pojawił się list, który za pośrednictwem gazety nakierowywał policję na miejsce porzucenia ofiary, ale nie było w nim najmniejszej wzmianki o wcześniejszych mordach. Łamałem sobie nad tym głowę, dopóki inspektor Jordan nie wysunęła innego wyjaśnienia listu i nagrania wideo, takiego mianowicie, że bez wskazówek mordercy ciało mogłoby przez długi czas pozostać nieodnalezione. A zatem, choć Handy Andy nie musi mieć obsesji na punkcie nagłówków i powszechnej paniki, niewątpliwie zależy mu, by ciała były znalezione, dopóki wciąż można rozpoznać w nich jego dzieło. – Westchnął i wyłączył dyktafon.

Z uczelnianego cyrku wymigał się lata temu, mimo to nie potrafił uciec od tego, czego go uczono; każdy etap procesu musi zostać utrwalony. Perspektywa, że śledztwo może mu dostarczyć wstępnych materiałów do artykułów czy nawet książki, była zbyt kusząca, żeby Tony zdołał się jej oprzeć.

– Jestem jak kanibal – pożalił się bluszczowi. – Czasem sam się sobą brzydzę.

Zgarnął artykuły i upchnął je do teczki z wycinkami prasowymi. Otworzył pudła i wyjął z nich sterty wypchanych tek z dokumentacją. Carol wszystkie opatrzyła etykietami i schludnie opisała. Wielkie litery stawiane jednym pociągnięciem, ocenił Tony. Kobieta obyta ze słowem pisanym.

Dokumentacja każdej z ofiar obejmowała raport patologa i wstępny raport eksperta z zakresu medycyny sądowej. Zeznania świadków podzielone były na trzy grupy: „Środowisko (ofiara)", „Świadek (miejsce zbrodni)" oraz „Różne". Wybrał akta z pierwszej grupy i podsunął się na fotelu na kółkach bliżej stołu, na którym stał jego prywatny komputer. Kiedy Tony przyjechał do Bradfield, uniwersytet zaoferował mu terminal podłączony do ich sieci. Odmówił, nie chciał tracić czasu na uczenie się nowego zestawu procedur, skoro obsługę swojego komputera ma w małym palcu. Teraz był zadowolony, że nie musi martwić się dodatkowo o zabezpieczenie danych, i tak nie brakowało powodów, żeby nie spać po nocach.

Tony uruchomił specjalny program umożliwiający porównanie ofiar i zaczął mozolnie wstukiwać dane.

Pięć minut na komisariacie przy Scargill Street wystarczyło, by Carol pożałowała, że nie pojechała prosto do domu. Aby dostać się do gabinetu, który przyznano jej na czas śledztwa, musiała przejść przez główny pokój sztabowy. Egzemplarze wieczornej gazety wyściełały ponad połowę biurek, szydząc z niej nagłówkami dużą, czarną czcionką. Na samym środku, w towarzystwie kilku umundurowanych posterunkowych, stał Bob Stansfield, który na jej widok zawołał:

– Poczciwy doktor wcześnie uderzył w kimono, co?

– Miałam okazję trochę poobserwować poczciwego doktora, Bob, i powiem ci, że spokojnie mógłby udzielić niektórym z naszych szefów korepetycji z pracy po godzinach – warknęła Carol, zła na siebie, że nie ma pomysłu, jak skuteczniej go zgasić. Na pewno wymyśli coś sensownego wiele godzin później, pod prysznicem. Z drugiej strony, może to i lepiej, że nie palnęła czegoś ostrzejszego. Lepiej nie dołować chłopaków bardziej, niż to się już stało przy rozdzielaniu zadań. Przystanęła z uśmiechem. – Jakieś nowości?

Stansfield natychmiast zdystansował się od młodszych stopniem kolegów, rzucając cierpko:

– No, ferajna, brać się do roboty. – Przysunął się do Carol i mruknął: – Nowości to za dużo powiedziane. Operatorzy HOLMES-a urabiają sobie ręce po łokcie. Wbijają wszystko, co mamy, do komputera, sprawdzą, jakie korelacje uda się z tego wyciągnąć. Cross wydał polecenie, żeby znowu ściągnąć na komisariat wszystkich dudków, których wcześniej przesłuchiwaliśmy. Jest przekonany, że któryś z nich to nasza szansa na wielką wygraną.

Carol pokręciła głową.

– Strata czasu.

– Ty to powiedziałaś. Ten sukinsyn jak nic nie był nigdy notowany, założę się o to. Kevin skrzyknął ekipę, z którą zamierzają się wypuścić wieczorem na miasto. Chce spróbować czegoś trochę innego – dodał, wyjmując i zapalając ostatniego papierosa. Z wyrazem obrzydzenia na twarzy cisnął pustą paczkę do kosza na śmieci. – Cholera, jeśli w tej zasranej sprawie nie będzie jakiegoś przełomu, zacznę się domagać podwyżki na poczet zakupu fajek.

– Ja za to piję takie ilości kawy, że aż chlupie mi w brzuchu – odpowiedziała Carol smętnie. – Dobra, więc co takiego kombinuje Kevin? – Tylko z włosem, nigdy pod włos. Najpierw łapanie więzi, potem zadawanie pytań. Zabawne, że wyciąganie informacji z kolegów wciąż podlega tym samym zasadom, co przesłuchiwanie podejrzanych.

– Naśle ekipę tajniaków na środowisko gejowskie. Mają węszyć przede wszystkim w klubach i pubach z zacięciem SM. No wiesz, sado maso, pejczyki, smyczki i takie klimaty. – Stansfield prychnął. – Po południu opadli chmarą chłopaków z sekcji motocyklowej i pozdzierali z nich skórzane spodnie.

– Spróbować nie szkodzi – stwierdziła Carol.

– Dobra, dobra. Chyba że się okaże, że Kevin pośle w teren kryptopedałków jak Damien Connolly – sarknął Stansfield. - Tego tylko brakuje, gromadki śledczych homo-nie-wia-domo, cacy przystrojonych własnymi kajdankami.

Carol nie zaszczyciła tej uwagi komentarzem. Ruszyła w kierunku swojego gabinetu. Zdążyła oprzeć rękę na klamce, gdy przez pomieszczenie przetoczył się grzmiący okrzyk Crossa:

- Inspektor Jordan? Niech no pani ruszy cztery litery i zajrzy tu do mnie.

Carol zamknęła oczy i policzyła do dziesięciu.

- Już idę - powiedziała pogodnie, zawróciła i pomaszerowała do tymczasowego gabinetu Crossa.

Urzędował w nim dopiero jeden dzień, ale już zdążył odcisnąć swoje piętno, zupełnie jak kocur znaczący terytorium. Pokój cuchnął dymem papierosowym. W styropianowych kubkach z niedopitą kawą, strategicznie rozstawionych na parapecie i blacie biurka, dryfowały niedopałki. Nie zabrakło nawet kalendarza z fotkami roznegliżowanych dziewczyn; dowodu na to, że seksizm ma się świetnie i w dalszym ciągu sprawdza się w przemyśle reklamowym. *Jeszcze* do nich nie dotarło, że to kobiety wystają w supermarketach i wybierają gatunek wódki dla mężów czy chłopaków?

Carol zostawiła drzwi uchylone, żeby się nie udusić, i rzuciła od progu:

- Słucham.

- No, to co wydedukował nasz mały geniusz?

- Trochę przywcześnie na wnioski, sir - odpowiedziała promiennym tonem. - Musi przeczytać wszystkie raporty, jakie dla niego skserowałam.

Cross chrząknął.

- Ach, tak, zapomniałem, że to zasrany profesorek - mruknął złośliwie; ostatnie słowo nieledwie wypluł. - Wszystko na piśmie, ech? Kevin ma coś nowego w sprawie Connolly'ego, będzie pani musiała się z nim skontaktować i nadrobić zaległości. Coś jeszcze, pani inspektor? - spytał wojowniczo, jakby narzucała mu się ze swoją obecnością.

- Doktor Hill ma pewną myśl. W związku z oparzeniami na ciele posterunkowego Connolly'ego. Pytał, czy w ekipie od

HOLMES-a znalazłby się ktoś, kto znałby się na statystycznej analizie wzoru.

– Jaką znowu pieprzoną analizę wzoru? A niby co to?

– Myślę, że chodzi o...

– Mniejsza o to, mniejsza o to – uciął Cross. – Proszę się przejść i popytać, czy ktokolwiek ma pojęcie, o czym pani plecie, do ciężkiej cholery.

– Tak, sir. Och, i jeszcze jedno, sir...? Jeśli nikogo nie znajdziemy tu, na miejscu... Mój brat pracuje w branży komputerowej. Jestem pewna, że chętnie wybawiłby nas z kłopotu.

Cross gapił się na nią; ten jeden jedyny raz jego twarz była zupełnie nieprzenikniona. Kiedy się odezwał, był uosobieniem koleżeńskości.

– Świetnie. Proszę śmiało. Bądź co bądź, pan Brandon dał pani *carte blanche*.

A więc tak wygląda przerzucanie odpowiedzialności na cudze barki, pomyślała Carol, udając się na dół do pokoju informatyków. Pięciominutowa pogawędka ze znękanym inspektorem Davem Woolcottem potwierdziła jej wcześniejsze podejrzenia. Zespół od HOLMES-a nie dysponował ani oprogramowaniem, ani wiedzą fachową, które pozwoliłyby na przeprowadzenie analizy potrzebnej Tony'emu. Schodząc na dół do kantyny, żeby rozejrzeć się za Kevinem Matthewsem, Carol miała nadzieję, że Michael zdoła zachować absolutną dyskrecję. Przemilczeć technologiczne nowinki to nie to samo, co oprzeć się pokusie poplotkowania na temat głośnego śledztwa w sprawie o zabójstwo. Gdyby ją zawiódł, mogłaby od razu pożegnać się z karierą; raz na zawsze utknęłaby w dziale kadr.

Kevin siedział zgarbiony przed kubkiem kawy i talerzem z resztkami smażonego mięsa, sadzonych jajek i warzyw. Carol przysunęła sobie krzesło.

– Mogę się przysiąść?

– Proszę bardzo – odparł Kevin. Podniósł wzrok i posłał jej blady, choć szczery uśmiech, odgarniając kręcone, rude włosy z czoła. – Jak idzie robota?

– Zapewne łatwiej niż tobie i Bobowi.

- No, to jaki on jest, ten jajogłowy z Home Office?

Carol zastanawiała się przez chwilę.

- Ostrożny. Z refleksem, inteligentny, ale nie przemądrzały i, jak się wydaje, nie chce nas uczyć, jak powinniśmy pracować. To naprawdę interesujące, obserwować go przy robocie. Patrzy na wszystko z innej perspektywy.

- Że niby jak? - zdziwił się Kevin. Był szczerze zaciekawiony.

- Kiedy my patrzymy na miejsce przestępstwa, szukamy fizycznych śladów, poszlak, rzeczy, które nakierowałyby nas na kogoś, z kim warto by porozmawiać albo na miejsca, które warto by obejrzeć. Kiedy on patrzy na miejsce zbrodni, takie rzeczy wcale go nie interesują. Próbuje odgadnąć, dlaczego fizyczne ślady są takie, jakie są, po to, żeby rozszyfrować, kto jest sprawcą. To trochę tak, jakbyśmy używali informacji, by posuwać się naprzód, a on wstecz. Czy to ma sens?

Kevin zmarszczył czoło.

- Chyba tak. Myśli pani, że coś z tego będzie?

Carol wzruszyła ramionami.

- Za wcześnie o tym wyrokować. Ale owszem, powiedziałabym, że chyba ma coś do zaoferowania.

Kevin wyraźnie suszył zęby.

- Ale śledztwu czy pani?

- Chrzań się, Kevin - mruknęła, zmęczona plotkami, które krążyły na jej temat w pracy. - W przeciwieństwie do niektórych, nigdy nie brudzę na własnym progu.

Kevinowi zrobiło się głupio.

- Żartowałem tylko, Carol, serio.

- Żarty powinny być zabawne.

- OK, OK, przepraszam. A jak się z nim pracuje? Miły gość czy jak?

Carol odpowiedziała powoli, ważąc każde słowo.

- Biorąc pod uwagę, że przez pół życia zgłębia umysły najróżniejszych dewiantów, to wydaje się całkiem normalny. Jest raczej... zamknięty w sobie. Trzyma się na dystans. Nieczęsto uzewnętrznia swoje myśli. Ale traktuje mnie jak równą sobie, a nie jak jakąś kretynkę. Jest po naszej stronie,

Kevin, i to najważniejsze. Gdybym miała zgadywać, powiedziałabym, że to pracoholik, który świata nie widzi za swoimi zajęciami. A propos pracy... Popeye mówi, że dokopałeś się czegoś o Connollym?

Kevin westchnął.

– Nie wiem, ile to warte, ale coś mam. Jedna z sąsiadek wróciła z pracy do domu za dziesięć szósta. Pamięta, o której, bo jechała samochodem, a w radiu właśnie się zaczęła prognoza dla żeglarzy. Connolly był na swoim podjeździe, zamykał bagażnik samochodu. Miał na sobie kombinezon roboczy. Ta sąsiadka mówi, że musiał majsterkować przy samochodzie, wiecznie przy nim dłubał. Kiedy wysiadała, Damien wjeżdżał tyłem do garażu. Ta sama sąsiadka wyszła z domu godzinę później, bo była umówiona na squasha, i zauważyła, że samochód Connolly'ego jest zaparkowany na ulicy. Trochę ją to zdziwiło, bo nigdy nie zostawiał auta na dworze, a już na pewno nie po zmroku. Zauważyła też, że w garażu Connolly'ego pali się światło. I to mniej więcej tyle.

– Garaż jest integralną częścią domu? – zainteresowała się Carol.

– Nie, ale jest połączony z kuchnią.

– Czyli wygląda na to, że Connolly został uprowadzony z domu?

Kevin wzruszył ramionami.

– Kto wie? Nie ma śladów walki. Rozmawiałem z jednym z techników, którzy przetrząsnęli cały dom, i mówił, żebyśmy nie czekali ze wstrzymanym tchem.

– Bardzo to przypomina poprzednie dwa przypadki.

– Bob mówi to samo. – Kevin odepchnął krzesło. – Lepiej, żebym zakasał rękawy i wziął się do roboty. Wieczorem robimy wypad na miasto.

– Może się spotkamy – odpowiedziała Carol. – Doktor Hill chce, żeby go oprowadzić po miejscach przestępstw mniej więcej o tej samej porze, w której porzucono zwłoki.

Kevin podniósł się z krzesła.

– Tylko pilnuj, żeby nie rozmawiał z nieznajomymi.

Tony wyjął plastikowy pojemnik z porcją lasagne z kuchenki mikrofalowej i usiadł przy barku, w kuchni. Przed wyjściem z pracy wprowadził do komputera wszystko, co zdołał wyszperać na temat czterech ofiar, następnie przekopiował pliki na dyskietkę, bo planował nad nimi popracować w domu, czekając na przyjazd Carol. Zaledwie dotarł na przystanek tramwajowy, poczuł, że jest głodny jak wilk. Natychmiast przypomniał sobie, że od porannej porcji płatków śniadaniowych nie miał nic w ustach. Pracował w takim skupieniu, że nawet tego nie zauważył. Głód napawał go przedziwną satysfakcją. Znaczyło to, że w takim stopniu pochłonęły go jego zajęcia, że zapomniał o sobie i własnych potrzebach. Lata doświadczenia nauczyły go, że najwydajniej pracował wówczas, gdy całkiem się zapominał, zanurzał w schematach myślowych innej istoty, sprzężony z jej niepowtarzalną logiką, zestrojony z cudzymi emocjami.

Z apetytem zabrał się do jedzenia, przełykając najszybciej, jak potrafił, by czym prędzej wrócić do komputera i dokończyć profile ofiar. W pojemniku zostały smętne resztki, akurat tyle, ile dałoby się zgarnąć jednym ruchem widelca, kiedy zadzwonił telefon. Tony, niewiele myśląc, chwycił słuchawkę.

– Halo? – odezwał się wesoło.

– Anthony – znowu ten głos. Tony upuścił widelec, plastikowy pojemnik przechylił się, a resztki lasagne wylądowały na kuchennym blacie.

– Angelica – stwierdził. Znowu znalazł się we własnej skórze, osaczony i uwięziony za sprawą jej głosu.

– Dzisiaj jesteś w bardziej towarzyskim nastroju? – głos był ochrypły i przymilny.

– Nie żebym wczoraj był odludkiem. Po prostu miałem mnóstwo pilnej roboty. A ty mnie rozpraszasz – wyjaśnił Tony, zachodząc w głowę, dlaczego chce mu się przed nią usprawiedliwiać.

– Taki właśnie był plan – odparła. – Ale brakowało mi cię, Anthony. Byłam taka napalona, a ty pozbyłeś się mnie jak starej zabawki, i popsułeś mi humor na cały dzień.

– Dlaczego mi to robisz? – nie pytał, żądał odpowiedzi. Ale jak zawsze potrafiła go zbyć.

– Dlatego, że na mnie zasługujesz – zamruczała. – Dlatego, że pragnę cię jak nikogo na tym świecie. I dlatego, że w twoim życiu oprócz mnie nie ma nikogo, kto by cię uszczęśliwił.

Ta sama stara śpiewka. Byle wymigać się od odpowiedzi odrobiną pochlebstw. Ale dzisiaj Tony chciał prawdy, a nie słodkich słówek.

– Dlaczego tak uważasz? – spytał.

Cichy chichot.

– Wiem o tobie więcej, niż by ci się śniło. Anthony, nie musisz dłużej być sam.

– A jeśli ja lubię być sam? Czy nie byłoby fair zakładać, że jestem sam, bo tego właśnie chcę?

– Nie wyglądasz mi na szczęśliwego chłopczyka. Są takie dni, kiedy patrzę na ciebie i myślę, że niczego bardziej ci nie brak jak tego, żeby ktoś cię przytulił. Anthony, mogę przynieść ci spokój. Kobiety cię wcześniej raniły, oboje to wiemy. Ale ja ciebie nie zranię. Sprawię, że ból minie. Że będziesz spał jak niemowlę, wiesz, że potrafię. Chcę tylko dać ci szczęście – głos był kojący, łagodny.

Tony westchnął. Gdyby tylko...

– Trudno mi w to uwierzyć – przeciągał. Od samego początku kusiło go, by rzucić słuchawką. Ale jako naukowiec chciał wysłuchać, co miała do powiedzenia. A jako niepełnowartościowy mężczyzna miał świadomość, że potrzebuje kuracji i że te telefony mogą okazać się upragnionym lekiem. Przypomniał sobie swoje wcześniejsze postanowienie, że się do niej nie przywiąże, aby – kiedy przyjdzie czas – móc się wycofać bez bólu.

– Mimo to spróbuję, jeśli pozwolisz. – Głos tchnął pewnością siebie. Ufała władzy, jaką nad nim roztaczała.

– Słucham cię przecież, prawda? Włączam się do tej naszej zabawy. Jeszcze nie odłożyłem słuchawki – powiedział, z wysiłkiem zaprawiając głos sztucznym ciepłem.

– To może nie rób już nic więcej, dobrze? Może odłożysz

słuchawkę i pójdziesz na górę do sypialni i przełączysz się na drugi aparat? Żeby nam było wygodniej?

Pierś Tony'ego przeszyło zimne ukłucie strachu. Walczył ze sobą, żeby postawić następne pytanie tak, jak zrobiłby to profesjonalista. Nie „skąd wiesz?", ale:

- A dlaczego myślisz, że mam w sypialni drugi telefon?

Pauza, tak krótka, że Tony nie miał pewności, czy mu się to nie wydało.

- Zgaduję tylko - odparła. - Rozszyfrowałam cię. Tacy faceci jak ty mają w sypialni telefon.

- Strzał w dziesiątkę - przyznał Tony. - No, dobrze. Odłożę teraz słuchawkę i odbiorę rozmowę w sypialni. - Umieścił słuchawkę na widełkach i pośpieszył do gabinetu. Szybko przestawił automatyczną sekretarkę na nagrywanie, podniósł słuchawkę i powiedział: - Halo? Już jestem.

- Siedzisz wygodnie? No, to zaczynam. - Znowu ten gardłowy, seksowny śmieszek. - Porządnie się dzisiaj zabawimy. Poczekaj, aż ci opowiem, co dla ciebie zaplanowałam. Och, Anthony - głos przeszedł w szept. - Marzyłam o tobie. Wyobrażałam sobie, jak mnie dotykasz, twoje silne dłonie, dotyk palców na mojej skórze.

- Co masz na sobie? - spytał Tony; było to, jak wiedział, standardowe pytanie.

- A co byś chciał? Mam trochę garderoby.

Tony odparł szaloną pokusę, żeby powiedzieć: „Wędkarskie wodery, sterczącą spódniczkę jak baletnica i sztormiak". Z trudem przełknął ślinę i rzucił:

- Coś z jedwabiu. Wiesz, jak bardzo lubię jedwab. Jest taki miły w dotyku.

- Wiem, dlatego uwielbiasz moją skórę. Zadaję sobie dużo trudu, by utrzymać się w doskonałej formie. I specjalnie dla ciebie włożyłam komplecik z jedwabiu. Czarne, jedwabne motylki i przezroczystą jedwabną koszulkę, też czarną. Och, uwielbiam czuć jedwab przy skórze. Och, Anthony - jęknęła. - Jedwab muska moje sutki, delikatnie, tak jak robiłyby to twoje palce. Och, moje sutki są twarde jak skała, sterczące, rozpalasz mnie.

Wbrew sobie Tony poczuł, że zaczyna się temu przysłuchiwać z zainteresowaniem. Dobra jest w te klocki, nie da się ukryć. Większość kobiet z seks-linii, do których dzwonił, mówi beznamiętnym i znudzonym tonem, ich odpowiedzi są przewidywalne i sztampowe. Nie budziły w nim żadnych emocji, jedynie czysto profesjonalne zainteresowanie. Ale Angelica jest inna. Chociażby dlatego, że to, co mówiła, brzmiało szczerze.

Pojękiwała cicho.

– Boże, jestem mokra – zaszeptała. – Ale jeszcze nie możesz mnie dotknąć, musisz poczekać. Po prostu połóż się na plecach, grzeczny chłopczyku. Och, uwielbiam cię rozbierać. Wsuwam ci ręce pod koszulę, wodzę palcami po twoim torsie, muskam cię, dotykam, czuję pod palcami twoje sutki. Anthony, jesteś po prostu cudowny – westchnęła.

– To miło – powiedział Tony, jej pieszczotliwy głos sprawiał mu przyjemność.

– To tylko przygrywka. Teraz siadam na tobie okrakiem i rozpinam ci koszulę. Pochylam się nad tobą, przez warstwę jedwabiu czujesz moje sutki, muskam nimi twoją pierś. Och, Anthony! – wykrzyknęła radośnie. – Przyznaj, ucieszyłeś się na mój widok, prawda? Jest twardy jak skała. Och, nie mogę się doczekać, żeby poczuć go w sobie.

Jej słowa zmroziły Tony'ego. Wzwód, który rozpierał mu spodnie, przepadł jak płatek śniegu w kałuży. Wrócili do punktu wyjścia.

– Obawiam się, że zaraz cię rozczaruję – powiedział łamiącym się głosem.

Znowu ten seksowny śmiech.

– Niemożliwe. I tak przerosłeś już moje najśmielsze marzenia. Och, Anthony, dotknij mnie. Mów, co chcesz, żebym zrobiła.

Tony nie znajdował słów.

– Nie bądź nieśmiały, Anthony. Między nami nie ma sekretów, nie ma rzeczy, których byśmy nie zrobili. Zamknij oczy, poddaj się emocjom. Dotknij moich piersi, śmiało, ssij moje sutki, wyliż mi cipkę, chcę wszędzie, wszędzie czuć twoje gorące, mokre usta.

Tony jęknął. To stało się nieomal nie do zniesienia, nawet w imię nauki.

Głos Angeliki był coraz bardziej zdyszany, jakby własne słowa podniecały ją w tym samym stopniu, w jakim powinny podniecać jego.

– Właśnie tak, och, Anthony, to cudowne. Och-och-och – pojękiwała spazmatycznie. – A widzisz, mówiłam ci, że jestem cała mokra. O tak, zanurz palce głęboko w mojej piczce. O matko, jesteś najlepszy... pozwól mi... pozwól mi, och, pozwól mi dobrać się do ciebie.

Tony usłyszał w słuchawce odgłos, jaki towarzyszy rozpinaniu rozporka.

– Angelica... – westchnął. Ale wszystko znowu zaczęło się sypać, wymykać spod kontroli i zmierzać ku katastrofie jak ranny ptak koliście opadający ku ziemi.

– Och, Anthony, jesteś piękny. Masz najpiękniejszego kutasa, jakiego w życiu widziałam. Och, daj mi go posmakować... – jej głos ucichł i przerodził się w odgłos ssania.

Krew uderzyła Tony'emu do twarzy; oblał go wstyd i gniew. Rzucił słuchawkę, ale natychmiast podniósł ją z widełek. Jezu, co to za mężczyzna, który nie może go postawić na baczność nawet podczas takiej rozmowy? I co to za naukowiec, który nie umie rozdzielić własnych żałosnych porażek od ćwiczenia, jakim jest gromadzenie danych?

Najgorsze w tym wszystkim było to, że uświadamiał sobie, jak się zachowuje. Ileż to razy siedział przy stole naprzeciwko wielokrotnego gwałciciela, podpalacza albo mordercy i widział, jak ponownie przeżywając swoje czyny, osiągają stan, w którym nie potrafią się ze sobą uporać. Podobnie jak on zamykali się w swoim wnętrzu. Nie mogli po prostu odłożyć słuchawki, tak jak on teraz, choć zamykali się w sobie dokładnie w ten sam sposób. Z czasem, rzecz jasna, dzięki odpowiedniej terapii, udawało im się zrobić wyłom w murach, którymi się obwarowywali, i stawić czoło temu, za co trafili za kraty. Był to pierwszy krok ku uzdrowieniu. W skrytości ducha Tony modlił się, żeby Angelica wiedziała o tej teorii wystarczająco dużo, by nie przestać dzwonić, dopóki sam nie przełamie psychologicznych barier i nie spojrzy prosto w twarz temu, co uczyniło z niego seksualnego i emocjonalnego kalekę, cokolwiek to jest. Druga połowa jego jestestwa miała nadzieję, że już nigdy nie usłyszy jej głosu. Chrzanić „poboli i przestanie". Po prostu nie chciał bólu.

John Brandon starannie wytarł talerz resztką chleba i uśmiechnął się do żony.

– Było wspaniałe, Maggie – zamruczał.

– Mmm – przytaknął mu syn Andy przez usta pełne potrawki jagnięcej z bakłażanem w sosie curry.

Brandon niespokojnie poruszył się na krześle.

– Jeśli nie masz nic przeciwko, to wyskoczę na godzinkę na Scargill Street. Tylko się zorientuję, jak im idzie.

– Myślałam, że policjanci tej rangi nie muszą tyrać wieczorami – zauważyła Maggie pogodnie. – Mówiłeś chyba, że twoi podwładni nie potrzebują, żebyś sterczał nad nimi jak kat nad dobrą duszą?

Brandon minę miał niewyraźną.

– Wiem. Ale po prostu chcę sprawdzić, jak sobie radzą.

Maggie pokręciła głową, uśmiechając się z rezygnacją.

– To już wolę, żebyś pojechał od razu i odetchnął spokojnie, zamiast przez cały wieczór jak na szpilkach siedzieć na kanapie przed telewizorem.

Karen się ożywiła.

– Tato, skoro już jedziesz do miasta, to może podrzucisz mnie do Laury? Żebyśmy mogły popracować nad tym referatem z historii?

Andy parsknął.

– Popracować nad tym, jak tu zacząć kręcić z Craigem McDonaldem, chyba raczej.

– Co ty tam wiesz – fuknęła Karen. – Dobrze, tato?

Brandon wstał od stołu.

– Jeżeli jesteś gotowa. Zahaczę po ciebie, jak będę wracał.

– Och, tato – marudziła Karen. – Mówiłeś, że jedziesz tylko

na godzinę. To za krótko, żebyśmy się ze wszystkim wyrobiły.

Tym razem to Maggie parsknęła śmiechem.

– Jak wasz ojciec wróci przed wpół do dziesiątej, zrobię na kolację racuchy.

Czternastoletnia Karen popatrzyła najpierw na jedno, potem na drugie z rodziców. Na jej gładkiej twarzy malowało się rozdarcie.

– Tato? – odezwała się w końcu. – Możesz po mnie przyjechać koło dziewiątej?

Brandon uśmiechnął się od ucha do ucha.

– Mam wrażenie, że ktoś tu mną manipuluje...

Minęło wpół do ósmej, kiedy Brandon wkroczył do pokoju komputerowego. Nawet o tak późnej porze wszystkie terminale były zajęte. W tle nieustannego stukotu klawiszy pod palcami informatyków słychać było ciche rozmowy prowadzone przy kilku stanowiskach. Inspektor Dave Woolcott usiadł obok jednego z operatorów, który wskazywał właśnie coś na monitorze. Nikt nie podniósł wzroku, kiedy Brandon wszedł do środka.

Stanął za plecami Woolcotta i czekał, aż ten skończy rozmowę z funkcjonariuszem obsługującym terminal. Brandon stłumił westchnienie. Stanowczo pora pomyśleć o emeryturze. Nie w tym rzecz, że posterunkowi wydawali mu się od pewnego czasu bardzo młodzi; nawet inspektorzy nie wyglądali na tyle dorośle, by nie dziwiło go, że nie noszą na czapkach opasek stażystów.

– Szukaj zgodności dalej, Harry, zrób odsyłacze do baz CRO – mówił Woolcott, a szczaw przy klawiaturze kiwnął głową i zapatrzył się w monitor.

– ... wieczór, Dave – odezwał się Brandon.

Woolcott okręcił się na krześle. Rozpoznał gościa i zerwał się na nogi.

– Dobry wieczór, sir.

– Przejeżdżałem obok i pomyślałem, że wpadnę – zełgał Brandon gładko.

– No więc, to dopiero początek, sir. Powołaliśmy zespoły,

które przez kilka następnych dni będą harować dwadzieścia cztery godziny na dobę, żeby powprowadzać wszystkie dane z oświadczeń świadków zarówno we wcześniejszych sprawach, jak i w sprawie posterunkowego Connolly'ego. Utrzymuję też łączność z ekipą obsługującą telefoniczne „gorące linie". Większość zgłoszeń to zwykła złośliwość, chęć zemsty i paranoja, ale sierżant Lascelles robi kawał dobrej roboty, żeby jakoś oddzielić rojenia od konkretów.

– Coś się zaczyna z tego wyłaniać?

Woolcott potarł łysinę odruchowym gestem, który – jak twierdziła jego druga żona – wywołał u niego przerzedzenie włosów.

– Groch z kapustą. Mamy nazwiska kilku gości, którzy kręcili się po Temple Field w przynajmniej dwóch z kluczowych nocy, i tych już rozpracowujemy. Zaczęliśmy też wprowadzanie do PNC* numerów rejestracyjnych pojazdów zaparkowanych w okolicy w czasie zabójstw. Na szczęście od drugiego zabójstwa inspektor Jordan poleciła fotografować tablice rejestracyjne aut porzuconych na terenie wioski gejów. Huk roboty, sir, ale go dopadniemy.

O ile on też tam parkował, pomyślał Brandon. Sam gorliwie opowiadał się za tym, że to sprawa dla speców od HOLMES-a. Ale ten morderca nie przypominał żadnego z psychopatów znanych mu z pracy lub z lektury. Ten jest ostrożny.

Brandon nie znał się na komputerach. Jednak pewne powiedzonko utkwiło mu w pamięci: „włóż śmiecie, wyjmiesz śmiecie". Gorąco wierzył, że nie zlecił swoim ludziom fuchy, która powinna przypaść miejskiemu przedsiębiorstwu oczyszczania.

Carol gwałtownie otworzyła oczy, serce omal nie wyskoczyło jej z piersi. W jej śnie ciężkie drzwi celi zatrzasnęły się głucho i została uwięziona w zimnych, zawilgotniałych ścia-

---

*PNC, Police National Computer – działający w Wielkiej Brytanii od 1974 r. policyjny system komputerowy (przyp. tłum.).

nach bez okien. Zamroczona od snu, potrzebowała chwili, by zdać sobie sprawę, że swojski ciężar Nelsonowego ciała nie spoczywa w poprzek jej stóp. Usłyszała odgłos kroków, brzęk upadających na stół kluczy. Światło wlało się wąskim paskiem przez szczelinę w drzwiach, uchylonych, jak tego wymagały nocne wędrówki Nelsona. Z jękiem przewróciła się na plecy i sięgnęła po budzik. Dziesięć po dziesiątej. Okradziona z dwudziestu minut cennego snu przez hałaśliwy powrót Michaela.

Na miękkich nogach zwlokła się z łóżka i otuliła mięsistym, frotowym szlafrokiem. Zamaszyście otworzyła drzwi sypialni i weszła do olbrzymiego pokoju, największego w znajdującym się na trzecim piętrze mieszkaniu, które dzieliła z bratem. Pół tuzina reflektorków na statywach różnej wysokości spowijało salon ciepłym, eleganckim blaskiem. W progu kuchni pojawił się Nelson, podskakując na nielakierowanej, drewnianej podłodze. Potem spiął się w sobie i susem przeczącym prawu ciążenia wystrzelił w powietrze, odbił się od wysokiej, wąskiej kolumny i delikatnie wylądował na regale z jasnego drewna. Stamtąd z wyższością łypnął na Carol, jakby chciał powiedzieć: „Założę się, że tak nie potrafisz".

Salon miał jakieś dwanaście na przeszło sześć metrów. W rogu, wokół niskiej ławy ustawiono trzy dwuosobowe sofy przykryte pikowanymi kapami. W drugim znajdował się stół jadalniany i sześć krzeseł Renniego Mackintosha. Przy sofach, na czarnej odkrytej szafce na kółkach, stały telewizor i magnetowid. Z grubsza połowę ściany w głębi pomieszczenia zajmowały półki z książkami, kasetami video i płytami kompaktowymi.

Ściany pomalowane były na chłodny, gołębi kolor – z wyjątkiem tej w głębi pokoju, którą pozostawiono nieotynkowaną, by uwidocznić cegły. Z pięciu wysokich okien roztaczał się widok na miasto. Carol podeszła bliżej i zapatrzyła się w podobny do skrawka czarnej wstążki kanał diuka Waterfordu. Miejskie latarnie migotały jak świecidełka na wystawie taniego sklepu jubilerskiego.

– Michael? – zawołała.

Brat wytknął głowę z długiej, kiszkowatej kuchni. Minę miał zaskoczoną.

- Nie wiedziałem, że jesteś w domu - mruknął. - Obudziłem cię?

- I tak miałam zaraz wstawać. Muszę wracać do roboty. Chciałam tylko złapać kilka godzin snu - odpowiedziała z rezygnacją. - Nastawiłeś czajnik? - Poczłapała do kuchni i przysiadła na wysokim stołku, Michael tymczasem zaparzył herbatę i wrócił do komponowania kanapki z ciabatty, pomidorów, czarnych oliwek, dymki i tuńczyka.

- Zjesz?

- Jednej dałabym radę - przyznała Carol. - Jak tam w Londynie?

Michael wzruszył ramionami.

- No wiesz. Podoba im się, co robimy, ale czy nie moglibyśmy skończyć na wczoraj?

Carol skrzywiła się.

- To zupełnie jak komentarze The Sentinel Times o tym seryjnym zabójcy. A w ogóle to czym wy się teraz właściwie zajmujecie? Jeśli to się da wytłumaczyć komputerowemu analfabecie w krótkich słowach?

Michael radośnie wyszczerzył zęby.

- Następnym hiciorem będą przygodówki o jakości grafiki porównywalnej z filmem wideo. Nagrywasz normalnie kamerą, digitalizujesz i robisz z tego grę, która wygląda zupełnie jak film. No, to my się zajmujemy jeszcze następnym hitem. Wyobraź sobie, że grasz w komputerową przygodówkę, ale wszystkie postaci to ludzie, których znasz. Stajesz się bohaterką gry, a nie tylko to sobie wyobrażasz.

- Chyba przestałam nadążać - wyznała Carol.

- OK. Kiedy będziesz instalowała tę grę na swoim komputerze, podłączysz skaner i zeskanujesz własne zdjęcia i każdego, kogo tylko chcesz. Komputer odczyta te informacje i przełoży je na obrazy na ekranie. Zamiast Conana Barbarzyńcy prowadzącego krucjatę będzie Carol Jordan. Możesz użyć fotek najlepszych przyjaciółek albo obiektów pożądania, żeby ci towarzyszyli w grze. Jak kogoś nie lubisz, robisz z niego czarny charakter. I tak z Melem Gibsonem, Dennisem Quaidem i Martinem Amisem, walczysz przeciwko takim wrogom jak Saddam Husajn, Margaret Thatcher i Popeye – tłumaczył Michael z entuzjazmem, przygotowując kolejną kanapkę. Położył ciabatty na talerzach i razem z Carol wrócili do salonu. Usiedli i zaczęli jeść, zagapieni w okno.

– Jasne?

– Tyle, o ile – zaśmiała się Carol. – Czyli jak to oprogramowanie będzie skończone i na chodzie, można by się nim posłużyć, żeby narobić komuś kłopotów? Zmontować filmik pornograficzny?

Michael ściągnął brwi.

– Teoretycznie tak. Choć przeciętny maniak komputerowy nie wiedziałby nawet, od czego zacząć. Musiałby znać się na rzeczy, zgromadzić sprzęt za ciężką kasę, żeby na domowym komputerze uzyskać pojedyncze klatki przyzwoitej jakości, nie mówiąc o całym filmie.

– I chwała Bogu – orzekła Carol z przekonaniem. – Zaczynałam myśleć, że tworzycie kolejnego potwora Frankensteina na użytek szantażystów i dziennikarzy z brukowców.

– Bez szans – zapewnił. – Tak czy inaczej dokładna analiza wykazałaby różnice. A co u ciebie? Jak idą twoje poszukiwania?

Carol wzruszyła ramionami.

– Przydałoby mi się kilku superbohaterów do pomocy, prawdę mówiąc.

– Jaki jest ten psycholog? Trochę ożywi atmosferę?

– Tony Hill? Już ożywił. Popeye wygląda jak burza gradowa. Ale mam nadzieję, że wyjdzie z tego coś sensownego. Po pierwszej sesji mogę powiedzieć tyle, że sypie pomysłami jak z rękawa. W dodatku to sympatyczny facet, z którym da się pracować bez użerania.

Michael znowu wyszczerzył zęby w uśmiechu.

– To musi być przyjemna odmiana.

– Żebyś wiedział.

– A co, jest w twoim typie?

Carol urwała z ciabatty kawałek skórki i rzuciła nim w Michaela.

– Boże, jesteś nielepszy od tych seksistowskich świń, z jakimi pracuję. Nie mam żadnego typu, a nawet gdybym miała, a Tony Hill w nim się mieścił, to wiesz, że nie łączę pracy z przyjemnością.

– Biorąc pod uwagę, że harujesz dniami i nocami, a nieliczne wolne godziny przesypiasz, zgaduję, że masz widoki na dożywotni celibat – dopowiedział Michael kwaśno. – No więc jak, jest boski czy nie jest?

– Nie zauważyłam – wykręciła się Carol. – Wątpię też, by on w ogóle zauważył, że jestem kobietą. Ten człowiek to pracoholik. Co gorsza, dzisiaj to przez niego zarywam nockę. Chce obejrzeć miejsca zbrodni mniej więcej o tej samej porze, w jakiej ciała zostały porzucone. Żeby się wczuć.

– Szkoda, że musisz jechać – zmartwił się Michael. – Wieki minęły, od kiedy mogliśmy ostatnio przesiedzieć wieczór przed telewizorem przy winie. Tak rzadko się ostatnio widujemy, że równie dobrze moglibyśmy być małżeństwem.

Carol uśmiechnęła się z żalem.

– Cena sukcesu, co, brachu?

– Pewnie tak. – Michael wstał. – A co tam, skoro ty jedziesz do pracy, to ja też spokojnie mogę popracować parę godzin, zanim walnę się do łóżka.

– Zanim wyjdziesz... Chcę cię poprosić o przysługę.

Michael opadł na krzesło.

– O ile to nie ma nic wspólnego z prasowaniem twoich ciuchów.

– Co wiesz na temat statystycznej analizy wzoru?

Michael zmarszczył czoło.

– Nie za wiele. Trochę wiedziałem, jak pracowałem na niepełnym etacie, dorywczo, a równocześnie robiłem doktorat, ale teraz nie orientuję się w najnowszej myśli technicznej. Czemu? Chcesz, żebym na coś zerknął?

Carol skinęła głową.

– To dość makabryczne, obawiam się. – Opowiedziała pokrótce o obrażeniach, jakie sadystyczny morderca zadał Damienowi Connolly'emu. - Tony zasugerował, że mogą kryć jakieś przesłanie.

– Jasne, rozejrzę się za kimś. Znam gościa, co ma najświeższe oprogramowanie w branży. Chyba pozwoliłby mi posiedzieć trochę przy swojej maszynie i trochę przy tym pomajstrować – zastanowił się Michael.

– Tylko nikomu ani mru-mru – ostrzegła Carol.

Michael zrobił urażoną minę.

– Oczywiście. Za kogo mnie bierzesz? Słuchaj, wolałbym nadepnąć na odcisk seryjnemu mordercy niż tobie. Będę milczał jak grób. Po prostu jakoś mi to jutro podrzuć, to postaram się wykazać, dobrze?

Carol pochyliła się i zmierzwiła jasne włosy brata.

– Dziękuję. Doceniam to.

Michael uściskał ją krótko i energicznie.

– Zapuściłaś się na wyjątkowo śliski grunt, siostrzyczko. Uważaj tam na siebie, co? Wiesz, że nie stać mnie na spłacanie hipoteki w pojedynkę.

– Zawsze na siebie uważam – żachnęła się Carol, odpychając cichy wewnętrzny głos, który ostrzegał, by nie kusiła losu. – I zawsze spadam na cztery łapy.

Z 3,5-CALOWEJ DYSKIETKI O NAZWIE: KOPIA_ZA-PASOWA.007; PLIK MIŁOŚĆ.006

– Wystarczyło mi jedno spojrzenie, żeby ciebie zapragnąć – mówię miękko. – Pragnę cię od tak dawna.

Bezwładnie kołysząca się głowa Adama nieruchomieje. Naciskam przycisk zdalnego nagrywania na kamerze wideo osadzonej na trójnogim statywie. Nie chcę niczego przegapić. Powieki Adama, ciężkie od końskiej dawki chloroformu, rozklejają się z trudem. Jego oczy wyglądają jak szparki; rozwierają się szeroko w chwili, gdy wraca mu pamięć. Młóci głową na boki, jakby chciał się upewnić, gdzie jest i co ogranicza jego ruchy. Kiedy uświadamia sobie własną nagość, dostrzega detale w postaci miękkich, skórzanych pasów zapiętych na nadgarstkach i kostkach i pojmuje, że jest rozpięty na moim łożu, z zaklejonych taśmą ust wyrywa się jęk przerażenia.

Wyłaniam się z cienia i ustawiam na linii jego wzroku; moje ciało jest nasmarowane oliwką i lśni w ostrym świetle. Jestem w samej bieliźnie, przemyślnie wybranej, żeby jak najkorzystniej pokazać swoje boskie ciało. Widzi mnie i jego oczy otwierają się jeszcze szerzej. Próbuje się odezwać, ale z gardła wydobywa mu się jakiś stłumiony bełkot.

– Ale ty uznałeś, że nie możesz sobie pozwolić na to, żeby pragnąć mnie, prawda? – stwierdzam; mój głos jest surowy i oskarżycielski. – Sprzeniewierzyłeś się mojej miłości. Zabrakło ci odwagi, by wybrać miłość, która uskrzydliłaby i ciebie, i mnie. Nie, ty zaparłeś się swojego prawdziwego ja i wolałeś jakąś głupią, małą dziwkę, tandetną zdzirę. Czy ty tego nie rozumiesz? Jestem jedyną osobą na całym świecie, która wie, naprawdę wie, czego ci potrzeba. Ze mną dowiedziałbyś się, co to ekstaza, ale wybrałeś żałosne poczucie bezpieczeństwa. Bałeś się prawdziwej jedności umysłów i ciał, prawda?

Krople potu ściekają mu po skroniach, choć w piwnicy panuje przyjemny chłodek. Podchodzę i pieszczę jego ciało, wodzę dłonią po bladej, umięśnionej klatce piersiowej, muskam opuszkami palców okolice pachwiny. On kuli się konwulsyjnie, ciemnoniebieskie oczy patrzą błagalnie.

– Jak mogłeś sprzeniewierzyć się temu, co wiem, że czujesz? – syczę i wbijam paznokcie w miękkie ciało tuż ponad linią sterczących, ciemnych włosów łonowych. Czuję, jak się napina. To mnie podnieca. Zabieram rękę i podziwiam szkarłatne półksiężyce, które pozostawiły mu na skórze moje paznokcie. – Wiesz, że powinniśmy być razem. Sam mówiłeś. Pragnąłeś mnie, i ja to wiem, i ty to wiesz.

Kolejne stęknięcie zza knebla. Teraz pot zrasza także jego pierś, kropelki zlepiają gęste ciemne włoski tworzące trójkąt, który zwęża się ku dołowi brzucha i przechodzi w cienką kreskę wiodącą do jego kutasa, zwiotczałego i zupełnie bezużytecznego; przypomina obrzydliwego ślimaka bez skorupy. Choć to oczywiste, że nie czuje pożądania, jego bezbronność i nagość podniecają mnie jeszcze bardziej. Jest piękny. Czuję, jak krew zaczyna szybciej krążyć w moich żyłach, jak moje ciało nabrzmiewa, gotowe go przyjąć, wybuchnąć. Nienawidzę się za tę słabość i odwracam plecami, by nie zauważył, jak na mnie działa.

– Dlaczego nie pozwoliłeś się kochać? – pytam cicho. – Tylko na tym mi zależało. A ty zmusiłeś mnie do tego. – Moja dłoń niby przypadkiem odnajduje uchwyt i pieści gładkie drewno. Obracam głowę i spoglądam w piękną twarz Adama. Powoli, nieskończenie powoli, zaczynam przekręcać korbę. Jego ciało, i tak już wyprężone, napina się jeszcze mocniej; skórzane pasy robią swoje. Opór jest bezcelowy. Przekładnie mechanizmu wyciągowego zwielokrotniają mój niewielki wysiłek, aż dorównuje on sile kilku mężczyzn. Adam nie jest przeciwnikiem dla mojej machiny. Widzę, jak mięśnie jego ramion i nóg grają, pierś unosi się ciężko, gdy z wysiłkiem łapie oddech.

– Jeszcze nie jest za późno – mówię. – Nadal możemy być kochankami. Chciałbyś tego?

Rozpaczliwie porusza głową. Nie ma co do tego dwóch zdań, to skinienie potakujące. Uśmiecham się.

– Grzeczny chłopczyk – chwalę. – Teraz wystarczy tylko, żebyś mi pokazał, że mówisz szczerze.

Wiodę ręką po jego spoconej piersi, potem ocieram się twarzą o te piękne ciemne włoski. Wyczuwam strach w jego zapachu, czuję go w smaku jego potu. Tulę twarz do jego szyi, ssę i delikatnie gryzę gładką skórę, skubię płatek ucha. Jego ciało nadal jest usztywnione, ale nie czuję pod sobą ani śladu erekcji. Odsuwam się gwałtownie, z frustracją. Pochylam się nad nim i gwałtownym, silnym ruchem zrywam mu taśmę z ust.

– Aaach! – wrzeszczy, gdy taśma rozdziera skórę, z trzas-

kiem odlepiając się od słabego zarostu. *Oblizuje suche wargi. -*
Proszę, wypuść mnie - szepcze.

Potrząsam głową.

- Nie mogę tego zrobić, Adamie. *Może gdybyśmy byli ko-*
chankami...

- Nie powiem nikomu - skrzeczy. - Przysięgam.

- Raz już mnie zdradziłeś - przypominam z żalem. - Jak
mogę zaufać ci teraz?

- Przepraszam - jęczy. - Nie zdawałem sobie sprawy... przepraszam. - Ale w jego oczach nie ma skruchy, jedynie rozpacz
i strach. Scena, która rozgrywa się przed moimi oczami, przebiega zupełnie tak jak wcześniej w mojej wyobraźni. Po części
ogarnia mnie uniesienie, że tak trafnie udało mi się przewidzieć
jej kształt, że ten dialog jest niemal identyczny ze scenariuszem,
który powstał w moich myślach. Po części ogarnia mnie bez-
brzeżny smutek, że rzeczywiście okazał się słaby i wiarołomny.
A w tle niesamowite podniecenie na myśl o tym, co się stanie,
czy przyjdzie miłość czy śmierć, czy też jedno i drugie.

- Za późno na słowa - mówię. - Przyszedł czas na czyny.
Mówiłeś, że chcesz, żebyśmy zostali kochankami, ale twoje
ciało mówi co innego. Może się boisz. Ale nie musisz się bać.
Umiem wybaczać, umiem kochać. Mógłbyś sam się o tym
przekonać. Dam ci jeszcze jedną, ostatnią szansę, żebyś odku-
pił swoją zdradę. Zostawię cię samego. Oczekuję, że po moim powrocie będziesz w stanie zapanować nad strachem i po-
każesz, co naprawdę do mnie czujesz.

Zostawiam go w spokoju i podchodzę do kamery. Wyjmuję kasetę, na której nagrywało się nasze spotkanie, i wkładam
na jej miejsce czystą. Na szczycie schodów odwracam się.

- Chyba nie chcesz mnie zmusić do ukarania cię za twoją
zdradę.

- Czekaj! - skowycze rozpaczliwie, gdy znikam mu z oczu. -
Wróć - słyszę, ale zamykam klapę w podłodze. Podejrzewam,
że dalej wrzeszczy, tylko tu go po prostu nie słychać. Idę na
górę do sypialni cioteczki Doris i wuja Henry'ego. Wsuwam
kasetę do kieszeni magnetowidu, ustawionego wcześniej na

komodzie przed łóżkiem, włączam telewizor i wślizguję się pod zimną, bawełnianą kołdrę. Nawet jeśli Adam mnie nie pragnie, nie potrafię uciec przed własnym pożądaniem. Patrzę na niego, wyprężonego na łożu, i pieszczę się z całym artyzmem i geniuszem, jakich oczekuję od wystraszonego kochanka, i wyobrażam sobie, jak jego piękny kutas nabrzmiewa mi w ustach. Raz po raz, na sekundę przed orgazmem przestaję, mocno przyciskam palce, powstrzymuję od szczytowania. Oszczędzam się na to, co niebawem nastąpi. Kończę po raz czwarty oglądać nagranie i uznaję, że miał wystarczająco dużo czasu.

Wysuwam się spod nakrycia i schodzę do piwniczki. Patrzę na niego; rozciągnięty na łożu przypomina orła.

– Proszę – jęczy. – Wypuść mnie. Zrobię wszystko, czego chcesz, ale pozwól mi odejść. Błagam cię.

Uśmiecham się i łagodnie kręcę głową.

– Zabiorę cię z powrotem do Bradfield, Adamie. Ale najpierw się zabawimy.

6

*„Ludzie zaczynają dostrzegać, że wyrafinowane morder-
stwo pod względem kompozycji potrzebuje czegoś więcej
niż tylko dwóch durni: zabijającego i zabijanego, a także noża, sakiewki oraz ciemnego zaułka. Panowie, za nieodzow-
ne przedsięwzięcia w tej dziedzinie uważa się obecnie spo-
rządzenie projektu ogólnego, rozplanowanie usytuowania
poszczególnych osób, rozmieszczenie świateł i cieni, nastrój
poetycki i grę uczuć".*

(przełożył Mirosław Bielewicz)

Praca może i nie rozwiązywała wszystkich problemów, ale
stanowiła doskonałą taktykę dywersyjną. Tony gapił się
w monitor, przewijając myszą tabele z informacjami, które
wyłuskał z policyjnych raportów. Zadowolony, że nie pominął niczego istotnego, włączył drukarkę. Gdy, stukocząc i za-
cinając się, wypluwała z siebie kolejne kartki, Tony otworzył
nowy plik i zaczął wpisywać wstępne wnioski. Cokolwiek, cokolwiek, byle nie myśleć o *niej*.

Był tak pochłonięty pracą, że ledwie zarejestrował pierwszy
dzwonek do drzwi. Przy drugim Tony podniósł wzrok, spło-
szony, i zerknął na zegarek. Pięć po jedenastej. Jeśli to Carol,
to przyszła wcześniej, niż się spodziewał. Uzgodnili przecież,
że nie ma większego sensu wyruszać na tę wycieczkę przed
północą. Tony wstał niepewnie. Skoro Angelica zna numer jego telefonu, to pewnie łatwo może ustalić i jego adres. Dotarł
do frontowych drzwi, gdy dzwonek odezwał się po raz trzeci.
Żałując, że nie założył wizjera, Tony ostrożnie uchylił drzwi.

Carol uśmiechała się od ucha do ucha.

- Wyglądasz, jakbyś czekał na Handy'ego Andy'ego - stwierdziła wesoło. Speszona jego milczeniem dodała: - Przepraszam, wiem, że przyjechałam trochę za wcześnie. Próbowałam się do ciebie dodzwonić, ale linia była zajęta.

- Przykra sprawa - wymamrotał Tony. - Musiałem niechcący źle odłożyć słuchawkę. Zapraszam, nic się nie stało. - Cudem zdobył się na uśmiech i zaprowadził Carol do swojego gabinetu. Podszedł do biurka i przesunął słuchawkę na widełki.

Carol spostrzegła, że sygnał zajętości nie jest dziełem przypadku. Wniosek: nie chciał, żeby cokolwiek mu przeszkadzało, nawet jeśli to tylko automatyczna sekretarka. Prawdopodobnie nie potrafił, tak jak Carol, nie odebrać dzwoniącego telefonu. Zerknęła na stos kartek piętrzący się obok drukarki. - Widzę, że nie próżnowałeś - zauważyła. - Myślałam, że nie śpieszysz się z otwieraniem drzwi, bo najzwyczajniej uciąłeś sobie drzemkę.

- A ty? Trochę się przespałaś? - spytał Tony; dostrzegając że Carol ma znacznie żywsze spojrzenie.

- Cztery godziny. Czyli o jakieś dziesięć za mało. Nawiasem mówiąc, przynoszę ci kilka informacji. - Zwięźle przedstawiła mu wyniki wizyty na Scargill Street, pomijając jedynie wrogość Crossa.

Tony słuchał z uwagą, od czasu do czasu robiąc notatki.

- Interesujące - orzekł. - Chociaż nie sądzę, żeby był większy sens w ponownym ściąganiu na komisariat całej tej plejady przestępców na tle seksualnym. Jeśli Handy Andy jest notowany, to raczej za młodociane wybryki, drobne włamania, lżejsze przestępstwa z użyciem przemocy, tego rodzaju sprawy. Ale zdarzało mi się mylić.

- Jak każdemu. A propos, byłam u tych od HOLMES-a i nikt od nich nie ma jakiego takiego pojęcia o statystycznej analizie wzoru, więc poprosiłam brata, żeby przejrzał materiały i powiedział, co może dla nas zrobić. Powinnam mu po prostu wręczyć te zdjęcia czy jest jakaś inna, mniej drastyczna metoda zapoznania go z faktami?

- Przypuszczam, że praca bezpośrednio na zdjęciach zmniejszałaby margines błędu - odparł Tony po namyśle. - Dzięki, zdjęłaś mi kłopot z głowy.

- Drobiazg - zapewniła Carol. - Myślę, że w skrytości ducha bardzo mu moja prośba schlebiła. Sądził dotąd, że nie traktuję go serio. Wiesz, on tworzy gry z potworami, ja z prawdziwymi potworami walczę.

- A robisz to? - spytał Tony.

- Co? Mówisz o traktowaniu serio? Chcesz się założyć? Szanuję każdego, kto ma w małym palcu coś, czego zupełnie nie rozumiem. Poza tym zarabia dwa razy tyle, co ja. To nie jest byle co.

- Bo ja wiem? Andrew Lloyd Webber prawdopodobnie więcej zarabia w jeden dzień, niż ja wyciągam w miesiąc, a wcale nie biorę go serio. - Tony wstał. - Carol, wybaczysz, jeśli na dziesięć minut zostawię cię samą? Szybki prysznic mnie obudzi.

- Jasne, że tak. Czuj się jak u siebie. To ja się pośpieszyłam.

- Dzięki. Może tymczasem napijesz się herbaty?

Carol potrząsnęła głową.

- Nie, ale dzięki. Zimno dzisiaj, a w Temple Fields nie ma wielu miejsc, gdzie kobieta mogłaby spokojnie się wysikać o tej porze.

Niemal z nieśmiałością Tony sięgnął po wydruk i podał go Carol.

- Zacząłem pracować nad ofiarami. Może zechciałabyś na to zerknąć, zanim wrócę?

Carol złapała plik kartek.

- Z największą chęcią. Cały ten proces po prostu mnie fascynuje.

- To tylko wstęp do wstępu - zastrzegł się Tony, wycofując się ku drzwiom. - Mam na myśli to, że nie wyciągnąłem jeszcze żadnych konkretnych wniosków. Właśnie się do tego zabieram.

- Spokojnie, Tony, jestem po twojej stronie - mruknęła Carol, kiedy wyszedł z pokoju.

Przez chwilę patrzyła za nim i zastanawiała się, co go tak wytrąciło z równowagi. Kiedy rozstawali się po południu, wyglądało na to, że są ze sobą na swobodnej, koleżeńskiej stopie, takie przynajmniej miała wrażenie. Teraz Tony był wyraźnie spięty i zamyślony. Jest zmęczony, czy czuje się nieswojo, bo ona przesiaduje u niego w domu? – Boże, co za różnica – burknęła półgłosem. – Skup się, Jordan. Wyciągnij z niego, ile wlezie. – Zaczęła czytać dane z pierwszej strony wydruku.

	Adam S.	Paul G.	Gareth F.	Damien C.
Ofiara nr	1	2	3	4
Data przestępstwa	6/7.9.93	1/2.11.93	25/26.12.93	20/21.2.94
Mieszkaniec Bradfield?	tak	tak	tak	tak
Płeć	M	M	M	M
Rasa	kaukaska	kaukaska	kaukaska	kaukaska
Narodowość	brytyjska	brytyjska	brytyjska	brytyjska
Wiek	28	31	30	27
Znak zodiaku	Bliźnięta	Rak	Skorpion	Koziorożec
Wzrost	178 cm	180 cm	180 cm	183 cm
Waga	66 kg	61 kg	73 kg	72 kg
Budowa ciała	przeciętna	drobna	przeciętna	przeciętna
Muskulatura	dobrze rozbudowana	przeciętna	przeciętna	bardzo dobrze rozbudowana
Długość włosów	powyżej ramion	do ramion	powyżej ramion	powyżej ramion
Kolor włosów	szatyn	ciemny szatyn	szatyn	rudawy szatyn
Włosy	falujące	proste	proste	kręcone
Tatuaże	brak	brak	brak	brak

Ubranie	brak	brak	brak	brak
Zawód	urzędnik cywilny	wykładowca uniwersytecki	radca prawny	policjant
Położenie zakładu pracy	centrum miasta	południowe centrum miasta	centrum miasta	południowe przedmieścia
Posiadany samochód	ford escort	citroën ax	ford escort	austin healey
Hobby	siłownia, wędkowanie	spacery	siłownia, teatr, kino	renowacja samochodów
Miejsce zamieszkania	nowoczesny segment z garażem	edwardiański segment; bez garażu	bliźniak z lat 30; bez garażu	wolno stojący dom na osiedlu
Stan cywilny	rozwodnik, BOP NP	kawaler, mieszkający samotnie BOP BNP	kawaler, mieszkający samotnie OP BNP	kawaler, mieszkający samotnie BOP BNP
Brakujące przedmioty osobiste	obrączka ślubna, zegarek	zegarek	sygnet, zegarek	zegarek
Przedmioty zabrane z domu	taśma z automatycznej sekretarki	taśma z automatycznej sekretarki	brak danych	brak danych
Znana orientacja seksualna	hetero	hetero	hetero	brak danych
Ostatnio widziany przez znajomych	w tramwaju, z domu do pracy, ok. 6 po południu	wyjście z pracy ok. 5.30 po południu	w domu, 7.15 wieczorem	w domu, 6 po południu
Przeszłość kryminalna	nienotowany	nienotowany	nienotowany	nienotowany

Powiązanie z miejscem zbrodni	brak danych	brak danych	brak danych	brak danych
Miejsce odnalezienia ciała	teren miejski	teren miejski	przedmieście (teren miejski)	teren miejski
Miejsce pierwszego kontaktu z zabójcą	nieznane	nieznane	nieznane	nieznane
Miejsce zgonu	nieznane	nieznane	nieznane	nieznane
Sposób porzucenia ciała	częściowo ukryte, by zostało znalezione z niewielkim opóźnieniem	częściowo ukryte, by zostało znalezione z niewielkim opóźnieniem	ukryte; konieczna wiadomość dla policji za pośrednictwem gazety	pozostawione w miejscu publicznym, ale nieuczęszczanym do określonej pory dnia
Ciało upozowane?	nie	nie	nie	nie
Czy ciało zostało obmyte	tak	tak	tak	tak
Przyczyna śmierci	poderżnięcie gardła	poderżnięcie gardła	poderżnięcie gardła	poderżnięcie gardła
Więzy?	nadgarstki, kostki, usta oklejone taśmą	nadgarstki, kostki, usta oklejone taśmą	nadgarstki, kostki, usta oklejone taśmą	nadgarstki, kostki, usta oklejone taśmą
Ślady po ugryzieniach	nie	nie	nie	nie
Domniemane ślady po ugryzieniach (tzn. wycięte fragmenty ciała)	tak	tak	tak	tak

Miejsce śladów	szyja (2)	szyja (2)	szyja (2)	szyja (3)
	pierś (1)		brzuch (4)	pierś (2)
				pachwina (4)
Ślady po torturowaniu lub nietypowej napaści	tak (patrz A)	tak (patrz B)	tak (patrz C)	tak (patrz D)

OBMYWANIE CIAŁA; Nie zastosowano, jak się wydaje, żadnych zapachowych środków myjących, co sugeruje, że sprawca nie stosuje obmywania jako formy wyparcia się czynu; wskazywałbym raczej, że, zgodnie z ostrożnością widoczną w jego pozostałych działaniach, obmywanie zwłok obliczone jest na zatarcie śladów kryminalistycznych, tym bardziej że zabójca szczególnie skrupulatnie zajmuje się paznokciami ofiar. Materiał zebrany od wszystkich czterech ofiar nie zawierał nic oprócz śladów bezwonnego mydła.

WIĘZY; Na ciałach ofiar więzów nie znaleziono, ale każda sekcja ujawniała zasinienia odpowiadające śladom po kajdankach na nadgarstkach, nikłe ślady kleju, brakujące włosy i zasinienia wokół kostek wskazujące na użycie taśmy samoprzylepnej oraz odrębnych więzów, ponadto ślady substancji klejącej na twarzy, wokół ust. Żadnych śladów wskazujących na to, by ofiarom zasłaniano oczy.

A: *Adam Scott.* Przemieszczenie główek kości w stawach skokowych, kolanowych, biodrowych, ramiennych, łokciowych oraz kilku kręgów. Odpowiada rozciąganiu ciała na tzw. „łożu sprawiedliwości". Ostrożne, wykonane pośmiertnie nacięcia na penisie i jądrach.

B: *Paul Gibbs.* Poważne rany szarpane odbytu, rozerwanie mięśnia zwieracza i częściowe usunięcie jelit. Prawdopodobnie spiczasty przedmiot wielokrotnie wprowadzano przez odbyt. Ponadto poparzenie części tkanek wewnętrznych wskazuje na możliwość szoku termicznego lub rażenia prądem. Ślady brutalnego pobicia twarzy przed śmiercią; sińce, liczne złamania kości twarzy i powybijane zęby. Pośmiertne rany genitaliów, wyraźniejsze niż u A.

C: *Gareth Finnegan*. Nieregularne rany kłute dłoni i stóp, średnica nieco powyżej centymetra. Rany szarpane lewego policzka i nosa, sugerujące, że praworęczny napastnik mógł rozbić butelkę lub inne szklane naczynie na twarzy ofiary. Wywichnięcie stawów barkowych. Możliwe ukrzyżowanie? Pośmiertne rany genitaliów graniczące z kastracją.

D: *Damien Connolly*. Zwichnięcia stawów podobnie jak u A, ale bez głównego urazu kręgosłupa, wykluczające „łoże sprawiedliwości" jako narzędzie zbrodni. Duża liczba małych, mających kształt gwiazd oparzeń na torsie. Penis odcięty pośmiertnie i umieszczony w ustach ofiary.

Pytanie: Czy kajdanki Damiena Connolly'ego znajdowały się u niego w domu czy też zostawiał je w szafce na komisariacie?

Pytanie: Dlaczego ciała zawsze porzucane są w poniedziałek późnym wieczorem/wtorek rano? Co takiego dzieje się w poniedziałek, że sprawca ma czas? Czy pracuje na nocną zmianę i poniedziałki ma wolne? A może żonaty mężczyzna, który ma czas w poniedziałek, ponieważ jego żona spotyka się wtedy ze znajomymi, np. babskie wieczorki? Czy też raczej chodzi o to, że poniedziałkowy wieczór nie jest typową porą na wypad na miasto i sprawca liczy na to, że zastanie ofiary w ich domach?

Carol zauważyła, że Tony wrócił, ale nie oderwała się od lektury. Po prostu uniosła rękę i pokiwała palcami na znak, że wie, że on już jest. Kiedy dotarła do końca raportu, odetchnęła głęboko i stwierdziła:

– No, no, doktorze Hill, naprawdę pan nie próżnował.

Tony uśmiechnął się i wzruszył ramionami, nie odrywając się od framugi.

– Nie uwierzę, byś znalazła tam cokolwiek, czego nie zdążyłaś odnotować w pamięci.

– No nie, ale kiedy to przedstawiłeś w ten sposób, czarno na białym, wszystko stało się bardziej klarowne.

Tony kiwnął głową.

– Gustuje w jasno sprecyzowanym typie mężczyzn, prawda?

– Chcesz o tym teraz porozmawiać?

Tony wbił spojrzenie w podłogę.

– Większość kwestii wolałbym na razie pominąć. Chcę najpierw trochę to sobie przetrawić, przejrzeć resztę zeznań świadków, zanim będę mógł zastanowić się nad konkluzjami.

Carol mimowolnie poczuła się rozczarowana.

– Rozumiem.

– Oczekiwałaś czegoś więcej? – spytał Tony z uśmiechem.

– Właściwie to nie.

Uśmiech stał się szerszy.

– Ani odrobinkę?

Uśmiech był zaraźliwy. Carol odpowiedziała równie szerokim, figlarnym.

– Czy miałam nadzieję? Może. Ale nie oczekiwałam. Nawiasem mówiąc, jest jedna rzecz, jakiej nie zrozumiałam. BOP? OP? BNP? Przecież nie rozmawiamy chyba o brukselskim Biurze Ochrony Przyrody czy krajach OPEC, prawda?

– Brak obecnego partnera. Obecny partner. Brak niedawnego partnera. Akronimy. To choroba, która dotyka wszystkich przedstawicieli nauk humanistycznych, psychologii czy socjologii. Musimy brylować przed laikami. Przepraszam cię za to. Postaram się, żeby w moich wypocinach było jak najmniej żargonu.

– Żeby nie mieszać w głowach nam, tępakom? – zażartowała Carol.

– To raczej sprawa instynktu samozachowawczego. Ostatnie, czego chcę, to wkładanie sceptykom w ręce kolejnego wielkiego kija, żeby mieli mnie czym uderzyć. Jest mi wystarczająco trudno skłonić ludzi do pogodzenia się z myślą, że moje raporty warte są chociażby tylko przeczytania, bez zrażania ich do siebie zbędnym pseudonaukowym bełkotem.

– Wierzę ci – przytaknęła Carol cierpko. – Ruszamy?

– Jasne. Ale jest jedna rzecz, o której chciałbym powiedzieć już teraz i spytać, co ty na to – dodał Tony, raptem poważniejąc. – Ofiary. Wszyscy zakładają, że zabójca typuje ofiary spośród homoseksualnych mężczyzn. No więc w Bradfield są setki, prawdopodobnie tysiące gejów, otwarcie przyznających się do swojej orientacji. Mamy tu największą po Londynie gejowską scenę w kraju. A mimo to żadna z ofiar nie ma znanej przeszłości homoseksualnej. Co ci to mówi?

– Sam się z tym ukrywa i leci tylko na takich, którzy też się nie afiszują? – strzeliła Carol na chybił, trafił.

– Być może. Skoro jednak wszyscy oni tak skrzętnie dbają o to, żeby uchodzić za heteroseksualistów, to jak ich wyławia?

Carol przygładziła brzegi wydruku, żeby zyskać chwilę do namysłu.

– Przez czasopisma z anonsami towarzyskimi? Ogłoszenia drobne? Czaty telefoniczne z wieloma użytkownikami? Internet?

– OK, wszystko to jakieś możliwości. Ale według relacji policjantów, którzy przeszukiwali mieszkania ofiar, nie było dowodów wskazujących na tego rodzaju zainteresowania. Ani w jednym przypadku.

– Co zatem próbujesz powiedzieć?

– Nie sądzę, żeby Handy'ego Andy'ego podniecali homoseksualni mężczyźni. Myślę, że woli, jak są hetero.

Sierżant Don Merrick doszedł do wniosku, że życie obrzydło mu jak nigdy. Nie dość, że ma na karku Popeye'a, węszącego wokół nowej fuchy szefowej, to jeszcze stał się sługą trzech panów. Jego obowiązki służbowe obejmowały teraz pilnowanie, by pod nieobecność inspektor Jordan jej polecenia były respektowane, współpracę z Kevinem Matthewsem nad sprawą Damiena Connolly'ego oraz utrzymywanie kontaktu z Bobem Stansfieldem i przekazywanie mu informacji, które wraz z inspektor Jordan zebrali wcześniej w sprawie Paula Gibbsa. Kropkę nad „i" stanowił wieczór w Hell Hole.

Nigdy, jego zdaniem, trafniej nie nazwano klubu. Hell Hole, lub jak kto woli, „Piekielna Dziura", reklamowała się w gejowskiej prasie jako: „Klub, który panuje nad Bradfield. Jedna wizyta cię zniewoli. *Skrępowany?* Wstąp do Hell Hole, u nas najlepsza zabawa w życiu to przymus!". Brzmiało to powściągliwie, ale znaczyło dokładnie tyle, że nie ma od Hell Hole lep-

szego miejsca na szukanie partnerów, o ile kogoś kręcą praktyki sadomasochistyczne i łóżkowa musztra z kajdankami.

Merrick czuł się jak Królewna Śnieżka na orgii. Nie miał
pojęcia, jak powinien się zachowywać. Nie był nawet pewny,
czy wygląda jak trzeba; obstawił stare, postrzępione levisy,
które światło dnia oglądały jedynie, gdy w domowym zaciszu
wykonywał drobne naprawy, gładki, biały T-shirt i zniszczo-
ną, skórzaną kurtkę, którą zakładał, jak wybierał się gdzieś
motocyklem, zanim jeszcze pojawiły się dzieci. W tylnej kieszeni brzęczały służbowe kajdanki, umieszczone tam w nadziei, że nadadzą jego kamuflażowi bodaj cień wiarygodności.
Merrick rozejrzał się wokół słabo oświetlonego baru; morze
sfatygowanego dżinsu i skóry, a wszystko w tak opłakanym
stanie, że nie zdziwiłby się, gdyby nad parkietem ktoś wystrzelił flarę ratunkową. Przynajmniej z pozoru, pomyślał,
może i wygląda stosownie do roli. Co samo w sobie budziło
jego niepokój. Oczy stopniowo przyzwyczajały się do skąpe-
go oświetlenia i po chwili wypatrzył kilku kolegów. Większość wyglądała na równie zmieszanych jak on.

Klub świecił pustkami, kiedy o dziewiątej z minutami Merrick pojawił się na miejscu. Z wrażeniem, że niesamowicie rzuca się w oczy, poprosił o wejściówkę i wrócił na ulicę. Szwen-
dał się po Temple Fields przez większą część godziny, potem
wstąpił do kawiarni na cappuccino. Zastanawiał się, dlaczego
część gejowskiej klienteli obrzuca go dziwnymi spojrzeniami,
dopóki nie zdał sobie sprawy, że jest jedynym gościem ubra-
nym w skórę i dżins. Najwyraźniej wykroczył przeciwko jakiemuś niepisanego kodeksowi dotyczącemu stroju. Zażeno-
wany Merrick przełknął wrzącą kawę najszybciej, jak tylko
potrafił, i wypadł na ulicę.

Czuł się bardzo niepewnie, spacerując samotnie chodnikami i deptakami Temple Fields. Mężczyźni, którzy go mijali,
w pojedynkę, parami lub w grupach, nieodmiennie taksowali
go wzrokiem od stóp do głów, przy czym gros spojrzeń za-
trzymywało się na jego kroczu. Aż go skręcało, tak bardzo żałował, że nie wybrał pary dżinsów, która mniej ściśle przyle-

gałaby do ciała. Kiedy obok przechodziła para przytulonych małolatów, usłyszał, jak jeden mówi głośno do drugiego:

– Zajebisty tyłek jak na białego gościa, no nie?

Merrick poczuł, że policzki mu pąsowieją, nie był tylko pewny, czy z zawstydzenia, czy ze złości. W chwili olśnienia pojął, co mają na myśli kobiety, kiedy skarżą się, że mężczyźni traktują je przedmiotowo.

Wrócił do Hell Hole i stwierdził z ulgą, że lokal zdążył się już zapełnić. Głośna dyskotekowa muzyka dudniła w rytmie, od którego, jak Merrick był gotów przysiąc, wibrowało mu w klatce piersiowej. Na parkiecie mężczyźni w skórach ozdobionych łańcuszkami, suwakami i w czapkach z daszkami podrygiwali energicznie, demonstrując mięśnie twarde jak skorupa nautilusa, wykonując biodrami kopulacyjne ruchy w dziwacznej parodii seksu. Tłumiąc jęk, Merrick dopchnął się do baru. Zamówił butelkę amerykańskiego piwa, które dla podniebienia przyzwyczajonego do orzechowej słodyczy newcastle brown miało wręcz niewiarygodnie mdły smak.

Ponownie spojrzał na parkiet i oparł się plecami o kontuar. Lustrował salę, rozpaczliwie unikając kontaktu wzrokowego z jakąkolwiek konkretną osobą. Stał tak niecałe dziesięć minut, kiedy uświadomił sobie, że facet obok niego wcale nie czeka, aż go obsłużą. Merrick zerknął ukradkiem i stwierdził, że sąsiad wlepia w niego gały. Wzrostem dorównywał niemal sierżantowi, ale był potężniejszej budowy i znacznie bardziej umięśniony. Miał na sobie obcisłe, czarne, skórzane spodnie i białą kamizelkę. Włosy koloru blond były krótko obcięte po bokach i dłuższe u góry, ciało opalone i gładkie jak u striptizera z Chippendalesów. Uniósł brwi i zagadnął:

– Cześć. Jestem Ian.

Merrick uśmiechnął się słabo.

– Don – odparł podniesionym głosem, żeby przekrzyczeć muzykę.

– Nie widziałem cię tu wcześniej, Don – stwierdził Ian i przysunął się, skutkiem czego jego obnażone ramię przycisnęło się do rękawa zniszczonej skórzanej kurtki Merricka.

- To mój pierwszy raz - mruknął Merrick.

- Nowy chłopak w mieście? Nie masz tutejszego akcentu.

- Pochodzę z północnego wschodu - odparł ostrożnie Merrick.

- To wszystko wyjaśnia. Pikny młody chłoptaś z Geordielandu - zaśmiał się Ian, siląc się na nieudolną imitację akcentu Merricka.

Merrick poczuł, że uśmiech robi mu się niewyraźny i niknie.

- A ty jesteś stałym bywalcem, tak? - spytał.

- Nie przegapię żadnej imprezy. Najlepszy bar w mieście dla takiego gościa jak ja. - Ian mrugnął. - Mogę ci postawić drinka, Don?

Pot spływający strumykiem po plecach Merricka nie miał nic wspólnego z duchotą w pomieszczeniu.

- Jeszcze raz to samo, proszę - wykrztusił.

Ian kiwnął głową i obrócił się przodem do baru; wykorzystał tłok, żeby bardziej przycisnąć się do Merricka. Merrick gapił się w drugi koniec sali, zgrzytając zębami. Zauważył kumpla z innego wydziału, który bezczelnie go obserwował. Kolega groteskowo mrugnął do niego okiem i wykonał gest polegający na energicznym wpychaniu palca w otwór powstały między kciukiem a zgiętymi palcami drugiej ręki. Merrick odwrócił się i stanął twarzą w twarz z Ianem, który odebrał już zamówione drinki.

- Proszę, pikny chłopcyku - odezwał się Ian. - To jak, chcesz się dzisiaj trochę zabawić, Geordie?

- Próbuję się tylko zorientować, jak wygląda tutejsza scena - wykręcał się Merrick.

- A jak to wygląda w Newcastle? - zainteresował się Ian. - Ciekawie? Coś dla każdego, co?

Merrick wzruszył ramionami.

- Nie wiem. Nie jestem z Newcastle. Pochodzę z małej wioski na wybrzeżu. To nie miejsce, gdzie można być sobą.

- Kapuję - przytaknął Ian i oparł dłoń na ramieniu Merricka. - No cóż, Don, jak chcesz być sobą, to trafiłeś pod właściwy adres. I na właściwego człowieka.

Merrick modlił się, by nikt nie zauważył, że jest mu słabo.

– Dzisiaj faktycznie dużo tu się dzieje – spróbował zmienić temat.

– Moglibyśmy poszukać spokojniejszego kąta, jak chcesz. Na zapleczu mają oddzielną salę, muzyka nie jest taka głośna.

– Nie, nie, tu mi dobrze – zapewnił Merrick szybko. – Podoba mi się ta muzyka, jeśli mam być szczery.

Ian przysunął się tak blisko, że masywną klatą oparł się o pierś Merricka.

– Co cię kręci, Don? Pasyw czy aktyw?

Merrick zakrztusił się piwem.

– Co takiego...? – jęknął.

Ian roześmiał się i zmierzwił mu włosy. Wytrzymał spojrzenie Merricka i z roziskrzonymi jasnoniebieskimi oczami wyjaśnił:

– Ale z ciebie niewiniątko, co? Chodzi mi o to, co lubisz najbardziej? Robić za tatusia czy za mamusię? – Jego ręka pobłądziła ku spodniom Merricka. Sierżant myślał już, że zaraz zostanie obmacany w sposób, w jaki dotąd nie dotykał go nikt oprócz żony, ale w ostatniej chwili dłoń Iana zmieniła kierunek i pieszczotliwie spoczęła na jego pośladku.

– To zależy – wychrypiał Merrick.

– Od czego? – spytał Ian uwodzicielsko; przysunął się tak blisko, że Merrick poczuł, jak do uda przyciska mu się członek w wzwodzie.

– Od tego, jak bardzo ufam osobie, z którą jestem – odparł Merrick, skupiony na tym, by obrzydzenie nie uzewnętrzniło się w jego głosie ani w wyrazie twarzy.

– Och, komu jak komu, ale mnie można zaufać. I ty też wyglądasz na kogoś, na kim można... polegać.

– Ani trochę cię nie martwi, ehem, że wcale mnie nie znasz? Chociaż seryjny morderca regularnie zapuszcza się w te okolice? – spytał Merrick. Skorzystał ze sposobności, żeby odstawić pustą butelkę na kontuar i nieznacznie odsunąć się od wyraźnie klejącego się Iana.

Uśmiech Iana był zadziorny.

– Czemu miałbym się martwić? Ci kolesie, którzy dali gardła, nie kręcili się w takich lokalach jak ten. Logiczne, że nie tutaj ten szurnięty sukinsyn ich podrywa.

– Skąd wiesz?

– Widziałem zdjęcia w gazetach, ale żaden z tych kolesi nie pokazywał się na branżowej scenie. A wierz mi, że ją znam. To stąd wiedziałem, że jesteś tu nowy. – Ian znowu się przysunął i wcisnął rękę do tylnej kieszeni spodni Merricka. Powiódł palcami po obrysie kajdanek. – Hej, zapowiada się ciekawie. Zaczynam jarzyć, jak pięknie mogłoby być między nami.

Merrick zaśmiał się z przymusem.

– Z tego, co wiesz, równie dobrze mogę być zabójcą.

– Jeśli nawet tak, to co z tego? – spytał Ian, uosobienie pewności siebie. – Nie jestem w typie tego pieprzonego świra. Lubi ciche ciotuchny, które się nie obnoszą, a nie prawdziwych twardzieli. Gdyby mnie wyrwał, to wolałby się ze mną pieprzyć, niż urżnąć mi łeb. Poza tym przystojniak z ciebie, nie musisz nikogo zabijać, żeby zaliczyć numerek.

– No, dobra, a ja? Skąd mam wiedzieć, że mi nie urżniesz łba?

– Wiesz co, żeby ci to udowodnić, pozwolę się zdominować. Będziesz panem sytuacji. Dam się skuć kajdankami.

Tylko tak dalej, a rzeczywiście cię skuję, pomyślał Merrick cierpko. Złapał Iana za rękę i wyciągnął ją ze swojej kieszeni.

– Nie sądzę – odparł. – Nie dzisiaj. Jak sam powiedziałeś, jestem nowy w tym mieście. Nie zabiorę nikogo na chatę, dopóki trochę więcej się o nim nie dowiem. – Puścił Iana i odsunął się o krok. – Fajnie się z tobą gadało, Ian. Dzięki za drinka.

Twarz Iana zmieniła się w ułamku sekundy. Oczy mu się zwęziły, uśmiech przerodził w gniewny grymas.

– Czekaj no minutę, cwaniaczku. Nie wiem, do jakich zasyfiałych klubików w stylu „Poczytaj-Mi-Mamo" jesteś przyzwyczajony, ale w tym mieście nie obściskujesz się z kimś i nie chlejesz drinków na jego koszt, o ile nie zamierzasz się jakoś zrewanżować.

Merrick usiłował się wycofać, ale utknął przy barze.

– Przykro mi, jeśli zaszło jakieś nieporozumienie – rzucił.

Ian chwycił go za ramię tuż poniżej bicepsa. Zabolało jak

diabli. Merrick zdążył zastanowić się, co za idioci uważają ból za tak miły dodatek do seksu, że sami go szukają. Ian pochylił się nad nim; Merricka owionął cuchnący oddech, który, jak wiedział z zawodowego doświadczenia, brał się z przewlekłego zażywania amfetaminy.

– Nie ma żadnego nieporozumienia – warknął Ian. – Przyszedłeś tu po seks. Nie ma innych powodów, żeby tu przychodzić. No, to się seksem będziemy zajmować.

Merrick okręcił się błyskawicznie i z rozmachem wbił łokieć poniżej potężnej klatki piersiowej. Z Iana ze świstem uszło powietrze, zgiął się w pół, odruchowo puszczając ramię Merricka, i przycisnął ręce do splotu słonecznego.

– Nie, nic z tego – odparł pogodnie Merrick i oddalił się; wokół niego jak za sprawą czarów utworzyła się raptem wolna przestrzeń.

Zanim doszedł na koniec sali, u jego boku zmaterializował się jeden z tajniaków.

– Pięknie, sierżancie – pochwalił półgębkiem. – Zrobił pan, co każdemu z nas się marzy, od kiedy weszliśmy do tej speluny.

Merrick przystanął i uśmiechnął się do niego.

– To miała być tajna operacja. Albo, do kurwy nędzy, zatańcz ze mną, albo spierdalaj i daj się podrywać któremuś z tych pederastów.

Nic sobie nie robiąc ze śledczego, który aż rozdziawił usta, Merrick przemaszerował na drugi koniec parkietu i oparł się o ścianę. Zamieszanie przy barze, jakie wywołał, tymczasem przygasło. Ian przepchnął się przez tłum, wciąż jeszcze trzymając się za brzuch, i wyszedł z klubu, żegnając Merricka nienawistnym, rozjuszonym spojrzeniem.

Nie minęło wiele czasu, a Merrick znowu miał towarzystwo. Tym razem rozpoznał w sąsiedzie śledczego w stopniu posterunkowego z innej jednostki. Biedak pocił się jak mysz pod ciężką, skórzaną kurtką i spodniami, które podejrzanie przypominały te z przydziałowego stroju policjantów z sekcji motocyklowej. Mężczyzna pochylił się w stronę Merricka, żeby nie usłyszał go nikt z tańczących, i szepnął ponaglająco:

– Szefie, jest tu facet, na którego powinien pan rzucić okiem.

– Bo co?

– Podsłuchałem, jak chwalił się w rozmowie z paroma gośćmi, że znał tych umarlaków. Pękał z dumy. Pochlebia sobie, że niewielu może to powiedzieć. Słyszałem, jak mówił, że zabójca musi być kulturystą, zupełnie jak on, żeby tarabanić się ze zwłokami z miejsca na miejsce. Może się założyć, powiada, że są tutaj ludzie, którzy nawet nie wiedzą, że poznali najprawdziwszego mordercę. Chełpił się, wie szef, na całego.

– Dlaczego sam go nie zgarniesz? – zdziwił się Merrick; to, co usłyszał, bardzo go zaciekawiło, ale nie chciał pozbawiać kolegi uznania za dokonanie aresztu.

– Próbowałem z nim zagadać, ale mnie spławił. – Posterunkowy z ekipy śledczej uśmiechnął się kwaśno. – Może nie jestem w jego typie, szefie.

– A ja niby jestem? – dopytywał się Merrick, zastanawiając się, czy aby nie został obrażony.

– Jest tak samo wygalowany jak pan.

Merrick westchnął.

– No, to lepiej mi go pokaż.

– Niech pan się teraz nie ogląda, panie sierżancie, ale stoi przy kolumnach. IC1*, mężczyzna, wzrost poniżej metra osiemdziesięciu, krótkie ciemne włosy, niebieskie oczy, gładko ogolony, wyraźny szkocki akcent. Ubrany jak pan. Z kuflem lagera.

Merrick oparł się o ścianę i powoli zlustrował salę. Namierzył podejrzanego od razu.

– Widzę go, dzięki. Jak pójdę, miej taką minę, jakbym cię spławił.

Oderwał się od ściany i zostawił tajniaka, wprawiającego się w załamanym wyrazie twarzy. Merrick powoli kroczył przez salę, póki nie znalazł się obok wyrośniętego gaduły. Miał przysadzistą budowę ciężarowca i twarz boksera. Jego strój był niemal identyczny z Merrickowym, z tym że na jego kurtce było więcej sprzączek i suwaków.

---

*IC1 – osoba rasy białej z Europy północnej (przyp. tłum.).

- Ale dzisiaj tłok - zagadnął Merrick.

- Ano. Kupa nowych twarzy. Połowa z nich to najpewniej gliniarze - odmruknął mężczyzna. - Na przykład palant, z którym przed chwilą gadałeś? Równie dobrze mógłby zajechać policyjną suką. Czy w całym swoim życiorysie widziałeś kiedy bardziej ewidentnego szpicla?

- Dlatego tak ostro go spławiłem - podchwycił Merrick.

- A przy okazji, na imię mi Stevie - przedstawił się kulturysta. - Cały wieczór się opędzasz od niechcianych podrywek, co? Widziałem, jak wcześniej rozprawiłeś się z tamtą gnidą. Dobra robota, koleś.

- Dzięki. Jestem Don.

- Miło cię poznać, Don. Jesteś tu nowy, nie? Słychać, że nie jesteś stąd, to jasne.

- Czy tutaj każdy każdego zna? - spytał Merrick z kwaśnym uśmiechem.

- Prawie. Temple Fields to jedna wioska. A już zwłaszcza scena sado-maso. Powiedzmy to sobie, jak już dajesz się komuś związać, chcesz wiedzieć, w co się pakujesz.

- Nie mylisz się, Stevie - przytaknął Merrick z przejęciem. - Tym bardziej, że na wolności grasuje zabójca.

- Otóż to. Znaczy się, nie sądzę, żeby ci kolesie, co zginęli, myśleli, że szykuje się coś innego niż trochę ostrzejszego seksu. Znałem ich, wiesz. Adama Scotta, Paula Gibbsa, Garetha Finnegana i Damiena Connolly'ego. Wszystkich, co do jednego, i mówię ci, człowieku, nigdy bym nie pomyślał, że kręci ich taka jazda. Ale to tylko jednego dowodzi, nie? Nigdy nie wiadomo, co komu siedzi w głowie.

- A skąd ich znasz? W gazetach pisali, że nie bywali w środowisku - zauważył Merrick.

- Prowadzę siłownię - odparł Stevie z dumą. - Adam i Gareth mieli karty członkowskie. Raz na jakiś czas wypuszczaliśmy się razem na drinka. Tego Paula Gibbsa to poznałem przez mojego kumpla, wyskakiwało się czasem na piwko i takie tam. A ten gliniarz, Connolly, przyszedł do siłowni po tym, jak mieliśmy włamanie.

– Założę się, że mało kto może się pochwalić, że znał wszystkich tych biednych frajerów – zauważył Merrick.

– Święta racja, koleś. Uważasz, nie sądzę, żeby zabójcy chodziło o cośkolwiek innego jak trochę frajdy.

Brwi Merricka powędrowały do góry.

– Twoim zdaniem to frajda mordować ludzi?

Stevie pokręcił głową.

– Niee, nie nadążasz za mną. Słuchaj, nie myślę, żeby on z góry uwziął się zabić tych gości. Nie, to coś jak wypadek, łapiesz? Rozgrywają między sobą te swoje gierki, a jego najzwyczajniej ponosi i wszystko wymyka się spod kontroli. Silny jest, to oczywiste, przewozi te ciała na jakimś wózku i wyrzuca je w samym środku miasta, na litość boską. To nie jest jakiś cherlak, no nie? Jeśli to kulturysta, jak ja, to może nie zdaje sobie sprawy z własnej siły. Każdemu mogłoby się zdarzyć – dodał po krótkiej pauzie.

– Cztery razy? – spytał Merrick z niedowierzaniem.

Stevie wzruszył ramionami.

– Może sami się o to prosili. Wiesz, co mam na myśli? Podpuszczali, a potem rączki na kołdrę i nic z tych rzeczy? Obiecywali coś, a jak przyszło co do czego, chcieli się wymigać? Już ja takich znam, Don, i jedno ci powiem: bywało, że najchętniej powyduszałbym tych zasranych pokurczy.

Merrick szarpał się na coraz bardziej napiętej smyczy. Carol Jordan nie była jedyną osobą w policji miasta Bradfield, która interesowała się psychiką seryjnych zabójców. Merrick naczytał się o przypadkach, w których sprawcy wpadali, bo rozgrzeszali się podobnym rozumowaniem i wręcz chełpili swoimi wyczynami w obecności osób trzecich. Rozpruwacz z Yorkshire chociażby chwalił się starym kumplom, że „zalicza" prostytutki. Teraz Merrick chciał jednego: by Stevie jak najszybciej znalazł się w pokoju przesłuchań. Tylko jak go tam zaciągnąć?

Merrick chrząknął głośno.

– Myślę, że jedyna metoda, żeby tego uniknąć, to poznać ludzi, z którymi chce się iść do łóżka, zanim się coś zacznie.

- Otóż to. Miałbyś ochotę stąd wyjść? Możemy wpaść do restauracji niedaleko stąd na filiżankę kawy? Ociupinę lepiej poznać się nawzajem?

Merrick skinął głową.

- Jasne - przytaknął, hałaśliwie odstawiając butelkę z niedopitym piwem na najbliższym stoliku. - Chodźmy.

Jak tylko znajdą się na dworze, będzie mógł przestawić krótkofalówkę na nadawanie i jedna z ekip ubezpieczających wychwyci sygnał. Później mogliby sprawdzić, czy pewność siebie Steviego przetrwa wizytę na Scargill Street.

Choć minęła północ, na ulicy przed Hell Hole kłębiły się tłumy.

- Tędy - rzucił Steve, wskazując kierunek po swojej lewej. Merrick wsunął rękę do kieszeni i przestawił krótkofalówkę.

- A dokąd się wybieramy? - spytał.

- W Crompton Gardens jest knajpka czynna całą noc.

- Świetnie. Chętnie zmordowałbym jakąś kanapkę, najchętniej z białego chleba z wielkimi plastrami smażonego boczku - rozmarzył się Merrick.

- To bardzo niezdrowe, cały ten tłuszcz - powiedział Stevie poważnie.

Kiedy skręcili za rogiem w aleję prowadzącą na plac, Merrick wyczuł przez skórę, że ktoś wyłania się z ciemnej bramy za ich plecami. Zaczął się odwracać w kierunku, z którego niósł się odgłos kroków.

Zupełnie jak w Bonfire Night*, zdążył pomyśleć, gdy przed oczami rozbłysła mu feeria świateł. Potem stracił przytomność.

---

*Bonfire Night („Noc Sztucznych Ogni"), kulminacja przypadającego na piątego listopada Dnia Guya Fawkesa (Guy Fawke's Day), upamiętniająca rocznicę udaremnienia spisku prochowego (1605 r.) (przyp. tłum.).

Z 3,5-CALOWEJ DYSKIETKI O NAZWIE: KOPIA_ZAPASOWA.007; PLIK MIŁOŚĆ.007

Nie trwało to tak długo, jak można się było spodziewać. O dziwo, Adam okazał się bardziej kruchy od owczarka niemieckiego. Kiedy już pogrążył się w stanie nieświadomości za sprawą wywichnięcia wszystkich stawów, okazało się, że nie sposób go ocucić. Czekam godzinami, ale nic nie przywraca mu przytomności; ani ból, ani zimna woda, ani ciepło. To dla mnie rozczarowanie, nie przeczę. Jego ból był jedynie bladym cieniem mojego. Kara, jaką udało mi się mu wymierzyć, była niewspółmierna do zdrady, której się dopuścił.

Kończę zatem to, co zostało mi do zrobienia, schludnie i szybko, tuż po północy. Następnie zdejmuję go z łoża i wpycham do ogrodowego worka na odpadki, takiego z wytrzymałego tworzywa. Worek umieszczam wewnątrz czarnego kontenera na śmieci z naklejką Bradfieldzkiego Przedsiębiorstwa Oczyszczania. Potem muszę się jeszcze porządnie naszarpać, żeby wepchnąć pioruński ciężar na górę po piwnicznych schodach i przepakować go na taczkę, ale godziny wyciskania ciężarów popłacają.

Nie mogę się doczekać, żeby wrócić do domu i dopaść do komputera, żeby przeistoczyć to zdarzenie w coś wzniosłego. Ale wciąż jeszcze czeka mnie dużo pracy, zanim przyjdzie pora na relaks i sprawianie sobie przyjemności. Jadę samochodem do centrum miasta, nieznacznie przekraczając oficjalny limit prędkości – nie na tyle, żeby zatrzymali mnie za szybką jazdę, ale i nie dość wolno, żeby mnie przyhaltowali, podejrzewając, że mają do czynienia z przesadnie ostrożnym, bo pijanym kierowcą. Zmierzam w stronę położonych za uniwersytetem zakątków, masowo odwiedzanych przez gejów szuka-

jących chętnego do szybkiego numerku. Temple Fields było kiedyś dzielnicą studencką, pełną małych kafejek, restauracji, sklepików i barów o niskich cenach i podłym standardzie. Przed dziesięciu laty do jednego czy dwóch barów zaczęli przychodzić geje. Nasza lewicowa rada miejska ugięła się pod naciskami i zafundowała nową siedzibę dla stowarzyszenia gejów i lesbijek, które przeniosło się do piwnicy hinduskiej restauracji. To, jak się wydaje, wywołało efekt domina i w przeciągu roku czy dwóch Temple Fields stało się Miasteczkiem Podrywów, a heteroseksualni studenci przenieśli się do Greenholm, położonego na drugim końcu kampusu. Obecnie Temple Fields jest stolicą gejowskich barów, klubów, frymuśnych bistrów, sklepików ze skórzanymi ciuchami i gadżetami do bondage'u oraz czynnych całą noc „pokoików na godziny", obskurnych i dostępnych za wygórowaną opłatą, w lichych budynkach wzdłuż kanału.

Nawet po wpół do drugiej we wtorkowy ranek kręci się tu sporo osób. Robię samochodem parę kółek, wybierając okolice wokół Crompton Gardens. Na placu jest ciemno; większość latarni zdewastowali wandale pragnący większej prywatności podczas uprawiania seksu, a rada miejska zbytnio szczypała się z gotówką, żeby zapłacić za naprawy. Poza tym właściciele miejscowych przybytków na nic się nie uskarżali; im ciemniej było na placu, tym bardziej popularna stawała się okolica i tym szybciej rosły ich zyski.

Rozglądam się ostrożnie. Nikogo nie widać, nikogo nie słychać. Zmagam się z workiem, żeby przełożyć go przez krawędź bagażnika, następnie na poły toczę, na poły niosę pod niski murek. Przechylam wór nad krawędzią, czekam na odgłos upadku, i jak najciszej zamykam klapę. Wyciągam z kieszeni mały kieszonkowy nożyk, przechylam się nad murem i rozcinam worki. Zdzieram je i gniotę w kulkę.

O drugiej z minutami parkuję samochód Adama parę uliczek od jego domu, następnie wracam do mojego jeepa, niepotrzebne już worki upycham do pojemnika na śmieci, który mijam po drodze. W łóżku ląduję koło trzeciej. Zmęczenie przeważa nad emocjami. Nic dziwnego, jeśli uwzględnić, ile mnie to wszyst-ko kosztowało wysiłku. Zasypiam, ledwie zgasiwszy światło.

Po przebudzeniu przewracam się na bok i spoglądam na budzik. Potem sprawdzam godzinę na zegarku. Tym razem muszę pogodzić się z uzyskanym pomiarem. Mam za sobą trzynaście i pół godziny snu. Nie przypominam sobie, by kie-dykolwiek wcześniej zdarzyło mi się spać aż tak długo, nawet po narkozie. Nie mogę sobie tego wybaczyć i ogarnia mnie wściekłość. Tak mi było spieszno zasiąść przed komputerem, żeby ponownie przeżyć i przetworzyć moje spotkanie z Ada-mem w taki sposób, by wierniej odpowiadało moim potajem-nym fantazjom. Teraz ledwie starczy mi czasu na prysznic i szybki posiłek.

W drodze do pracy kupuję ostatnie wieczorne wydanie The Bradfield Evening Sentinel Times. Na drugiej stronie czytam:

NAGIE ZWŁOKI

Okaleczone, nagie zwłoki mężczyzny znaleziono dziś wczesnym ranem w gejowskiej wiosce na terenie Brad-field.

Pracownik miejskich służb oczyszczania Robbie Greaves dokonał tego makabrycznego odkrycia, zbiera-jąc śmieci podczas rutynowego obchodu po Crompton Gardens w Temple Fields.

Społeczność gejowska naszego miasta obawia się, że zbrodnia ta może okazać się pierwszą w serii, i przypo-mina o innym seryjnym zabójcy homoseksualistów, któ-ry w ostatnim czasie terroryzował londyńskich gejów.

Ciało odnaleziono w zaroślach za murem okalającym skwer – to cieszące się złą sławą miejsce nocnych spotkań homoseksualistów zainteresowanych przypadkowym seksem.

Zamordowany – jak podają źródła, mężczyzna przed trzydziestką – nie został jeszcze zidentyfikowany. Poli-cja opisuje go jako białego mężczyznę, wzrost metr siedemdziesiąt osiem centymetrów, muskularnej budowy ciała, o krótkich ciemnych, kręconych włosach i niebieskich oczach. Brak znaków szczególnych i tatuaży.

Policyjny rzecznik oświadczył: – Ofiara ma poderżnięte gardło i jest pokiereszowana na całym ciele. Winny tej makabrycznej zbrodni, kimkolwiek jest, to człowiek brutalny i niebezpieczny. Charakter obrażeń zadanych ofierze pozwala zakładać, że sprawca musiał spływać krwią.

– Jesteśmy skłonni uważać, że ofiara została zamordowana gdzie indziej, a ciało porzucono w parku w nocy o nieustalonej jeszcze godzinie.

– Apelujemy do wszystkich, którzy znajdowali się w pobliżu Crompton Gardens w okolicy Temple Fields ubiegłej nocy, aby zgłaszali się w celu wyeliminowania z kręgu podejrzanych. Wszelkie informacje przyjmowane będą w całkowitej dyskrecji.

Robbie Greaves (28 l.), pracownik miejskich służb oczyszczania, który znalazł zwłoki, opowiada: – Dopiero co zacząłem robotę. Było tuż po wpół do dziewiątej. Zbierałem chwytakiem śmieci. Kiedy go dotknąłem, pomyślałem z początku, że to zdechły kot albo pies. Potem rozchyliłem krzaki i zobaczyłem ludzkie ciało.

– To było okropne. Zwymiotowałem, a potem pobiegłem do najbliższej budki telefonicznej. W życiu czegoś takiego nie widziałem i mam nadzieję, że drugi raz nie będę musiał.

Cóż, przynajmniej co do jednego się nie omylili. Ofiarę zamordowano gdzie indziej, a dopiero później porzucono w Cromptons Garden. Natomiast cała reszta... Jeśli te wywody są jakimkolwiek wyznacznikiem umiejętności policji, to moje wcześniejsze obawy były mocno na wyrost. Bardzo mi to pasuje. Ostatnie, czego chcę, to trafić do aresztu, tym bardziej, że następcę Adama mam już na oku. Paul, wiem to, okaże się inny. Tym razem to nie skończy się śmiercią.

7

„Wszyscy, którzy się z nim stykali, opisywali później tę jego dwulicowość jako tak spontaniczną i doskonałą, że gdyby na przykład idąc ulicami, w tak biednych dzielnicach w sobotę wieczorem zawsze ogromnie zatłoczonych, przypadkiem kogoś potrącił, to [...] zatrzymałby się i w najbardziej szarmancki sposób zwróciłby się z wyrazami przeprosin i obmyślając swym diabelskim sercem najbardziej piekielne zamysły, mimo wszystko by przystanął i wyraził życzliwą nadzieję, że podpięty pod eleganckim wierzchnim okryciem drewniany młot, który za mniej więcej dziewięćdziesiąt minut od tego momentu miał wykonać skromne zadanie, nie uczynił jakiejś krzywdy nieznajomemu, gdy doszło między nimi dwoma do zderzenia".

(przełożył Mirosław Bielewicz)

Carol zjechała z głównej ulicy w boczną, dłuższą, ale mniej zatłoczoną, by wyłonić się na tyłach Crompton Gardens.

– Adama Scotta znaleźliśmy o, tam – odezwała się, wskazując miejsce w połowie pasa zarośli.

Tony kiwnął głową.

– Możesz powoli objechać plac, potem zaparkować pod ścianą, przy której leżały zwłoki? Dobrze?

Carol spełniła jego życzenie. Gdy okrążali plac, Tony w skupieniu wyglądał przez okno; parokrotnie gwałtownie okręcał się na siedzeniu, by ponownie się czemuś przypatrzyć. Kiedy samochód się zatrzymał, wysiadł, nie czekając na Carol. Przeszedł przez jezdnię i ruszył chodnikiem wzdłuż obrzeża placu. Carol wysiadła z samochodu i podążyła za nim, próbując spojrzeć na ten zakątek oczami Tony'ego.

Ani seria mordów, ani ziąb nie zmieniły przyzwyczajeń bywalców Temple Fields. Bramy i piwnice nadal roiły się od postękujących parek, hetero- i homoseksualnych. Kilkoro romansujących zamarło, słysząc stukot obcasów Carol, ale większość go zlekceważyła. Wymarzone miejsce dla podglądacza, pomyślała Carol drwiąco.

Przy ostatnim z budynków Tony przeszedł na drugą stronę ulicy, przyglądając się frontonom sklepików i barów. Tu nie było kopulujących parek. Z racji wysokiej przestępczości w mieście wszystkie okna i drzwi wyposażono w solidne okiennice i grube kraty. Tony jednak nie zwrócił na to uwagi; oglądał się w stronę skweru na środku placu, porównując to, co widział na zdjęciach, z rzeczywistością. Po tej stronie nie było zarośli, jedynie metrowej wysokości mur. Tony ledwie zauważył dwóch mężczyzn, którzy przeszli obok niego, objęci mocno jak para startująca do „trójnogiego wyścigu" – zupełnie jakby lewa noga jednego i prawa drugiego były ze sobą związane. Obchodził go tylko morderca.

– Byłeś tu – mruczał pod nosem. – Nie trafiłeś w to miejsce przypadkiem, prawda? Szedłeś tym chodnikiem, widziałeś tę parodię miłości i oddania, jaką można kupić pieniędzmi. Ale nie tego szukałeś, tak? Chciałeś czegoś innego, czegoś, w czym o wiele więcej intymności, czegoś, za co nie musiałbyś płacić. – Jak to było, jakie uczucia towarzyszyły tym podglądackim przygodom Handy'ego Andy'ego?

– Nigdy nie byłeś w normalnym związku – myślał głośno. – Ale prostytutki cię nie drażnią. Ani małolaty, które tu się sprzedają. Ich nie zabijasz. Nie interesuje cię to, co mógłbyś z nimi zrobić. To pary na ciebie działają, prawda? Wiem, zrozum to, ja naprawdę wiem, jak to jest. Czyżby mała projekcja? Raczej nie. Myślę, że szukasz wspólnoty, związku doskonałego, takiego, w którym można być sobą i w którym będziesz ceniony tak wysoko, jak w swoim przekonaniu zasługujesz. Bo wtedy wszystko będzie dobrze. Przeszłość straci znaczenie. Tylko że przeszłość ma znaczenie, Andy. Ogromne znaczenie.

Nagle uprzytomnił sobie, że Carol stoi obok i przygląda

mu się z ciekawością. Prawdopodobnie poruszał ustami. Musi być ostrożniejszy, bo inaczej Carol jego także umieści w szufladce z etykietą „świr". A na to nie może sobie pozwolić, skoro potrzeba mu jej lojalności, by dotrzeć do celu.

Ostatnim budynkiem po tej stronie placu była całonocna knajpa o oknach mlecznobiałych od pary. Wewnątrz, w jasnym świetle, ospale poruszały się kształty podobne do głębinowych stworów. Tony podszedł i popchnął drzwi. Garstka klientów spojrzała na niego przelotnie, po czym powróciła do spożywania zamówionej smażeniny i do wysmażania uwodzicielskich bajerów. Tony wycofał się na ulicę i pozwolił, by drzwi lokalu się za nim zamknęły.

– Nie sądzę, żebyś tu bywał – orzekł. – Nie sądzę, żebyś chciał, by ktokolwiek widział cię samego w miejscu stworzonym do przebywania w towarzystwie.

Na trzeci bok placu składało się parę nowoczesnych biurowców. W bramach spała garstka bezdomnych nastolatów, opatulonych ubraniami, gazetami i porwanymi kartonowymi pudłami. Carol tymczasem zdążyła Tony'ego dogonić.

– Tych już przesłuchaliście? – spytał.

Carol westchnęła.

– Próbowaliśmy. Mój ojciec lubił sobie swego czasu ponucić, najchętniej przyśpiewki ludowe. Jak byłam mała, śpiewał mi jedną z refrenem: „Oj, próżno wiatru w polu szukać". Teraz już wiem, co to znaczy.

– Aż tak źle, co?

Przespacerowali się w stronę domów tworzących czwarty bok placu; po drodze, na rogu, minęli dwie prostytutki.

– Hej, przystojniaku! – krzyknęła jedna z nich. – Ze mną lepiej byś się zabawił niż z tą sztywną suką!

Carol parsknęła śmiechem.

– Oto i tryumf nadziei nad doświadczeniem – podsumowała kwaśno.

Tony nie odezwał się. Pogrążony w rozmyślaniach, ledwie dosłyszał ich słowa. Powoli stąpał środkiem chodnika; co kilka kroków zatrzymywał się, chłonąc atmosferę. Cicha muzyka sączyła się z mieszkań i kawalerek, przepajając nocne powietrze cichą kakofonią. Lekki wiatr, który szeleścił śmieciami i styropianowymi tackami, turlającymi się wzdłuż rynsztoków, niósł zapach curry. Plac nigdy całkowicie nie pustoszeje, pomyślał.

– Gardzisz ich brudnym życiem, prawda? – odezwał się sam do siebie. – Lubisz, jak wszystko jest czyste, schludne i uporządkowane. Po części właśnie z tego powodu obmywasz ciała ofiar. To nie mniej ważne od usunięcia śladów kryminalistycznych. – Za rogiem znowu przeszedł przez jezdnię i stanął za samochodem Carol; po raz pierwszy poczuł, jak budzi się w nim pewność, że zdoła rozszyfrować ten złożony i obarczony tragiczną skazą umysł.

– Prawdopodobnie musiał tu być kilka minut, żeby upewnić się, że nikt go nie śledzi – zauważył głośniej. – W zależności od tego, jakiego rodzaju pojazdem się posługuje, przeniesienie ciała pod murek i przerzucenie go na drugą stronę mogło mu zabrać nie więcej niż minutę. Ale z pewnością chciał się upewnić, że nikt go nie widzi.

– Stukaliśmy do każdych drzwi po drugiej stronie ulicy, ale nikt się nie przyznał, że zauważył cokolwiek niezwykłego – burknęła Carol.

– Nie oszukujmy się, Carol, kiedy człowiek sobie popatrzy na tutejsze porządki, trudno nie zauważyć, jak wielką swobodę działania musi tu mieć seryjny zabójca. No, ja już się napatrzyłem. Jedziemy?

Cross wparował do pokoju sztabowego sprężyście, zaskakująco lekkim krokiem, jaki często widuje się u grubasów, zupełnie jakby lekkością chodu chcieli zrównoważyć tuszę.

– No, dobra, gdzie jest ta menda? – ryknął. Potem jego wzrok padł na szczupłego mężczyznę, który stał oparty o ścianę i na widok Crossa przerwał rozmowę z Kevinem Matthewsem.

– Sir? – bąknął Cross i stanął jak wryty. – Nie spodziewałem się pana u nas. – Rzucił Kevinowi Matthewsowi spojrzenie pełne nienawiści.

Brandon wyprostował plecy.

– Tak, panie nadinspektorze, nie sądzę, żeby się pan spodziewał. – Zbliżył się do Crossa. – Przed chwilą wydałem dyspozytorom stosowne instrukcje: gdybyście dokonali jakichkolwiek aresztowań w związku z tą serią zabójstw, mam być natychmiast o tym informowany. Ta sprawa zrobi się głośna, jak już trafi na wokandę, Tom. Chcę, żebyśmy byli czyści jak łza.

– Tak jest, sir – odparł Cross zaczepnym tonem.

Obojętnie jak Brandon by mu tu lukrował, znaczyło to ni mniej, ni więcej tyle, że naczelnik nie uważa Crossa za człowieka, który dopilnuje, by nadgorliwi detektywi nie posunęli się za daleko. Przy Brandonie, snującym się po korytarzach, żadnego podejrzanego o serię zabójstw nie spotka w areszcie „nieszczęśliwy wypadek". Cross zwrócił się do Kevina Matthewsa. – Co się właściwie stało?

Kevin, tak blady ze zmęczenia i stresu, że piegi wyglądały na jego chorobliwie bladej skórze twarzy niczym krosty od wyjątkowo paskudnej odmiany ospy, wyjaśnił:

– Udało się nam ustalić, że Don Merrick opuścił Hell Hole w towarzystwie jakiegoś kolesia. Widziała ich jedna z ekip ubezpieczających. Don przełączył krótkofalówkę na nadawanie, zakładamy więc, że chciał, żebyśmy tego gościa zgarnęli i przesłuchali. Wedle chłopaków z ekipy ubezpieczającej, obaj kierowali się do całonocnej restauracji w Crompton Gardens. Jest taka alejka, skrót prowadzący na teren ogrodu, i właśnie nią poszli. Następne, co chłopaki usłyszeli, to odgłosy bójki. Lecą na miejsce i znajdują Dona na ziemi, obok szarpie się dwóch gości. Aresztowali tę parkę: w tej chwili obaj grzecznie dłubią w nosie, każdy w oddzielnej celi.

– A co z Merrickiem? – spytał Cross.

Przy wszystkich swoich wadach był gliniarzem pełną gębą: swoimi ludźmi przejmował się niemal tak bardzo jak własną karierą.

– Pojechał na pogotowie, teraz zakładają mu szwy na obolałej łepetynie. Odzyskał przytomność w karetce. Posłałem jednego z moich chłopaków, żeby zaprotokołował jego zeznanie. – Kevin zerknął na zegarek. – Powinien lada chwila być z powrotem.

– To na czym właściwie stoimy? – zniecierpliwił się Cross. – Mamy podejrzanego czy nie?

Brandon chrząknął donośnie.

– Myślę, że możemy założyć, że Merrick uznał, że warto z tym delikwentem pogawędzić. Co do człowieka, który na nich napadł, podejrzewam, że będziemy musieli poczekać na zeznanie Merricka. Radzę, żeby śledczy Matthews z kolegą porozmawiali z napastnikiem, tymczasem my dwaj pomówimy wstępnie z podejrzanym wytypowanym przez Merricka. Zgadzasz się, Tom?

Cross skinął głową, wyraźnie nie w sosie.

– Tak jest, sir. Kevin, jak tylko twój człowiek wróci z pogotowia, chcę się z nim zobaczyć. – Podszedł do drzwi, oglądając się z wyczekiwaniem.

Brandon rzucił ze spokojem:

– Zanim pójdziemy, Tom... Sądzę, że musimy ściągnąć inspektor Jordan i doktora Hilla.

– Z całym szacunkiem, sir, jest środek nocy. Czy to naprawdę konieczne, żebyśmy schrzanili mu zasłużony odpoczynek?

– Nie chcę zabierać się do przesłuchiwania kogokolwiek w związku z tymi morderstwami, póki nie będę miał okazji poprosić doktora Hilla o radę w kwestii tego, jak powinno przebiegać przesłuchanie. Poza tym najprawdopodobniej oboje są jeszcze na nogach i pracują. Śledcza Jordan planowała dzisiejszej nocy pokazać doktorowi Hillowi miejsca zbrodni. Skontaktuje się pan z nią, inspektorze?

Kevin zerknął na Crossa, który niechętnie skinął głową.

– Żaden problem, sir. Zaraz wyślę inspektor Jordan wiadomość na pager. Będzie zachwycona, mogąc pomóc, jestem tego pewny.

Brandon uśmiechnął się i wyszedł na korytarz, nie zatrzymując się przy Crossie.

– Od razu widać, co robi z facetem przesiadywanie za biurkiem – mruknął Cross, potrząsając głową z udawanym smutkiem. – Potrzebny mu zasrany psycholog, który pokaże, jak przesłuchiwać uliczne męty.

Na Canal Street nadal panował spory ruch. Ludzie wchodzili i wychodzili z klubów, taksówki wypuszczały pasażerów i zgarniały nowych, pary dzieliły się kebabami i frytkami na rogach ulic, żigolacy i dziwki popatrywali na jadące wolno samochody i spacerowiczów, szukając okazji do zarobku.

– Interesujące, prawda, jak ustala się charakter danej okolicy?

– Chodzi ci o to, że to sfera publicznych spotkań, a Crompton Gardens zarezerwowane jest dla mrocznej strony życia?

– I te sfery nigdy się na siebie nie nałożą – odparł Tony. – Naprawdę dużo tu luda na tak późną porę, nie sądzisz? W poniedziałkowe wieczory jest tu spokojniej?

– Trochę – przyznała Carol. – Parę klubów jest nieczynnych. A jeden urządza wieczorek „tylko dla pań".

Czyli ruch uliczny jest mniej nasilony, skonstatował Tony. Wcześniej, kiedy jeździli ulicami, zastanawiając się, gdzie może mieścić się punkt wypadowy zabójcy, Tony nie mógł się nadziwić publicznemu charakterowi miejsca, w którym zabójca postanowił podrzucić ciała dwóch pierwszych ofiar. Zupełnie jakby za każdym razem podnosił sobie poprzeczkę. W chwili gdy samochód objeżdżał róg alejki, przy której mieściło się boczne wejście do klubu nocnego Shadowlands, Tony rozejrzał się z namysłem.

– Rozpaczliwie chce być najlepszy – powiedział cicho.

– Przepraszam...?

– Handy Andy. Gardzi prostymi rozwiązaniami. Jego ofiary, wszystkie, mieszczą się w kategorii wysokiego ryzyka. Miejsca, w których porzuca ciała, nie są opustoszałe ani odludne. Ciała są obmyte i pozbawione śladów kryminalistycznych. Myśli, że jest od nas mądrzejszy i musi ciągle to sobie udowadniać. Zaryzykowałbym przypuszczenie – ale to tylko domysł – że ciało następnej ofiary zostanie porzucone w miejscu, w którym jest bardzo, ale to bardzo dużo ludzi.

Carol poczuła, że po plecach przebiega jej dreszcz, który nie miał nic wspólnego z zimnem na dworze.

– Nie mów o następnej ofierze, jakby było wiadomo, że go

wcześniej nie dopadniemy - poprosiła. - To po prostu cholernie dołujące.

Carol pierwsza weszła w głąb ślepej uliczki.

- Tak więc ciało drugiej ofiary, Paula Gibbsa, znaleziono dokładnie tu. Przy wyjściu ewakuacyjnym z klubu Shadowlands.

- Dość ciemno tutaj - mruknął Tony, który akurat potknął się o resztki kartonowego pudła.

- Nie omieszkaliśmy wspomnieć właścicielowi, że przydałoby się jakieś światło, dla bezpieczeństwa, chociażby po to, żeby go nikt nie obrobił, jak będzie w nocy zamykał lokal, ale sam widzisz, jak bardzo wziął sobie do serca nasze rady - sarknęła Carol.

Szperała w torebce w poszukiwaniu miniaturowej latarki. Włączyła ją, przekręcając część obsadki: wąski snop światła obrysował postać Tony'ego, za którego plecami prostytutka w czerwonej, lateksowej sukience robiła laskę jakiemuś biznesmenowi o mętnych oczach, znieruchomiałemu i wspartemu o framugę.

- Hej! - zawołał z oburzeniem biznesmen. - Spieprzać, podglądacze!

Carol westchnęła.

- Policja. Pakuj małego w spodnie albo ja ciebie wpakuję do kicia.

Zanim dokończyła zdanie, prostytutka była już na nogach i gnała do ujścia alejki tak szybko, jak tylko pozwalały na to buty na szpilkach. Facecik pojął widać, że nie warto się spierać teraz, kiedy dziewczyna się ulotniła, szybko zapiął rozporek i przemknął obok Tony'ego. Znikając za rogiem wrzasnął:

- Ty pizdo lodowa!

- Wszystko w porządku? - spytał Tony; w jego głosie brzmiała autentyczna troska.

Carol wzruszyła ramionami.

- Jak zaczęłam robić w tym fachu, zbierało mi się na mdłości, że takie zboczki obrzucają mnie wyzwiskami. Potem zdałam sobie sprawę z tego, że to oni mają problem, nie ja.

- Teoria brzmi przekonująco. A jak sprawdza się w praktyce?

Carol zrobiła krzywą minę.

– Są takie wieczory, że wracam do domu i dwadzieścia minut stoję pod prysznicem, a nadal nie czuję się czysta.

– Doskonale wiem, co masz na myśli. Czasem grzebię w głowach takim świrom, że zaczynam wierzyć, że nie będę potrafił związać się z normalną osobą. – Tony odwrócił się w obawie, że zdradzi go wyraz twarzy. – Czyli tutaj znaleźliście Paula?

Carol podeszła do niego i poświeciła latarką w głąb bramy.

– Leżał tam, przykryty workami na śmiecie, więc nie od razu można go było zauważyć. Wnosząc z porozrzucanych wokół niego prezerwatyw, „dziewczynki" całą noc gziły się o rzut beretem od najprawdziwszego trupa.

– Rozumiem, że już z nimi rozmawiałaś?

– Tak, wszystkie ściągnęliśmy na komisariat. Ta, która wiała stąd jak karaluch, kiedy włączyłam latarkę, korzysta z tego miejsca prawie każdej nocy. Mówi, że miała klienta około czwartej nad ranem. Wie, która była godzina, bo ten facet to jej stały klient i z grubsza o tej porze schodzi ze zmiany w drukarni gazet. Tak czy inaczej, zamierzała go tutaj przyprowadzić, ale natknęli się na jakiś samochód. – Carol westchnęła. – Myśleliśmy, że jesteśmy w domu, bo zapamiętała markę, model i numery tablicy rejestracyjnej. Były takie same jak numer jej domu. Dwa-cztery-dziewięć.

– Nie mów mi. Niech zgadnę. To był samochód Paula Gibbsa.

– W dziesiątkę za pierwszym strzałem.

Uporczywy brzęczyk pagera Carol wdarł się w ich rozmowę, kategoryczny jak płacz dziecka.

– Muszę znaleźć jakiś telefon – mruknęła Carol.

– Co się stało?

– Jedno jest pewne – westchnęła Carol, z pośpiechem wracając do samochodu. – Nic dobrego.

– Słuchajcie no, powiedziałem wszystko, co wiem i koniec pieśni. Poznałem tego gościa, Dona, w Hole, szliśmy do jakiegoś lokalu napić się herbaty, nagle słychać kroki, Don wali się na ziemię, jakby sam Vinny Jones trenował na nim przechwyt, no to odwracam się i widzę tego świra z cegłówką. No to lecę do niego z lewym sierpowym, robić areszt obywatelski, a tu zwalają się wasi chłopcy, całą zgrają, i ląduję tutaj. - Stevie McConnell rozłożył ręce. - Powinniście uderzyć do mnie z listem pochwalnym, a nie straszyć odsiadką do pięciu lat.

- I myślisz, że ci uwierzymy... - Cross zajrzał do notatek. - Ten Ian zaatakował Dona tylko dlatego, że wcześniej dostał od niego kosza?

- Z grubsza. Słuchaj pan, ten Ian jest znany na mieście. To kompletna szajba. Odmóżdża go od speedu i myśli, że jest Panem Bogiem Wszechmogącym. Ten Don spławił go pokazowo, wiesz pan, zamiast na wielkiego macho wyszedł na frajera, więc facet, o którego pytacie, chciał się odegrać. Słuchaj pan, puścicie mnie czy jak?

Od konieczności udzielenia odpowiedzi na to pytanie uwolniło Crossa pukanie do drzwi. Brandon odkleił się od ściany i wyjrzał ostrożnie. W progu zamienił kilka ściszonych słów z funkcjonariuszem, po czym wycofał się w głąb pomieszczenia.

- Wstępne przesłuchanie przerwane o pierwszej czterdzieści siedem rano - ogłosił i pochylił się nad Crossem, żeby wyłączyć magnetofon. - Wrócimy raz, dwa, panie McConnell - rzucił Brandon na odchodnym.

Już przed salą przesłuchań oznajmił:

- Inspektor Jordan i doktor Hill są na górze. Także śledczy Merrick, który przed chwilą wrócił z pogotowia. Najwyraźniej czuje się dość dobrze, by samemu zrelacjonować dzisiejsze zajście, tak twierdzi.

- Słusznie. No, lepiej wysłuchajmy jego wersji, potem będziemy mogli przycisnąć tego osiłka.

Cross pomaszerował na piętro do pokoju sztabowego, gdzie zatroskana Carol krążyła wokół Merricka. Tony siedział nieopodal, ze stopami opartymi na krawędzi kosza na śmieci.

- Ja pierdzielę, Merrick! - zaryczał Cross na widok dramatycznego bandaża, który niczym turban spowijał głowę podwładnego. - Nie mów, żeś się nawrócił i robisz za pieprzonego hindusa, co? Chryste Panie, wiedziałem, że to ryzykowny pomysł, wysyłać tajniaków do ciotogrodu, ale nie spodziewałem się manii religijnej.

Merrick uśmiechnął się słabo.

- Pomyślałem, że jak się pokażę, to nie odeśle mnie pan do mundurowych, choć dałem plamę, sir.

Cross odpowiedział wymuszonym uśmiechem.

- No, to posłuchajmy. Dlaczego w moim mamrze siedzi jakiś bolszewik, amator tego, co się Szkotom majta pod kiltem?

Brandon, stojący kilka stóp za Crossem, przerwał sucho:

- Zanim sierżant Merrick zreferuje nam przebieg dzisiejszego wieczoru, chcę wyjaśnić doktorowi Hillowi, dlaczego fatygujemy go o tak późnej porze.

Tony wyprostował się na krześle, bawiąc się jakąś kartką.

- Kiedy wygłaszał pan tamten wykład - podjął Brandon, obchodząc Crossa łukiem i siadając na skraju biurka - wspomniał pan, że psychologowie kryminalni mogliby mieć dla śledczych wiele cennych wskazówek co do technik przesłuchania. Zastanawiałem się, czy ta zasada miałaby zastosowanie w naszej sytuacji.

- Zrobię, co w mojej mocy - odparł Tony i zdjął skuwkę z długopisu.

- Jak to, technik przesłuchania? - spytał Cross podejrzliwie.

Tony uśmiechnął się.

- Przykład z moich własnych doświadczeń w ostatnim czasie. Jednostka, która się ze mną konsultowała, aresztowała podejrzanego o dwa gwałty. Typ macho, hałaśliwy, muskularny. Poradziłem, żeby przesłuchanie przeprowadziła funkcjonariuszka, możliwie drobna i bardzo kobieca. To go rozwścieczyło, gardził kobietami i uważał, że policja nie traktuje go z należytym szacunkiem. Podczas odprawy zaleciłem jej taką linię przesłuchania, żeby dała mu do zrozumienia, że nie wierzy, żeby on był gwałcicielem, bo jej zdaniem, szczerze, do tego trzeba jaj. Skutek był taki, że się zagotował i wszystko wyśpiewał, że owszem, jest winny obu gwałtów, o które podejrzewa go policja, jak również trzech innych, o których nikt nie wie.

Cross się nie odezwał.

– Sierżancie Merrick? – zachęcił Brandon.

Merrick przedstawił im barowe perypetie, często robiąc pauzy, żeby się zastanowić. Kiedy skończył, Brandon i Carol spojrzeli na Tony'ego wyczekująco.

– Jak myślisz, Tony? Czy to może być któryś z nich? – spytał Brandon.

– Nie sądzę, żeby warto było zaczynać od Iana Thomsona. Nasz zabójca jest bardzo ostrożny i z pewnością nie wdałby się w nic tak idiotycznego i zwracającego powszechną uwagę jak uliczna burda. Nawet gdyby Don nie był funkcjonariuszem policji, Thomson tak czy inaczej najpewniej wpakowałby się dziś w kłopoty, ganiając za kimś z cegłą. Nie uszłoby mu to na sucho... nawet w dużym mieście, gdzie w świetle obranej przez policję polityki napady na homoseksualistów nie należą do spraw priorytetowych – dodał sucho.

Cross skrzywił się.

– Gej czy nie gej, chłopaki każdego traktują tak samo – huknął.

Tony żałował, że nie ugryzł się w język. Ostatnim, czego chciał, było branie się za łby z Tomem Crossem w materii wyznawanej przez policję Bradfield polityki „geje i czarni się nie liczą". Postanowił przemilczeć ten komentarz.

– Poza tym to, co wiemy o zachowaniach zabójcy, nie sugeruje, jakoby był to osobnik o jawnie homoseksualnej orientacji i skłonnościach sadomasochistycznych. Bo jest oczywiste, że ofiar nie wybiera spośród bywalców gejowskich lokali. McConnell natomiast wydaje się z waszego punktu widzenia znacznie bardziej interesujący. Wiemy, jak zarabia na życie?

– Prowadzi siłownię w centrum miasta. Tę samą, z której korzystał Gareth Finnegan – stwierdził Cross.

– I nie był wcześniej przesłuchiwany? – oburzył się Brandon.

Cross wzruszył ramionami.

– Jeden z funkcjonariuszy z ekipy inspektora Matthewsa rozmawiał z nim – wtrąciła Carol. – Raport wpadł mi w ręce, kiedy przygotowywałam materiały dla doktora Hilla – dodała pośpiesznie, bo wypatrzyła na twarzy Crossa zapowiedź gniewnego grymasu. Uchowaj Bóg, gotów pomyśleć, że próbowała podkopać jego autorytet. – Moja pamięć przypomina kosz na śmieci – próbowała obrócić całą sytuację w żart. – O ile pamiętam, było to rutynowe przesłuchanie, czy Gareth się z kimś szczególnie zaprzyjaźnił albo częściej kontaktował.

– Znamy domową sytuację McConnella? – pytał dalej Tony.

– Dzieli dom z parą figo-fago – burknął Cross. – Mówi, że ich też wciągnęła zabawa w kulturystykę. To jak, mamy go wziąć pod lupę czy nie?

Tony gryzmolił coś na marginesie strony.

– Czemu nie – orzekł w końcu. – Jakie są szanse na uzyskanie nakazu rewizji?

– Na chwilę obecną? Marne. A przy tym absolutnie żadnych przesłanek, żeby przeprowadzić rewizję bez nakazu. Żaden sędzia nie łyknie argumentacji, że napaść uliczna daje nam podstawy do przeszukania domu McConnella, żeby uzyskać dowody łączące go z serią zabójstw – zasępił się Brandon. – Czego szukalibyśmy w pierwszej kolejności?

– Kamery wideo. Czegokolwiek, co wskazywałoby na to, że McConnell ma dostęp do jakiegoś odizolowanego i opustoszałego miejsca, na przykład nieużywanego magazynu, hali fabrycznej, domu czekającego na wyburzenie, zamykanego boksu garażowego. – Tony przegarnął włosy. – Zdjęć z polaroida. Sadomasochistycznej pornografii. Pamiątek po ofiarach. Biżuterii, której nie znaleziono przy zwłokach. – Podniósł wzrok i dostrzegł kpiącą minę Crossa. – Powinniście też sprawdzić zamrażalnik. Czasem, choć nieczęsto, przechowują tam fragmenty zwłok. – Z satysfakcją odnotował, że na twarzy Crossa pojawia się wyraz obrzydzenia.

– Ślicznie. Najpierw jednak musimy znaleźć jakiś punkt zaczepienia. Sugestie? – spytał Brandon.

– Poślijcie sierżanta Merricka i inspektor Jordan, niech go przesłuchają. Świadomość, że człowiek, którego usiłował poderwać, jest policjantem, wytrąci go z równowagi, wzbudzi w nim poczucie, że nie może ufać własnemu instynktowi. A że może mieć problemy w relacjach z kobietami...

– Oczywiście, że ma problemy z kobietami – wpadł mu w słowo Cross. – To przecież pieprzony homo-nie-wiadomo.

– Nie wszyscy homoseksualiści nie lubią kobiet – tłumaczył uprzejmie Tony. – Ale wielu owszem i nie można wykluczyć, że McConnell do nich się zalicza. W najgorszym razie osiągniemy choć tyle, że w obecności Carol poczuje się zagrożony. W towarzystwie samych mężczyzn mógłby liczyć na to, że będą z nim trzymać sztamę, więc uniemożliwimy mu to.

– Spróbujmy – odezwał się Brandon. – O ile sierżant Merrick czuje się na siłach.

– Jestem za, sir – oświadczył Merrick.

Cross miał taką minę, jakby nie mógł się zdecydować, czy walnąć Brandona, czy też raczej Tony'ego.

– No, to równie dobrze mogę spieprzać do domu – warknął ze złością.

– Dobra myśl, Tom. Wstyd, żebyś ciągle pracował nocami. Ja się tu jeszcze pokręcę, zobaczę, co wyniknie z przesłuchania McConnella.

Cross wyminął Kevina Matthewsa i opuścił pokój sztabowy. Po jego wyjściu atmosfera wyraźnie się rozluźniła.

– Sir? – odezwał się Kevin. – Ian Thomson... Wygląda na to, że wypadł z kręgu podejrzanych o te zabójstwa.

Brandon się nasrożył.

– Chyba wyraźnie powiedziałem, żebyś tego nie tykał? Na obecnym etapie chcemy zarzucić Thomsonowi tylko czynną napaść.

– I nie tykam, sir – usprawiedliwiał się Kevin. – W toku przesłuchania jakoś samo wypłynęło, że Thomson pracuje trzy noce w tygodniu jako DJ w Hot Rocks. To taki gejowski klub w Liverpoolu. Występuje tam w poniedziałki, wtorki i środy. Można by dość łatwo sprawdzić, czy pracował w noce, które nas interesują.

– W porządku, niech się ktoś tym zajmie – uciął Brandon.

– Zatem zostaje nam tylko McConnell – powiedziała z namysłem Carol.

- Bierzmy się do dzieła - oznajmił Brandon.

- Jakieś wskazówki? - spytała Tony'ego Carol.

- Nie obawiaj się okazywać mu wyższości. Przez cały czas bądź słodka jak miód i łagodna, ale daj jasno do zrozumienia, że ty tu jesteś starsza stopniem. A pan, sierżancie Merrick, może śmiało pograć na nucie wdzięczności.

- Dzięki - westchnęła Carol. - Wszystko w porządku, Don?

Zostawili Brandona i Tony'ego samych.

- Są postępy? - spytał Brandon; wstał i przeciągnął się.

Tony wzruszył ramionami.

- Zaczynam rozumieć, jak dobiera ofiary. Działa wedle konkretnego schematu. To typ prześladowcy, tego jestem pewny. Za dzień czy dwa powinienem mieć gotowy portret psychologiczny, naturalnie będzie to dopiero wstępny szkic. Po prostu w złym momencie zgarnęliście pierwszego podejrzanego.

- Jak to, w złym momencie?

- Nie dziwię się, że chcieliście konsultacji. Ale wolałbym niczego nie wiedzieć o podejrzanych, dopóki nie skończę profilu. Boję się, że podświadomie dostosuję go do któregoś z nich.

Brandon westchnął. Nieodmiennie przekonywał się, że we wczesnych godzinach porannych nie potrafi zdobyć się na pogodę ducha.

- Nie martwmy się na zapas. Rano może się okazać, że ten nasz podejrzany to zamierzchła historia.

Z 3,5-CALOWEJ DYSKIETKI O NAZWIE: KOPIA_ZA-PASOWA.007; PLIK MIŁOŚĆ.008

Poznawanie Paula, co dla mnie niepojęte, okazało się bardziej podniecające niż cała sprawa z Adamem. Po części, jak przypuszczam, dlatego, że teraz mam pewność, że poradzę sobie, gdyby nie wszystko ułożyło się po mojej myśli. Nawet gdyby Paulowi zabrakło lotności, by pojąć, że nikt nie da mu tego co ja, nawet gdyby zdeptał moją miłość, gdyby jak Adam sprzeniewierzył się nieuchronności naszego bycia razem na rzecz byle kogo, wiem, że istnieje równoległy scenariusz, który zagwarantuje mi prawie taką samą satysfakcję, jak uzyskanie tego, na co zasługuję.

Ale tym razem nie wątpię, że dostanę, czego pragnę. Adam, teraz widzę to jak na dłoni, był niedojrzały i słaby. Paul nie ma ani tej pierwszej, ani tej drugiej przywary – wystarczy na niego spojrzeć. Po pierwsze, w przeciwieństwie do Adama, nie skusiło go mieszkanie w popularnej wśród młodych karierowiczów dzielnicy miasta. Paul osiadł na jego południowym krańcu, w Aston Hey, na zielonych przedmieściach, które ukochali sobie wykładowcy i zwolennicy medycyny alternatywnej. Dom Paula mieści się przy jednej ze względnie tańszych ulic. To segment, podobny do mojego, choć pokoje, dwa na górze, dwa na dole, są, rzecz jasna, o wiele przestronniejsze. W odróżnieniu ode mnie ma także mały ogródek, a za domem dwukrotnie większe podwórko, usiane glinianymi donicami i beczkami pełnymi kwiatów i karłowatych krzewów. Idealne miejsce, żeby w letnie wieczory posiedzieć przed kolacją przy drinku.

Otóż będąc z Paulem, zamieszkam w Aston Hey, będziemy razem cieszyć się tymi cichymi uliczkami, spacerować po parku, trzymając się za ręce, upodobnimy się do innych par. W dodatku ma fascynującą pracę – wykłada w Bradfield Institute of Science and Technology, gdzie specjalizuje się w formacie CAD. Tak wiele nas łączy. Szkoda tylko, że nie mogę mu się pochwalić moimi sukcesami z Adamem.

Jedną z największych zalet nieposiadania hipoteki jest to, że mam na rozkurz praktycznie całą pensję. To niemała kwota na wydatki dla kogoś w moim wieku i bez osób na utrzymaniu. Oznacza to, że stać mnie na najnowszej generacji system komputerowy, który dzięki regularnym aktualizacjom nie traci nic ze swojej nowoczesności. Uwzględniając fakt, że jeden tylko program kosztował mnie blisko trzy tysiące funtów, może to i lepiej, że nie uczepiła się mnie jakaś pijawka. Dzięki nowemu CD-ROM-owi, konwerterowi analogowo-cyfrowemu i software'owi do efektów specjalnych, udało mi się zaimportować nagrania wideo do komputera w niecały dzień. W postaci cyfrowej i zapisane na dysku, nadawały się do obróbki techniką morfingu; odtąd mogę już składać obrazy wedle swojej zachcianki. Dzięki wcześniej zainstalowanemu programikowi porno nareszcie mogę podarować Adamowi erekcję, której nie zdołał osiągnąć za życia. W końcu mogę się z nim rżnąć, obciągać mu, wsadzać mu rękę i równocześnie patrzeć, jak on pieści mnie. Jednak świadomość, że to mogę mieć, nie wystarczyła, by go ocalić. Komputer i moja wyobraźnia to za mało wobec radości i rozkoszy, jakie mógł mi dać, gdyby tylko był wobec siebie szczery i nie zapierał się, że mnie pożąda. A tak każdego dnia musi umierać na nowo. Skrajne fantazje erotyczne, podlegające nieustannym przeobrażeniom, kształtowane stosownie do mojego nastroju i zachcianek. Nareszcie Adam robi wszystko to, o czym wcześniej mógł jedynie śnić. Szkoda tylko, że to nie jawa.

Nie jest to może rozwiązanie doskonałe, ale przynajmniej bawię się lepiej niż gliny. Z gazet wynika, że zabrnęli w ślepą uliczkę. Śmierć Adama została skwitowana jedynie lapidarną wzmianką w ogólnokrajowych mediach, nawet redakcja The Bradfield Sentinel Times dała sobie spokój po pięciu dniach. Ciało Adama zostało zidentyfikowane czwartego, gdy zaniepokojeni koledzy zgłosili jego zaginięcie, nie doczekawszy się reakcji na natarczywe brzęczenie telefonu i dzwonka przy drzwiach. Zaintrygował mnie dobór słów, w których wyrażali ubolewanie (popularny, pracowity, lubiany, itd.). Z lekkim ukłuciem żalu myślę, że przez jego głupotę nie zaznam nigdy ich przyjaźni. Dziennikarz kryminalny The Sentinel Times zdołał nawet wytropić byłą żonę Adama, pomyłkę, jaka mu się przytrafiła w wieku dwudziestu jeden lat i jaką przed dwudziestymi piątymi urodzinami naprawił. Czytam i zaśmiewam się do rozpuku.

Była żona Adama Scotta, Lisa Arnold (27 l.), wstrzymywała łzy, mówiąc: - Nie wierzę, że coś takiego spotkało Adama.

- Taki był z niego przyjazny człowiek, bardzo towarzyski. Ale nie żeby lubił sobie wypić. Nie wyobrażam sobie, jak ten potwór mógł go skrzywdzić.

Lisa, nauczycielka w szkole podstawowej i od pewnego czasu szczęśliwa mężatka, nie może pohamować zwierzeń:

- Nie pojmuję, co on robił w Crompton Gardens. Nigdy nie przejawiał najmniejszych homoseksualnych skłonności, kiedy byliśmy małżeństwem. Nasze życie erotyczne wyglądało całkiem przeciętnie. Jeśli można mu cokolwiek zarzucić, to chyba to, że było trochę nudne.

- Pobraliśmy się zbyt młodo. Matka wychowała Adama tak, aby oczekiwał, że żona będzie mu usługiwać jak służąca, ale ja po prostu taka nie jestem.

- Później poznałam kogoś i powiedziałam Adamowi, że chcę rozwodu. Był bardzo wzburzony, ale sądzę, że chodziło bardziej o urażoną dumę.

- Nie widziałam się z nim od rozwodu, ale słyszałam, że mieszka samotnie. Wiem, że w ciągu ostatnich trzech lat zdarzyło mu się kilka romansów, ale nie było to nic poważnego, o ile mi wiadomo.

- Po prostu nie mogę oswoić się z myślą, że nie żyje. Wiem, że raniliśmy się wzajemnie, ale jestem po prostu zdruzgotana wiadomością o jego okrutnej śmierci.

Raczej nie ma co liczyć na przetrwanie drugiego małżeństwa Lisy do jego naturalnego końca, skoro działanie męskiego umysłu nadal pozostaje dla niej zagadką. Nudne? Lisa była jedynym powodem, dla którego seks z Adamem mógł być nudny.

Mnie nazywa potworem? Odwróciła się od czarującego, przystojnego mężczyzny, który kochał ją tak bardzo, że opowiadał o niej obcym ludziom trzy lata po tym, jak go odtrąciła. Wiem, bo wielokrotnie było mi dane tego słuchać. Jeżeli ktokolwiek zasługuje na miano potwora, to właśnie Lisa.

8

„Artysta niewtajemniczony w arkana sztuki nie zrodziłby myśli tak śmiałej, jaką jest mord w samo południe w sercu wielkiego miasta. Panowie, bądźcie spokojni, ani nieokreślony bliżej piekarz ani bezimienny czyściciel kominów dzieła tego nie dokonał. Wiem, komu przypisać za nie zasługę".

(przełożyła Magdalena Jędrzejak)

Stevie McConnell oburącz przegarnął włosy w geście rozpaczy.

– Słuchajcie, ile razy mam wam powtarzać? Tak tylko gadałem. Chciałem wyjść na ważniaka. Planowałem jakąś macankę i potrzebny mi był dobry bajer. Nie znałem Paula Gibbsa ani Damiena Connolly'ego. Na oczy ich nie widziałem.

– Dysponujemy dowodami, że znał pan Garetha Finnegana – stwierdziła Carol zimno.

– W porządku, przyznaję, że Garetha znałem. Wykupił kartę członkowską na siłce, nie będę udawał, że nigdy na niego nie wpadłem. Ale, Chryste, kobieto, ten koleś był prawnikiem. Musiał znać tysiące ludzi – rzucił McConnell i łupnął w stół pięścią jak bochen chleba.

Carol nawet nie drgnęła.

– To samo dotyczy Adama Scotta – wypomniała bezlitośnie.

– Dobra, dobra – przyznał ze znużeniem. – Adam Scott wykupił na próbę miesięczny karnet jakieś dwa lata temu. Ale się nie zapisał. Wpadłem na niego parę razy w pubie niedaleko mojego domu, napiliśmy się piwka, koniec, kropka. Z mnóstwem ludzi umawiam się na drinka, wie pani. Chryste Panie, jakbym zabijał każdego faceta, z którym pogadałem przy barze, to mielibyście od cholery roboty na sto lat, niech was szlag.

- Wykażemy, że znał pan Paula Gibbsa i Damiena Connolly'ego. Chyba to pan rozumie? - wtrącił swoje trzy grosze Merrick.

McConnell westchnął. Pięści mu się zacisnęły, zmuszając mięśnie potężnych przedramion do ułożenia się w wypukły relief.

- No to będziecie musieli fest nazmyślać, bo nie sposób udowodnić czegoś, co nie jest prawdą. Nie ze mną numery w stylu „Szóstki z Birmingham"*, wiecie. Słuchajcie, gdybym na serio był tym walniętym sukinsynem, to myślicie, że czekałbym grzeczniutko, aż mnie zwiniecie? Przy pierwszych kłopotach dałbym nogę. To logiczne.

Carol zauważyła znudzonym tonem:

- Ale wtedy jeszcze nie wiedział pan, że sierżant Merrick jest funkcjonariuszem policji, prawda? Słucham więc, jak przedstawia się pańskie alibi na poniedziałkową noc.

McConnell rozparł się w krześle i zagapił w sufit.

- W poniedziałki mam wolne - wyrecytował. - Że się powtórzę, chłopaki, z którymi dzielę chatę, są na urlopie, więc byłem sam jak palec. Wstałem późno, poszłem do supermarketu po gazety, jeszcze później na basen. Koło szóstej pojechałem do multipleksu przy ekspresówce i obejrzałem nowy film z Clintem Eastwoodem.

Raptem zerwał się z krzesła.

- Będą mogli to potwierdzić. Zapłaciłem kartą kredytową, a u nich wszystko jest skomputeryzowane. Mogą udowodnić, że byłem w kinie - rzucił z tryumfem.

- Mogą udowodnić, że kupił pan bilet - poprawiła Carol zwięźle. Nawet w godzinach szczytu przejazd z kina do domu nie zająłby mu więcej niż trzydzieści minut.

- Chcecie, to cały film wam opowiem, do kurwy nędzy - wściekł się McConnell.

- Mogłeś go obejrzeć kiedy indziej, Stevie - odezwał się Merrick łagodnie. - Co robiłeś po wyjściu z kina?

---

*„Szóstka z Birmingham" - domniemani członkowie IRA oskarżeni o dwa zamachy bombowe w Birmingham w listopadzie 1974r., skazani na dożywocie na podstawie dowodów sfabrykowanych przez policję (przyp. tłum.).

- Wróciłem do domu. Usmażyłem sobie stek i trochę warzyw. - McConnel urwał i zapatrzył się w blat stołu. - Potem na godzinę wypuściłem się na miasto. Tylko na szybkiego kielicha z paroma kumplami.

Carol pochyliła się do przodu, wyczuwając opór McConnella.

- „Na miasto", a dokładnie gdzie? - spytała.

McConnell zaciął się.

Carol pochyliła się jeszcze bardziej, aż koniuszek jej nosa znalazł się w odległości paru centymetrów od nosa McConnella. Przemówiła cichym, zimnym tonem:

- Jeżeli będę musiała zamieścić pańskie zdjęcie na pierwszej stronie The Sentinel Times i posłać ludzi do wszystkich pubów w tym mieście, zrobię to, panie McConnell. Gdzie „na mieście"?

McConnell oddychał ciężko przez nos.

- W Queen of Hearts - wycedził z nienawiścią.

Carol wyprostowała się z zadowoleniem i wstała.

- Przesłuchanie zakończone o trzeciej siedemnaście nad ranem - wygłosiła formułkę i wyłączyła magnetofon. Spojrzała z góry na McConnella. - Przeprosimy pana na moment, panie McConnell.

- Czekajcie no minutę! - krzyknął, gdy Merrick podniósł się i za przykładem Carol skierował ku drzwiom. - Kiedy stąd wyjdę? Nie macie prawa mnie przetrzymywać!

Carol obejrzała się w progu, uśmiechnęła słodko i oznajmiła:

- Och, mam święte prawo, panie McConnell. Jest pan aresztowany za napaść, proszę o tym nie zapominać. Ściślej biorąc, mam dokładnie dobę na to, żeby dobrze się panu uprzykrzyć, nim będę musiała pomyśleć o oficjalnym postawieniu zarzutów.

Merrick uśmiechnął się przepraszająco i wycofał z pokoju tuż za Carol.

- Sorry, Stevie - rzucił w progu. - Pani się nie myli.

Dogonił Carol, akurat gdy prosiła strażnika o odprowadzenie McConnella do celi.

- I co pani sądzi, szefowo? - zagadnął, kiedy szli korytarzem.

Carol przystanęła i zmierzyła Merricka krytycznym spojrzeniem. Był blady i spocony, oczy błyszczały mu jak w gorączce.

– Chyba powinieneś wracać do domu i trochę się przespać, Don. Wyglądasz jak śmierć na chorągwi.

– Przeżyję, niech się szefowa nie martwi. Co z McConnellem?

– Przekonamy się, co nam powie naczelnik Brandon.

Carol podążyła w stronę schodów, Merrick ruszył za nią.

– Ale co pani o tym wszystkim sądzi?

– Niby to mógłby być on. Jego alibi na noc z piątku na sobotę jest zupełnie do bani, pracuje w siłowni, w której ćwiczył Gareth Finnegan, znał Adama Scotta i, jak się sam przyznaje, był w Queen of Hearts w poniedziałek wieczorem co najmniej godzinę. Nie ma wątpliwości co do tego, że jest na tyle silny, żeby przetaszczyć zwłoki do i z samochodu. Jest notowany, nawet jeśli to tylko parę drobnych wykroczeń, przeważnie za zakłócanie spokoju i raz z artykułu osiemnastego za pobicie. W dodatku ma skłonności sadomasochistyczne. Ale to same poszlaki. A w dalszym ciągu nie wydaje mi się, żebyśmy mieli podstawy do wystąpienia o nakaz rewizji – rozgadała się Carol. – A ty jak uważasz, Don? Na twojego czuja, to on czy nie on?

Skręcili w korytarz prowadzący do pokoju wydziału zabójstw.

– Ja go tam nawet lubię – wyznał Merrick z oporem. – A nie wyobrażam sobie, że mógłbym polubić sukinsyna, który morduje ludzi. Z drugiej strony, wiem, że to taka durnowata reakcja. Przecież to nie jest jakiś dziwoląg z dwiema głowami, prawda? Musi mieć w sobie coś, co pozwala mu zbliżyć się do ofiar, zanim zrobi swoje. Więc może to i Stevie McConnell.

Carol otworzyła drzwi pokoju sztabowego: spodziewała się, że zastanie tam Brandona i Tony'ego, ratujących się mocną kawą i kanapkami z kantyny. Pomieszczenie było puste.

– A dokąd to pognało naszego naczelnika? – zdziwiła się Carol, ale zmęczenie zabarwiło te słowa nutą irytacji.

– Może zostawił wiadomość w sekretariacie – podsunął myśl Merrick.

- A może zrobił jedyną sensowną rzecz i pojechał do domu się przespać. Cóż, na dzisiaj wystarczy, Don. McConnell też jak trochę poczeka, to zmięknie. Rano się przekonamy, jak to widzą nasi szefowie. Możliwe, że są widoki na uzyskanie nakazu, skoro już wiadomo, że McConnell był w Queen of Hearts. Teraz znikaj mi z oczu i jedź do domu się położyć, zanim twoja Jean oskarży mnie o to, że sprowadzam cię na manowce. Prześpij się trochę. Nie chcę cię tu widzieć przed południem, a jak będzie cię bolała głowa, to masz mi się nie ruszać z wyrka. To rozkaz, panie sierżancie.

Merrick uśmiechnął się od ucha do ucha.

- Tak jest, szefowo. Do zobaczenia.

Carol patrzyła, jak Merrick człapie przez korytarz, zmartwiona powolnością jego ruchów.

- Don? - zawołała. Merrick obejrzał się z pytającą miną. - Weź taksówkę. Z mojego upoważnienia. Doszedłbyś do pierwszej latarni, a ja nie chcę cię mieć na sumieniu. To rozkaz.

Merrick znowu wyszczerzył w uśmiechu zęby, skinął na pożegnanie i począłpał po schodach.

Carol z westchnieniem minęła pokój sztabowy i udała się do swojego tymczasowego gabinetu. Na biurku nie czekała żadna wiadomość. Cholerny Brandon, pomyślała. I cholerny Tony Hill. Kto jak kto, ale Brandon powinien poczekać na wynik przesłuchania McConnella. Tony'emu też nie spadłaby korona z głowy, gdyby raczył ją poinformować, w jakim terminie planuje spotkać się z nią, żeby omówić psychologiczną charakterystykę mordercy. Mamrocząc z urazą, Carol podążyła za Merrickiem na dwór. Kiedy dotarła do wyjścia, oficer dyżurny zawołał:

- Inspektor Jordan?

Odwróciła się.

- Raczej to, co z niej zostało.

- Naczelnik zostawił dla pani wiadomość.

Carol zbliżyła się do biurka i odebrała kopertę. Rozdarła ją i wyjęła ze środka pojedynczą kartkę papieru. „Carol" - przeczytała - „zabrałem Tony'ego na małą wyprawę. Później podrzucę go do domu. Proszę, bądź u mnie w gabinecie jutro przed dziesiątą. Dzięki za ciężką pracę. John Brandon".

– Świetnie – powiedziała z goryczą. Posłała dyżurnemu zmęczony uśmiech. – Zapewne nie wie pan, dokąd wybierali się pan Brandon i pan Hill?

Dyżurny pokręcił głową.

– Przykro mi, pani inspektor. Nie mówili.

– Cudownie – mruknęła zgryźliwym tonem. Człowiek spuści ich z oczu na ułamek sekundy, a ci wyjeżdżają od razu z tymi swoimi chłopięcymi wygłupami. „Na małą wyprawę", jasne. Chrzanić to, pomyślała Carol, maszerując do samochodu. – Jak się bawić, to we troje – warknęła ze złością, przekręcając kluczyk w stacyjce.

Tony przejrzał ostatnie z kolorowych pisemek i odłożył je do segregatora, a ten wstawił do szafki nocnej w kształcie sześcianu.

– Świerszczyki sadomasochów. Na takie widoki zawsze robi mi się trochę niedobrze – zwierzył się. – A te są wyjątkowo paskudne.

Brandon przyznał mu rację. Zgromadzona przez McConnella kolekcja pornografii składała się w głównej mierze z pism pełnych błyszczących, kolorowych fotografii umięśnionych młodych mężczyzn, torturujących się wzajemnie albo masturbujących. Nie zabrakło też kilku bardziej niepokojących, ze zdjęciami, które z anatomiczną dokładnością przedstawiały pary mężczyzn uprawiających seks i wyposażonych w cały asortyment sadomasochistycznych gadżetów. Brandon nie przypominał sobie, by kiedykolwiek widział śmielsze zdjęcia, nawet podczas półrocznej współpracy z obyczajówką.

Siedzieli na łóżku w pokoju Steviego McConnella. Wcześniej, jak tylko Carol i Merrick udali się na przesłuchanie, Brandon rzucił w powietrze:

– Czy byłoby panu łatwiej, doktorze, gdyby obejrzał pan mieszkanie McConnella?

Tony ponownie ujął długopis i zaczął gryzmolić esy floresy na kartce papieru.

- Mogłoby mi to pomóc go zrozumieć. Ponadto, jeżeli to rzeczywiście nasz morderca, istniałaby szansa na znalezienie dowodów łączących go z tymi zabójstwami. Nie myślę tu o narzędziach zbrodni ani o niczym podobnym. Raczej o czymś w rodzaju suwenirów. O zdjęciach, wycinkach z gazet, ewentualnie o makabrycznych pamiątkach, o których wspominałem wcześniej. Ale to akademicka dyskusja, prawda? Mówił pan, że nie macie szans na uzyskanie nakazu przeszukania.

Melancholijne oblicze Brandona rozjaśnił dziwny uśmiech, niemalże przebiegły.

- Gdy podejrzany zostaje zatrzymany, istnieją sposoby, żeby obejść regulamin. Wchodzi pan w to?

Tony wyszczerzył zęby.

- Kusząca perspektywa.

Podążył za Brandonem schodami na dół, do cel. Strażnik z popłochem odrzucił otwartą powieść Stephena Kinga i poderwał się z krzesła.

- Nic nie szkodzi, sierżancie - uspokoił go Brandon. - Gdybym to ja miał na głowie raptem paru więźniów, też z chęcią zająłbym się porządną lekturą. Chciałbym zerknąć na przedmioty osobiste McConnella.

Sierżant otworzył kluczem szafkę, w której przechowywano rzeczy odebrane więźniom, i wręczył Brandonowi przezroczystą plastikową torbę. Mieściły się w niej portfel, chustka do nosa i klucze. Brandon otworzył ją i wziął te ostatnie.

- Nie widział mnie pan, rozumiemy się, sierżancie? I nie zobaczy, jak wrócę za parę godzin, w porządku?

Sierżant uśmiechnął się porozumiewawczo.

- Wykluczone, żeby pan tu był, sir. Przecież bym zauważył.

Dwadzieścia minut później Brandon parkował range rovera przed domem McConnella.

- Szczęśliwie dla nas McConnell wspomniał mimochodem, że współlokatorzy wybrali się na urlop. - Z bocznego schowka wyjął tekturowe pudełko i podał Tony'emu lateksowe rękawiczki. - Przydadzą się panu - mruknął, zakładając taką samą parę. - Gdyby mimo wszystko udało się nam uzyskać nakaz rewizji, byłby mały kłopot, jakby ci od daktyloskopii wytypowali pana i mnie w roli głównych podejrzanych.

– Jedna sprawa bardzo mnie ciekawi – odezwał się Tony, kiedy Brandon wsuwał klucz w zamek z zatrzaskiem.

– A mianowicie?

– To nielegalne przeszukanie, prawda?

– Prawda – przytaknął Brandon. Otworzył drzwi i wszedł do holu. Po ciemku wymacał kontakt, ale nie włączył światła. Tony zamknął drzwi. Dopiero wówczas Brandon pstryknął światło, w którym ukazał się wyłożony wykładziną hol i schody. Na ścianach wisiało kilka oprawionych w ramy plakatów z kulturystami.

– Jeżeli zatem znajdziemy jakieś dowody, sąd najpewniej i tak ich nie dopuści na rozprawie.

– Też prawda – przyznał Brandon. – Ale i na to są sposoby. Na przykład, jeśli znajdziemy pod łóżkiem McConnella piekielnie ostrą, zakrwawioną brzytwę, w tajemniczy sposób trafi ona później na kuchenny stół. Następnie zgłaszamy się do sędziego pokoju, wyjaśniamy, że pojechaliśmy pod dom McConnella, żeby sprawdzić, czy mówił prawdę, zeznając, że współlokatorzy wyjechali na urlop, z głupia frant zajrzeliśmy przez okno i zauważyliśmy narzędzie, które, jak mamy podstawy mniemać, posłużyło do zamordowania Adama Scotta, Paula Gibbsa, Garetha Finnegana i Damiena Connolly'ego.

Tony potrząsnął głową, rozbawiony.

– Kantujemy? My? Nigdy, wysoki sądzie!

– Są kanty i kanty – odpowiedział Brandon ponuro. – Czasem trzeba popchnąć sprawę we właściwym kierunku.

Tony i Brandon obeszli cały dom, pokój po pokoju. Brandon przyłapał się na tym, że intrygują go metody Tony'ego: psycholog wchodził do pomieszczenia, stawał na samym środku i powoli lustrował spojrzeniem ściany, meble, wykładzinę. Niemalże węszył. Następnie metodycznie zaglądał do szafek i szuflad, pod poduszki, starannie oglądał czasopisma, czytał tytuły książek, nazwy na płytach kompaktowych, kasetach magnetofonowych i wideo, z każdym przedmiotem, którego dotykał, obchodząc się z ostrożnością i precyzją archeologa. Po paru sekundach jego mózg wchodził na szybsze obroty i zaczynał analizować wszystko, co Tony zobaczył i czego dotknął. Powoli budował w wyobraźni obraz człowieka, który mieszkał w tym domu, nieustannie porównując to wyobrażenie z zaczątkiem obrazu Handy'ego Andy'ego, który nabierał konkretnych kształtów jak odbitka fotograficzna w wywoływaczu.

Byłeś tu, Handy Andy? – zadawał sobie pytanie. – Czy w tym czuje się ciebie, czy to pachnie tobą? Czy oglądałbyś te kasety? Słuchał tych płyt? Judy Garland i Lisa Minelli? Pet Shop Boys? Nie wydaje mi się. Lubisz mężczyzn, ale nie jesteś zniewieściały, tyle to już wiem. W tym domu także nie ma niczego wyzywającego ani świadczącego o zniewieścieniu. Tchnie agresywną męskością. Salon umeblowany w stylu lat osiemdziesiątych, utrzymany w chromie i czerni. Ale nie jest to dom heteroseksualnego mężczyzny, prawda? Żadnych świerszczyków z panienkami ani choćby pism motoryzacyjnych. Tylko czasopisma dla kulturystów, które trzymasz pod blatem stolika. Popatrz na te ściany. Męskie ciała, nasmarowane olejkiem i lśniące, mięśnie jak wyrzeźbione w drewnie. Mieszkańcy tego domu wiedzą, kim są, wiedzą, co lubią. Nie sądzę, żebyś to był ty, Andy. Jesteś opanowany, Andy, ale nie aż tak opanowany. Nie chwalić się to jedno, ale być na tyle silnym, by tworzyć na zewnątrz tak spójny obraz, to zupełnie co innego. Kto jak kto, ale ja o tym powinienem wiedzieć, jestem ekspertem. Gdybyś, jak ludzie, którzy tu mieszkają, akceptował swoją orientację, nie musiałbyś robić tego, co robisz, prawda? Spójrz na te książki. Stephen King, Dean R. Koontz, Stephen Gallagher, Ian Banks. Biografia Arnolda Schwartzeneggera. Parę książek o mafii, same tanie wydania. Nic łagodnego, nic delikatnego, ale też nic, co w jakiś sposób by odstawało od reszty. Czy przeczytałbyś te książki? Być może. Ale myślę, że wolałbyś sobie poczytać o seryjnych zabójcach, a tu nie ma ani jednej takiej pozycji.

Tony powoli zwrócił się w stronę drzwi. Pewnym szokiem dla niego był widok Brandona. Tak dalece pochłonęła go analiza, że zatracił świadomość tego, że ma towarzystwo. Pilnuj się, Tony, ostrzegł się w duchu. Zostań we własnej głowie.

W milczeniu przeszli do kuchni. Była urządzona po spartańsku, ale dobrze wyposażona. W zlewie stała brudna miska po zupie i kubek do połowy wypełniony zimną herbatą. Półeczka zastawiona książkami kulinarnymi dowodziła obsesji mieszkańców na punkcie zdrowego odżywiania się.

– Muszą pierdzieć jak hipopotamy – stwierdził Tony sucho, otworzywszy szafkę zapełnioną słojami grochu i fasoli. Zajrzał do szuflad; zauważył kuchenne noże. Był mały nożyk do warzyw, z ostrzem wycienionym od ostrzenia, drugi do chleba, stary i o ostrzu upstrzonym plamkami, oraz tani nóż do krojenia szynki, o uchwycie wyblakłym od mycia w zmywarce. – To nie są twoje narzędzia, Andy – powiedział Tony sam do siebie. – Ty lubisz noże z prawdziwego zdarzenia.

Nie pytając Brandona, opuścił kuchnię i wszedł na piętro. Wetknął głowę do pierwszej sypialni i wycofał się bez zainteresowania. Kiedy Brandon przechodził obok uchylonych drzwi, zobaczył, że to sypialnia należąca do pary. Podążył za Tonym na drugi koniec korytarza. W sypialni McConnella psycholog wydawał się nieobecny, jakby znalazł się w innym świecie. Pokój był umeblowany skromnie: nowoczesne sosnowe łóżko, komódka i szafa. Na głębokim parapecie kolekcja nagród za wyniki w podnoszeniu ciężarów. Wysoki regał zapełniały czytadła z gatunku fantastyki naukowej i garstka gejowskich powieści. Na stoliku konsola do gier i monitor wizyjny. Na półce nad nimi kolekcja gier. Tony przejrzał tytuły: „Mortal Kombat", „Streetfighter II", „Terminator 2", „Doom" i tuzin innych, które łączyła wszechobecność przemocy.

– Od razu lepiej – mruknął. Zatrzymał się przy komódce i oparł dłoń na uchwycie szuflady. – Może to jednak ty – myślał głośno. – Może salon zostawiłeś tamtej parce. A gdyby tylko tu było twoje królestwo? Co spodziewałbym się tutaj znaleźć? Szukałbym twoich pamiątek, Andy. Czujesz potrzebę, żeby coś przy sobie zatrzymać, wspomnienia zbyt szybko ulegają rozpadowi. Wszystkim nam potrzeba czegoś namacalnego. Wyrzucony flakon po perfumach, który pamięta jej zapach i sprawia, że jej obraz niczym hologram pojawia się przed oczami; program teatralny z wieczoru, kiedy kochaliśmy się po raz pierwszy i wszystko było w porządku. Zachować dobre wspomnienia, wyrzucić złe. Co tu dla mnie chowasz?

Zawartość pierwszych trzech szuflad była tak niewinna, że wręcz budziła zawód: bielizna, koszulki, skarpety, stroje do joggingu i szorty. Kiedy Tony odsunął dolną szufladę, westchnął z zadowolenia. Kryły się w niej sadomasochistyczne gadżety McConnella: kajdanki, skórzane uprzęże, obrączki na penis, pejcze oraz garść przedmiotów, które, w odczuciu Brandona, wyglądały tak, że powinny znajdować się w jakimś laboratorium albo w szpitalu psychiatrycznym. Patrząc, jak Tony ze spokojem wyjmuje je i ogląda, Brandon wzdrygnął się bezwiednie.

Tony przysiadł na skraju łóżka i rozejrzał się dookoła. Powoli, ostrożnie, próbował zbudować obraz człowieka, którego ślad nosiło to wnętrze.

Lubisz mieć nad kimś władzę poprzez przemoc - rozmyślał. - Czerpiesz dodatkową przyjemność z bólu podczas kontaktów seksualnych. Ale w tym nie ma subtelności. Żadnych oznak, byś był człowiekiem, który wszystko planuje w sposób rozważny i szczegółowy. Czcisz swoje ciało. Traktujesz je jak świątynię. Masz osiągnięcia i jesteś z nich dumny. Nie jesteś nieporadny w kontaktach towarzyskich. Udaje ci się mieszkać pod jednym dachem z dwoma innymi mężczyznami i nie zależy ci obsesyjnie na prywatności; nawet nie założyłeś zamka na drzwiach. Akceptujesz swoją seksualność i uważasz podrywanie mężczyzn w klubach za normalną rzecz, pod warunkiem, że jest okazja, żebyś najpierw trochę lepiej ich poznał.

Budowanie mentalnego obrazu zakłócił Brandon, który zawołał nagle z przejęciem:

- Spójrz tylko na to, Tony!

Dotąd metodycznie przeglądał zawartość kartonowego pudła po butach, po brzegi wypełnionego dokumentami, głównie rachunkami, gwarancjami sprzętu, wyciągami bankowymi i z rachunków kart kredytowych. Teraz pudło było już prawie puste, a Brandon trzymał w garści zmięty świstek papieru.

Tony wziął go do ręki i obejrzał ze ściągniętymi brwiami. Mignęło mu słowo „policja".

– Co to?

– Dokument, jaki dostajesz, kiedy zatrzymuje cię funkcjonariusz, a ty nie masz przy sobie papierów. Musisz zgłosić się z nim na komendę w określonym terminie, żeby mogli sprawdzić, czy wszystko jest w porządku. Spójrz na nazwisko funkcjonariusza – ponaglił Brandon.

Tym razem Tony przyjrzał się dokładniej. Litery, które na pierwszy rzut oka zlewały się w zamaszysty gryzmoł, złożyły się w nazwisko: „Connolly".

– Poznałem jego numer służbowy – wyjaśnił Brandon. – Nazwisko jest ledwie czytelne.

– O kurczę – szepnął Tony.

– Najwidoczniej Damien Connolly zatrzymał go za jakieś drobne wykroczenie drogowe albo po prostu na kontrolę świateł i poprosił o okazanie dokumentów – dodał Brandon.

Tony zmarszczył brwi.

– Sądziłem, że Connolly pracował w waszej komórce informatycznej? Dlaczego rozdawał mandaty?

Brandon zerknął nad ramieniem Tony'ego na dokument wystawiony przez Connolly'ego.

– To było blisko dwa lata temu. Oczywiście wtedy Connolly nie był jeszcze operatorem systemu. Albo przejściowo robił w drogówce, albo jechał akurat wozem patrolowym i zobaczył, jak McConnell robi coś, czego nie powinien.

– Możesz to dyskretnie sprawdzić?

– Bez problemu – zapewnił Brandon.

– W takim razie jesteśmy w domu, prawda?

Brandon zrobił zdumioną minę.

– Chcesz powiedzieć... myślisz, że to przesądza sprawę? Że to McConnell?

– Nie, nie – poprawił się Tony pospiesznie. – Skądże znowu. Chodzi mi tylko o to, że jeśli można to załatwić tak, żeby sprawa mandatu wypłynęła oficjalnym torem, to pewnie przekonasz sędziego, żeby wystosował oficjalny nakaz przeszukania na tej podstawie, że McConnell znał trzy z czterech ofiar. To wykracza poza ramy zwykłego zbiegu okoliczności.

– Racja – odparł Brandon z westchnieniem. – Zatem w dalszym ciągu nie jesteś przekonany, że McConnell to nasz zabójca?

Tony wstał i zaczął spacerować w tę i z powrotem po dywanie, którego nieregularny, geometryczny wzór – w kolorach szarym, czerwonym, czarnym i białym – z niejasnych przyczyn przypomniał mu o jedynej migrenie, jaką w życiu przeszedł.

– Zanim to znalazłeś, byłem przekonany, że zatrzymaliście niewłaściwą osobę – odezwał się po kilku chwilach. – Wprawdzie zabrakło mi czasu, żeby usiąść i spisać to, co chodzi mi po głowie, ale czuję, że zaczynam się orientować, z kim mamy do czynienia. A tutaj jest zbyt wiele rzeczy, które nie pasują do tego obrazu. Z drugiej strony, piekielnie nam się namnożyło tych zbiegów okoliczności. To duże miasto. Ustaliliśmy już, że Stevie McConnell znał lub chociażby raz spotkał się z trzema z czterech ofiar. Ile osób może być w takiej samej sytuacji?

– Niewiele – oświadczył Brandon posępnie.

– McConnell nadal nie pasuje mi na zabójcę, ale zachodzi możliwość, że zabójcą jest ktoś, kogo on zna, albo kogo przedstawił Adamowi Scottowi i Garethowi Finneganowi – zastanawiał się Tony. – Może nawet ktoś, kto towarzyszył McConnellowi, kiedy ten dostał mandat albo też którego McConnell mu wskazał. Wiesz, jak to jest: „To ten sukinsyn, który wlepił mi mandat, bo jechałem trochę za szybko".

– Ty na serio uważasz, że to nie on, prawda? – spytał Brandon głucho, z rozczarowaniem w głosie. – Przypuszczam, że to był naciągany wniosek. Bądź co bądź, właściwie nie ma dowodów, które łączyłyby ten dom z zabójstwami – powiedział ostrożnie. – Ale sam mówiłeś, że sprawca najprawdopodobniej zabija ofiary gdzie indziej. Może właśnie tam przechowuje swoje pamiątki.

– Rzecz nie w braku pamiątek – sprostował Tony. – Mówiąc

brutalnie, John, seryjni mordercy zabijają, aby urzeczywistnić swoje fantazje. W typowych przypadkach ich rojenia są tak rozbudowane, że stają się bardziej rzeczywiste od otaczającego ich świata. Nie ma żadnych wskazań, że McConnell wpasowuje się w ten typ osobowości. Jasne, ma stos pisemek pornograficznych. Ale też kolekcjonuje je większość samotnych mężczyzn w jego wieku, niezależnie od orientacji seksualnej. Kupuje brutalne gry komputerowe, ale mają je tysiące nastolatków i dorosłych mężczyzn. Wszystko to składa się w masę dowodów na to, że Stevie McConnell nie jest socjopatą. Rozejrzyj się, Johnie. Ten dom dosłownie tchnie normalnością. Na kuchennym kalendarzu są zaznaczone daty, kiedy znajomi mają przyjść na kolację. Popatrz na tę stertę kart bożonarodzeniowych na półce. Jest ich chyba z pięćdziesiąt. Spójrz na zdjęcia z wakacji. Najwyraźniej miał tego samego partnera przez cztery czy pięć lat, sądząc ze scenerii, na tle której się fotografowali i ze zmian uczesania. Stevie McConnell najwyraźniej nie ma problemów w relacjach z ludźmi. No, dobrze, faktycznie nie widać niczego związanego z jego rodziną, ale całe mnóstwo osób traci kontakt z rodziną, kiedy otwarcie przyznaje się do swojej orientacji. To nie znaczy jednak, że jego rodzina jest dysfunkcyjna w takim rozumieniu, jakie w typowych przypadkach prowadzi do wykształcenia osobowości seryjnego zabójcy. Przykro mi, John. Z początku nie byłem tego pewien, ale im dłużej się tu rozglądam, tym bardziej się upewniam, że ten facet nie pasuje do naszego obrazka. Czuję to nosem.

Brandon podniósł się i ostrożnie odłożył wymięty dokument dokładnie tam, gdzie go znalazł.

– Mówię to ze smutkiem, ale sądzę, że masz rację. Kiedy wcześniej go przesłuchiwałem, pomyślałem, że jest o wiele za spokojny, żeby okazać się tym, kogo szukamy.

Tony pokręcił głową.

– Nie daj się zwieść pozorom. Jest bardzo prawdopodobne, że kiedy zgarniecie tego, co trzeba, on także będzie spokojny. Proszę nie zapominać, starannie przygotował się na tę okoliczność. Wprawdzie wierzy, że jest najlepszy w swoim fachu, ale mimo to z pewnością nie zaniedba planów awaryjnych. Będzie się spodziewał, że wcześniej czy później zostanie wezwany na komisariat i przesłuchany. Będzie przygotowany na wasze pytania. Będzie rozsądny, sympatyczny. Nie będzie wyglądał na kryminalistę. Będzie uprzejmy, pozornie chętny do współpracy, tak że waszym śledczym nie rozdzwonią się dzwonki alarmowe w głowach. Poda kiepskie alibi. Prawdopodobnie powie, że był z prostytutką albo że pojechał na mecz, ale sam. W końcu wypadnie z listy podejrzanych, bo inni będą się wam wydawać znacznie bardziej obiecujący.

Brandonowi udało się jakimś cudem przybrać bardziej niż zwykle zgnębioną minę.

– Dzięki, Tony. Teraz to już naprawdę poprawiłeś mi humor. Co radzisz?

Tony wzruszył ramionami.

– Jak już mówiłem, istnieje możliwość, że zna zabójcę. Może nawet sam coś podejrzewa. Przetrzymałbym go nieco dłużej, niechby się popocił, aż wyśpiewa, co wie, a czego nie wie. Ale nie odwoływałbym ekipy dochodzeniowej. Wystarajcie się o nakaz. Przeprowadźcie gruntowną rewizję ze zrywaniem parkietu i przetrząśnięciem strychu. Nigdy nie wiadomo, do czego można się dokopać. Proszę nie zapominać, mogę się całkowicie mylić.

Brandon uniósł rękę i zerknął na zegarek.

– Racja. Lepiej, żebym odniósł te klucze przed końcem zmiany, póki jest tamten sierżant. Podrzucę cię przy okazji.

Ostatnie spojrzenie, by sprawdzić, czy wszystko znajduje się na swoim miejscu, po czym Brandon i Tony opuścili dom McConnella. Kiedy zbliżali się do range rovera, z ciemności napłynęły słowa:

– Dzień dobry, panowie. Nakryłam was. – Carol weszła w krąg światła padającego z najbliższej latarni. – Doktorze Anthony Hill oraz panie naczelniku Johnie Brandon, aresztuję was pod zarzutem włamania i wtargnięcia na teren cudzej posesji. Macie prawo do zachowania milczenia... – Tu nie wytrzymała i zaniosła się chichotem.

Brandonowi serce skoczyło do gardła, kiedy się odezwała.

– Do stu diabłów, Carol – obruszył się. – Jestem za stary na takie numery.

– Ale na inne nie, jak widzę – stwierdziła Carol sucho, wskazując kciukiem znajdujący się za jej plecami dom McConnella. – Nieuprawniona rewizja, w dodatku z cywilem? Szczęśliwie dla pana nie jestem w tej chwili na służbie.

Brandon posłał jej wymęczony uśmiech.

– To po co kręcisz się wokół domu podejrzanego? Ktoś pomyśli, że chcesz się włamać?

– Jestem śledczą, sir. Pomyślałam, że może zastanę tu pana i doktora Hilla. Mam powody do radości?

– Zdaniem doktora Hilla nie. Jak przesłuchanie? – zainteresował się Brandon.

– Twoje sugestie sprawdziły się na całej linii, Tony. McConnell nie ma alibi, o którym warto by mówić, z dnia morderstwa na Damienie Connollym, z wyjątkiem jednej godziny, późnym wieczorem, kiedy Damien mógł już nie żyć. Znaczące jest to, gdzie spędził tę godzinę. Sir, pił w pubie, przy którym znaleźliśmy zwłoki.

Brwi podjechały Tony'emu do góry, równocześnie z sykiem wciągnął powietrze do płuc. Brandon zwrócił się do niego twarzą.

– No?

– Dokładnie taki bezczelny numer Handy Andy mógłby wyciąć. Może byłoby warto, żebyście posłali kogoś do tego klubu, żeby sprawdzić, czy często tam bywa. Jeżeli nie, to stawiałoby sprawę w całkiem innym świetle – powiedział Tony powoli. Zanim zdążył cokolwiek dodać, wyrwało mu się potężne ziewnięcie. – Przepraszam – znowu ziewnął. – Nie jestem typem sowy.

– Odwiozę cię do domu – zaproponowała Carol. – Podejrzewam, że naczelnik chce coś... podrzucić na posterunek.

Brandon ponownie zerknął na zegarek.

– Świetnie. Zróbmy z tego jedenastą zamiast dziesiątej, Carol.

– Dziękuję panu, sir – odparła Carol z wdzięcznością, otwierając samochód, żeby Tony mógł wsiąść.

Klapnął ciężko na siedzenie, niezdolny pohamować serii ziewnięć.

– Bardzo cię przepraszam – wykrztusił w trakcie potężnego ziewnięcia, od którego chrupnęło mu w szczęce. – Nie mogę przestać.

– Znaleźliście coś, dzięki czemu podchody by się opłaciły? – zagadnęła Carol ze współczuciem.

– Damien Connolly przyskrzynił go parę lat temu za wykroczenie drogowe – oznajmił Tony z mocą.

Carol gwizdnęła.

– Bingo! Przyłapaliśmy go na podwójnym kłamstwie, Tony! McConnell początkowo mówił Donowi Merrickowi, że poznał Connolly'ego po włamaniu do siłowni. Później podczas przesłuchania zeznał, że nigdy go nie widział. Twierdził, że wcześniej kłamał, żeby wydać się bardziej interesującym. Ale teraz okazuje się, że rzeczywiście go znał! To przełom!

– O ile wierzysz, że to nasz zabójca – uściślił Tony. – Przykro mi, że muszę cię rozczarować, Carol, ale nie sądzę, żeby to był on. Jestem zbyt zmęczony, żeby teraz ci wszystko opowiedzieć, ale jak tylko skończę ten portret i wspólnie go przeanalizujemy, zobaczysz, dlaczego się nie ekscytuję tym McConnellem. – Znowu ziewnął i podparł ręką głowę.

– Kiedy będziesz gotowy? – spytała Carol; najchętniej wytrząsnęłaby z niego zawartość jego mózgu.

– Słuchaj, daj mi resztę dzisiejszego dnia, żebym mógł pobić się z myślami, to wyrobię się do jutra rano. I co ty na to?

– Znakomicie. Do tego czasu będziesz potrzebował czegoś jeszcze?

Tony nie odpowiedział. Carol rzuciła mu ukradkowe spojrzenie i stwierdziła, że przysnął. Niektórym to dobrze, pomyślała. Zmuszając się do koncentracji, ruszyła na drugi koniec miasta pod jego dom: zbudowany na przełomie wieku, ceglany bliźniak przy cichej ulicy, parę przystanków tramwajowych od uniwersytetu. Zaparkowała przed wejściem. Gładkie przejście z niewielkiej prędkości do bezruchu w niczym nie zakłóciło snu Tony'ego; pochrapywał cicho.

Carol rozpięła pas i pochyliła się, żeby łagodnie nim potrząsnąć. Tony z przestrachem podniósł głowę, oczy miał szeroko rozwarte i pełne lęku. Wpatrywał się w Carol nieprzytomnym wzrokiem.

– Wszystko w porządku – powiedziała. – Jesteś w domu. Zdrzemnąłeś się.

Tony potarł oczy pięściami, mamrocząc niezrozumiale. Wlepił w Carol szkliste spojrzenie i posłał jej zaspany, krzywy uśmiech.

– Dzięki za podwózkę.

– Nie ma sprawy – odparła Carol; nadal siedziała w półobrocie, przodem do niego, boleśnie świadoma jego bliskości. – Przedzwonię do ciebie po południu, to się umówimy na konkretną godzinę.

Tony trochę oprzytomniał i doznał nagle uczucia bliskiego klaustrofobii.

– Jeszcze raz dzięki – powtórzył, rzucając się do wysiadania.

Otworzył drzwiczki i omal nie przewrócił się na chodnik, z pośpiechu i niewyspania.

– Nie do wiary, że chciałam, żeby mnie pocałował – mruknęła Carol do siebie, patrząc, jak Tony szarpie się z bramą i pokonuje krótki odcinek dzielący go od drzwi. – Dobry Boże, co się ze mną dzieje? Najpierw biorę Dona pod skrzydła jak nie przymierzając kwoka, potem zaczynają mi się podobać biegli sądowi. – Zobaczyła, że drzwi frontowe otwierają się, wepchnęła kasetę do samochodowego magnetofonu i odpaliła silnik. – Wakacje – powiedziała Elvisowi Costello – oto czego mi trzeba. Jak w twojej piosence.

– „Przekomarzasz się i flirtujesz, guziki na zielonej koszuli polerujesz" – śpiewał głos z kasety.

– Zeszłej nocy już prawie chłodziliśmy szampana, żeby uczcić sukces. Teraz mówi mi pan, że chcecie McConnella puścić wolno? – Cross potrząsnął głową w geście skrajnego gniewu, tak starym, że pewnie utrwalono go na jakiejś greckiej amforze. – Co się takiego wydarzyło, co wszystko zmienia?

Przypomniało mu się żelazne alibi, tak? Poszedł na ksiuty z księciem Edwardem i jego ochroniarzami, tak?

– Nie powiedziałem, żeby wypuścić już, zaraz. Musimy go rzetelnie przesłuchać, ustalić, z kim współpracował, sprawdzić, czy kogokolwiek przedstawiał zarówno Garethowi Finneganowi, jak i Adamowi Scottowi. Ale potem musimy puścić wolno. Nie ma konkretnych dowodów, Tom – tłumaczył Brandon ze znużeniem.

Brak snu upodobnił jego twarz do szarej maski, która nie raziłaby w którymś z klasycznych horrorów Hammer Studios. Wygląd i głos Crossa natomiast przywodziły na myśl niemowlę, co przed chwilą zbudziło się z krzepiącej drzemki.

– Był w Queen of Hearts tamtej nocy. Według naszej wiedzy upchnął zwłoki Damiena Connolly'ego do bagażnika jego samochodu i czekał na zamknięcie lokalu. To chyba wystarczająca podstawa do przeszukania jego chałupy.

– Jak tylko zgromadzimy dowody niezbędne do uzyskania nakazu rewizji, przeprowadzimy ją – powiedział Brandon, nie chcąc się przyznawać, że pozwolił sobie na pozaprogramowe przeszukanie.

Wcześniej poprosił sierżant Claire Bonner o sprawdzenie aresztowań dokonanych przez Damiena Connolly'ego oraz wypisanych przez niego mandatów, rzekomo z cichą nadzieją na wykrycie powiązań z McConnellem, ale dotąd nie dokopała się do krytycznej informacji, która, jak wiedział, czeka tylko, by ją znaleźć.

– Przypuszczam, że wszystko to robota naszego małego „geniusia" – rzucił Cross z goryczą. – Zapewne wielki pan psycholog powiada, że dzieciństwo McConnella nie było wystarczająco nieszczęśliwe.

Carol ugryzła się w język. Wystarczająco źle czuła się w roli muchy wśród walczących olbrzymów, żeby żadnemu z szefów nie przypominać o swojej obecności.

Brandon zmarszczył czoło.

– Zasięgnąłem konsultacji u doktora Hilla i owszem, istotnie uważa, na podstawie naszych dotychczasowych ustaleń, że McConnell prawdopodobnie nie jest tym, kogo szukamy. Nie to jednak stanowi główny powód, dla którego, moim zdaniem, powinniśmy zwolnić go z aresztu. Brak cholernych dowodów jest dla mnie znacznie ważniejszy.

– Dla mnie również. I dlatego potrzebujemy czasu na zebranie dodatkowych. Musimy przesłuchać tamtych pedziów, z którymi popijał sobie w poniedziałek wieczorem, dowiedzieć się, w jakim był stanie. Musimy też przyjrzeć się temu, co McConnell chowa pod materacem – oświadczył Cross z przekonaniem. – Siedzi w areszcie od zaledwie dwunastu godzin, sir. Mamy prawo przetrzymać go do północy. Potem możemy postawić mu zarzut napaści i wystąpić do sędziego pokoju o przedłużenie aresztu tymczasowego, co daje nam kolejne trzy dni. Nie proszę o nic więcej. Do tego czasu zdążę go przyszpilić. Na to nie może się pan nie zgodzić, sir. Przez pana chłopaki będą sobie rwali włosy z głów.

Niedobrze, pomyślała Carol. Dotąd radziłeś sobie całkiem nieźle, ale szantaż emocjonalny cię pogrążył.

Uszy Brandona spłonęły szkarłatem.

– Mam nadzieję, że nikt nie pomyślał, że skoro kogoś przesłuchujemy, to można spokojnie spocząć na laurach – powiedział z niebezpieczną nutą w głosie.

– Są zaangażowani, sir, ale pracują nad tym od dawna, a przełomu jak nie było, tak nie ma.

Brandon zwrócił się do okna i zapatrzył w pejzaż miasta. Instynkt gliniarza podpowiadał mu, żeby uchylić areszt wobec McConnella po ostatniej próbie wyciągnięcia z niego nazwisk znajomych, ale też i bez niezręcznych komentarzy Crossa wiedział, że zatrzymanie podejrzanego było dla wydziału zabójstw jak zastrzyk świeżej energii. Zanim zdążył podjąć decyzję, rozległo się pukanie do drzwi.

– Wejść – zawołał Brandon i ciężko opadł na krzesło.

Marchewkowe kędziory Kevina Matthewsa pierwsze wyłoniły się zza drzwi. Detektyw wyglądał jak dzieciak, któremu obiecano wycieczkę do Disneylandu.

– Sir – odezwał się. – Przepraszam, że przerywam, sir, ale

właśnie dostaliśmy raport kryminalistyczny w sprawie zabójstwa Damiena Connolly'ego.

– Zatem wejdź i podziel się nim z nami – zaprosił serdecznie Cross.

Kevin uśmiechnął się przepraszająco; dopiero teraz zza drzwi wysunęła się cała jego szczupła postać.

– Jeden z techników kryminalistycznych znalazł na gwoździu w bramie strzęp skóry pochodzenia zwierzęcego – oznajmił. – To zabezpieczony teren, nie można się tam dostać ot tak, z ulicy, więc pomyśleliśmy, że to może być coś ważnego. Oczywiście musieliśmy najpierw sprawdzić pracowników pubu i dostawców. W każdym razie okazuje się, że podwórko za pubem było niedawno pobielone, a bramy pomalowane nie dawniej jak przed miesiącem, więc nie mieliśmy z tym tak znowu wiele zachodu. Podsumowując, nikt się nie przyznaje do posiadania odzieży wykonanej z takiej skóry, więc posłaliśmy próbkę do laboratorium z prośbą, żeby zerknęli na nią w trybie przyśpieszonym. Właśnie wrócił raport. – Podał pismo Brandonowi, gorliwy jak harcerzyk.

Stosowna strona zaznaczona była żółtym markerem. Treść sama pchała się Brandonowi przed oczy. „Próbka zawiera fragment ciemnobrązowej skóry pochodzenia zwierzęcego, trudny do sklasyfikowania. Po pierwsze, wydaje się, że to skóra zwierzęcia z rodziny jeleniowatych. Co bardziej znamienne, analiza wykazała, że została ona wytrawiona raczej w wodzie morskiej niż przy użyciu specjalistycznych wytrawiaczy. Osobiście znam jedno pochodzenie takich skór: były Związek Radziecki. Ponieważ trudno tam o regularne dostawy odpowiednich chemikaliów, wielu garbarzy nadal stosuje dawną metodę wytrawiania skór w wodzie morskiej. Można by sądzić, że strzęp pochodzi z kurtki skórzanej wyprodukowanej w Rosji. Takie skóry nie są nigdzie dostępne w handlu, jako że nie spełniają wymogów jakościowych sklepów fabrycznych prowadzących sprzedaż detaliczną w krajach zachodnich". Brandon skończył czytać, potem podał Crossowi ponad biurkiem.

– Ja pieprzę! – zaklął Cross. – Czyli szukamy jakiegoś „Iwana"?

Z 3,5-CALOWEJ DYSKIETKI O NAZWIE: KOPIA_ZA-PASOWA.007; PLIK MIŁOŚĆ.009

W którejś z gazet podawali, że ogół dochodzeń w sprawach o morderstwa pochłania milion funtów miesięcznie. Kiedy Paul dowiódł, że jest kropka w kropkę tak samo głupi i zdradziecki jak Adam, zaczęło do mnie docierać, że działania, do których podjęcia mnie zmusili, mogą znacząco odbić się na naszych podatkach. Nie żeby przeszkadzała mi coroczna, kilkupensowa podwyżka lokalnego podatku od nieruchomości; to niewielka cena za satysfakcję, jaką mi przyniosło ukaranie tych dwóch wiarołomców za ich perfidię.

Dezercja Paula po prostu mnie zdruzgotała. Ja tu podejmuję przygotowania do tryumfalnego uczczenia naszej miłości, a on się ode mnie odwraca i wybiera kogo innego. Pamiętam wieczór, kiedy zaczął te swoje umizgi, nie pamiętam natomiast, jak udało mi się dotrzeć do domu. Nie przypominam sobie ani jednego szczegółu z tej podróży. Pamiętam tylko, co się działo potem: siedzę w jeepie przed farmą, burząc się przeciw jego miałkości, ślepocie, która nie pozwala mu dostrzec, że kocha właśnie mnie. Mój gniew jest tak silny, że zatracam wszelką koordynację ruchów. Niemalże spadam z siedzenia kierowcy i chwiejnie, jak ktoś pijany, zataczam się ku bezpiecznej przystani swojego lochu.

Siadam na kamiennej ławce, podciągam na nią stopy, a kolana przyciskam do piersi, tymczasem łzy bólu, silniejszego niż kiedykolwiek, płyną mi po policzkach i rozbryzgują się o surowy kamień, znacząc go, jak wcześniej krew Adama, ciemnymi plamami.

Przecieram oczy. Muszę zrobić wszystko, aby to doświadczenie było tak bogate i bliskie ideału, jak to tylko możliwe,

przez wzgląd na niego i na siebie. Czas sięgnąć po nowe za-
bawki. Adam był próbą kostiumową. Paul będzie premierą.

Fortel z samochodem, który nie chce odpalić, doskonale
się sprawdził, kiedy przyszedł czas na Adama, wystarczyło
więc tę samą metodę zastosować na Paulu. Podziałała jak ma-
rzenie. Po trzech krokach w głąb holu zaproponował mi drinka, żeby umilić czas oczekiwania na pomoc drogową. Ale nie
daję się zwieść jego mizdrzeniu się; zaprzepaścił swoją szansę, teraz jest już za późno. Nie zmienię planów na nasze zjed-
noczenie na moich warunkach.

Kiedy odzyskuje przytomność, jest przypięty pasami do
„krzesła". Zbudowanie tego przyrządu zajęło mi kilka dni, ponieważ tym razem przyszło mi zacząć dosłownie od zera.
Krzesło Judasza to jedno z moich odkryć z San Gimignano.
W literaturze fachowej, jaką udało mi się zgromadzić, prze-
wija się raptem parę wzmianek o tym urządzeniu, nazywa-
nym również „tronem inkwizytorskim", przy czym żadne
źródło nie podaje, jak dokładnie je konstruowano. Ale tam,
w muzeum, mieli swój własny, działający model. Szczęśliwie
oprócz zdjęcia w muzealnym katalogu mam parę fotek
pstrykniętych podczas tej pamiętnej wizyty i wzorując się na
nich, w pierwszej kolejności opracowuję na komputerze roboczy projekt.

Nie jest to machina, z której inkwizytorzy często korzystali, choć właściwie nie pojmuję, dlaczego. Muzeum w San
Gimignano wysnuło teorię, która, szczerze powiedziawszy,
wydaje mi się niedorzeczna. W połączeniu z opisami na innych eksponatach, ta kretyńska teoria rodzi we mnie mocne
podejrzenie, że kustoszką muzeum jest jakaś ograniczona, ob-
sesyjna feministka. A teoria przedstawia się następująco: w porządku było stosowanie narzędzi tortur na kobietach – możemy się tu posłużyć przykładem gruszek waginalnych, które
dosłownie rozrywały szyjkę macicy i pochwę na strzępy, pasów cnoty, zmieniających wargi sromowe w krwawą miazgę,

urządzeń, które odcinały sutki równie sprawnie jak miniaturowa gilotynka koniuszek cygara – ponieważ kobiety uważano za niższy gatunek i częstokroć za wytwory Szatana. Z drugiej jednak strony, jak głosi ta sama debilna teoria, narzędzia tortur opracowane z myślą o mężczyznach z reguły nie były wymierzane w ich organy płciowe, mimo ich wrażliwości na ból, ponieważ – czekajcie tylko – torturujący czuli się podświadomie związani ze swymi ofiarami, a co za tym idzie, myśl o okaleczaniu kutasów i jąder była dla nich nie do przyjęcia. Widać autorka opisów eksponatów z San Gimignano nie jest na bieżąco z wynalazkami Trzeciej Rzeszy.

Moje „Judaszowe krzesło", że pozwolę sobie na nieskromność, stanowi arcydzieło w swoim gatunku. Składa się z kwadratowej ramy z solidną nogą przytwierdzoną do każdego rogu, podpórkami na przedramiona i grubą płytą w miejscu oparcia na plecy. Przypomina prymitywny fotel wyciosany w klocu drewna, z tym że nie ma siedzenia. Poniżej miejsca, w którym powinno się znajdować, sterczy okręcony kolczastym drutem, stożkowaty szpikulec, przytwierdzony u swojej podstawy do nóg krzesła krzyżulcem z wytrzymałych drewnianych prętów. Na szpikulec nadał się jeden z dużych, stożkowatych elementów przemysłowego krosna, na który nawijało się przędzę. Można je kupić w sklepach z suwenirami na każdym przyczółku branży pamiątkarskiej. Potem wystarczyło go tylko pokryć cienką, giętką, miedzianą blachą i przymocować cienkie pasma niezwykle ostrego drutu kolczastego, wijącego się spiralnie od podstawy po czubek. Wzorzec z muzeum udało mi się także wzbogacić o nowość własnego pomysłu; szpikulec jest podłączony do źródła prądu za pośrednictwem opornika, dzięki czemu można będzie zastosować rażenie prądem o różnym natężeniu. Całość jest przytwierdzona śrubami do podłogi, więc nie muszę się martwić, że dojdzie do jakiegoś nieprzewidzianego incydentu.

Kiedy Paul był nieprzytomny, nad szpikulcem utrzymywał go mocny skórzany pas, którym przewiązany był pod pachami; ten sam pas przytwierdzał go do spartańskiego oparcia krzesła. Nogi w kostkach, każdą oddzielnie, ma przypięte do nóg krzesła. Jak tylko odepnę główny pas, będzie zdany na własne siły, zmuszony polegać na mięśniach łydek i ramion, bo tylko one będą mogły ocalić go przed bliższym kontaktem ze szpikulcem, umieszczonym dokładnie pod jego odbytem. Krzesło jest tak wysokie, że podłogi sięga jedynie czubkami palców, nie przypuszczam więc, żeby wytrwał nazbyt długo.

W jego oczach maluje się panika, tak samo jak wcześniej w oczach Adama. Jednak on, w przeciwieństwie do Adama, sam jest sobie winny. Mówię mu to, zanim zerwę z jego ust taśmę chirurgiczną.

– Nie miałem pojęcia, nie miałem... – bełkocze. – Przepraszam, strasznie cię przepraszam. Musisz mnie wypuścić, żebym mógł ci to wynagrodzić. Tylko pomóż mi się z tego uwolnić, a obiecuję, że zaczniemy od nowa.

Kręcę głową.

– Robert Maxwell co do jednego się nie pomylił. Powiedział, że zaufanie jest jak dziewictwo; można je stracić tylko raz. Masz duszę zdrajcy, Paul. Jak mam ci wierzyć?

Zaczął szczękać zębami, choć podejrzewam, że nie z zimna.

– P... popełniłem błąd – wykrztusił. – Wiem. Wszyscy błądzimy. Proszę tylko o szansę, żeby to naprawić, o nic więcej. Mogę to naprawić, przysięgam.

– No to mi pokaż – mówię. – Pokaż, że mówisz szczerze. Pokaż, że mnie pragniesz. – Wpatruję się w jego skurczonego kutasa, zwisającego, jak jego jądra, w pustce pośrodku ramiaka. Do ostatniej chwili wierzę, że nasycę oczy pięknem, ale zawodzi mnie i w tym względzie.

– N... nie tutaj, nie tak. Nie mogę! – podniesiony głos przeradza się w żałosne kwilenie.

– Tak albo wcale. Tu albo nigdzie – pouczam go. – Nawiasem mówiąc, na wypadek, gdybyś się zastanawiał, jesteś przypięty do Judaszowego krzesła.

Szczegółowo objaśniam jego działanie. Zależy mi na tym, by świadomie dokonał wyboru, mając możliwie najpełniejszą wiedzę. W czasie mojego wywodu skóra mu szarzeje i staje się lepka ze strachu. Kiedy omawiam sprawę prądu, kompletnie traci panowanie nad sobą. Szczyny skapują mu z kutasa i rozbryzgują na podłodze. Smród ciepłego moczu uderza mi w nozdrza; dławię się.

Policzkuję go tak mocno, że jego głowa z trzaskiem uderza w oparcie krzesła. Wrzeszczy, oczy zachodzą mu łzami.

– Ty brudny, krnąbrny dzieciaku! – krzyczę. – Nie zasługujesz na moją miłość. Spójrz tylko, sikasz pod siebie i płaczesz jak baba. Nie jesteś mężczyzną.

Świadomość, że mimowolnie powtarzam słowa matki, wprost rozsadza moją samokontrolę. Nie przestaję go tłuc, napawając się trzaskiem chrząstki w chwili, gdy nos pęka mu pod moją pięścią. Płonę z gniewu. Omamił mnie, chciał uchodzić za kogoś, kim nie jest. Mój Paul miał być silny i dzielny, odważny i wrażliwy. A okazał się głupią, tchórzliwą, chutliwą świnią, żałosną namiastką mężczyzny. To byleco miałoby zasługiwać na mnie? Nie stawiał żadnego oporu, po prostu siedział tam i miauczał jak kociak, pozwalał się bić.

W końcu, dysząc z wysiłku i złości, przestaję. Cofam się i wpatruję w niego z pogardą, patrzę, jak łzy rysują na jego zakrwawionej twarzy czyste kreski.

– Sam to na siebie ściągnąłeś – syczę. – Wszystkie moje kunsztowne plany poszły z dymem.

Ani mi się śni dawać mu drugą szansę, choć Adam ją ode mnie dostał. Nie chcę miłości Paula, pod żadnym pozorem. Nie zasługuje na mnie. Podchodzę do niego od tyłu i ujmuję skórzany pas.

– Nie – skamle. – Proszę, nie.

– Miałeś swoją szansę – odpowiadam z wyrzutem. – Miałeś swoją szansę i ją spieprzyłeś. Możesz za to winić tylko siebie, przychodzisz tu i szczasz na podłogę jak dziecko, które nie panuje nad pęcherzem.

Ciągnę pas, napinam go na tyle mocno, by móc uwolnić jego koniec ze sprzączki. Potem pozwalam, by wyślizgnął się z moich palców.

Mięśnie Paula natychmiast się naprężyły, utrzymując go w sztywnej pozie centymetr nad szpikulcem. Przesuwam się na linię jego wzroku i rozbieram powoli, pieszczę moje ciało, wyobrażając sobie dotyk jego rąk. On z wysiłku wytrzeszcza oczy i próbuje znieruchomieć w tej pozycji. Siadam i powoluteńku, uwodzicielsko, zaczynam się dotykać, bo ogarnia mnie nieuchronne podniecenie, kiedy patrzę, jak się wytęża, byle nie opaść na potworny szpikulec.

– To mogły być twoje ręce – szydzę. Podniecenie we mnie narasta, gdy dostrzegam drżenie jego ud i łydek. – Mogłeś kochać się ze mną zamiast walczyć o to, żeby twój tyłek do czegokolwiek się jeszcze nadawał.

Gdyby trenował tak jak Adam, przyjemność potrwałaby dłużej. A tak jego agonalne krzyki mieszają się z moimi jękami rozkoszy. Dochodzę hałaśliwie jak raca w noc Guya Hawkesa, staję w ogniu i wybucham w orgazmie, od którego uginają się pode mną nogi.

On szarpie się, próbując się uwolnić, ale drut kolczasty coraz głębiej wbija się w jego miękkie ciało. Rozsiadam się w fotelu i napawam falami poorgazmowej rozkoszy, jaka nadal przetacza się przez moje ciało, jęki zaś i krzyki Paula stanowią wyszukaną przeciwwagę dla mojego seksualnego spełnienia.

Z biegiem czasu coraz mocniej nadziewa się na szpikulec, a rozpaczliwe wrzaski cichną do skomlenia i jęków. Ku swemu zaskoczeniu czuję, że ponownie budzi się we mnie żądza. Zaznawszy niebotycznej rozkoszy pierwszego orgazmu, pragnę, by mojemu podnieceniu towarzyszył podkład nie gorszy niż poprzednio. Sięgam po włącznik prądu i zamykam obwód. Nawet przy stosunkowo słabym natężeniu prądu ciało Paula konwulsyjnie wygina się w łuk, niemalże zdzierając go ze szpikulca, a drobne kropelki krwi rozbryzgują się wokół krzesła na odległość paru stóp.

Zestrajam rytm, w jakim poruszają się nasze ciała, aż jego i moje podniecenie zaczynają idealnie dotrzymywać sobie kroku, narastają w tym samym tempie i z tą samą siłą.

W chwili szczytowania nasze ciała równocześnie wyginają się w łuk, moim westchnieniom wtórują jego przedśmiertne krzyki, potem pogrąża się w nieświadomości.

Muszę wyznać, że zaskoczeniem było dla mnie, jak wielką przyjemność sprawiło mi ukaranie Paula. Może dlatego, że w większym niż Adam stopniu zasługiwał na karę, a może po prostu dlatego, że jego postawa bardziej mnie rozczarowała, bo też i moje początkowe oczekiwania były niewspółmiernie większe. Obojętnie, jak wyglądała prawda, po drugim wypadzie do krainy morderców pozostało mi poczucie, że w końcu udało mi się odnaleźć moje prawdziwe powołanie.

9

„Osuszamy nasze łzy i [...] odkrywamy, że wykonanie, które rozważane z punktu widzenia moralności było wstrząsające i nie dawało się w żaden sposób wytłumaczyć, przy zastosowaniu zasad Smaku okazuje się osiągnięciem bardzo chwalebnym".

(przełożyła Magdalena Jędrzejak)

– No, Andy, zabawa się zaczyna – przemówił Tony do pustego ekranu komputera. Kiedy Carol odwiozła go do domu, chwiejnym krokiem wszedł po schodach, energicznymi kopnięciami pozbywając się butów i porzucając pikowaną kurtkę bejsbolową na półpiętrze, tam, gdzie upadła. Z przystankiem na opróżnienie pęcherza wślizgnął się pod kołdrę i zapadł w najgłębszy od kilku miesięcy sen. Gdy się obudził, było już dobrze po południu. Jak nigdy, nie dręczyły go jednak wyrzuty sumienia, że zaniedbał pracę. Czuł się rześki, podekscytowany, wręcz rozradowany. Przeszukanie domu Stevie'go McConnella sprawiło, że zyskał nową pewność, że naprawdę wie, co robi. Zdołał przewidzieć, w chwili całkowitej jasności umysłu, że Handy Andy mieszka zupełnie inaczej. I choć nie przyznałby się do tego nikomu spoza wąskiego kręgu kolegów po fachu, było coś euforycznego w świadomości, że z czasem zdoła wedrzeć się do umysłu Handy'ego Andy'ego i odnaleźć właściwą ścieżkę przez labirynt spaczonej, niepowtarzalnej logiki mordercy. Pozostawało jedynie znaleźć klucz.

W gabinecie Tony z nowym zapałem rzucił się na stosy dokumentów, jakie pozostały mu jeszcze do przejrzenia. Następnie opuścił rolety i polecił sekretarce, żeby nie łączyła rozmów. Przestawił swój fotel na kółkach tak, by ten znalazł się naprzeciwko tego dla gości. Na biurku postawił wyłączony dyktafon. Podszedł do drzwi i, stojąc do nich tyłem, obrzucił wzrokiem pomieszczenie. W głowie rozbrzmiewał mu zapamiętany dawno temu wiersz. Coś o rozstaju dróg i o tym, że dobrze jest wybrać tę mniej uczęszczaną. Na ile potrafił sięgnąć pamięcią, jego fascynacje pchnęły go właśnie na taką mniej uczęszczaną drogę. Tę samą, którą kroczyli jego pacjenci, mroczną ścieżkę prowadzącą na manowce, z dala od zalanego słońcem bezpiecznego traktu.

– Potrzebuję zrozumieć, dlaczego ty także ją wybrałeś, Andy – powiedział półgłosem. – To coś, na czym się znam najlepiej, Andy. Widzisz, wiem, co na tę drogę ściągnęło mnie. Ale ze mną jest inaczej. Mogę zawrócić, kiedy tylko zechcę. Mogę wybrać słoneczną ścieżkę. Nie muszę tu być. Ja tylko podążam twoimi śladami. Albo przynajmniej to właśnie wmawiam światu.

– Ale my znamy prawdę, nie zaprzeczaj. Przede mną się nie ukryjesz, Andy – mówił łagodnie. – W pewnym sensie niewiele się różnimy. Jestem twoim lustrzanym odbiciem. Nawróconym kłusownikiem strzegącym dzikiej zwierzyny. I tylko polowanie na ciebie powstrzymuje mnie od stania się takim jak ty. Jestem tu, czekam na ciebie. To już koniec podróży.

Przez chwilę napawał się swoimi słowami.

W końcu usiadł w fotelu, pochylił się do przodu, oparł łokciami o kolana i luźno splótł dłonie.

- W porządku, Andy - mruknął. - Tylko ja i ty. Darujmy sobie zbędne wstępy, wszystkie te dyrdymały, słowne zapasy na rękę, zanim łaskawie zechcesz się do mnie odezwać. Od razu przejdźmy do rzeczy. Po pierwsze, chcę powiedzieć, że jestem pod wielkim wrażeniem. Nigdy nie widziałem czystszej roboty. Nie myślę tylko o ciałach, ale o całokształcie. Cud, miód, popisowa robota. Ani jednego świadka. Wróć. Nikt nie dopatrzył się żadnego znaczenia w tym, co zobaczył lub usłyszał, bo muszą być tacy, którzy coś widzieli albo słyszeli, tylko nie dodali dwa do dwóch. Jak to robisz, że udaje ci się pozostawać niewidzialnym?

Nacisnął przycisk nagrywania na dyktafonie, wstał i przesiadł się na krzesło.

Odetchnął głęboko i z rozmysłem przybrał zrelaksowaną pozycję. Zastosował techniki oddechowe, by wprowadzić się w stan płytkiego transu. Poinstruował swą świadomość, by przestała się opierać, by pozwoliła jego wyższemu „ja" na bezpośredni dostęp do całej wiedzy, jaką miał o Handym Andym, i czekał na odpowiedź. Kiedy znowu się odezwał, miał zmieniony głos. Tembr był ostrzejszy, brzmienie bardziej gardłowe.

- Wtapiam się w tło. Działam z rozwagą. Obserwuję i uczę się.

Tony przesiadł się na drugi fotel.

- To oczywiste, że odwaliłeś kawał dobrej roboty - pochwalił. - Jak ich wybierasz?

Przesiadka na krzesło Andy'ego.

- Podobali mi się. Wiedziałem, że z nimi to będzie coś wyjątkowego. Chciałem być jak oni. Wszyscy mieli dobrą pracę, fajne życie. Ja szybko się uczę, mógłbym wszystko sobie przyswoić i upodobnić się do nich. Wpasować się w ich życie.

- To po co ich zabijać?

- Ludzie to głupcy. Nie rozumieją mnie. Zawsze się ze mnie wyśmiewali, potem czuli przede mną lęk. Nie lubię być pośmiewiskiem, nie lubię też tego ich ustawicznego stanu czuwania, jakbym był bestią, która zaraz się na nich rzuci. Dałem im szansę, ale nie pozostawili mi wyboru. Musiałem ich zabić.

Tony wrócił na poprzednie miejsce.

- A jak już raz zabiłeś, zdałeś sobie sprawę, że nie ma nic lepszego na tym świecie.

- Poczułem się dobrze. Poczułem się panem sytuacji. Wiedziałem, że to się stanie. Wszystko dokładnie zaplanowałem i plan wypalił! - Tony był zaskoczony entuzjazmem, jaki towarzyszył tym słowom. Czekał, ale nie wyglądało na to, by miał nastąpić dalszy ciąg.

Przesiadł się na drugi fotel.

- Długo to nie potrwało, co? Przyjemność? Poczucie władzy?

Kiedy znowu znalazł się na krześle Andy'ego, po raz pierwszy nie wiedział, co odpowiedzieć. Zazwyczaj odgrywanie ról pozwalało mu uporządkować poglądy, umożliwiało swobodny przepływ myśli. Teraz jednak czuł się tak, jakby w jego umyśle powstała blokada. Blokada stanowiąca klucz do prawdy.

- Seryjni zabójcy poprzez zbrodnie próbują urzeczywistnić fantazje. Jednak w porównaniu z nimi sam akt zabijania wypada blado, a co za tym idzie, ma ograniczoną moc oddziaływania na wyobraźnię. Szczegóły pierwszej zbrodni zostają wplecione do kolejnych rojeń, które znajdują ujście w drugim, częstokroć bardziej zrytualizowanym zabójstwie. I tak koło się zamyka. Jednakże z biegiem czasu słabnie także moc samych fantazji. Zabójstwa, aby je podsycać, muszą następować w coraz krótszych odstępach czasu. Ale ty zabijasz w stałym cyklu, Andy? Dlaczego tak się dzieje?

Przesiadł się, choć bez nadziei na większe rewelacje. Pozwolił, by w jego umyśle powstała pustka, by świadomość odpłynęła; miał nadzieję, że wróci z odpowiedzią zgodną z jego wyobrażeniem Handy'ego Andy'ego. Trwało to parę chwil. Raptem, jak z oddali, w gardle wezbrał mu ochrypły rechot.

- Moją rolą jest to wiedzieć, twoją do tego dojść - zakpił z niego jego własny głos.

Tony potrząsnął głową jak nurek wynurzający się z wody. Oszołomiony zerwał się z fotela, doskoczył do okna i podciągnął rolety. Tego by było na tyle w kwestii technik alternatywnych. Ciekawe jednak, na czym jego mózg utknął - na jednej z wyjątkowych cech Handy'ego Andy'ego. Stałe odstępy między zabójstwami. Nawet jeśli założyć, że podpierał się nagraniami z kamery, sprawa nadal była niezwykła.

Ten tok rozumowania przywrócił Tony'emu wcześniejszy zapał; postanowił, że zrobi mały wypad do biblioteki uniwersyteckiej i zajrzy do sekcji medioznawczej. Na miejscu przejrzał wydania *The Bradfield Sentinel Times* z dni, w których popełniono morderstwa. Uważna lektura rubryki „wydarzenia kulturalne" z czterech krytycznych wieczorów nie ujawniła większych sensacji, chyba że Tony uparłby się przypisać szczególną wagę temu, że w każdy poniedziałek miejscowe kino studyjne wyświetla klasyczne brytyjskie czarno-białe komedie. Ale jakoś nie wyobrażał sobie, by „Paszport do Pimlico" mógł pobudzać chore fantazje seksualne zabójcy. Ostatecznie nieco po siódmej był gotowy do tego, aby zabrać się do pisania.

Zaczął od zwyczajowej formułki.

Poniższy profil psychologiczny sprawcy stanowi jedynie wytyczną i nie powinien być mylony z portretem pamięciowym. Jest mało prawdopodobne, aby sprawca odpowiadał tym rysom w każdym szczególe, choć oczekiwałbym wysokiej zbieżności pomiędzy ogólną charakterystyką nakreśloną poniżej a rzeczywistością. Wszystkie tezy zawarte w profilu opierają się na prawdopodobieństwie i możliwości, a nie bezspornych faktach.

Seryjny zabójca daje określone sygnały i wskazówki poprzez sposób dokonywania zabójstw. Wszystkie jego działania są zamierzone, świadomie lub nie, wpisując się w określony schemat. Odkrycie tego utajonego wzorca ujawnia logikę zabójcy. Nam może się ona wydawać irracjonalna, lecz dla niego ma kluczowe znaczenie. W świetle faktu, iż jego tok rozumowania jest indywidualny, łatwo zrozumieć, dlaczego nie sprawdzą się wobec niego klasyczne pułapki. Podobnie jak sam sprawca jest jedyny w swoim rodzaju, tak wyjątkowe muszą być metody schwytania go, przesłuchiwania i odtworzenia jego czynów.

Tony przeszedł do szczegółowej charakterystyki ofiar. Uwzględnił wszystko, co tylko zdołał wyłuskać z policyjnych raportów: sytuację domową, historię zatrudnienia, opinie znajomych i współpracowników, zwyczaje, kondycję fizyczną, osobowość, stosunki z rodziną, hobby i zachowania społeczne. Następnie napisał krótkie streszczenia raportów patologa z uwzględnieniem rodzaju obrażeń, opatrując je opisami miejsc zbrodni. Potem zaczął kluczowy proces organizowania i porządkowania informacji w logiczne sekwencje, szykując się do wyciągnięcia wniosków.

Żadna z czterech ofiar nie ma za sobą związków homoseksualnych, na ile można to było ustalić. (Nie możemy wykluczyć utajonej orientacji homoseksualnej/biseksualnej, ale w żadnym z tych czterech przypadków nie istnieją dowody, które by taką hipotezę uzasadniały). Mimo to zwłoki za każdym razem porzucano w miejscu znanym przede wszystkim społeczności gejowskiej. Ściślej biorąc, ciała porzucano w miejscach uczęszczanych przez gejów szukających przypadkowych kontaktów seksualnych. Co nam to mówi o zabójcy?

1. To człowiek, który nie akceptuje swojej seksualności. Celowo wybiera mężczyzn, którzy nie są powszechnie odbierani jako geje. Całkiem możliwe, że w przeszłości składał ofiarom propozycje natury seksualnej i został przez nie odtrącony. Zabójca niemal na pewno nie jest jawnym homoseksualistą; prawdopodobnie tłumi własną seksualność i ma poczucie, że coś go z życia omija. Prawdopodobnie dorastał w środowisku, w którym męskość była nagradzana i ceniona, natomiast homoseksualizm potępiany, możliwe, że na tle religijnym. Jeżeli w ogóle utrzymuje z kimś stosunki seksualne albo z kimś mieszka, to z kobietą. I niemal na pewno będzie w tych związkach doświadczał problemów seksualnych, najprawdopodobniej związanych z potencją.

Tony szklistym wzrokiem zapatrzył się w ekran monitora. Momentami szczerze nienawidził swojej pracy. Ustawicznie zmuszała go do konfrontacji z własnymi zmartwieniami. Czy jego prywatne porażki seksualne oznaczały, że jak Handy Andy utknął na mniej uczęszczanej ścieżce? Czy przyjdzie taka noc, kiedy jakaś kobieta powie o jedno słowo za wiele, przeciwstawi jego niemoc własnej kobiecości i zepchnie go ze skraju przepaści? W ocenie Tony'ego ten scenariusz był aż nadto realny. Dlatego z Angelicą czuł się bezpieczny. Kiedy wyprowadzała go z równowagi, zawsze mógł rąbnąć słuchawką, zamiast uciekać się do rękoczynów. Albo zrobić coś jeszcze gorszego. Lepiej nie ryzykować, westchnął w duchu. Nawet nie myśl o Carol Jordan. Widziałeś wyraz jej oczu, bardziej obchodzi ją twój umysł niż twoje ciało. Nawet o tym nie myśl, popaprańcu. Wracaj do roboty.

2. Gardzi tymi, którzy otwarcie dają wyraz swoim homoseksualnym skłonnościom. Przynajmniej częściowo wybór miejsc, żeby porzucić zwłoki, podyktowany jest chęcią zamanifestowania tej pogardy i wzbudzenia strachu. Równocześnie wyraża w ten sposób swoją wyższość. „Patrzcie na mnie, mogę przychodzić i odchodzić, bywać między wami, a żaden z was mnie nie rozpozna. Mogę bezcześcić wasze miejsca, a wy nie możecie mnie powstrzymać".

3. Mimo to najwyraźniej doskonale zna lokale, w których geje szukają towarzystwa i przypadkowych partnerów seksualnych. Możliwe, że od czasu do czasu bywa w Temple Fields z racji wykonywanego przez siebie zawodu, chociażby rozwozi towary albo też świadczy jakieś usługi tamtejszym przedsiębiorstwom. Środowisko gejów musi go fascynować, skoro wybrał zakątek Carlton Park, do którego geje przychodzą uprawiać seks.

4. Cechuje go wysoki stopień samokontroli. Zapuszcza się samochodem w ludne rejony i porzuca ciała, zachowując się w sposób, który nie ściąga na niego uwagi.

– Mowa – rzucił Tony z rozgoryczeniem. Wstał i sztywnym krokiem przespacerował się od okna do drzwi. – To historia mojego życia.

Od czasu, kiedy starsi chłopcy zaczęli mu dokuczać – był najniższy na swojej ulicy i w klasie – w przyśpieszonym tempie przyswoił sobie trudną lekcję samokontroli. „Nigdy nie okazuj, że cię zranili, to ich tylko ośmiela. Nigdy nie okazuj, że jakiś przytyk dotknął cię do żywego, to tylko obnaża twoje słabe punkty. Naucz się ich słownictwa, naśladuj ich mowę ciała, przejmij zachowanie". Wszystkie te składniki zmieszajmy teraz i co nam powstaje? Człowiek, który nie ma zielonego pojęcia, kim jest. Skończony aktor, imitacja człowieka, która jak kameleon dostosowuje się do kolorytu lokalnego. To cud, że tyle osób dało się na to nabrać. Brandon, to jasne, ma go za równego faceta. Carol Jordan najwyraźniej wpadł w oko. Claire, jego sekretarka, uważa go za najlepszego szefa pod słońcem. Uchodził za istotę ludzką, owszem. Jedyną osobą, której nie zdołał zamydlić oczu, była jego matka, która po dziś dzień traktowała go z ledwie skrywaną pogardą; żadnych innych uczuć nie doświadczył z jej strony. To jego wina, że ojciec ich opuścił i, jeśli ją spytać o zdanie, to trudno się ojcu dziwić. Najchętniej oddałaby go do domu dziecka, gdyby nie zależało jej na dobrych układach z własnymi rodzicami; w końcu to oni mieli kasę. A że mogła przed nim uciec jedynie w pracę, zajęła się karierą, jak tylko zdołała przekonać matkę, by pilnowała małego Tony'ego. Bardzo starał się być grzeczny i robić, jak kazała Bunia, ale nie zawsze było to łatwe. Babka nie była złą kobietą, po prostu wychowano ją w przekonaniu, że dzieci powinno być widać, ale nie słychać. Reakcją dziadka na domową tyranię również stała się ucieczka: najpierw w postaci ciągłych wizyt w salonach bukmacherskich i kręgielniach, potem Legia Cudzoziemska. Tony dostał niezłą życiową szkołę, ale samokontroli nauczył się bardzo szybko. Czy z Handym Andym było podobnie?

Tony otarł podejrzanie wilgotne oczy, zasiadł przed komputerem i zaczął gorączkowo uderzać w klawiaturę.

5. Sytuacja w domu i w miejscu pracy daje mu swobodę w poniedziałkowy wieczór. Nie przypuszcza, by w Temple

Fields zobaczył go jakiś znajomy. To otwiera szereg możliwości: mógł wybrać poniedziałkowe wieczory dlatego, że właśnie wtedy wypada jego dzień wolny, albo też dlatego, że w poniedziałki wieczorem jego żona/dziewczyna przebywa poza domem; mógł podjąć decyzję o zabijaniu w poniedziałki, bo właśnie tego dnia dokonał pierwszego morderstwa: wtedy się udało, ten dzień ma dla niego moc przesądu; mógł również postanowić, że będzie dalej zabijał w poniedziałki w nadziei, że to zafałszuje obraz śledztwa. Jest w oczywisty sposób inteligentny i nie powinno się zakładać, by takie wyrachowanie przerastało jego możliwości.

Tony zrobił chwilę przerwy, żeby zebrać myśli, i przewertował notatki. Jeszcze nie myślał jak Handy Andy, ale nieuchwytny umysł zabójcy stopniowo wydawał mu się coraz bliższy. Po raz tysięczny zastanawiał się, czy jego chęć przeniknięcia wypaczonej psychiki zabójcy nie jest aby swoistą namiastką, jedyną rzeczą, dzięki której sam nie stał się zabójcą. Bóg świadkiem, że bywały i takie chwile, kiedy aż za dobrze rozumiał przemożne instynkty popychające do zbrodni. Aż nadto często ogarniała go mordercza furia, choć najczęściej wymierzona była przeciwko niemu samemu, a nie osobie, z którą był w łóżku.

– Dość już tego – powiedział głośno i wrócił do jaśniejącego ekranu.

Sprawca to doskonale zorganizowany, seryjny zabójca, któremu udaje się zachować stałą, ośmiotygodniową przerwę pomiędzy zabójstwami. Ta wytrwałość sama w sobie jest rzeczą niezwykłą, ponieważ podręcznikowy schemat zakłada, że odstępy pomiędzy morderstwami zmniejszają się z czasem, ponieważ zabójca potrzebuje coraz silniejszych bodźców do podsycania swoich fantazji. Jednym z wyjaśnień stałości cyklu może być hipoteza, że sprawca dużo czasu poświęca na śledzenie ofiary przed dokonaniem mordu. Zatem przyjemność wyczekiwania na sam akt w połączeniu z rozpamiętywaniem wcześniejszych zabójstw działają jako swoisty hamulec. Wierzę także, że zabójca używa kamery wideo do utrwalania swoich poczynań i że to także wspiera jego fantazje między zabójstwami.

Tony przerwał pracę, żeby zastanowić się nad tym, co do tej pory napisał. Analiza prawdopodobnie wygląda wystarczająco dobrze, by przekonać laika, ale sam był daleki od zadowolenia. Niemniej jednak dalsze szperanie w głowie czy w materiałach na niewiele by się zdało. Z westchnieniem wrócił do pisania.

Jaka jest nadrzędna motywacja zabójcy? Możemy wykluczyć zabójstwo w toku działania przestępczego, jak chociażby zbrojnej napaści czy włamania. Możemy także wykluczyć zabójstwa na tle uczuciowym, podyktowane materialnym interesem lub sytuacyjne, chociażby w obronie własnej, pod wpływem współczucia, rabunkowe albo spowodowane konfliktami domowymi. To plasuje jego czyny w kategorii zabójstw na tle seksualnym.

Wybrane ofiary wszystkie mieszczą się w kategorii niskiego ryzyka. Innymi słowy, żadna nie wykonywała zawodu, ani też nie prowadziła takiego trybu życia, które czyniły z niej łatwy cel. Paradoksalnie, zabójca podejmuje duże ryzyko, uprowadzając je i mordując. Co nam to mówi o zabójcy?

1. Działa w sytuacji niezwykle silnego stresu.

2. Planuje zabójstwa z niezwykłą starannością. Nie może sobie pozwolić na błąd, jeśli bowiem błąd popełni, ofiary uciekną i znajdzie się w niebezpieczeństwie, zarówno w sensie fizycznym, jak i prawnym. Z całą pewnością jest to typ prześladowcy. Starannie wybiera ofiary i drobiazgowo bada ich życie. Co interesujące, dotąd nic nie przeszkodziło mu w wyborze określonej pory zabójstwa. To wynik drobiazgowego planowania, wcześniejszych przygotowań czy po prostu łut szczęścia? Wiemy, że trzeci zamordowa-

ny, Gareth Finnegan, mówił swojej dziewczynie, że wybiera się na męski wypad na miasto, ale jego znajomi ani koledzy z pracy, jak się wydaje, o niczym nie wiedzieli. Nie udało się dotąd określić, czy został uprowadzony z domu, czy też do kontaktu doszło we wcześniej ustalonym miejscu. Może się zdarzyć, że zabójca z wyprzedzeniem umawiał się na spotkanie z każdą z ofiar, albo w ich domach, albo poza nimi, w nieznanej nam lokalizacji. Mógł też podawać się za agenta ubezpieczeniowego lub przedstawiciela innego podobnego zawodu, choć moim zdaniem jest mało prawdopodobne, aby dysponował koniecznymi umiejętnościami, by w tego rodzaju zawodzie z powodzeniem zarabiał na życie.

3. Lubi dodatkowy dreszczyk emocji, który odczuwa w sytuacjach zwiększonego ryzyka. Potrzebuje tego zastrzyku adrenaliny.

4. Musiał osiągnąć pewien stopień dojrzałości emocjonalnej, który pozwala mu panować nad sobą w sytuacji skrajnego napięcia. Z tej przyczyny zachodzi możliwość, że uniknął większych problemów ze znalezieniem lub utrzymaniem zatrudnienia, tak częstych dla seryjnych zabójców (patrz poniżej).

Większość przestępstw popełnianych przez seryjnych przestępców cechuje się pewnym stopniem eskalacji, odzwierciedlającej narastającą potrzebę szukania silnych wrażeń, pełniejszego urzeczywistnienia własnych fantazji. Jak na kolejce górskiej, każdy stan uniesienia wywołany zabójstwem musi wynosić sprawcę wyżej niż poprzedni, by wynagrodzić psychiczny dół, który go poprzedza...

Raptem Tony podniósł wzrok, przestraszony. Co to za hałas? Jakby szczęknięcie drzwi do sekretariatu, ale o tej porze, w nocy, na piętrze nie powinno być nikogo. Nerwowo odepchnął się od blatu, na którym stał komputer i zaczął bezgłośnie przesuwać się w fotelu na kółkach po dywanie, aż znalazł się za biurkiem, z dala od plamy światła. Wstrzymał oddech i nasłuchiwał. Cisza. Napięcie opuszczało go stopniowo. Nagle przez szparę w drzwiach do gabinetu wlała się jasna poświata.

Tony poczuł w ustach cierpki smak strachu. Jedynym leżącym na biurku przedmiotem, jaki z grubsza nadawał się na narzędzie obronne, była bryła agatu, pełniąca rolę przycisku do papieru. Ścisnął ją w garści i cicho, jak złodziej, podniósł się z fotela.

Kiedy Carol otworzyła drzwi, dostrzegła ze zdumieniem, że Tony stoi na drugim końcu pomieszczenia z kamieniem w ręce uniesionej jak do rzutu.

– To ja! – pisnęła.

Ramię Tony'ego opadło wzdłuż boku i znieruchomiało.

– Cholera – jęknął.

Carol uśmiechnęła się szeroko.

– A kogo się spodziewałeś? Włamywaczy? Dziennikarzy? Licha złego?

Tony odprężył się.

– Przepraszam – mruknął. – Jak się przez cały dzień próbuje wepchnąć do głowy jakiemuś szajbusowi, człowiek nabawia się niezłej paranoi.

– Szajbusowi – powtórzyła Carol tonem zadumy. – Czy to termin fachowy, którym posługują się psycholodzy?

– Tylko w tych czterech ścianach – odparł Tony ze śmiechem. Podszedł do biurka i odłożył agat na miejsce. – Czemu zawdzięczam tę przyjemność?

– Jako że nasz ulubiony operator, British Telecom, najwyraźniej nie umie łączyć, pomyślałam, że będzie lepiej, jeśli pofatyguję się tu osobiście – wyjaśniła Carol, przysuwając sobie fotel. – Dziś rano zostawiłam ci wiadomość na sekretarce. Pomyślałam, że pewnie wyszedłeś do pracy, ale tu też cię nie zastałam. Dzwoniłam jeszcze raz koło czwartej, ale twój numer wewnętrzny nie odpowiadał. A przynajmniej tak zakładam, bo jakiś facet powiedział: „Już łączę", a potem w słuchawce zrobiło się głucho. O tej porze, rzecz jasna, nawet nie próbowałam łapać cię telefonicznie, bo wszyscy z centrali porozjeżdżali się do domów, a numeru bezpośrednio na twoje biurko jak nie znałam, tak nie znam.

– I to mówi oficer śledcza... – zaśmiał się Tony.

- Tak czy owak, zawsze to jakaś wymówka. Po prostu nie wytrzymałabym na Scargill Street ani minuty dłużej.

- Chcesz o tym porozmawiać?

- Tylko pod warunkiem, że będę mogła opowiadać z pełnymi ustami - zastrzegła Carol. - Umieram z głodu. Co powiesz na potrawkę w sosie curry? Tak na szybko?

Tony zerknął na ekran komputera, potem na ściągniętą twarz Carol i jej zmęczone oczy. Lubił ją i choć nie chciał się do niej zbliżyć, potrzebował po swojej stronie.

- Daj mi tylko zapisać ten plik i już się stąd zabieram. Zawsze mogę to jeszcze dokończyć.

Dwadzieścia minut później z apetytem pałaszowali cebulowe *bhajis* i *pakora* z kurczaka w azjatyckim barze w Greenholm. Pozostałą część klienteli stanowili studenci oraz dorośli, kwitujący wszystko okrzykiem: „ale czad!", nie pogodzeni widać z myślą, że jeśli cokolwiek jeszcze studiują, to tylko zasady politycznej poprawności.

- Wprawdzie nie znajdziesz tej knajpki w „Przewodniku po dobrych restauracjach", ale tanio tu i sympatycznie, no i obsługa jest szybka - tłumaczył się Tony.

- Mnie to odpowiada. Żaden ze mnie Egon Roney*, mogłabym ograniczyć się do jajek na toście. W naszej rodzinie to brat ma geny smakosza - odparła Carol ze śmiechem. Potem rozejrzała się dyskretnie. Od sąsiedniego stolika dzieliło ich kilkadziesiąt centymetrów. - Celowo mnie tu przyprowadziłeś, żebyśmy nie mogli rozmawiać o pracy? Taki psychologiczny trik, żebym dała odpocząć mojej biednej głowie?

Tony szeroko otworzył oczy.

- Nie wpadłem na to. Ale masz rację, oczywiście. Nie sposób tu rozmawiać.

Uśmiech Carol sięgnął jej oczu.

- Nie wyobrażasz sobie, jaka to dla mnie przyjemność.

Przez kilka minut jedli w milczeniu. Pierwszy odezwał się Tony, dzięki temu mógł podsunąć temat rozmowy.

---

*Egon Roney, słynny brytyjski krytyk kulinarny (przyp. tłum.).

- Dlaczego wstąpiłaś do policji?

Carol uniosła brwi.

- Może lubię dręczyć nieszczęśników z marginesu i nękać mniejszości etniczne...? - odpowiedziała pytaniem.

Tony uśmiechnął się.

- Raczej nie.

Odsunęła talerz na bok i westchnęła.

- Młodzieńczy idealizm - wyznała w końcu. - Miałam takie wariackie wyobrażenie, że policja jest potrzebna, by służyć społeczeństwu i chronić je przed bezprawiem i anarchią.

- Wcale nie takie wariackie wyobrażenie. Uwierz mi, gdybyś zetknęła się z ludźmi, z jakimi zdarzyło mi się pracować, cieszyłabyś się, że nie chodzą wolno po ulicach.

- Och, teoria jest piękna. Za to praktyka do bani. Wszystko się zaczęło, kiedy wykładałam na uniwerku w Manchesterze. Specjalizowałam się w socjologii organizacji i większość moich rówieśników gardziła policją jako skorumpowaną, rasistowską i seksistowską organizacją, której jedyną rolą jest podtrzymywanie złudnego poczucia bezpieczeństwa u klas średnich. Do pewnego stopnia zgadzałam się z tymi, co tak uważali. Różnica polegała na tym, że oni chcieli atakować instytucje od zewnątrz, podczas gdy ja zawsze byłam zdania, że zasadnicza zmiana może nastąpić tylko od wewnątrz.

- Prawdziwa rewolucjonistka z ciebie! - Tony błysnął zębami, rozbawiony.

- Eee tam. Chyba najzwyczajniej nie zdawałam sobie sprawy, w co się pakuję. Dawid nokautujący Goliata to małe piwo w porównaniu z próbą doprowadzenia do zmian w policji.

- Ja myślę! - przytaknął Tony gorąco. - Ta nowa ogólnokrajowa jednostka mogłaby zrewolucjonizować system wykrywania najcięższych przestępstw, a mimo to z postawy części starszych oficerów można by sądzić, że pracuję nad projektem zatrudniania pedofilów w charakterze opiekunów do dzieci.

Carol zachichotała.

- Czy to znaczy, że wolałbyś wrócić na oddział zamknięty, do swoich szajbusów?

– Carol, czasem mi się wydaje, że nadal tam jestem. Nie masz pojęcia, jaka to odświeżająca odmiana pracować z ludźmi takimi jak ty i John Brandon.

Zanim Carol zdążyła odpowiedzieć, kelner postawił przed nimi główne dania. Zajadając się jagnięciną ze szpinakiem, *karahi* z kurczaka i pilawem, Carol odezwała się między kęsami:

– W twoim zawodzie też ma się problemy z życiem prywatnym w stanie zaniku, czy to tylko los policjantów?

Broniąc się, Tony odpowiedział pytaniem:

– Co masz na myśli?

– Jak sam mówiłeś, człowiek dostaje fioła na punkcie pracy. Przez cały czas użerasz się z rozmaitymi gnojkami i bydlakami...

– Mówisz o kolegach? – zażartował Tony.

– Dobra, dobra. Potem wracasz do domu, późnym wieczorem, ze wspomnieniami zmasakrowanych ciał, strzępów cudzego życia, a wszyscy oczekują, żebyś usiadł na kanapie, oglądał opery mydlane i zachowywał się jak normalny człowiek.

– A ty po prostu nie potrafisz, bo głowę masz pełną koszmarów – dokończył Tony. – No a w *twoim* zawodzie jest dodatkowa komplikacja w postaci pracy na zmiany.

– Otóż to. Więc jak, masz podobne problemy?

Pyta ze zwykłej ciekawości czy też chce dowiedzieć się czegoś więcej o jego życiu prywatnym? Czasami Tony szczerze żałował, że nie potrafi po prostu wyłączyć tej części mózgu, która nieustannie analizowała każdą wypowiedź, każdy gest, każdy niuans mowy ciała rozmówcy, tak by odczuwać niewymyślną przyjemność z tego, że je kolację z kimś, komu chyba odpowiada jego towarzystwo. Raptem uświadomił sobie, że pauza między pytaniem Carol a jego odpowiedzią wydłuża się niebezpiecznie i powiedział szybko:

– Podejrzewam, że z „wyłączaniem się” radzę sobie znacznie gorzej niż ty. Mężczyźni z reguły wydają się znacznie bardziej skłonni do popadania w obsesje niż kobiety. No wiesz, ile znasz kobiet, które maniakalnie sterczą na dworcach i gapią się na przejeżdżające pociągi, namiętnie zbierają znaczki albo są fanatycznymi fankami futbolu?

– I to przeszkadza ci w związkach z kobietami? – sondowała Carol.

– Cóż, żaden nie wytrzymał próby czasu – odparł Tony, walcząc ze sobą, by te słowa zabrzmiały dostatecznie lekko. – Choć nie jestem pewny, czy to wina mojej pracy czy charakteru. Ostatnie, co najczęściej wykrzykują pod moim adresem na chwilę przed definitywnym zniknięciem z mojego życia, nie brzmiało: „ty i te twoje pieprzone świry", więc zakładam, że mimo wszystko chodzi o charakter. A ty? Jak radzisz sobie z kłopotami związanymi z pracą?

Carol tymczasem z łyżki przerzuciła się na widelec, który nie przerwał podróży do jej ust, gdy Tony zadał to pytanie. Przeżuła i przełknęła wielki kęs, a dopiero potem wyznała:

– Zauważyłam, że mężczyźni nie patrzą na system zmianowy szczególnie przychylnym okiem, o ile nie znają go z autopsji. No wiesz, nigdy nie jesteś pod ręką, żeby podać pod nos herbatkę, kiedy śpieszą się na tę straszliwie ważną partię squasha. Dodać do tego trudności w wytłumaczeniu im, dlaczego w tym zawodzie człowiek tak bardzo się w sobie zamyka, więc kto zostaje? Lekarze stażyści, gliniarze, strażacy, kierowcy karetek. A z mojego doświadczenia wynika, że niewielu z nich chce się wiązać z kobietą wykonującą podobny zawód. Przypuszczam, że praca wysysa z nas tyle energii, że mało jej starcza na cokolwiek innego. Ostatnio związałam się z jednym lekarzem i wszystko, co go interesowało poza pracą, to spanie, pieprzenie się i imprezowanie.

– A ty chciałaś czegoś więcej?

– Chciałam czasami porozmawiać, może nawet wspólnie obejrzeć jakiś film albo pójść wieczorem do teatru. Ale znosiłam to, bo go kochałam.

– A czemu z nim zerwałaś?

Carol wpatrzyła się w swój talerz.

– Dzięki za komplement, ale to nie ja zerwałam. Kiedy przeprowadziłam się tutaj, uznał, że nie warto ciągle tłuc się samochodem w tę i z powrotem, tracąc czas, który można spożytkować na porządne bzykanko, i rzucił mnie dla pielęgniarki. Teraz zostaliśmy tylko we dwoje: ja i mój kot. On najwyraźniej nie ma mi za złe nienormowanego czasu pracy.

– Ach... – mruknął Tony. Wiedział, ile bólu kryje się za tą pozornie pogodną odpowiedzią, czuł, że tym razem fachowe umiejętności nie wystarczą.

– A ty? Masz kogoś? – spytała Carol.

Tony pokręcił głową, nie przerywając jedzenia.

– Jesteś miłym facetem i byłam pewna, że któraś już dawno temu cię odłowiła – dodała Carol żartobliwym tonem, który maskował nutę, jakiej Tony wolałby w jej głosie nigdy nie słyszeć.

– Och, poznałaś mnie z najlepszej strony. Jak jest pełnia, dłonie porastają mi sierścią i wyję do księżyca. – Tony łypnął na Carol z teatralną lubieżnością. – Nie jestem tym, kim się wydaję, młoda damo – zawarczał przeciągle.

– Och, babciu, a dlaczego masz takie wielkie zęby? – pisnęła Carol sopranem.

– Żeby pożreć swoje curry – odparł Tony ze śmiechem.

Wiedział, że znaleźli się w punkcie, z którego bardzo łatwo byłoby mu przenieść ich znajomość na kolejny etap, ale zbyt długo obwarowywał się mechanizmami obronnymi na wypadek chwili słabości, by o nich zapomnieć. Poza tym, upomniał się w duchu, nie ma powodu, żeby się z nią wiązać. Jest Angelica, a gorzkie doświadczenia nauczyły go, że tylko z nią umiał sobie radzić i względnie normalnie funkcjonować.

– Jak zatem trafiłeś do tego wyniszczającego duszę fachu? – podjęła Carol.

– Kiedy robiłem doktorat z filozofii, odkryłem, że nie cierpię stawać na tylnych łapach i przemawiać do audytorium, co poniekąd uniemożliwiło mi karierę akademicką. Toteż zająłem się praktyką kliniczną – wyjaśnił Tony, z łatwością przestawiając się na tor anegdot z pracy.

Czuł, że się odpręża jak człowiek, który idzie po zamarzniętym jeziorze i stwierdza nagle, że pod nogami ma stały grunt.

Do końca posiłku nie wykraczali poza bezpieczny obszar kariery zawodowej. Kiedy zjawił się kelner, żeby zebrać naczynia, Carol poprosiła o rachunek.

- Ja stawiam, OK? Żadne tam feministyczne ciągotki; jesteś pełnoprawnym kosztem biznesowym – wyjaśniła Carol.

Kiedy pieszo wracali do gabinetu, Tony zagadnął:

- No, to wracamy do pracy. Opowiedz, jak ci minął dzień.

Nagłe przejście od tematów osobistych do sprawy zabójstw utwierdziło Carol w przekonaniu, że powinna na chłodno prowadzić swoje rozgrywki z Tonym. Nigdy nie widziała kogoś, kto tak szybko wycofywałby się przy pierwszej próbie niewinnego flirtu. Było to zagadkowe, tym bardziej że wyczuwała, że ją polubił. Nie miała także wątpliwości co do tego, że może się podobać mężczyznom. Dobre i to, że wspólne tropienie Handy'ego Andy'ego dawało jej czas i okazję do zbudowania pomostu między nią a Tonym.

- Dziś rano nastąpił przełom. Taką przynajmniej wszyscy żywimy nadzieję.

Tony zatrzymał się gwałtownie i zwrócił twarzą do Carol.

- Jakiego rodzaju przełom? – Zmienił się w słuch.

- Nie martw się, nikt o tobie nie zapomina – zapewniła Carol. – To sprawa, jaką w większości innych dochodzeń uznalibyśmy za bez znaczenia, ale ponieważ w tej mamy wyjątkowo mało punktów zaczepienia, wszyscy się podniecają. Na gwoździu bramy prowadzącej na podwórko za Queen of Hearts znaleziono strzępek skóry. W laboratorium zbadali go w trybie ekspresowym i okazuje się, że to bardzo nietypowa rzecz. Skóra z jelenia, wygarbowana w Rosji.

- Och, mój dobry Boże – rzucił Tony cicho. Odwrócił się od Carol i przeszedł parę kroków. – Nic nie mów, niech zgadnę. W tym kraju jest nie do kupienia i prawdopodobnie musielibyście wysłać kogoś do Rosji, żeby namierzyć producenta, tak trudno jest ustalić jej pochodzenie. Trafiłem?

- Jak, do diabła, na to wpadłeś? – zdumiała się Carol, doskakując do niego i łapiąc go za rękaw.

- Spodziewałem się czegoś takiego – odparł po prostu.

- Co?

- Z gruntu fałszywego tropu, przez który cała policja zacznie ganiać w kółko jak stado kurczaków z uciętymi łbami.

- Uważasz, że to fałszywy trop? - niemal wykrzyknęła Carol. - Dlaczego?

Tony potarł twarz rękoma i odruchowo przegarnął włosy.

- Carol, ten facet był dotąd niebywale ostrożny. Stanowi wręcz kliniczny przypadek z tą swoją obsesją na punkcie zacierania śladów. Seryjni zabójcy wykazują się najczęściej wysokim ilorazem inteligencji, a Handy Andy to bezsprzecznie jeden z najcwańszych, z jakimi kiedykolwiek się zetknąłem, osobiście czy też poprzez literaturę fachową. Mimo to nagle, jak grom z jasnego nieba, wpada nam w ręce ślad i to ślad nie byle jaki, bo prowadzący do ściśle określonej grupy ludzi. A ty mówisz mi, że to na serio? Dokładnie to starał się osiągnąć. Założę się, żeście przez cały dzień latali, skakali jak te przepióreczki, żeby ustalić pochodzenie tajemniczego skrawka rosyjskiej skóry, może nie? Och, nie mów mi, sam zgadnę. Założę się, że nowo powołany oddział przekopuje się właśnie przez życiorys Steviego McConnella, żeby dojść, jak, u diabła, trafiło to w jego ręce.

Carol wpatrywała się w niego. Wszystko wydawało się porażająco jasne teraz, kiedy tak przedstawił sprawę. Mimo to ani ona, ani żaden z jej kolegów nie próbowali podważać wartości znaleziska.

- Dobrze mówię? - spytał Tony, tym razem łagodniej.

Twarz Carol wykrzywiła się w grymasie.

- E tam, od razu cały oddział. Tylko ja, Don Merrick i paru posterunkowych. Przez większość dnia wisiałam na telefonie, rozmawiając z szychami ze związków kulturystów i ciężarowców, żeby się rozeznać, czy McConnell był kiedykolwiek w krajowej lub regionalnej reprezentacji, która albo uczestniczyła w zawodach na terenie Rosji, albo też z Rosjanami rywalizowała. Don z chłopakami natomiast wzięli w krzyżowy ogień pytań pracowników biur podróży, żeby sprawdzić, czy kiedykolwiek wybrał się tam na urlop.

- O Chryste - zajęczał Tony. - I?

- Pięć lat temu wcielono go do ekipy ciężarowców z północnego zachodu, która brała udział w zawodach na terenie ówczesnego Leningradu.

Tony odetchnął ciężko.

– Ma pecha sukinsyn... – mruknął. – Nie przypuszczam, aby myśl, że ten „dowód" został wam podrzucony, zaświtała komuś w głowie – dodał. – Nie chcę, żeby to zabrzmiało protekcjonalnie. Zdaję sobie sprawę, jak bardzo się w to angażujesz i jak bardzo zależy ci na złapaniu drania. Po prostu żałuję, że nikt mnie o tym wcześniej nie powiadomił, zanim cała sprawa została rozdmuchana.

– Przecież *próbowałam* się do ciebie dodzwonić dziś rano – wypomniała Carol. – Do tej pory nie wspominałeś, gdzie cię pognało.

Tony uniósł ręce w geście poddania.

– Przepraszam. Trochę mnie poniosło. Położyłem się i zasnąłem jak suseł, a telefony były wyłączone. Po ubiegłej nocy byłem wykończony i wiedziałem, że nie zdołam się skupić na pisaniu, chyba że się trochę przekimam. Powinienem po przebudzeniu sprawdzić sekretarkę. Przepraszam, że na ciebie napadłem.

Carol uśmiechnęła się figlarnie.

– Niech ci będzie. Ale wyznasz mi swoją mroczną tajemnicę, kiedy już złapiemy Handy'ego Andy'ego, co?

Tony skrzywił się.

– „Kiedy"? Nie chciałaś powiedzieć: „jeśli"?

Teraz nie wyglądał już na nieomylnego i niewzruszonego; z przygarbionymi plecami i zwieszoną głową wydał się tak delikatny i przygnębiony, że nagły impuls przeważył nad postanowieniem o trzymaniu się na dystans, jakie Carol podjęła zaledwie kilka minut wcześniej. Dała krok do przodu i mocno objęła Tony'ego.

– Jeśli ktokolwiek może go złapać, to właśnie ty – wyszeptała, pocierając głową o jego pierś jak kot znaczący swoje terytorium.

Brandon gapił się na Toma Crossa i twarz mu tężała w maskę zgrozy.

– Co takiego pan zrobił?! – powtórzył.

– Przeszukałem dom McConnella – odparł Cross wojowniczym tonem.

- Przecież kategorycznie powiedziałem, że nie mamy do tego prawa, czy nie tak? Żaden sędzia w tym kraju nie przyjmie tłumaczeń, że fakt aresztowania kogoś za pospolitą napaść daje nam wystarczające podstawy do podejrzeń o morderstwo.

Cross uśmiechnął się, czy też raczej wyszczerzył zęby w grymasie, na którego widok każdemu porządnemu rottweilerowi zjeżyłaby się sierść na karku.

- Z całym szacunkiem, sir, ale to już przeszłość. Od kiedy inspektor Jordan ustaliła, że McConnell był w Rosji, sytuacja wygląda ciut inaczej. Niewiele osób ma dostęp do nietypowych rosyjskich kurtek skórzanych, bądź co bądź. To stawia go w kręgu podejrzanych. Poza tym niejeden sędzia pokoju wisi mi przysługę.

- Powinien pan to najpierw ze mną uzgodnić - zagrzmiał Brandon. - Ostatnie polecenie, jakie wydałem w związku z tą sprawą, brzmiało: nie przeszukujemy.

- Chciałem, sir, ale był pan na spotkaniu z komendantem - wyjaśnił Cross ze słodyczą. - Sądziłem, że lepiej kuć żelazo, póki gorące, tym bardziej, że nie mogliśmy go przetrzymywać bezterminowo.

- Wolał pan zatem zmarnować czas na przeszukanie domu McConnella - stwierdził Brandon z rozgoryczeniem. - Nie sądzi pan, że pan i pańscy ludzie mogliby sobie poszukać lepszego zajęcia?

- Jeszcze panu nie powiedziałem, co znaleźliśmy - zapiał Cross.

Brandon poczuł, że ściska mu się w piersi. Nie miewał szczególnych przebłysków intuicji, tym razem jednak złe przeczucie, które go dopadło, wydało mu się równie rzeczywiste jak niezbite fakty, z którymi miał do czynienia w swojej dotychczasowej karierze

- Niech pan się dobrze zastanowi nad swoją następną wypowiedzią, panie nadinspektorze - uprzedził.

Czoło Crossa zmarszczyło się w przelotnym grymasie zaskoczenia, ale za bardzo go rozsadzała chęć obwieszczenia radosnej nowiny, by przesadnie martwił się słowami Brandona.

– Mamy go, sir – oznajmił. – Siedzi w tym po uszy. W sypialni McConnella znaleźliśmy jedną z firmowych kart świątecznych Garetha Finnegana, no i sweter wypisz, wymaluj jak ten, który zdaniem panienki Adama Scotta zniknął z jego domu. Plus mandat z numerem służbowym Damiena Connolly'ego. Do tego mały wypadzik do Ruskich i wychodzi na to, że czas postawić tego małego dupojebcę w stan oskarżenia.

Z 3,5-CALOWEJ DYSKIETKI O NAZWIE: KOPIA_ZAPASOWA.007; PLIK MIŁOŚĆ.010

Rzecz jasna, odkrycie, że ma się do czegoś wrodzoną smykałkę, niekoniecznie oznacza, że trzeba ślepo iść tym tropem. Pozbywając się ciała Paula, tym razem w ciemnej bramie jednej z alejek w Temple Fields, mam już upatrzony następny obiekt. Choć nawet po tak fantastycznym doświadczeniu, jakie przyszło mi dzielić z Paulem, mam nadzieję, że z Garethem będzie inaczej.

Ten trzeci raz skończy się szczęśliwie. Gareth to mężczyzna o bogatej i płodnej wyobraźni erotycznej. Już podczas wprowadzania cyfrowej wersji żałosnego występu Paula do komputera ubolewam, że z racji wyższości Garetha nad tamtym tchórzem, nie zaznam więcej przyjemności doskonalenia mego świeżo odkrytego talentu. Mam wprost fantastyczny sprzęt i tworzę filmy, jakich nie widziało dotąd ludzkie oka. Niedoścignione arcydzieła z gatunku snuff*. Snuff nad snuffy. Gdyby można je było legalnie sprzedawać, przyniosłyby mi fortunę. A wiem, że rynek jest chłonny. Nie brakuje chętnych, którzy słono zapłaciliby, żeby popatrzeć, jak Paul pie-

---

* „snuff" – gatunek filmów pornograficznych, ukazujących seks w połączeniu ze scenami okrucieństw i śmierci (przyp. tłum.).

przy się ze mną, targany śmiertelnymi spazmami na krześle Judasza. Co się zaś tyczy mojej skromnej osoby... Ograniczmy się do stwierdzenia, że świat dotąd nie oglądał nikogo, kto z taką wirtuozerią robiłby „sześć dziewięć".

Sprawiam sobie przyjemność i wybieram się na cmentarz, na którym przed kilkoma tygodniami pochowano Adama. Pogrzeb pokazywali w lokalnych wiadomościach telewizyjnych; wystarczyło je nagrać na kasetę i przestudiować, by poznać lokalizację grobu. Po zmroku wędruję między kamiennymi płytami i w ciągu dwudziestu minut znajduję Adama. Otwieram przyniesioną z domu puszkę czerwonej farby w spreju i piszę „koniobijca", z jednej strony szarego granitowego pomnika, oraz „ciota" z drugiej. To powinno dać glinom do myślenia.

Wieczorem, czekając, aż Gareth wyłoni się z firmy prawniczej, której jest etatowym partnerem, zabijam czas lekturą dziennikarskich nadużyć w The Bradfield Evening Sentinel Times. Tym razem figuruję na pierwszej stronie.

ZABÓJCA GEJÓW UDERZA PONOWNIE?

Dzisiejszego ranka w „gejowskiej wiosce" na terenie Bradfield znaleziono okaleczone, nagie zwłoki mężczyzny.

Ofiarę mordu porzucono przed wyjściem ewakuacyjnym uczęszczanego przez gejów klubu „Shadowlands" w alejce nieopodal Canal Street, w cieszącej się złą sławą części Temple Fields.

Już po raz drugi w ciągu ostatnich paru miesięcy miastem wstrząsa wiadomość o odkryciu nagich zwłok w okolicy, do której wielu gejów ściąga nadzieja na szybki seks.

Lokalni mieszkańcy żywią poważną obawę, że rzeszę homoseksualistów naszego miasta upatrzył sobie perwersyjny seryjny zabójca.

Dzisiejszego mrożącego krew w żyłach znaleziska dokonał właściciel nocnego klubu Danny Surtees (37 l.), który przyjechał na spotkanie z księgowym.

– Zawsze wchodzę do klubu wejściem ewakuacyjnym

z boku budynku – relacjonuje. – Parkuję samochód przy tej ulicy. Dziś rano drzwi były przywalone czymś okrytym kilkoma czarnymi workami na śmieci.

– Jak złapałem za te torby, żeby odciągnąć to coś od drzwi, normalnie podarły mi się w rękach i zobaczyłem, że pod nimi leżą zwłoki.

– Był okropnie pokiereszowany. Nie było mowy, żeby jeszcze żył. Przez ten widok będę miał koszmary do końca życia.

Pan Surtees dodaje, że brama była pusta, kiedy zamykał lokal tuż po trzeciej nad ranem.

Zamordowany mężczyzna, jak się ocenia, niewiele po trzydziestce, nie został jeszcze zidentyfikowany. Policja opisuje go jako mężczyznę rasy białej, wzrost metr osiemdziesiąt, drobnej budowy ciała, o ciemnobrązowych włosach do ramion i orzechowych oczach. Ma starą bliznę po operacyjnym usunięciu wyrostka robaczkowego.

Rzecznik policji oświadczył: – Naszym zdaniem mężczyzna został zamordowany gdzie indziej, a dopiero później porzucony w tej alejce, jak szacujemy, między trzecią a ósmą nad ranem.

– Apelujemy do wszystkich osób, które znajdowały się w rejonie Temple Fields ubiegłej nocy o zgłoszenie się na komendę w celu złożenia wyjaśnień, które pozwolą na wykluczenie z kręgu podejrzanych. Wszelkie informacje będą przyjmowane z zachowaniem całkowitej dyskrecji.

Na tym etapie śledztwa brak dowodów łączących ostatnie zabójstwo z tym, którego ofiarą padł przed dwoma miesiącami Adam Scott.

Carl Fellowes, etatowy pracownik Bradfieldzkiego Centrum Gejów i Lesbijek, powiedział nam dziś: – Policja twierdzi, że nie widzi związku między tymi dwoma morderstwami.

– Nie potrafię powiedzieć, co napełnia mnie większą troską o los gejowskiej społeczności naszego miasta: myśl, że na wolności grasuje jeden morderca zabijający homoseksualnych mężczyzn czy też to, że może ich być dwóch.

A ja nie wiem, czy się śmiać, czy płakać. Choć jedno jest jasne. Pan Plod* ma przed sobą długą drogę, nim rozwikła sprawę i okryje się chwałą. Najwyraźniej wystarczająco dokładnie zacieram za sobą ślady.

Składam gazetę, kończę cappuccino i skinieniem proszę o rachunek. Lada minuta Gareth wyłoni się z biura i ruszy zakorkowanymi, jak to w porze szczytu, ulicami w stronę przystanku tramwajowego. Muszę być w stanie najwyższej gotowości. Bo też i mam wobec niego wyjątkowe plany na dzisiejszy wieczór i potrzebuję pewności, że będzie sam w domu, by mógł się nacieszyć moją niespodzianką.

10

„Ludzie w ogólności, panowie, mają bardzo krwawe gusta; i wszystkim, czego wymagają od morderstwa, jest hojny rozlew krwi; tandetne widowisko w tym względzie w pełni zaspokaja ich oczekiwania. Atoli człek oświecony, koneser, ma gust bardziej wysublimowany".

(przełożyła Magdalena Jędrzejak)

Penny Burgess dopełniła kieliszek schłodzonym w lodówce kalifornijskim winem chardonnay i wróciła do salonu akurat na zwiastun lokalnych wiadomości BBC. Żadnych nowych powodów do zmartwienia, stwierdziła z ulgą. Jakaś napaść zbrojna, czym spokojnie może się zająć jutro po przyjściu do pracy. Policja nadal przesłuchiwała mężczyznę w związku z seryjnymi za-

---

*Pan Plod (PC Plod) – dziarski policjant z Krainy Zabawek, postać z cyklu książek dla dzieci autorstwa popularnej brytyjskiej pisarki Enid Blyton oraz filmów animowanych powstałych na ich kanwie (np. „Noddy") (przyp. tłum.).

bójstwami gejów, ale dotąd oficjalnie nie postawiono go w stan oskarżenia. Penny sączyła wino i paliła papierosa.

Będą musieli wkrótce zrobić jakiś ruch, rozmyślała. Albo będą zmuszeni do rana postawić mu konkretne zarzuty, albo zwolnić go z aresztu. Co dziwne, nikomu z mediów nie udało się dotąd ustalić personaliów aresztanta. Cała dziennikarska brać nader często i chętnie korzystała z osobistych kontaktów w policji, ale ten jeden jedyny raz zakręciły się wszystkie kurki na zbiorniku informacji i o przecieku nie było mowy. Penny uznała, że będzie najlepiej, jeśli z rana rzuci okiem na nazwiska figurujące na wokandzie sędziego pokoju. Jest szansa, choć nikła, że gliniarze dokopali się jakiegoś stosunkowo błahego przewinienia, o które zamierzają tego człowieka oskarżyć, by przetrzymać go w areszcie do czasu, kiedy uzbierają wystarczająco mocne dowody, żeby wyjechać z zarzutami o zabójstwa.

Kiedy wiadomości niepostrzeżenie przeszły w prognozę pogody, z podręcznego stolika przy sofie dobiegł dźwięk telefonu. Penny błyskawicznie złapała słuchawkę.

– Halo? – odezwała się.

– Penny? Tu Kevin.

Alleluja, ucieszyła się Penny. Usiadła i zgasiła papierosa. Ograniczyła się jednak do zdawkowego:

– Kevin, mój faworycie. Jak leci? – Przetrząsała torebką w poszukiwaniu ołówka i notesu.

– Wyszła jedna sprawa, która mogłaby cię zainteresować – zaczął ostrożnie Kevin. – Duża sprawa.

– Nie po raz pierwszy pokazujesz mi coś dużego – zauważyła Penny dwuznacznie.

Okazjonalny seks z żonatym Kevinem Matthewsem miał wiele zalet: nie dość, że Penny dorobiła się własnej wtyczki w tutejszej jednostce, to jeszcze Kevin okazał się jednym z najlepszych kochanków, jacy przewinęli się przez jej łóżko. Żałowała tylko, że jako katolikowi trudno mu było przełamać poczucie winy.

– Mówię serio – obruszył się Kevin.

– Ja też, mój ty super ogierze.

- Słuchaj, interesuje cię ten cynk czy nie?

- Zdecydowanie tak. Zwłaszcza jeśli to nazwisko faceta, którego trzymacie w areszcie w związku ze sprawą Homobójcy.

Usłyszała, jak gwałtownie zaczerpnął powietrza.

- Wiesz, że tego akurat nie mogę ci powiedzieć. Są pewne granice.

Penny westchnęła. To była istota ich związku.

- W porządku, a co możesz?

- Popeye został zawieszony.

- Zdjęli go z tej sprawy? - spytała Penny; jej mózg pracował teraz na najwyższych obrotach. Tom Cross? Zawieszony?

- Został zwolniony z pełnienia obowiązków służbowych i odesłany do domu z widokiem na dyscyplinarkę.

- Przez kogo? - Jezu, ale cyrk. Co za numer wykręcił „Popeye" Cross tym razem? Nagle zrobiło się jej gorąco: a jeśli nakryli go, kiedy podawał nazwisko aresztowanego komuś z konkurencji? Omal nie przegapiła odpowiedzi Kevina.

- Przez Johna Brandona.

- Za co, u diabła?

- Nikt nie chce słowa powiedzieć - mruknął Kevin. - Ale tuż przed tym, jak Brandon wezwał go na dywanik, przeprowadził rewizję w domu naszego podejrzanego.

- Legalną rewizję? - sondowała Penny.

- O ile wiem, miał podstawy w świetle PACE* - odparł czujnie Kevin.

- No, to o co właściwie chodzi, Kevin? Popeye fabrykował dowody czy co?

- Nie wiem, Pen - odparł Kevin jękliwie - Słuchaj, muszę już kończyć. Jak znowu coś usłyszę, przedzwonię do ciebie, OK?

- OK. Dzięki, Kev. Jesteś skarbem, wiesz.

- Jasne. Wkrótce się do ciebie odezwę.

Połączenie zostało przerwane. Penny energicznie odłożyła słuchawkę i zerwała się na równe nogi. Pięć minut później po-

---

*Police and Criminal Evidence Act (w skrócie PACE) - Ustawa o Policji i dowodach kryminalnych z 1984 r. (przyp. tłum.).

konywała schody dzielące jej mieszkanie od podziemnego garażu. W samochodzie zajrzała do książki adresowej i uruchomiła silnik, powtarzając w myśli, co powie, gdy stanie w progu.

Tony uwolnił się z jej ramion. Odsunął się w sposób, który odległość dziesięciu centymetrów zmieniał w metr.

Siląc się na swobodny ton, chcąc zagadać niezręczną ciszę, jaka między nimi zapadła, Carol rzuciła:

– Przepraszam, po prostu miałeś taką minę, jakbyś potrzebował, żeby cię przytulić.

– Nie ma w tym nic złego – zapewnił Tony sztucznie. – Bardzo często stosujemy tę metodę w terapii grupowej.

Stali przez chwilę, nie patrząc sobie w oczy. Potem Carol przesunęła się tak, by znaleźć się u boku Tony'ego, wsunęła rękę pod jego usztywnione ramię i pociągnęła go do przodu przez dziedziniec uniwersytecki.

– A więc, kiedy będę mogła zobaczyć twoje dzieło?

Rozmowa ponownie toczyła się na bezpiecznym gruncie, choć Carol w dalszym ciągu była za blisko, żeby niepokój Tony'ego rozwiał się całkowicie. Był potwornie spięty, dusiło go, jakby lodowata ręka wyciskała mu powietrze z płuc. Zmusił się do przybrania spokojnego, rzeczowego tonu.

– Teraz chcę to pocyzelować przez kilka godzin, a jutro z samego rana na ostro biorę się do roboty. Wstępną wersję powinienem mieć gotową wczesnym popołudniem. Co byś powiedziała na trzecią?

– Świetnie. Słuchaj, miałbyś coś przeciwko, żebym posiedziała przy tobie, jak będziesz pracował? Nie zaszkodziłaby mi ponowna lektura zeznań świadków, a jak wrócę na Scargill Street, nie zaznam chwili spokoju.

Tony miał powątpiewającą minę.

– Właściwie to...

– Obiecuję, że nie będę pana molestować, doktorze Hill – oświadczyła Carol przekornym tonem.

– Cholera! – Tony pstryknął palcami w geście rozczarowania. Spójrz tylko na siebie, pomyślał cierpko. Udajesz normalnego człowieka, mężczyznę, wiesz, jak zabrać się do rzeczy. - Właściwie to chodziło mi o co innego. Zawahałem się, bo nie jestem przyzwyczajony do pracy w obecności kogoś jeszcze.

- Nie zauważysz, że tam jestem.

- Szczerze w to wątpię - mruknął Tony.

Być może odebrała to jako komplement, ale on wiedział, że prawda przedstawia się nieco inaczej.

Penny przycisnęła dzwonek przy drzwiach nowoczesnego domku jednorodzinnego, zbudowanego w pseudotudorowym stylu, przy jednej z bardziej elitarnych ulic na południu Bradfield. Nawet przy pensji nadinspektora policji takie luksusy powinny się znajdować poza finansowym zasięgiem Toma Crossa. Jednak opinia o „Popeye'u" jako o farciarzu została raz na zawsze ugruntowana przed kilku laty, kiedy wygrał pięciocyfrową sumę, trafnie typując wynik meczu. Balanga, jaką wtedy urządził, weszła do kanonu policyjnych legend. Teraz natomiast niewidzialny duszek, który dotąd przynosił mu szczęście, najwyraźniej zgubił się gdzieś po drodze.

W holu zapaliło się światło i jakaś postać niezdarnie poczłapała ku drzwiom, zmieniona przez witrażowe szkło w amorficzną bryłę. Skrzyżowanie „Piątku trzynastego" z „Halloween", mruknęła pod nosem Penny, słuchając, jak w zamku przesuwa się zapadka. Drzwi uchyliły się, tworząc wąski prześwit. Penny przekrzywiła głowę, żeby uśmiechnąć się do postaci za drzwiami.

- Panie nadinspektorze Cross - zaczęła; biały obłoczek pary, który powstał z jej oddechu, zderzył się z wirującym kłębem dymu napływającym zza drzwi. - Penny Burgess, *The Sentinel Times*.

- Wiem, co z pani za jedna - warknął ze złością Cross i na tyle niewyraźnie, żeby Penny zorientowała się, że gospodarz jest po kieliszku. - Czego, do diabła, pani chce, żeby tak przyłazić w środku nocy?

- Słyszałam, że ma pan drobne kłopoty w pracy - zaryzykowała Penny.

– To źle pani słyszała. A teraz niech się pani wynosi.

– Proszę posłuchać, jutro będzie o tym huczało w mediach. Znajdzie się pan pod obstrzałem. *The Sentinel Times* zawsze pana popierał, panie Cross. Byliśmy po pańskiej stronie od samego początku śledztwa. Nie jestem żadną wielką fiszą z Londynu, która rwie się do kopania leżącego. Jeżeli został pan odsunięty na boczny tor, to nasi czytelnicy mają prawo usłyszeć pańską wersję zdarzeń.

Drzwi nadal były otwarte. Skoro dotąd Cross nie zatrzasnął ich przed jej nosem, to wedle wszelkiego prawdopodobieństwa powinna zdołać wycisnąć z niego coś użytecznego.

– Dlaczego sądzi pani, że mnie odsunęli od tej sprawy? – spytał Cross napastliwym tonem.

– Słyszałam, że został pan zawieszony. Nie wiem, dlaczego i właśnie z tej przyczyny chciałabym poznać pański punkt widzenia, zanim pana zwierzchnicy zaczną nas karmić oficjalnymi bajeczkami.

Twarz Crossa wykrzywiła się w grymasie urazy, wyłupiaste oczy wytrzeszczył jeszcze bardziej.

– Nie mam nic do powiedzenia – wycedził, przeżuwając każdą sylabę.

– Nawet nieoficjalnie? Jest pan gotów stać z boku i patrzeć, jak ktoś rujnuje pańską reputację po wszystkim, co zrobił pan dla policji?

Cross szerzej otworzył drzwi, rozejrzał się po podjeździe i łypnął w stronę ulicy.

– Jest pani sama? – upewnił się.

– Nawet ci z *newsdesku* nie wiedzą, że tu jestem. Przed chwilą sama nie miałam o niczym pojęcia.

– Lepiej, żeby pani weszła na minutę.

Penny przestąpiła próg i znalazła się w holu, który wyglądał jak katalog tkanin od Laury Ashley. Z drugiego końca pomieszczenia, przez półotwarte drzwi napływały głosy, jakby ktoś oglądał telewizor. Cross skierował ją w przeciwnym kierunku, do kiszkowatego, długiego salonu. Kiedy włączył światło, Penny przymknęła oczy: osaczyła ją ze wszech stron większa różnorodność wzorów niż w sklepie pasmanteryjnym. Jedyne, co łączyło sztukaterię, tapety, zasłony, dywany, bieżniki i dekoracyjne poduszki, to fakt, że były w najróżniejszych odcieniach kolorów zielonego i kremowego.

– U...uroczy salon – wymamrotała.

– Tak pani sądzi? Na mój gust jest kurewsko brzydki. Żona mówi, że to najlepsze, co można kupić za grubą forsę. To jedyny argument, jaki w życiu słyszałem, za tym, że mimo wszystko lepiej być gołodupcem – burknął Cross, podchodząc do kredensu pełniącego funkcję barku. Nalał sobie solidnego drinka z karafki, zerknął na gościa i dodał po namyśle: – Pani to pewnie nie będzie miała ochoty na jednego, no bo jest samochodem i w ogóle.

– Tu ma pan rację – przytaknęła Penny ze sztuczną serdecznością w głosie. – Lepiej nie ryzykować, kiedy pańscy chłopcy patrolują ulice.

– Chce pani wiedzieć, czemu te sukinsyny bez jaj mnie zawiesiły? – spytał ze złością, wyciągając szyję jak głodny żółw.

Penny skinęła głową, ale nie śmiała wyjąć notesu.

– Bo chętniej teraz słuchają jakiegoś wychuchanego, pieprzonego doktorka niż starego gliniarza, ot co.

Gdyby Penny była psem, jej uszy znieruchomiałyby w pozycji „baczność". A tak skończyło się na uprzejmym uniesieniu brwi.

– Doktorka? – zawiesiła głos.

– Ściągnęli tego patałacha, speca od czubków, żeby za nas odwalał robotę. A skoro on powiada, że pedzio sadycha, któregośmy zapuszkowali, jest niewinny, to chrzanić dowody. Jestem gliną od dwudziestu lat z okładem i wierzę swojemu nosowi. To ten sukinsyn ich zabił, czuję to. Cała moja wina to postaranie się, żeby posiedział za kratkami, dopóki nie powiążemy wszystkich luźnych końców. – Cross jednym haustem opróżnił zawartość szklanki i grzmotnął nią o kredens. – A oni mają pieprzoną czelność zawieszać *mnie*!

Zatem fabrykowanie dowodów. Wprawdzie Penny skręcało, żeby dowiedzieć się czegoś więcej o tajemniczym „doktorku", ale wyczuwała, że mądrzej będzie poczekać, aż Cross się wyżali.

- Co panu zarzucają? - spytała.

- Nie zrobiłem nic złego - usprawiedliwił się, nalewając sobie kolejnego potężnego kielicha. - Problem z tym pieprzonym Brandonem jest taki, że od tak dawna siedzi za biurkiem, że zapomniał, o co w tej robocie chodzi. A chodzi o instynkt, tylko o to. O instynkt i o solidną, psiakrew, harówę. Nie o przemyślenia jakiegoś popieprzonego jajogłowego od szajbusów, z jego wydumanymi teoriami, jak u tych idealistów z opieki społecznej.

- A co to za człowiek? - sondowała Penny.

- Doktor Tony, psia jego mać, Hill. Z zasranego Home Office. Siedzi w wieży z kości słoniowej i poucza, jak mamy łapać złoczyńców. Na robocie gliniarza zna się nie lepiej niż ja na cholernej fizyce jądrowej. Ale ten doktór poczciwina mówi, puśćmy pederastę wolno, więc Brandon robi się potulny jak owca i beczy: taaak, psze pana, nieee, psze pana, taaak psze pana, dobrze, psze pana. A że ja się nie zgadzam, wysiadka. - Cross znowu golnął whisky, twarz mu poczerwieniała ze złości i z przepicia. - Myślałby kto, że mamy do czynienia z Bóg wie jakim geniuszem zbrodni, a nie popieprzonym, sadystycznym pedziem, który dotąd miał trochę farta. Nie potrzeba mądrali z cholernym „dr" przed nazwiskiem, żeby zgarniać taką szumowinę. Po co pieprzonemu pederaście przewracać w głowie.

- Zatem można powiedzieć, że nie zgadza się pan z kierunkiem, w którym dochodzenie obecnie podąża?

Cross prychnął jak stary kocur.

- Można i tak. Niech sobie pani zapamięta moje słowa: jeśli wypuszczą tego małego skurwysyna na ulicę, znajdziemy kolejne zwłoki.

Ku zaskoczeniu Tony'ego, Carol dowiodła, że potrafi dotrzymać słowa. Siedziała przy jego biurku, przekopując się przez stos dokumentów, on tymczasem pracował przy komputerze. Jej obecność, zamiast go rozpraszać, okazała się dziwnie kojąca. Bez trudu podjął pracę w punkcie, w którym ostatnio przerwał.

Jak na kolejce górskiej, każdy stan uniesienia wywołany zabójstwem musi wynosić sprawcę wyżej niż poprzedni, by wynagrodzić psychiczny dół, który go poprzedza. W tym przypadku zauważyć można trzy objawy eskalacji. Rany gardła u każdej ofiary są coraz głębsze i rozleglejsze. Okaleczenia o charakterze seksualnym z początkowych nacięć skóry w okolicy genitaliów poszły w kierunku całkowitej amputacji. Ponadto sądząc z ilości usuniętej tkanki, zwiększyła się liczba i głębokość śladów po ugryzieniach, które są później wykrawane. Mimo to udaje mu się panować nad sobą w wystarczającym stopniu, by skutecznie zacierać ślady.

Trudno jest określić, czy nasilenie tortur, jakim poddawane są ofiary, podlega eskalacji czy też nie, ponieważ sprawca najwyraźniej za każdym razem stosuje inne narzędzie. Niemniej to, że potrzebuje dodatkowego bodźca w postaci zmiany metody, samo w sobie stanowi rodzaj eskalacji.

Wnosząc z raportu patologa, sekwencja zdarzeń przedstawiałaby się w sposób następujący:

1. Uprowadzenie z zastosowaniem kajdanek i więzów (kostki).

2. Tortury, w tym akty o charakterze seksualnym, np. kąsanie, ssanie.

3. Śmiertelna rana cięta gardła.

4. Pośmiertne okaleczenie genitaliów.

Co to nam mówi o zabójcy?

1. Jest pod wpływem swoich wyrafinowanych i szczegółowo przemyślanych fantazji, które realizuje poprzez rozmaite formy tortur.

2. Dysponuje miejscem do zabijania ofiar. Takich ilości krwi i innych płynów ustrojowych, których upływ musi następować wskutek jego poczynań, nie sposób łatwo i w krótkim czasie usunąć z normalnego domowego środowiska; oznaczałoby to konieczność podjęcia o wiele większego ryzyka, niż na to wskazywałoby jego ostrożne zachowanie w pozostałych okolicznościach. Miejsce to, co można określić z blisko stuprocentowym prawdopodobieństwem,

wyposażone jest w udogodnienia umożliwiające mu mycie się po każdym zabójstwie oraz zelektryfikowane; sprawca potrzebuje dobrego oświetlenia i możliwości podłączenia kamery. Powinniśmy szukać czegoś w rodzaju zamykanego boksu garażowego, budynku zabezpieczonego przed intruzami z zewnątrz, w którym przypuszczalnie nie brak bieżącej wody i elektryczności. Może być położony w odosobnionym miejscu, co wykluczałoby ewentualność, że ktoś usłyszy krzyki ofiar. (Z niemal stuprocentową pewnością można założyć, że zabójca usuwa wszelkiego rodzaju knedle na czas tortur; będzie chciał słyszeć, jak ofiary krzyczą i błagają o litość).

3. Ma obsesję na punkcie tortur, w oczywisty też sposób dysponuje wystarczającymi umiejętnościami manualnymi, które pozwalają mu na konstruowanie własnych narzędzi do torturowania ofiar. Nie wydaje się, by posiadał przeszkolenie medyczne albo pracował kiedyś jako rzeźnik, wnosząc z nieporadnych ran ciętych gardła oraz okaleczeń genitaliów u pierwszych ofiar.

Tony oderwał wzrok od ekranu i zerknął na Carol. Była całkowicie pochłonięta lekturą, między oczami pojawiła się znajoma zmarszczka. Czy szaleństwem z jego strony jest odrzucanie tego, co ofiarowywała? Lepiej niż jakakolwiek inna kobieta, z którą był związany, rozumiałaby stresy, w jakie obfituje jego praca, górki i dołki towarzyszące penetrowaniu umysłów socjopatów. Przy jej inteligencji i wrażliwości – i o ile zechciałaby się w związek zaangażować równie mocno jak w swoją pracę – całkiem możliwe, że okazałaby się dość silna, by dopomóc mu w uporaniu się z jego prywatnymi problemami, zamiast wykorzystać je przeciwko niemu i zrobić z nich kij do bicia.

Nagle, wyczuwając na sobie jego wzrok, Carol podniosła oczy i posłała mu przelotny, zmęczony uśmiech. I w tej właśnie chwili Tony już wiedział. Nigdy w życiu. Ma dość kłopotów z mętlikiem we własnej głowie, żeby chcieć tego, aby kobieta uczyniła z jego życia coś równie przewidywalnego jak totalizator sportowy. Carol jest po prostu za inteligentna, żeby dopuścić ją do siebie choćby odrobinę bliżej.

– Jak idzie? – spytała.

– Zaczynam się w niego wczuwać – przytaknął Tony.

– To chyba niezbyt miły stan – zauważyła Carol.

– Istotnie, ale za to mi płacą.

Carol pokiwała głową.

– Nieprzyjemny, ale daje satysfakcję. Ekscytuje?

Tony uśmiechnął się kwaśno.

– Można tak powiedzieć. Czasem zapytuję samego siebie, czy to nie robi ze mnie takiego samego popaprańca jak oni.

– No, to jest nas dwoje – odparła Carol ze śmiechem. – Mówi się, że najlepszymi łapsami są ci, którzy potrafią wejść w skórę bandziora. Jeśli zatem mam być najlepsza w moim fachu, muszę myśleć jak kryminalistka. Co nie znaczy, że chcę się nią stać.

Dziwnie podniesiony na duchu Tony ponownie wpatrzył się w ekran.

Czas, jaki zabójca spędza z ofiarami, także dostarcza nam cennych wskazówek. W trzech na cztery przypadki zabójca, jak się wydaje, nawiązał kontakt z ofiarą wczesnym wieczorem, a zwłoki porzucił następnego dnia we wczesnych godzinach rannych. Co interesujące, z trzecią ofiarą spędził znacznie więcej czasu, najwyraźniej utrzymując ją przy życiu przez blisko dwie doby. Dotyczy to zabójstwa w czasie świąt Bożego Narodzenia.

Zachodzi prawdopodobieństwo, że w normalnych okolicznościach nie jest w stanie tak długo przebywać z ofiarami z racji codziennych obowiązków, zawieszonych w okresie świątecznym. Obowiązki te związane są raczej z pracą niż z sytuacją domową sprawcy, choć nie sposób wykluczyć, że jest w stałym związku z osobą, która pojechała na święta do swojej rodziny i stąd mógł „poświęcić" ofierze więcej czasu. Jeszcze inna możliwość zakłada, że wydłużony okres obcowania z Garethem Finneganem stanowi dziwaczny prezent, jaki zabójca sprawił samemu sobie, nagrodę za sukcesy, bo właśnie w tych kategoriach rozpatruje swoje wcześniejsze zbrodnie.

Krótki odstęp dzielący moment zabójstwa od porzucenia zwłok sugeruje, że sprawca nie nadużywa alkoholu ani narkotyków podczas tortur i dokonywania mordu. Nie ryzykowałby, że policja zatrzyma go za jazdę zygzgakiem z ofiarą w bagażniku, żywą bądź martwą. Ponadto, choć okazjonalnie korzysta z samochodów ofiar, nie ulega wątpliwości, że dysponuje własnym pojazdem. Najprawdopodobniej jest względnie nowy, w dobrym stanie, ponieważ sprawca nie może sobie pozwolić na rutynowe zatrzymanie w celu przeprowadzenia kontroli technicznej.

Tony stuknął w klawisz zapisu i z uśmiechem satysfakcji rozparł się w fotelu. Pora na fajrant równie dobra jak każda inna. Jutro rano dokończy zestawiać cechy, których dopatrzył się u Handy'ego Andy'ego, i spisze w punktach sugestie co do działań, jakie zalecałby policjantom zajmującym się tą sprawą.

– Finisz? – spytała Carol.

Obejrzał się: siedziała rozparta w drugim fotelu, przed nią piętrzył się stos zawiązanych teczek.

– Nie zdawałem sobie sprawy, że już skończyłaś – mruknął.

– Przed dziesięcioma minutami. Nie chciałam ci przeszkadzać, patrzyłam tylko, jak twoje palce śmigają po klawiaturze.

Tony nie cierpiał, kiedy inni ludzie przyglądali mu się z taką uwagą jak Carol w tej chwili. Myśl, że zamiast przy lupie mógłby się raptem znaleźć pod lupą i jako pacjent zostać poddany badaniom, była jednym z koszmarów, z których budził się zlany zimnym potem.

– Na dziś mam dosyć – odparł. Skopiował plik na dyskietkę, którą następnie schował do kieszeni.

– Podrzucę cię do domu – zaproponowała Carol.

– Dzięki – ucieszył się Tony, wstając. – Jakoś nigdy nie mogę się zmusić, żeby pchać się do śródmieścia autem. Prawdę mówiąc, niezbyt lubię siadać za kierownicą.

- Wcale ci się nie dziwię. Ruch w mieście to istne piekło na kółkach.

Kiedy zatrzymała samochód przed domem Tony'ego, spytała:

- Jest jakaś szansa na filiżankę herbaty? Nie wspominając o możliwości wysikania się?

Tony nastawił czajnik, Carol tymczasem wymknęła się na górę do łazienki. Wracała, słysząc własny głos, dobywający się z automatycznej sekretarki. Zatrzymała się przy schodach, szpiegując Tony'ego, pochylonego nad biurkiem z długopisem i kartką w dłoni, i podsłuchując jego prywatne wiadomości. Cieszyło ją, że rysy twarzy Tony'ego i jego sylwetka wydają się jej coraz bardziej swojskie, znajome. Jej własny głos umilkł nagle, a sekretarka wydała charakterystyczne „biiiip". „Cześć, Tony, tu Pete" - oznajmił następny głos. - „Muszę być w Bradfield w najbliższy czwartek. Są szanse na darmowe piwko i nocleg ze środy na czwartek? Przy okazji, moje gratulacje z okazji dołączenia do ekipy prowadzącej śledztwo w sprawie Homobójcy. Obyś złapał drania". - Biiip. - „Anthony, kochanie ty moje. Gdzie się podziewasz? Leżę tu samotnie i spalam się... Mamy parę niedokończonych spraw, kochasiu".

Ledwie rozbrzmiały te słowa, Tony znieruchomiał i z przerażeniem wpatrzył się w automatyczną sekretarkę; głos był ochrypły, seksowny, poufały. „Nie wyobrażaj sobie, że możesz..." - Ręka Tony'ego wystrzeliła w kierunku urządzenia i zrobiła się cisza.

A to dopiero, nikogo nie ma, biedaczek, pomyślała Carol gorzko. Przestąpiła próg salonu.

- Odpuśćmy sobie tę herbatę. Do zobaczenia jutro - rzuciła tonem zimnym i trzeszczącym jak warstewka lodu na zimowej kałuży.

Tony odwrócił się błyskawicznie; oczy miał wystraszone.

- To nie tak - rzucił jednym tchem, bez zastanowienia. - Na oczy tej kobiety nie widziałem!

Carol okręciła się na pięcie i przemaszerowała przez hol. Kiedy mocowała się z zasuwą, Tony przemówił chłodno:

- To szczera prawda, Carol. Chociaż właściwie nic ci do tego. Znieruchomiała w półobrocie, cudem odnalazła uśmiech i oznajmiła ze słodyczą:

- Masz świętą rację. Rzeczywiście, nic mi do tego. Do jutra, Tony.

Trzask drzwi rozbrzmiał Tony'emu w uszach głośno jak huk młota pneumatycznego.

- Chwała Bogu, że jesteś psychologiem - rzucił z goryczą i ciężko oparł się o ścianę. - Laik miałby prawo to schrzanić. A ty pochlebiasz sobie, że ta robota to dla ciebie cholerna bułka z masłem, co, panie Hill?

Z 3,5-CALOWEJ DYSKIETKI O NAZWIE: KOPIA_ZAPASOWA.007; PLIK MIŁOŚĆ.011

Kiedy w tramwaju Gareth śle mi nieśmiały uśmiech, ogarnia mnie pewność, że moje marzenia niebawem się spełnią. Z racji nieprzewidzianego kryzysu w pracy i dodatkowych nadgodzin, które się z tym wiązały, obserwuję go po raz pierwszy po przeszło tygodniowej przerwie.

Jego obraz kołysał mnie do snu po powrocie z pracy o najróżniejszych godzinach, jego głos tęsknie rozbrzmiewał mi w uszach, lecz tym bardziej spieszno było mi zobaczyć go na jawie. Wprawdzie budzik był nastawiony na wczesną godzinę, bo zależało mi, by jak najwięcej czasu spędzić przed jego domem, czekając, aż będzie wychodził do pracy, ale przemęczenie zebrało swoje żniwo: udało mi się przespać alarm. Pierwszą moją myślą po przebudzeniu było to, że mimo wszystko go dogonię, jeśli podjadę autem kilka przystanków.

Tramwaj hamuje, gdy wbiegam na platformę. Gorączkowo lustruję twarze pasażerów w pierwszym wagonie, ale nigdzie go nie widzę. Niepokój podchodzi mi do gardła jak żółć. Po-

tem dostrzegam jego lśniące włosy; siedzi przy drzwiach w drugim wagonie. Przepycham się przez tłum i ustawiam się tuż obok niego, tak blisko, że kolanami trącam jego kolana. Ten fizyczny kontakt sprawia, że podnosi wzrok. Przy kącikach szarych oczu wykwitają zmarszczki, na ustach pojawia się uśmiech. Ja także się uśmiecham i szepczę:

– Przepraszam.

– Nie ma sprawy – mówi. – Rano zawsze jest okropny ścisk.

Chcę podjąć rozmowę, ale, jak nigdy, mam w głowie zupełną pustkę. On wraca do przerwanej lektury The Guardian, ja mogę jedynie zerkać na niego kątem oka i udawać, że pilnie śledzę widoki za oknem. To niewiele, wiem, ale zawsze to jakiś początek. Dostrzegł mnie; jest świadom mego istnienia. Teraz to już tylko kwestia czasu.

Szekspir miał rację, mówiąc: „Na początek zabijmy wszystkich prawników"*. Mniej kłamców chodziłoby po tej ziemi. Nawet te dwa angielskie słowa: lawyer – prawnik – i liar – kłamca – brzmią niemal tak samo. Nie pojmuję, skąd brały się moje nierozsądne oczekiwania wobec człowieka, co jednego dnia przemawia w imieniu powoda, a następnego zaciekle broni pozwanego.

Wracam myślami do chwili, gdy parkuję samochód za rogiem ulicy, przy której stoi dom Garetha. Skąd, zza przyciemnianych szyb mojego jeepa, będę obserwować jego powrót z pracy bez obawy, że ktoś mnie zauważy. Domu nie okala żywopłot, dzięki czemu widzę wnętrze jego salonu.

Na wylot znam jego przyzwyczajenia. Jak zwykle dociera do domu tuż po osiemnastej, idzie do kuchni po puszkę grolscha i wraca do salonu, gdzie pije piwo i ogląda telewizję. Za jakieś dwadzieścia minut przyniesie z kuchni coś do jedzenia: pizzę, podgrzany w mikrofalówce gotowy zestaw obiadowy, zapiekane ziemniaki. Gotowanie najwyraźniej nie jest jego mocną stroną. Jak będziemy razem, to na mnie spadnie odpowiedzialność za tę stronę życia.

---

* „Henryk VI" w przekładzie Leona Ulricha, Akt 4, scena 2 (przyp. tłum.).

Po wiadomościach znika z salonu, przypuszczalnie po to, żeby zająć się jakąś pilną pracą w innej części domu; wyobrażam sobie rzędy książek prawniczych na sosnowych półkach. Potem albo wraca i do późna przesiaduje przed telewizorem, albo idzie spacerkiem na kilka lagerów do pubu na rogu ulicy.

Gareth potrzebuje kogoś, kto dzieliłby z nim życie, myślę w oczekiwaniu na jego powrót. Wiem, że jestem odpowiedzią na jego samotność. Gareth zaś będzie bożonarodzeniowym prezentem – dla mnie ode mnie.

Kwadrans po piątej biały volkswagen golf wślizguje się na miejsce parkingowe za domem Garetha i wysiada z niego jakaś kobieta. Pochyla się do środka i wyciąga wypchaną aktówkę, z której wystają papierowe teczki, oraz torebkę, taką z paskiem przez ramię, po czym maszeruje chodnikiem. Wygląda jakby znajomo. Drobna, o jasnobrązowych włosach splecionych w ciężki warkocz, w okularach o rogowych oprawkach, ubrana w czarny kostium i białą bluzkę z koronkowym gorsem.

Kiedy skręca w bramę Garetha, nie wierzę własnym oczom. Przez tych kilka sekund, nim dociera do drzwi, powtarzam sobie, że to pośredniczka handlu nieruchomościami, agentka ubezpieczeniowa, a może koleżanka z pracy, która wpadła podrzucić mu zapomniane dokumenty. Ktokolwiek. Wszystko, byle nie to.

Potem podnosi klapę torebki i wyjmuje klucz. Coś we mnie krzyczy: „Nie!", ona tymczasem wsuwa klucz do zamka i bezczelnie pcha się do środka. Drzwi salonu otwierają się, kobieta rzuca aktówkę na podłogę tuż obok sofy. Ponownie znika mi z oczu. Po dziesięciu minutach wraca, owinięta obszernym, białym szlafrokiem kąpielowym Garetha.

Wyznam szczerze: podpisuję się pod Szekspirem obydwoma rękami.

Podobno w tym okresie nawet aniołowie się radują. Ja także staram się, by rozczarowanie nie popsuło mi humoru. Skupiam się na moim następnym projekcie. Przydałoby się coś odświętnego, trochę starej, dobrej symboliki chrześcijańskiej.

Doprawdy niewiele można zdziałać za pomocą żłóbka i powijaków, toteż zezwalam sobie na większą artystyczną swobodę i wybieram antytezę narodzin.

Ukrzyżowanie jako formę kary Rzymianie najprawdopodobniej zapożyczyli od Kartagińczyków. (Ciekawe, prawda, że Rzymianie inne nacje tak chętnie nazywali barbarzyńcami...). Zaczęli ją stosować w przybliżeniu w latach wojen punickich i początkowo była to kara tylko dla niewolników. Co świetnie się składa, ponieważ Gareth, jak teraz już widzę, do pełnienia żadnej innej roli nie jest zdolny. W czasach cesarstwa kara ta się upowszechniła i ferowano ją wobec każdego, kto śmiał być niegrzeczny po tym, jak już Rzymianie łaskawie najechali i podbili – przepraszam – ucywilizowali jego ojczyste ziemie.

Tradycyjnie przestępcę poddawano chłoście, następnie zmuszano do niesienia belki poprzecznej ulicami aż do miejsca, gdzie czekał wbity w ziemię długi pal. Wtedy przytwierdzano go gwoździami do belki i podnoszono za pomocą systemu bloków. Stopy czasem przybijano gwoździami, czasem przywiązywano do pala. Czasami, nim nadeszła śmierć z wycieńczenia, pomocną dłoń podawali żołnierze: łamali ofierze nogi, dzięki czemu szybciej zapadała w miłosierny stan nieświadomości. Natomiast do moich celów odpowiedniejszy wydawał się krzyż świętego Andrzeja. Po pierwsze, o wiele bardziej interesującej próbie wytrzymałości poddałby ramiona Garetha. Po drugie, gdyby mój wybranek mimo wszystko stanął na wysokości zadania, o wiele łatwiej byłoby się do niego dobrać.

Co ciekawe, kary ukrzyżowania nie stosowano wobec żołnierzy; jedyny wyjątek stanowili dezerterzy. Może Rzymianie mimo wszystko mieli trochę rozsądku.

11

„Lecz kimże tymczasem była ofiara, w której progi pośpieszał? Byłbyż [...] doprawdy kiedykolwiek tak nieostrożny, by wyruszać na piracką wyprawę i dopiero wtedy rozglądać się, czy przypadkiem nie natrafi na jakąś osobę, którą by zamordował? Co to, to nie, odpowiednią dla siebie ofiarę, a mianowicie dawnego i dobrze znanego przyjaciela, wybrał już jakiś czas temu".

(przełożył Mirosław Bielewicz)

Brandon wpatrywał się smętnym wzrokiem w kartkę papieru nawiniętą na wałek maszyny do pisania. Tomowi Crossowi może i daleko było od wyobrażeń naczelnika o gliniarzu doskonałym, niemniej zawsze wydawał się dobrym policyjnym łapsem. Wybryki takie jak dzisiejszy stawiały natomiast pod znakiem zapytania całą jego dotychczasową karierę. Ciekawe, ile dokładnie wynosiła liczba osób, którym Cross „dopomógł" na przestrzeni lat w trafieniu za kraty, nie budząc niczyich podejrzeń. Gdyby Brandon nie nagiął regulaminu i nie zabrał Tony'ego na bezprawną rewizję, nikt nie wątpiłby w prawdziwość znalezionych przez Crossa dowodów. Nikt oprócz wrabianego Stevie'ego McConnella nie wiedziałby, że dwa z tych trzech „znalezisk" pojawiły się w jego domu wraz z pojawieniem się w nim Crossa. Na samą myśl, co mogłoby z tego wyniknąć, Brandona oblewał zimny pot.

Cross nie zostawił mu wyboru. Chcąc nie chcąc, Brandon musiał zawiesić nadinspektora w obowiązkach służbowych. Przesłuchanie przed komisją dyscyplinarną, które będzie tego skutkiem, okaże się przykre dla wszystkich zainteresowanych, ale to akurat najmniej Brandona martwiło. Znacznie bardziej obawiał się tego, jak ta feralna sprawa wpłynie na morale ekipy dochodzeniowej. Żeby zapobiec kryzysowi, przejmie na siebie odpowiedzialność za całokształt śledztwa, nie ma innej metody. Teraz pozostawało mu jedynie przekonać komendanta do swoich racji. Z westchnieniem wyciągnął z maszyny kartkę papieru i włożył na jej miejsce czystą.

Napisał zwięzłą, rzeczową notatkę służbową. Jeszcze jedno, ostatnie zadanie i będzie mógł doczołgać się do domu, do łóżka. Brandon z westchnieniem zerknął na zegar. Za pół godziny północ. Odsunął maszynę od siebie i na prywatnej papeterii napisał odręcznie:

„Do: Inspektor Kevin Matthews. Od: John Brandon, naczelnik wydziału kryminalnego. Dotyczy: Steven McConnell. W następstwie zawieszenia nadinspektora Crossa w obowiązkach, przejmuję bezpośrednie dowodzenie sekcją zabójstw. Wobec braku przesłanek do postawienia Stevenowi McConnellowi jakichkolwiek zarzutów oprócz czynnej napaści, wnioskuję o zwolnienie z aresztu za kaucją do czasu rozprawy, która odbędzie się w terminie wyznaczonym przed sąd, i za odrębną kaucją, gwarantującą jego stawiennictwo na komisariacie celem dalszego przesłuchania w razie pojawienia się nowych dowodów w sprawie. W świetle braku współpracy ze strony zatrzymanego, odmawiającego udzielenia podania nam nazwisk osób, które mógł zapoznać z Garethem Finneganem oraz Adamem Scottem, należałoby monitorować jego kontakty z osobami trzecimi. Powinniśmy wystąpić o pozwolenie na założenie podsłuchu na linii telefonicznej, na podstawie znajomości aresztanta ze Scottem i Finneganem oraz domniemanej styczności z Damienem Connollym na płaszczyźnie służbowej. Dochodzenie w sprawie o czterokrotne zabójstwo powinno być zakrojone na szeroką skalę. Sugeruję także po zwolnieniu zatrzymanego za kaucją objąć go ścisłym nadzorem. Jutro w południe odbędzie się konferencja starszych oficerów zajmujących się tą sprawą". – Podpisał notatkę i zapieczętował kopertę. Jak zdobyć przyjaciół i zjednać sobie ludzi*, pomyślał schodząc na dół do biurka sierżanta dyżurnego. Brandon modlił się, żeby Tony Hill miał rację co do Steviego McConnella. Gdyby Tom Cross miał powody ufać swoim instynktom, na szwank narażone byłoby znacznie więcej niż tylko morale dochodzeniówki.

Carol przygarbiła się nad jadalnianym stołem, brodę oparła na skrzyżowanych przedramionach i połaskotała Nelsona po brzuchu.

– I jak myślisz, mały? To kolejny kłamliwy drań czy nie?

– Mrrru – odparł kot ze wznoszącą się intonacją; zmrużone ślepia zmieniły się w szparki.

– Spodziewałam się, że tak powiesz. Zgadzam się, sama sobie takich wybieram. – Carol westchnęła. – Masz rację, powinnam zachować dystans. Tak to jest, jak się zaczyna za nimi biegać. Zalicza się kosza za koszem. Choć zwykle czegoś się człowiek spodziewa. Przynajmniej teraz już jest jasne, dlaczego przede mną zwiewał. Lepiej nam bez niego, kocie. Życie jest wystarczająco trudne bez robienia za drugie skrzypce.

– Mrrr – przytaknął Nelson.

– Myśli chyba, że mnie odmóżdżyło. Miałabym uwierzyć, że zupełnie obca baba nagrywa mu na sekretarkę takie wiadomości.

– Mrraau – poskarżył się Nelson i przetoczył na plecy, raz po raz uderzając łapkami w jej palce.

– No, dobrze, ty też uważasz, że to bzdura. Ale ten facet jest psychologiem. Gdyby chciał wymyślić jakąś bajeczkę, żeby się wytłumaczyć z kłamstwa, to chyba wpadłby na coś, psiakrew, znacznie bardziej wiarygodnego od anonimowych telefonów. Chociażby, że to jego „była", tylko że do niej rozstanie jeszcze nie dociera.

Carol potarła oczy, próbując odpędzić senność, ziewnęła i podniosła się płynnym, leniwym ruchem.

---

*„Jak zdobyć przyjaciół i zjednać sobie ludzi" Dale Carnegie, przekład Paweł Cichawa (przyp. tłum.).

Drzwi do przerobionej na gabinet graciarni otworzyły się i w progu ukazał się Michael.

- Wydawało mi się, że słyszę głosy. Nie wolałabyś pogadać do mnie? Coś bym ci tam odpowiedział.

Carol posłała mu zmęczony uśmiech.

- Nelson też odpowiada. To nie jego wina, że nie mówimy po kociemu. Nie chciałam ci przeszkadzać; widziałam, że pracujesz.

Michael podszedł do szafki z alkoholem i nalał sobie trochę szkockiej.

- Tylko testowałem grę. Próbowałem wypatrzyć ewentualne usterki do usunięcia na tym etapie. Nic wielkiego. Jak ci minął dzionek?

- Nie pytaj. Przenieśli nas na Scargill Street. Piekielna rudera. Wyobraź sobie powrót do rachowania na liczydle i masz już obraz mojego obecnego miejsca pracy. Atmosfera do bani, a poza tym Tony Hill ma jakąś dupę na boku. Słowem bajka. - Carol poszła za przykładem brata i przygotowała sobie drinka.

- Chcesz o tym pogadać? - spytał, przysiadając na poręczy sofy.

- Dzięki, ale nie. - Carol przełknęła zawartość szklanki, otrząsnęła się, czując moc szkockiej, i zmieniła temat: - A właśnie, przyniosłam dla ciebie komplet zdjęć. Kiedy będziesz mógł na nie zerknąć?

- Zaklepałem komputer z odpowiednim oprogramowaniem na jutro rano. Pasuje?

Carol objęła go ramieniem i przytuliła.

- Dzięki, brachu - powiedziała.

- Cała przyjemność po mojej stronie - odparł, odwzajemniając uścisk. - Wiesz, że lubię się wykazać.

- Idę do łóżka - westchnęła. - To był długi dzień.

Gdy Carol zgasiła światło, poczuła, jak Nelson energicznie ląduje na łóżku i mości się na jej nogach. Było coś krzepiącego w bliskości tego ciepłego ciałka, choć daleko mu do innego ciała, które jeszcze wczoraj chętnie gościłaby w swoim łóżku. Oczywiście, zaledwie dotknęła głową poduszki, odechciało się jej spać. Skrajne zmęczenie pozostało, za to pojawiła się gonitwa myśli. Boże, spraw, żeby jutro się okazało, że znowu mogą z Tonym normalnie rozmawiać. Nadal będzie czuła się upokorzona, ale to nic, w końcu jest dorosłą kobietą, profesjonalistką. Skoro już wie, że Tony kogoś ma, nie postawi go więcej w niezręcznej sytuacji, może także – skoro on wiedział, że ona już wie – Tony trochę się odpręży. Tak czy inaczej, sprawy zawodowe powinny im dostarczyć neutralnego tematu do rozmowy. Wręcz skręcało ją z ciekawości, jak wygląda dzieło Tony'ego.

Na drugim krańcu pogrążonego we śnie miasta Tony także leżał już w łóżku. Gapił się w sufit, szukał wyimaginowanych map drogowych w pęknięciach dokoła gipsowej róży. Wiedział, że nie ma sensu wyłączać nocnej lampki. Sen nadal by się wymykał, co gorsza, pod osłoną ciemności, niebawem pojawiłoby się dławiące uczucie klaustrofobii. Liczenie owiec nie pomagało i właśnie podczas tych niekończących się godzin nocnego czuwania Tony Hill stawał się swoim własnym terapeutą.

– Czemu musiałaś zadzwonić akurat dziś wieczorem? – zapytał z wyrzutem. – *Lubię* Carol Jordan. Wprawdzie nie chcę, by stała się częścią mojego życia, ale też nie chcę jej ranić. Po moich zapewnieniach, że nie mam nikogo, wysłuchiwanie, jak gruchasz do mojej sekretarki, musiała odczuć niczym policzek. Ktoś z zewnątrz powiedziałby, że prawie się nie znamy, że oboje zareagowaliśmy dziś histerycznie. Ale nikt z zewnątrz nie zrozumie więzi, bliskości, jaka niepostrzeżenie wkrada się w relacje bliskich współpracowników, kiedy stawką jest znalezienie mordercy, a zegar odmierza ostatnie chwile życia kolejnej ofiary.

Westchnął. Dobrze chociaż, że nie wyrwał się z jedynym wyjaśnieniem, w które Carol by uwierzyła – z prawdą skrywaną na samym dnie serca. Co powtarzał swoim pacjentom? „Wyrzuć to z siebie. Nie ważne, co to, mówienie o problemie jest pierwszym krokiem do uśmierzenia bólu".

– Gówno prawda – rzucił rozgoryczony. – To tylko kolejna sztuczka z czarodziejskiego kapelusza, wymyślona, by uzasadnić moją niezdrową ciekawość, obliczona na wyciągnięcie chorych wynurzeń z szajbusów, zmuszonych realizować swoje rojenia w sposób potępiany przez społeczeństwo. Gdybym zwierzył się Carol, wypowiedział to przeklęte słowo na „i", ból wcale by nie zniknął. Poczułbym się jeszcze gorzej, jak ostatni śmieć. Żaden wstyd mieć problemy z potencją na starość. Ale facet w moim wieku, któremu nie staje? Żałosne.

Wzdrygnął się, gdy zadzwonił telefon. Przewrócił się na bok i podniósł słuchawkę.

– Halo? – odezwał się z wahaniem.

– Anthony, nareszcie. Och, ależ się za tobą stęskniłam!

Zaledwie usłyszał ten senny, ochrypły głos, ogarnęła go furia, ale zgasła sekundę po tym, jak w nim rozbłysła. Przecież pomstowanie na nią nie ma sensu. Nie ona stwarza problem, ale on sam.

– Odsłuchałem twoją wiadomość – poddał się zniechęcony.

To nie jej wina, że w jego relacjach z Carol pojawiła się dziwna rezerwa; nie mieliby powodu do ochłodzenia stosunków, gdyby nie była z niego taka żałosna namiastka mężczyzny. To bez sensu, myślenie o związku z normalną, miłą osobą. Zawaliłby sprawę z Carol, tak jak rujnował swoje związki z innymi kobietami, ilekroć zbytnio się do niego zbliżyły. Najlepsze, co przy odrobinie szczęścia mogło go jeszcze spotkać, to seks przez telefon. Przynajmniej taka forma stawiała między partnerami znak równości; pozwalała mężczyźnie udawać nie tylko orgazm, ale i erekcję.

Angelica zaśmiała się gardłowo.

– Pomyślałam, że będziesz miał miłą niespodziankę po powrocie do domu. Liczę na to, że nie jesteś zbyt zmęczony na trochę relaksu...?

– Na taki relaks? Nigdy – zapewnił Tony, choć obrzydzenie do samego siebie ściskało go za krtań. Myśl o tym jako o części terapii, upomniał się w duchu. Tony położył się na plecach i pozwolił, by zmysłowy głos opływał go jak rzeka; jego dłoń powoli popełzła w dół brzucha.

Przed windą stały pochłonięte plotkami sprzątaczki, gdy Penny Burgess wysiadła na trzecim piętrze budynku *The Bradfield Evening Sentinel Times*, co dawało zmyślny skrót: BEST. Weszła do *newsroomu*, włączając w biegu światło i nucąc fałszywie pod nosem. Rzuciła torebkę na biurko obok terminala komputerowego i zalogowała się. Wpisała komendy niezbędne do tego, żeby dostać się do bibliotecznej bazy danych i klawiszem zatwierdziła komendę „wyszukiwanie". Pokazało się pięć opcji: 1. Hasło przedmiotowe; 2. Dane osobowe; 3. Autor publikacji; 4. Data; i 5. Zdjęcia. Penny wybrała dwójkę. Kiedy po haśle „nazwisko" pojawił się znak zgłoszenia DOS-u, wpisała „Hill", po następnym prompcie, za hasłem „imię", „Tony, następnie w polu „tytuł naukowy" wstukała „dr". Potem oparła się wygodnie i czekała, aż komputer przesortuje gigabajty informacji zapisanych w ogromnej pamięci. Pstryknięciem podważyła wieczko paczki i wyciągnęła pierwszego w tym dniu papierosa. Zdążyła zaciągnąć się zaledwie parę razy, kiedy na ekranie zabłysł napis: „Znalezione rekordy (6)".

Penny zaznaczyła wszystkie sześć i wyświetliła je na ekranie; były posortowane według daty w porządku malejącym. Najstarszy był pochodzący sprzed dwóch miesięcy wycinek z *The Sentinel Times*, z artykułem jednego z jej kolegów. Czytała go wtedy, rzecz jasna, ale zupełnie wyleciał jej z głowy. Przebiegła wzrokiem jego treść i gwizdnęła.

WNIKNĄĆ W UMYSŁ ZABÓJCY

Wytypowany przez Home Office ekspert, który specjalizuje się w wyłapywaniu seryjnych zabójców, wypowiedział się dzisiaj na temat brutalnego mordu, który wywołał przerażenie gejowskiej społeczności naszego miasta.

Specjalista w zakresie psychologii śledczej i sądowej Tony Hill od przeszło roku realizuje ministerialny program, po którego ukończeniu powołana zostanie ogólnokrajowa jednostka policyjna do spraw profilowania kryminalnego, zbliżona do komórki FBI, jaką mieliśmy okazję oglądać w „Milczeniu owiec".

Doktor Hill (34 l.) był wcześniej szefem zakładu psycho-
logii klinicznej przy Blamires Hospital, strzeżonej z zacho-
waniem maksymalnych środków bezpieczeństwa placówki
psychiatrycznej, w której przebywają najniebezpieczniejsi,
chorzy umysłowo przestępcy Wielkiej Brytanii, między in-
nymi masowy morderca David Harney oraz seryjny zabój-
ca Keith Pond, pseudonim „Szaleniec z autostrady".

W swoim komentarzu doktor Hill stwierdza: – Policja
nie konsultowała się ze mną w żadnym z tych przypadków,
więc wiem tyle, co wasi czytelnicy.

Albo doktor Hill łgał jak z nut, albo też oficjalnie włączył
się do sprawy dopiero jakiś czas od udzielenia wywiadu. Jeśli
to drugie było zgodne z prawdą, Penny wiedziała już, jak rzecz
wykorzystać w sposób odpowiadający redakcji. Wyobraziła
sobie nagłówek. „POGOŃ ZA ZABÓJCĄ; POLICJA IDZIE
TROPEM BEST-U". Szybko doczytała artykuł. Nie dowiedziała się nic nowego, choć zainteresował ją fakt, że zdaniem
doktora Hilla różnice w sposobie popełnienia przestępstw mogą wskazywać na obecność dwóch sprawców. Ta koncepcja
najwyraźniej przeszła bez echa. Będzie miała o co podpytać
Kevina, kiedy nastąpi cud i usłyszy w słuchawce jego głos.

Artykuł z *The Guardian* dotyczył inauguracji opracowanego
przez Home Office programu zmierzającego do stworzenia
ogólnokrajowej jednostki policyjnej do walki z seryjną przestępczością. Bazę projektu miał stanowić uniwersytet w Bradfield.
Oprócz tego Penny znalazła nieco więcej informacji o samym
doktorze Hillu. Szybko zanotowała sobie parę szczegółów do-
tyczących jego kariery zawodowej. Niegłupi facet. Będzie musiała podejść go w białych rękawiczkach. Postukiwała o zęby czubkiem długopisu i główkowała, dlaczego w *The Sentinel Times*
nie ukazał się felieton poświęcony temu studium, z notą na temat doktora Hilla. Może redakcja coś takiego planowała, ale
sprawa rozeszła się po kościach. Dowie się u kolegów z działu.

Następne dwa teksty pochodziły z ogólnokrajowego bru-
kowca; dwuczęściowa seria poświęcona seryjnym zabójcom,

sprytnie zsynchronizowana z wejściem „Milczenia owiec" na ekrany. Doktora Hilla cytowano w obu artykułach: były to ogólniki na temat pracy profilerów.

Ostatnie dwa artykuły dotyczyły jednego z najbardziej niesławnych pacjentów doktora, Keitha Ponda, pseudo „Szaleniec z autostrady". Pond uprowadził pięć kobiet z parkingów przy zjazdach z autostrady, po czym je brutalnie zgwałcił i zamordował. Do procesu odnaleziono tylko dwa ciała. Po terapii u doktora Hilla Pond ujawnił miejsce ukrycia pozostałych zwłok; doktora Hilla wychwalała pod niebiosa pogrążona w żałobie rodzina którejś z zamordowanych. Autor jednego z nich pokusił się o przedstawienie sylwetki doktora Hilla, choć wyraźnie był niedoinformowany. Taka błahostka nie przeszkodziła jednak dziennikarzowi w pogoni za sensacją.

Trwający w kawalerskim stanie doktor Hill jest całkowicie oddany swojej pracy. Dawny współpracownik komentuje: – Tony to pracoholik. Robota zastępuje mu żonę.

– Wszystko podporządkowuje obsesyjnemu pragnieniu, by zrozumieć, co dzieje się w umysłach jego pacjentów. Myślę, że w całym kraju nie znajdziecie drugiego psychologa o takim talencie do wnikania w psychikę chorego i wyjaśniania, co popycha do takich, a nie innych czynów.

– Czasami miałem wrażenie, że łatwiej mu się zrozumieć z masowymi mordercami niż z chorymi winnymi przestępstw lżejszego kalibru.

Doktor Hill to odludek: mieszka sam i znany jest z niechęci do utrzymywania kontaktów towarzyskich ze współpracownikami. Oprócz studiowania umysłów seryjnych przestępców, jego jedyne, jak się wydaje, hobby to – nomen omen – hill-walking. W wolne weekendy wypuszcza się do Lake District albo do Yorshire Dales na piesze wycieczki po wyżynach.

– Ale zabawowy facet – mruknęła Penny i nagryzmoliła coś w notesie. Wróciła do głównego menu i wybrała piątą opcję. Ponownie wpisała imię i nazwisko i czekała, aż komputer wyszuka zdjęcia. Okazało się, że w bankach danych figuruje tylko jedno. Penny je wyświetliła i wpatrzyła się w twarz na ekranie. - Mam cię! - wykrzyknęła. Wcześniej widziała go tylko raz, ale teraz poznała natychmiast: nowy współpracownik Carol Jordan.

Penny rozsiadła się wygodnie i rozkoszowała smakiem trzeciego papierosa; zauważyła, że *newsroom* powoli zaczyna się zaludniać. Jeszcze jeden szybki telefon i wpadnie na chwilę do kantyny i w nagrodę zamówi sobie jakieś jedzonko, coś kapiącego od tłuszczu. Sięgnęła po słuchawkę i wykręciła domowy numer Kevina Matthewsa. Odebrał po drugim sygnale.

- Śledczy Matthews - wymamrotał sennie.

- Hej, Kevin, tu Penny - zaszczebiotała, napawając się ciszą, która zapadła po tych słowach. - Przepraszam, że dzwonię do ciebie do domu i przeszkadzam, ale pomyślałam, że wolałbyś nie odpowiadać na moje pytania w pracy.

- C... co? - wyjąkał. Potem stłumione: - Tak, to z pracy. Śpij, kochanie.

- Od jak dawna doktor Hill jest w zespole dochodzeniowym?

- Gdzieś to wyniuchała? Cholera, to miało być ściśle tajne! - wybuchł, w mgnieniu oka od speszenia przechodząc do złości.

Penny zacmokała z ubolewaniem.

- Kev, ta twoja w życiu nie zaśnie, jak będziesz się tak wydzierał. Mniejsza o to, skąd wiem. Ciesz się, bo będziesz mógł z ręką na sercu przysięgać, że ta informacja nie wyszła od ciebie. A więc, od jak dawna, Kev?

Chrząknął.

- Raptem od kilku dni.

- To pomysł Brandona?

- Zgadza się. Posłuchaj, naprawdę nie mogę o tym mówić. To miało nie wyjść poza komisariat.

- Pracuje nad portretem psychologicznym tego sprawcy, tak?

- A jak *ty* myślisz?

- Z Carol Jordan? Błękitnooka faworyta Brandona też się tym zajmuje, co?

- Jako oficer łącznikowy. Słuchaj, muszę kończyć. Pogadamy o tym później, OK? – Kevin silił się na ton groźby, ale poniósł sromotną klęskę.

Penny uśmiechnęła się i powoli wydmuchnęła obłoczek dymu.

– Dzięki, Kev. Jestem ci winna wyjątkowo dużą przysługę. – Odłożyła słuchawkę, wpisała komendę „clrs" i otworzyła szablon artykułu.

– „Wyłączne prawa i autorstwo Penny Burgess" – wstukała. Mniejsza o śniadanie. Miała znacznie ciekawsze zajęcia.

Tony ponownie zasiadł przed komputerem o wpół do dziewiątej. Wbrew wcześniejszym obawom nie czuł się po telefonicznych sekscesach winny, ale odświeżony. Pozwolenie sobie na igraszki z Angelicą z niepojętych przyczyn rozładowało jego napięcie i odprężyło go. Wprawdzie, zważywszy na okoliczności, sam był tym faktem zaskoczony, ale naprawdę się podniecił, kiedy bez wstydu, z fantazją prowadziła go przez szczegóły wyimaginowanego stosunku seksualnego. Co prawda nie zdołał utrzymać erekcji na tyle długo, by mówić o orgazmie, lecz porażka obyła się bez świadków, więc zbytnio się nie przejmował. Może kilka telefonów od Angeliki wystarczy, by mógł myśleć o swoim życiu, nie wpadając w depresję.

Ale nie w pracy. Teraz jest mu potrzebny niezmącony spokój. Zawczasu poprosił sekretarkę, żeby nie łączyła telefonów, i wyłączył brzęczyk aparatu na biurku; miał drugą bezpośrednią linię. Nikt i nic nie zakłóci biegu jego myśli. Z satysfakcją czytał wyniki swojej wczorajszej pracy. Dojrzał do najtrudniejszego zadania, jakim było przelanie na papier ostatecznych konkluzji. Tony napełnił kubek kawą z termosu i zaczerpnął powietrza.

Mamy do czynienia z seryjnym sprawcą, który nie przestanie zabijać, dopóki nie zostanie ujęty. Następne zabójstwo przypadnie na ósmy poniedziałek od śmierci Damiena Connolly'ego, o ile nie pojawi się jakiś katalizator. Do skrajnego przyśpieszenia działań mógłby zabójcę skłonić jakieś katastrofalne zdarzenie, w następstwie którego utraciłby to, czego używa do podsycania swoich fantazji. Jeśli, na przykład, korzysta w tym celu z nagrań wideo, zaginięcie lub uszkodzenie kaset przypuszczalnie wywołałoby utratę panowania nad sobą. Inny scenariusz: przypisanie niewinnej osobie jego czynów. Byłby to dla niego taki afront, że cykl uległby skróceniu i do kolejnego morderstwa mogłoby dojść znacznie wcześniej niż przed upływem ośmiu tygodni.

Wedle wszelkiego prawdopodobieństwa wybrał już następną ofiarę i obecnie zapoznaje się z jej zwyczajami i trybem życia. Jest również bardzo prawdopodobne, że upatrzoną ofiarą jest mężczyzna nieznany w środowisku gejów. Będzie to, jak możemy przyjąć, heteroseksualny mężczyzna prowadzący heteroseksualny styl życia.

To, że ostatnią ofiarą był funkcjonariusz policji, jest bardzo niepokojące. Można zakładać, że stało się to za sprawą świadomego wyboru, a nie przypadku czy zbiegu okoliczności. W ten sposób sprawca domaga się, żebyśmy go zauważyli, byśmy zaczęli go poważnie traktować. Równocześnie mówi nam, że jest najlepszy: może wodzić nas za nos, a my nie potrafimy go złapać. Istnieje teoria zakładająca, że takie zachowanie dowodzi nieuświadomionego pragnienia, by zostać schwytanym, choć nie sądzę, by właśnie tak przedstawiała się sprawa w tym przypadku.

Możliwe, że następnym celem również będzie funkcjonariusz policji, być może nawet któryś z oficerów biorących udział w tym śledztwie. To samo w sobie nie będzie dla sprawcy wystarczająco silną motywacją do dokonania takiego, a nie innego wyboru; przyszła ofiara musi przede wszystkim spełniać ściśle określone kryteria doboru, aby akt zabójstwa mógł nabrać pełnego znaczenia. Stanowczo zachęcałbym funkcjonariuszy, którzy odpowiadają profilowi ofiary, aby zachowywali wzmożoną czujność: zwracali szczególną uwagę na podejrzane pojazdy zaparkowane w pobliżu ich domów oraz sprawdzali, czy nie są śledzeni w drodze do i z miejsca pracy oraz na imprezy towarzyskie.

Z perspektywy zabójcy, okres śledzenia i przygotowań służy dwojakim celom: zmniejsza ryzyko elementu zaskoczenia w czasie zabójstwa, jak również napędza fantazje, które stanowią najważniejszą sferę życia zabójcy.

Zabójca jest prawdopodobnie mężczyzną rasy białej, w wieku od 25 do 35 lat. Z dużym prawdopodobieństwem można też zakładać, że ma dobrze ponad metr siedemdziesiąt wzrostu, muskularną budowę z silnie rozbudowaną górną partią tułowia. Mimo to przypuszczalnie „obraz ciała", we własnej ocenie, ma bardzo niski. Może trenować na siłowni, lecz, o ile go na to stać, chętniej korzystałby z odpowiedniego sprzętu w zaciszu domowym. Jest praworęczny.

Nie wygląda na kryminalistę. Aparycję ma zupełnie przeciętną, jego zachowanie nie budzi podejrzeń. Należy do osób, które raz widziane zapomina się i których nikt nie podejrzewałby o wielokrotne morderstwo. Może mieć tatuaże oraz/lub blizny po samookaleczeniach, ale nic ostentacyjnego.

Dobrze zna Bradfield, a jego wiedza o Temple Fields jest, jak widać, aktualna. To dowodziłoby, że to człowiek mieszkający i przypuszczalnie pracujący w tym mieście. Nie sądzę, aby przyjechał tu do kogoś w gości ani też żył w innym mieście, a tu, na stare śmieci, wracał, żeby zabijać. Brak wyraźnych związków między lokalizacjami geograficznymi domów i zakładów pracy ofiar, choć wszystkie położone były dość blisko linii tramwajowej. Dom pierwszej ofiary przypuszczalnie znajduje się najbliżej miejsca zamieszkania lub zakładu pracy zabójcy. Na podstawie ogólnych informacji o ofiarach i ich stylu życia oraz w myśl zasady, że sprawca najpewniej czuje się w dobrze sobie znanym i zrozumiałym środowisku, podejrzewam, że należy się spodziewać własnościowego raczej niż wynajętego lokum – domu raczej niż mieszkania – na obszarze podmiejskim o zabudowie podobnej do okolicy domostw ofiar. Co ważne, domu mającego jednak niższą od nich wartość rynkową; sprawca dobiera ofiary z kręgu osób, do których w pewnym sensie aspiruje.

Ma zapewne ponadprzeciętny iloraz inteligencji, choć sądzę, że nie dorobił się stopnia naukowego. Świadectwa szkolne bardzo zróżnicowane, z licznymi nieobecnościami i zmiennymi wynikami w nauce, raz celującymi, raz niedostatecznymi. Nie wykorzystał swoich możliwości, ani nie sprostał oczekiwaniom, jakie w nim pokładano. Większość seryjnych zabójców ma notoryczne problemy ze znalezieniem pracy: nigdzie nie zagrzewają miejsca, przy czym częściej wskutek zwolnienia niż dobrowolnego odejścia. Niebywałe opanowanie, jakim wykazuje się sprawca tych zabójstw, pozwala jednak założyć, że jest w stanie utrzymać stałą pracę. W grę może wchodzić dość odpowiedzialne stanowisko, wymagające planowania, ale nie częstych kontaktów z ludźmi; jego relacje ze światem zewnętrznym cechują się dysfunkcyjnością. W mojej ocenie fakt, że większość ofiar – z wyjątkiem Damiena Connolly'ego – werbują się spośród pracowników biurowych, wskazuje na to, że zabójca obraca się w podobnym środowisku. Nie zdziwiłbym się, gdyby pracował w branży związanej z techniką, chociażby komputerową. W tej profesji można utrzymać dobrą posadę bez większych umiejętności interpersonalnych. Ekscentrycy są akceptowani i do zaakceptowania w dziwnym świecie inżynierów programistów; co więcej, często mają wysokie pobory, bo trudno znaleźć kogoś na ich miejsce. Wątpię, by nasz sprawca okazał się sławnym „kreatywnym" w świecie oprogramowania, ale bez zaskoczenia przyjąłbym wiadomość, że to menedżer zasobów czy tester programów. Prawdopodobnie nie najlepiej mu się układa ze zwierzchnikami z racji skłonności do niesubordynacji i kłótliwości.

Będzie się plasował w klasie średniej pod względem posady, aspiracji, stylu ubierania się i miejsca zamieszkania, choć może pochodzić z rodziny robotniczej. Nie brak mu zręczności, niemniej jestem skłonny uważać, że nie pracuje fizycznie. Przeciwko temu świadczy chociażby staranność, z jaką planuje morderstwa.

Na gruncie towarzyskim czuje się wyobcowany. Może niekoniecznie jest samotnikiem, ale nie nawiązuje z nikim więzi. To outsider. Wprawdzie posiada zapewne powierzchowne umiejętności interpersonalne, ale w jego zachowaniu uderza brak naturalności. To typ człowieka, który śmieje się odrobinę za głośno i za długo; uważa, że jest przezabawny, gdy w rzeczywistości zachowuje się wyjątkowo obraźliwie; czasem sprawia wrażenie nieobecnego, jakby śnił na jawie. Należy do osób, które właściwie nie mają znajomych, przyłączają się do grupy, ale z nikim bardziej się nie zaprzyjaźniają. Tylko częściowo zdaje sobie sprawę z własnych braków na polu społecznym. Woli żyć w świecie swoich fantazji, bo wchodząc w interakcje z ludźmi, przestaje panować nad tym, co się wokół niego dzieje.

Całkiem możliwe, że nie mieszka sam. Jeśli z kimś, to raczej z kobietą. Przede wszystkim dlatego, że mężczyźni pociągają go seksualnie, a on nie jest w stanie zaakceptować swojej orientacji, będzie więc czuł się bezpieczniej dzieląc dom z kobietą. Może nawet pozostaje z nią w związku o charakterze seksualnym. Nie jest jednak entuzjastycznym ani zbyt dobrym kochankiem. Jego sprawność seksualna jest minimalna, może również notorycznie doświadczać problemów z osiągnięciem oraz/lub utrzymaniem erekcji. Natomiast w czasie dokonywania zbrodni nie będzie miał ze wzwodem najmniejszych problemów i z blisko stuprocentowym prawdopodobieństwem jest w stanie odbyć pełny akt seksualny – taki czy inny – ze swoją ofiarą.

Tony oderwał wzrok od monitora i zagapił się w okno. Czasem było to jak dylemat z jajkiem i kurą. Współczuł pacjentom dlatego, że znał z autopsji frustrację i gniew, jakie rodzi impotencja, też doświadczał problemów seksualnych, bo podświadomie chciał lepiej ich zrozumieć?

– Co to właściwie za różnica? – żachnął się. Przegarnął włosy i zabrał się do dalszej pracy.

Jeżeli rzeczywiście mieszka z kobietą, to z pewnością nie podejrzewa ona, że jej partner to seryjny zabójca. Toteż wydaje się dość prawdopodobne, że w pierwszej chwili, przekonana o jego niewinności, chętnie da mu alibi. W związku z tym należy zaznaczyć, że podejrzanych, których alibi potwierdzają tylko ich żony albo dziewczyny, nie powinno się wykluczać z kręgu zainteresowań policji na tej tylko podstawie.

Sprawca niewątpliwie nie jest zależny od publicznych środków transportu: dysponuje własnym samochodem, w dobrym stanie technicznym (patrz wyżej). Ponadto w poniedziałkowe wieczory ma dużo wolnego czasu.

To osobowość wysoce złożona, ogarnięta maniakalną potrzebą panowania nad wszystkimi i wszystkim. Dostaje napadu furii, kiedy dziewczyna zapomni kupić jego ulubione płatki śniadaniowe. Nie odczuwa poczucia winy, sądzi raczej, że popełniając morderstwo, robi coś, co chciałby zrobić każdy, gdyby nie brak odwagi. Ma niesprecyzowaną urazę do świata i żyje w poczuciu, że otoczenie sprzysięgło się przeciwko niemu; jak to możliwe, że nie rządzi firmą, zamiast wykonywać tę parszywą robotę, skoro jest taki błyskotliwy i utalentowany? Jak to się dzieje, że choć taki czarujący, nie jest związany z jakąś supermodelką? Odpowiedź brzmi: wszyscy tylko czekają, żeby go zgnoić. Ma egocentryczny ogląd świata typowy dla rozpieszczonych dzieci, a równocześnie nie potrafi ocenić, jak jego działania wpływają na innych. Nie dostrzega nic oprócz tego, jak zdarzenia wpływają na niego.

To notoryczny fantasta i marzyciel. Jego fantazje są obmyślone w najdrobniejszym szczególe i, jak się wydaje, ważniejsze dla niego od rzeczywistości. Ucieka w świat wyobraźni: z wyboru, ale także zawsze, ilekroć staje przed problemem czy przeszkodą w życiu codziennym. Wyobrażenia te przypuszczalnie obfitują w sceny przemocy, jak również seksu, mogą także mieć charakter fetyszystyczny. Fantazje nie są jednak statyczne; szybko tracą swoją moc, więc z konieczności podlegają ciągłym przeobrażeniom.

Jest przekonany, że może te swoje sadystyczne wizje

urzeczywistniać bez końca, że nigdy nie zostanie schwytany. Uważa się za sprytniejszego od policji. Nie planuje, jak zachowa się w dniu, kiedy zostanie zatrzymany. Pochlebia sobie, że jest zbyt mądry, by dać się złapać. Bardzo dokładnie zaciera za sobą ślady kryminalistyczne, co prowadzi do wniosku, który w zarysie przedstawiłem już inspektor Jordan. Mianowicie taki, że fragment jeleniej skóry z Rosji, pozostawiony na miejscu czwartego zabójstwa, to zwykła zmyłka, bezczelna prowokacja najgorszego rodzaju. Z pewnością pilnie śledzi rozwój śledztwa i setnie się uśmieje, kiedy znajdzie w prasie informacje, że marnujemy czas usiłując ustalić jej pochodzenie. Nawet jeśli policjantom uda się zidentyfikować źródło, to, jak podejrzewam, kiedy schwytamy zabójcę, w jego posiadaniu nie będzie znajdowało się nic, co bodaj odlegle wiązałoby się z uzyskaną próbką.

Jeżeli kiedykolwiek notowany, to raczej w związku z młodzieńczymi wybrykami. Do możliwych wykroczeń należą: wandalizm, podpalenia na małą skalę, kradzieże, okrucieństwo wobec młodszych dzieci lub zwierząt, napaść na nauczyciela.

Jest na bieżąco z wynikami śledztwa, na tyle, na ile to możliwe. Zachwyca go uwaga mediów, dopóki, w jego poczuciu, przypisują mu chwałę i szacunek, których nigdy mu dość. Na uwagę zasługuje fakt, że grób Adama Scotta został zbezczeszczony w niedługim czasie po drugim morderstwie. Akt ten mógł stanowić próbę podniesienia rangi i nagłośnienia jego zbrodni. Możliwe, że ma kontakty z funkcjonariuszami policji, i jeśli istotnie tak jest, to będzie starał się je wykorzystać, aby możliwie najwięcej dowiedzieć się na temat postępów w śledztwie. Byłoby najlepiej, gdyby każdy funkcjonariusz, który ma wrażenie, że ktoś próbuje z niego wyciągnąć tego rodzaju informacje, bezzwłocznie informował o tym fakcie starszych stopniem oficerów z zespołu śledczego.

Tony zapisał plik i ponownie czytał tekst. Część psychologów, z którymi miał okazję pracować, dużo uwagi poświęcała środowisku, w jakim przypuszczalnie przebiegało dzieciństwo zabójcy, oraz podawała listę typowych zachowań, jakie mógł przejawiać w okresie dorastania. Ale nie Tony. Na takie detale przyjdzie czas, gdy podejrzany zostanie zatrzymany i dojrzeje do przesłuchania. Tony nigdy nie zapominał, że ma do czynienia z gliniarzami, którzy odwalają za niego najcięższą i najbardziej niebezpieczną robotę. Z ludźmi takimi jak Tom Cross, którzy mieli gdzieś to, jakie okropieństwa przeżył w dzieciństwie podejrzany.

Myśl o Tomie Crossie sprawiła, że Tony spojrzał na swoje dzieło bardziej krytycznym okiem. Przekonać tego człowieka, że profil sprawcy jest coś wart, to dopiero prawdziwy koszmar.

Pierwsze wydanie *The Bradfield Evening Sentinel Times* trafiło na ulice tuż przed dwunastą w południe. Gorliwi poszukiwacze mieszkań, pracy i wszelakiego rodzaju okazji błyskawicznie wykupili pierwszy nakład od ulicznych sprzedawców, nie zerkając nawet na tytułową stronę. Od razu przerzucali się na rubryki ogłoszeń drobnych, wypatrując odpowiedzi na swoje bolączki, a strony pierwsza i ostatnia wystawione zostały na spojrzenia przechodniów. Każdy, komu chciałoby się zerknąć na krzykliwe nagłówki, przeczytałby: „SZEF EKIPY POSZUKUJĄCEJ MORDERCĘ IDZIE W ODSTAWKĘ. *Materiał pióra naszej korespondentki kryminalnej, Penny Burgess*".

Poniżej, w prawym dolnym rogu, widniało zdjęcie Tony'ego, duże na ćwierć strony i opatrzone podpisem: „POGOŃ ZA MORDERCĄ; GLINIARZE IDĄ ZA TROPEM BEST-U. Wyłączne prawa i autorstwo: Penny Burgess". Gdyby ów ktoś zainteresował się i kupił sobie gazetę, mógłby przeczytać podtytuł o następującej treści: „Wskazany przez nas spec od psychologii przyłącza się do poszukiwań Homobójcy, cd. str. 3".

W jednym z tysięcy biur, wysoko ponad ruchliwymi ulicami Bradfield, osoba, która wywołała całe to zamieszanie, wpatrywała się w gazetę i płonęła z podniecenia. Wszystko szło jak z płatka. Zupełnie jakby policja urzeczywistniała fantazje, zrodzone w jej wyobraźni, udowadniając, że marzenia naprawdę się spełniają.

Z 3,5-CALOWEJ DYSKIETKI O NAZWIE: KOPIA_ZA-PASOWA.007; PLIK MIŁOŚĆ.012

Cały świat wyległ na ulice kupować bożonarodzeniowe prezenty; będą je spłacać jeszcze na Wielkanoc, głupcy. Jestem w moim lochu i czynię przygotowania, dzięki którym to Bo-że Narodzenie stanie się niezapomniane. Mimo że dla Gare-tha te święta będą ostatnimi na tej ziemi, nie mam najmniej-szych wątpliwości, że każdy szczegół zapisze się w jego pa-mięci równie trwale jak na mojej taśmie.

Przebieg naszego spotkania był obmyślony z całą metodycz-nością i ścisłością, na jakie mnie stać. Nadejście tej suki ozna-czało jednak, że mogę zapomnieć o planie porwania go z domu, który tak doskonale sprawdził się w przypadkach Adama i Pau-la; za duże ryzyko. Toteż, chcąc, nie chcąc, zmieniam plany.

Posyłam mu zaproszenie. Podejrzewam, że w Wigilię będzie zajęty, albo przez rodzinę, albo przez tę sukę, toteż decyduję się na dwudziestego trzeciego grudnia. Zaproszenie obwaro-wuję warunkami. Wiem, że nie oprze się pokusie i nie będzie chciał pokazać go tej suce. Ostatnie zdanie brzmi: „Wstęp wy-łącznie za zaproszeniem". Sprytnie. Oznacza to, że będzie mu-siał przynieść ze sobą jedyny dowód naszych kontaktów.

Umieszczony na odwrocie opis dojazdu – na wypadek, gdy-by postanowił z wyprzedzeniem sprawdzić – prowadził do domku letniskowego położonego wysoko na odludnych wrzosowiskach między Bradfield a Yorkshire Dales; w prze-ciwnym kierunku niż farma Start Hill z przytulnym lochem. Najpewniej tamtejszy domek letniskowy rzeczywiście został wynajęty na okres świąt. Nie zamierzam jednak dać Garetho-wi sposobności, by dotarł aż tak daleko.

Noc jak z kiczowatej świątecznej pocztówki; kredowobiały sierp księżyca, gwiazdy migoczące jak diamenciki na wizytowym zegarku, trawa i żywopłoty pobielone szadzią. Zatrzymuję auto na skraju jednopasmówki, prowadzącej przez wrzosowiska w kierunku opisanego w zaproszeniu domku letniskowego i kilku farm. W oddali widzę dwupasmową asfaltówkę do Bradfield, wstęgę czarodziejskich świateł rozciągniętą w poprzek Gór Penińskich.

Włączam awaryjne, wysiadam z jeepa i otwieram bagażnik. Układam wszystkie potrzebne rzeczy tak, by były pod ręką, potem opieram się o przedni błotnik i czekam. Jest piekielnie zimno, ale ledwie to zauważam. Moje obliczenia okazują się trafne. Nie mija więcej niż pięć minut, a już słychać rzężenie silnika samochodu wjeżdżającego pod strome zbocze. Zza zakrętu w dole wyłaniają się snopy światła i wyskakuję na drogę, dziko machając rękami; staram się wyglądać na osobę zmarzniętą i zmartwioną.

Wiekowy escort hamuje gwałtownie tuż przed moim jeepem. Wykonuję kilka niepewnych kroczków w kierunku forda, Gareth otwiera drzwiczki i wysiada.

– Jakiś problem? – pyta. – Obawiam się, że nie znam się na samochodach, ale może mógłbym gdzieś podrzucić?

Uśmiecham się.

– Dziękuję, że się pan zatrzymał – mówię.

Podchodzi, ale wyraz jego twarzy nie ulega zmianie. Nie poznał mnie. Nienawidzę go za to. Cofam się w stronę jeepa, wskazując gestem zawartość bagażnika.

– To nic takiego – zapewniam. – Po prostu przydałaby mi się dodatkowa ręka. Gdyby tylko zechciał pan na moment przytrzymać to tutaj, to zaraz dokręcę nakrętkę... – Kiwam w kierunku silnika. Gareth pochyla się nad bagażnikiem. Łapię klucz i walę z całej siły.

Po upływie pięciu minut leży skrępowany ciaśniej niż baleron w bagażniku własnego auta. Mam jego kluczyki, portfel i zaproszenie. Jadę na drugi koniec miasta. Na farmie bez ceregieli zrzucam, bezwładnego, ze schodów do piwniczki. Na razie tylko na to starcza mi czasu, bo muszę jeszcze wrócić po jeepa.

Jadę do centrum Bradfield samochodem Garetha i porzucam auto w Temple Fields, w bocznej uliczce za Crompton Gardens. Nikt nic nie zauważył; ci, co się tam kręcili, balowali na całego. W niecałe dziesięć minut docieram pieszo na stację metra.

Potem dwadzieścia minut metrem oraz kwadrans energicznego spacerku i jestem przy moim jeepie. Zbliżam się ostrożnie. Nikogo nie widać, nic nie sugeruje także, by ktoś przy nim gmerał. Wracam na farmę Start Hill, pogwizdując melodię kolędy Hark The Herald Angels Sing.

Włączam światło: ciemnoszare oczy Garetha wodzą za mną z nienawiścią. Podoba mi się to. Po żałosnym przerażeniu Adama i Paula to miła odmiana, mężczyzna, który ma trochę ikry. Zdławione stęknięcie, jakie wydobywa się z ust zaklejonych taśmą, brzmi raczej gniewnie niż błagalnie.

Pochylam się nad nim i pieszczotliwym gestem odgarniam mu włosy z czoła. W pierwszej chwili dziko uchyla się przed moim dotykiem, ale potem uspokaja się i nieruchomieje z błyskiem wyrachowania w oczach.

– Od razu lepiej – chwalę. – Nie warto walczyć, nie warto się opierać.

Kiwa potakująco i postękuje niezrozumiale, wskazując oczami knebel. Klękam przy nim i ujmuję róg plastra chirurgicznego. Kiedy mój chwyt jest pewny, zdzieram go jednym szybkim ruchem. Tak jest mniej nieprzyjemnie, niż kiedy odkleja się go powoli.

Gareth porusza szczęką, oblizuje suche wargi. Spopiela mnie wzrokiem.

– To ci pierdolona imprezka – warczy, choć głos lekko mu drży.

– Dokładnie taka, na jaką zasługujesz – stwierdzam.

– Jak, do kurwy nędzy, udało ci się to odgadnąć? – nie tyle pyta, co domaga się odpowiedzi.

- Jesteśmy sobie przeznaczeni. Ale ty zadałeś się z tą larwą. W dodatku myślałeś, że się o tym nie dowiem.

W jego oczach błysnęło zrozumienie.

- To ty jesteś... - zaczyna.

- Zgadza się - ucinam. - Zatem już wiesz, dlaczego się tu znalazłeś. - Mój głos jest zimny jak kamienna posadzka, na której stoję. Prostuję się z urazą i podchodzę do ławy, na której, schludnie ułożone, czekają narzędzia.

Gareth znowu coś mówi, ale zatykam sobie uszy na jego głos. Wiem, jak przekonujący umieją być prawnicy, ale ani mi się śni zboczyć z obranego kursu tylko dlatego, że ktoś próbuje mnie omamić słodkimi słówkami. Otwieram zacisk strunowy i wyjmuję z torebki gazik nasączony chloroformem. Ponownie staję przodem do Garetha i klękam przy nim. Jedną ręką chwytam go za włosy, drugą przyciskam gazik do jego ust i nosa. Miota się konwulsyjnie z taką siłą, że w dłoni zostaje mi kłąb włosów, nim ostatecznie traci przytomność. Gdyby nie lateksowe rękawiczki, pokaleczyłby mi dłonie. A lepiej nie myśleć, co by się stało, gdyby krople mojej krwi zostały na jego ciele.

Korzystając z tego, że jest nieprzytomny, rozcinam na nim ubranie. Z Judaszowego krzesła odpinam skórzany pas i opasuję nim Garetha pod pachami. Następnie mocuję pas na haku, stanowiącym część prymitywnego podnośnika z wyciągarką, wcześniej przytwierdzonego do belki stropowej. Podciągam Garetha i po paru minutach dynda u sufitu niczym pęk jemioły w przeciągu. Po tym, jak uniósł się w powietrze, rozpięcie kajdanek i przywiązanie go do mojej świątecznej „choinki" staje się kwestią chwili.

Patrzę na przyśrubowane do ściany dwie deski tworzące prowizoryczny krzyż świętego Andrzeja, pokryte gęsto kolczastymi gałęziami niebieskawego świerku norweskiego. Do każdego ramienia krzyża przytwierdzone są skórzane pasy, zapięte teraz wokół nadgarstków i kostek Garetha. Rozwieram jego zaciśnięte pięści i plastrem przyklejam wyprostowane palce do krzyża. Na koniec zdejmuję hak i pozwalam, by całym ciężą-

rem zawisł na pasach obejmujących nadgarstki. Jego ciało wiot-
czeje niepokojąco i przez chwilę martwię się, czy pasy okażą
się dostatecznie wytrzymałe. Słychać trzask skóry, a potem zalega cisza. Wisi na ścianie lochu jak umęczony apostoł.

Wyciągam dwuobuchowy młotek i naostrzony przecinak
ślusarski, który wydał mi się najodpowiedniejszy do tego zadania. Będziemy razem do wieczoru Bożego Narodzenia. Zamierzam rozkoszować się każdą minutą naszych dwudziestu
czterech godzin.

12

*„Jedynie bardzo nieliczni popełniają morderstwo z filantro-
pijnych bądź patriotycznych pobudek [...]. Co się zaś tyczy
większości morderców, to są to osoby o bardzo niewłaściwym sposobie myślenia".*

(przełożyła Magdalena Jędrzejak)

Czwórka inspektorów siedziała z kamiennymi twarzami
w pomieszczeniu, które do niedawna było gabinetem Toma
Crossa, John Brandon zaś przedstawiał im oficjalny powód
zawieszenia nadinspektora. Czasami Brandon żałował, że nie
może na chwilę stać się jednym z „chłopaków" i wyjaśnić swoich pobudek bez poczucia, że podkopuje własny autorytet.

– Musimy przejść nad tym do porządku i skupić się na roz-
woju śledztwa – oznajmił z mocą. – A więc, jak się przedstawia sytuacja z McConnellem?

Kevin pochylił się do przodu.

– Postąpiłem zgodnie z szefa instrukcjami. Opuścił areszt
tuż przed północą i od tamtej chwili ekipa siedzi mu na ogo-
nie. Nawet palca u nogi nie wytknął, gdzie nie trzeba. Ruszył

prosto do domu i chyba od razu walnął się do łóżka, bo zgasły wszystkie światła. Dzisiaj jest na nogach od ósmej rano, jakiś czas temu pojechał do pracy. Mam w tej siłowni jednego chłopaka, niby że się chce zapisać, i drugiego, który kręci się przed wejściem.

– Tak trzymać, Kevin. Coś jeszcze? Dave, jakieś rewelacje na froncie komputerowym?

– Mamy huk numerów rejestracyjnych i nazwisk gości z wcześniejszymi aresztowaniami za wykroczenia i przestępstwa, które miały coś wspólnego z homoseksualistami, od napaści po uprawianie seksu w miejscu publicznym. Powoli szykujemy się do zestawienia tych danych z listą osób, które rezerwowały kiedykolwiek wakacje w Rosji; Don Merrick męczy o nią biura podróży. Jak już zobaczymy dzieło Hilla, może zdołamy wytypować konkretnych podejrzanych, na razie idzie pod górkę, szefie.

Carol zabrała głos:

– Niektóre zrzeszenia ciężarowców obiecały, że dostarczą nam listy sportowców, którzy albo wyjeżdżali do Rosji, albo współzawodniczyli z rosyjskimi ekipami.

Dave odpowiedział grymasem.

– I fajnie, więcej tych cholernych list – mruknął.

– Mam znajomego w branży skórzanej – wtrącił Stansfield. – Największy importer w Zjednoczonym Królestwie. Pytałem go o ten znaleziony kawałek i powiedział, że skoro to jelenia skóra, to najpewniej nie była to zwykła robocza kurtka, jakich od groma. Mówi, że raczej pasowałaby do kogoś z aspiracjami, ale nie na wysokim stanowisku. No, wiecie. Na przykład inspektora policji. – Wyszczerzył zęby. – Albo średniego szczebla urzędnika miejskiego, któremu zachciewa się lepszego koryta. Drugiego oficera na statku. No, kogoś takiego.

Dave się skrzywił.

– Powiem tym od HOLMES-a, żeby mieli oko na byłych ludzi KGB.

Brandon otwierał już usta, żeby wygłosić jakiś komentarz, gdy rozdzwonił się telefon. Złapał słuchawkę i rzucił zwięźle:

- Tu Brandon. - Jego twarz stała się nagle pozbawiona wyrazu; w tej chwili przypominał nie tyle kierownika, co klienta zakładu pogrzebowego. - Tak, szefie. Zaraz tam będę. - Łagodnym gestem odłożył słuchawkę i podniósł się. - Komendant wprost umiera z ciekawości, jak to się stało, że dzisiejsza gazeta wieczorna zamieściła to, co tam jest. - Przy drzwiach zatrzymał się jeszcze i wycedził: - Jestem przekonany, że ten, komu zachciało się prać nasze brudy przy Penny Burgess, liczył na to, że przekonam komendanta, żeby nie robił pokazówki. - Posłał Carol lodowaty uśmiech. - Ten albo ta.

Tony zamknął gabinet na klucz, pomachał wesoło do sekretarki i uśmiechnął się radośnie.

- Wychodzę na lunch, Claire. Pewnie będę w Café Genet w Temple Fields. Inspektor Jordan jest umówiona na trzecią, ale zdążę do tego czasu wrócić. W porządku?

- Na pewno nie chce pan oddzwonić do któregoś z dziennikarzy? Wydzwaniali tyle razy - zawołała za nim Claire.

Tony odwrócił się i zaczął rakiem wycofywać w stronę wyjścia.

- Jacy dziennikarze? - spytał.

- Chociażby ta Penny Burgess z *The Sentinel Times*. Magluje mnie co pół godziny od mojego przyjścia. No, a w ciągu ostatniej godziny dobijali się ze wszystkich ogólnokrajowych gazet i z rozgłośni „Radio Bradfield".

Tony zmarszczył czoło, zasępiony.

- Po cholerę? - zdumiał się. - Mówili, o co chodzi?

- Nie jestem psychologiem, Tony, ale sądzę, że może chodzić o *to*. - Claire pokiwała egzemplarzem *The Sentinel Times*, kupionym nieco wcześniej w kiosku na terenie kampusu.

Tony stanął jak wryty. Nawet z drugiego końca pomieszczenia bez trudu odczytał nagłówki i rozpoznał swoje zdjęcie na pierwszej stronie. Jak opiłek żelaza do magnesu, Tony zbliżał się do Claire z oczami wlepionymi w gazetę, póki nie dostrzegł imienia i nazwiska Penny Burgess pod dwoma artykułami.

- Można? - spytał ochryple, sięgając po gazetę.

Claire śledziła reakcję Tony'ego. Lubiła go, ale szef to szef, totez nie bez cienia złośliwego zadowolenia przyglądała się jego mękom. Czytał z rosnącym przerażeniem.

Doktor Hill ma wszelkie atuty, by znaleźć klucz do pokrętnego umysłu Homobójcy. Oprócz dwóch tytułów uniwersyteckich oraz nieprzebranego doświadczenia w bezpośredniej pracy ze skazanymi na więzienie zboczeńcami, którzy terroryzowali społeczeństwo, dorobił się reputacji człowieka niezłomnie dążącego do celu.

Jeden z jego kolegów komentuje: - Poślubił swoją pracę. Tylko dla niej żyje. Jeżeli ktokolwiek może złapać Homobójcę, to właśnie Tony Hill.

- Teraz to już kwestia czasu, jestem o tym przekonany. Tony jest niestrudzony. Nie spocznie, dopóki nie rozłoży tego potwora na łopatki.

- Powiedzmy sobie szczerze, Tony to mózg pierwsza klasa. Seryjni zabójcy mogą mieć wysokie IQ, ale nigdy nie są dość bystrzy, by wcześniej czy później nie wylądować za kratkami.

- Chryste Panie - jęknął Tony.

Pomijając to, że żaden z jego szanujących się kolegów nie udzieliłby takiego bzdurnego wywiadu, artykuł był równoznaczny z rzuceniem rękawicy Handy'emu Andy'emu. Brzmiał jak wyzwanie. Tony nie wątpił zaś, że Handy Andy weźmie się na sposób, by je podjąć. Cisnął gazetę na biurko, wpatrując się w nią ze ściągniętymi brwiami.

- Trochę w tym przesady - odezwała się Claire współczująco.

- Przesady? Mniejsza o to, to cholernie nieodpowiedzialne! - Tony wpadł w furię. - Och, pieprzyć to. Idę na lunch. Jeśli zadzwoni komendant, przekaż mu, że dzisiaj się tu nie pokażę.

Pomaszerował do wyjścia.

- A inspektor Jordan? Co powiedzieć, jak zadzwoni?

- Że wyjechałem z kraju, wszystko jedno. - W otwartych drzwiach zawahał się. - Nie, nie, żartowałem. Powtórz jej, że wrócę na nasze spotkanie.

Czekając na windę, Tony zdał sobie sprawę, że doświadczenie nie przygotowało go na bezpośrednie starcie z zabójcą. Tym razem będzie zmuszony improwizować.

Kevin Matthews dopił piwo i pokiwał pustą szklanką w stronę barmanki.

– Nawet jeśli to podpucha, tak czy inaczej musiał mieć dostęp do tej zasranej nietypowej skóry, no nie? – spytał z uporem Carol i Merricka. – Jeszcze raz to samo?

Merrick przytaknął skinieniem.

– A ja tym razem wezmę kawę, Kevin – oświadczyła Carol. – I rzuć mi menu, dobrze? Przeczucie mi mówi, że czeka mnie długa sesja z doktorkiem, a on ma paskudny zwyczaj zapominania o jedzeniu.

Kevin zamówił napoje, potem ponownie zwrócił się ku Carol. Z nieustępliwością, której zawdzięczał awans, drążył poprzedni wątek.

– Ale mam rację, no nie? Żeby podrzucić ten strzępek, nie tylko musiał mieć dostęp do takiej skóry, ale też wiedzieć, że to nietypowa rzecz.

– Zgoda – poddała się Carol.

– Czyli szukanie jej źródła to wcale nie strata czasu, tak?

– Nigdy nie twierdziłam inaczej – przypomniała Carol cierpliwie. – Więc jak, opowiesz mi wreszcie, co to za numer z Crossem czy będę musiała pójść za przykładem naszego mordercy i wyjąć sprzęt do torturowania?

Kiedy Kevin wyjaśniał, co zaszło, Merrick odpłynął myślami; historii z Crossem miał już powyżej uszu. Oparł się o barowy kontuar i dyskretnie przyglądał się. Wprawdzie Sackville Arms nie był pubem położonym najbliżej komisariatu przy Scargill Street, ale serwowano tu beczkowego tetleysa z Yorkshire oraz manchesterskiego boddingtonsa, co w nieunikniony sposób czyniło z Arms lokal popularny wśród gliniarzy. Mieścił się na obrzeżach Temple Fields, dzięki czemu w czasach, kiedy komisariat na Scargill Street jeszcze funkcjonował, w oczach miejscowych funkcjonariuszy zyskiwał dodatkowe atuty. Dzięki tej lokalizacji, prostytutki i płotki przestępczego świata, które chciały akurat szepnąć słówko zaprzyjaźnionemu oficerowi, mogły to zrobić dyskretnie. Raptem w kilka miesięcy od zamknięcia komisariatu pub przeszedł wyraźną przemianę. Stali bywalcy przyzwyczaili się, że mają lokal wyłącznie dla siebie, i wytworzył się zauważalny dystans między gliniarzami a resztą gości. Policjanci, którzy usiłowali wykorzystać lokal do rekrutowania nowych informatorów z półświatka, spotkali się z lodowatym przyjęciem. Mimo przebywającego na wolności seryjnego zabójcy, nikt nie chciał wpaść w nałóg donosicielstwa, skoro raz już się od niego uwolnił.

Merrick powoli omiatał salę oczami, z zawodowego nawyku szufladkując gości. Dziwka, dealer, małolat szukający sponsora, alfons, bogacz, biedak, żebrak, mięczak. Z tych rozważań wyrwał go głos Carol.

– Co sądzisz, Don? – usłyszał.

– Przepraszam, myślami byłem mile stąd. Może pani powtórzyć? Co sądzę o czym...?

– O tym, że najwyższa pora, żebyśmy się trochę zakręcili przy tych tutaj i wystarali się o własną wtyczkę, zamiast polegać na panienkach obyczajówki. Tak się opatrzyły na mieście, że wyszłabym na dwór sprawdzić, gdyby mi mówiły, że pada.

– Mniejsza o dziewczynki – wtrącił Merrick. – Psiakrew, powinniśmy lepiej zorientować się, jak wygląda środowisko gejów. Nie mówię o chłopakach, którzy się ujawnili i manifestacyjnie balują w Hell Hole. Chodzi mi o ścichapęków. Takich, co to się nie afiszują. Bo właśnie tacy mogli mieć z tym facetem styczność. To znaczy, z tego, co kiedykolwiek czytałem o seryjnych zabójcach, wychodzi na to, że nie zawsze za pierwszym razem zabijają, czasem robią coś w guście przymiarki. Rozpruwacz z Yorkshire, na przykład. Może więc czeka na nas jakiś wystraszony facecik, który potajemnie wzdycha do chłopców i który niedawno zebrał niezłe bęcki, bo sytuacja wymknęła się spod kontroli. Możliwe, że tędy droga do ruszenia śledztwa.

– A Bóg jeden wie, jak nam tego potrzeba – przytaknął

Kevin. - Ale skoro nie wiemy, jak to robią, że jeden zawsze spiknie się z drugim, jakim cudem się z nimi spikniemy?

- Na kłopoty najlepszy *policjant* - oznajmiła Carol tonem głębokiej zadumy.

- Że co? - Kevina zatkało.

- Przecież w policji też służą geje. I pewnie lepiej niż w innych zawodach wiedzą, jak nie zwracać na siebie uwagi. Oni będą wiedzieli.

- I tak nic z tego - upierał się Kevin. - Skoro stają na uszach, żeby uchodzić za hetero, to jak do nich trafimy?

- W londyńskiej jednostce jest stowarzyszenie funkcjonariuszy gejów i lesbijek. Może skontaktujemy się z nimi, nieoficjalnie, i poprosimy o pomoc? Z pewnością trafi się ktoś z kontaktami w Bradfield.

Merrick wpatrywał się w Carol z podziwem, Kevin z rozgoryczeniem; obaj zastanawiali się w milczeniu, jak to jest, że inspektor Jordan zawsze ma gotową odpowiedź.

Tom Cross łypnął na pierwszą stronę *The Sentinel Times* i usta mu wykrzywił złośliwy uśmieszek, od którego koniuszek papierosa zaczął podrygiwać to w górę, to w dół. Niech się ta Burgess podnieca myślą, że umiejętnie posterowała przebiegiem ich wczorajszej rozmowy, ale Tom Cross wiedział swoje. Odegrał rolę pająka, ona wystąpiła w roli muchy; zachowała się dokładnie tak, jak od niej oczekiwał. Chociaż nie, musi oddać jej honor. Wprost przerosła jego oczekiwania. Ten tekst o policji kulawo i z potknięciami podążającej za wskazówkami reporterów *The Sentinel Times*, którzy od początku wiedzieli, że pieprzony doktor Hill jest rozwiązaniem wszystkich problemów.

Dziś w policji miasta Bradfield będzie wielu gniewnych ludzi. I to właśnie stanowiło element zemsty w partii, jaką Tom Cross rozegrał z Penny Burgess. A co najważniejsze, rozjuszy się ktoś jeszcze: kiedy zabójca przeczyta wieczorną gazetę, mina porządnie mu zrzednie, ale to dopiero początek.

Tom Cross zgasił papierosa i siorbnął herbaty z kubka. Złożył gazetę, rzucił ją na stolik i zagapił się w okno kafejki. Przypalił następnego papierosa. Postanowił sobie, że sprowokuje Homobójcę. Sprowokowany, stanie się nieostrożny i zacznie popełniać błędy. A kiedy Stevie'mu McConnellowi podwinie się noga, Tom Cross będzie czekał zwarty i gotowy. Pokaże tym żałosnym dupkom z szefostwa, jak się łapie mordercę.

Tony wrócił do gabinetu za dziesięć trzecia. Mimo to Carol go ubiegła.

– Jest inspektor Jordan – poinformowała go Claire, zaledwie stanął w drzwiach sekretariatu. Skinęła głową w kierunku gabinetu. – Czeka tam na pana. Powtórzyłam jej, że pan będzie.

Tony uśmiechnął się sztucznie. Oparł rękę na klamce, kurczowo zacisnął powieki i zrobił głęboki wdech. Z przyklejonym do ust serdecznym, jak miał nadzieję, powitalnym uśmiechem, wkroczył do środka. Kiedy zgrzytnęły zawiasy, Carol odwróciła się od okna i rzuciła mu chłodne, taksujące spojrzenie. Tony zamknął drzwi i oparł się o nie plecami.

– Wyglądasz jak ktoś, kto właśnie wdepnął w kałużę po kostki – skomentowała Carol.

– Zatem nie jest tak źle – oznajmił Tony z wyraźną nutą ironii. – Najczęściej mam wrażenie, że tkwię w tym bajorze po czubek głowy.

Carol postąpiła krok w jego stronę. Przed przyjazdem przećwiczyła sobie, co mu powie.

– Nie ma powodu, żebyś się tak przy mnie czuł. Wczorajszego wieczoru... cóż, nie do końca byłeś ze mną szczery i źle odczytałam twoje intencje. Proszę, możemy zapomnieć o całej sprawie i skupić się na tym, co dla nas obojga jest najważniejsze?

– A mianowicie? – spytał Tony beznamiętnym głosem terapeuty, tonem raczej typowym dla grzecznościowej wymiany zdań niż zaczepnym.

– Współpraca, dzięki której ten zabójca trafi za kratki.

Tony odepchnął się od drzwi i szybko skierował w stronę fotela. Siedząc, czuł się bezpieczniej, zwłaszcza jeśli od Carol odgradzał go blat biurka.

– Mnie to odpowiada. – Uśmiechnął się krzywo. – Wierz

mi, jestem o wiele znośniejszy w relacjach czysto zawodowych niż w tych innych. Pociesz się, że wywinęłaś się z tego w ostatniej chwili.

Carol podeszła do biurka, przyciągnęła drugi fotel i usiadła naprzeciwko Tony'ego. Swobodnie skrzyżowała nogi w wygodnych spodniach, po czym splotła ręce na kolanach.

– Zatem zerknijmy na ten portret.

– Nie musimy zachowywać się jak para nieznajomych – powiedział Tony cicho. – Szanuję cię i podziwiam twoją otwartość, chęć poznawania nowych punktów widzenia. Posłuchaj, do... do tego, co wydarzyło się wczoraj wieczorem, myślałem, że jesteśmy na najlepszej drodze do przyjaźni wykraczającej poza ramy zawodowe. Czy to takie złe? Nie moglibyśmy do tego wrócić?

Carol wzruszyła ramionami.

– Nie łatwo się przyjaźnić z kimś, przed kim zdradziło się swoje słabości.

– Nie sądzę, by okazywanie komuś, że nam się podoba, należało uznać za słabość.

– Głupio mi – wyznała Carol, nie rozumiejąc, dlaczego mówi tak otwarcie. – Nie miałam prawa niczego od ciebie oczekiwać. Jestem na siebie zła.

– I na mnie, jak podejrzewam – dorzucił Tony. Przeprawa okazała się znacznie mniej bolesna, niż to sobie wyobrażał. Arsenał zawodowych sztuczek najwyraźniej jeszcze nie zardzewiał, pomyślał z ulgą.

– Na siebie bardziej – wyznała Carol. – Ale przeżyję. Dla mnie najważniejsze jest to, żebyśmy wykonali nasze zadanie.

– Dla mnie także. Nieczęsto poznaję funkcjonariusza albo funkcjonariuszkę, którzy rozumieją, co próbuję osiągnąć. – Pozbierał kartki leżące na biurku. – Carol... Tu nie chodzi o ciebie. To moja wina. Mam problemy, z którymi muszę się najpierw uporać.

Carol posłała mu przeciągłe, twarde spojrzenie. Ze strachem uświadomił sobie, że nie jest w stanie odczytać wyrazu jej oczu. Nie miał zielonego pojęcia, co w tej chwili czuła.

- Rozumiem cię bez słów - odparła zimno, po czym dodała: - A co do problemów, nie powinniśmy zabrać się do pracy?

Carol siedziała w gabinecie Tony'ego. Wczytywała się w charakterystykę zabójcy, którą Tony zostawił jej do przejrzenia, nim poszedł do sąsiedniego pomieszczenia nadrobić z sekretarką zaległości w korespondencji; niemały stos spiętrzył się od czasu, kiedy Brandon zabrał go na rewizję w domu McConnella, choć to było zaledwie przed paroma dniami. Nie przypominała sobie, by w całej swojej dotychczasowej karierze czytała równie frapujący dokument. Jeżeli tak ma wyglądać przyszłość policji, to Carol desperacko pragnęła być jej cząstką. Doczytała do końca strony i sięgnęła po następną kartkę.

Kwestie warte uwagi:

1. Czy którakolwiek z ofiar wspominała komuś z grona znajomych/krewnych, że jest obiektem niechcianych homoseksualnych umizgów? Jeśli tak, to kiedy, gdzie i kto ją nagabywał?

2. Zabójca jest typem prześladowcy. Jego pierwsze spotkanie z ofiarami następuje zapewne na długi czas przed datą zabójstwa, przy czym to kwestia tygodni raczej niż dni. Gdzie je poznaje? Możliwe, że w miejscu tak banalnym jak pralnia chemiczna, do której oddają ubrania, zakład, w którym zelują buty, buda, w której kupują kanapki, warsztat, w którym zmieniają opony albo regulują wydech w samochodzie. W świetle tego, że wszystkie ofiary mieszkały w pobliżu sieci tramwajowej, sądzę, że powinniśmy sprawdzić, czy regularnie korzystały one z tramwajów, dojeżdżając do i z miejsca pracy, albo też wybierając się wieczorem do śródmieścia. Sugeruję przeprowadzenie drobiazgowych wywiadów środowiskowych: sprawdzenie historii rachunków bankowych, wyciągów z kart kredytowych oraz anegdot krążących pośród współpracowników, partnerek oraz członków rodzin ofiar. Może to dopomóc w wyłonieniu podejrzanych.

3. Czy istnieją przesłanki, że w dniu zabójstwa ofiary re-

zerwowały sobie wolny wieczór w jakimś konkretnym celu? Gareth Finnegan okłamał w tej sprawie swoją dziewczynę - czy podobnie zrobiła reszta?

4. Gdzie sprawca dokonuje zabójstw? Wydaje się mało prawdopodobne, by zabijał u siebie w domu, gdyż najpewniej liczy się z ewentualnym aresztowaniem i zwraca szczególną uwagę na usuwanie śladów kryminalistycznych. Miejsce to musi także być dostatecznie duże, by miał gdzie budować i wygodnie obsługiwać narzędzia tortur, których, jak zakładamy, użył we wszystkich czterech przypadkach. Może to być, na przykład, zamykany boks garażowy na odludziu albo hala pustoszejącego wieczorami zakładu przemysłowego. Jako że zabójca niemal na pewno mieszka w Bradfield, jest możliwe, że ma swobodny dostęp do leżącej w odosobnieniu posiadłości wiejskiej.

5. Musiał skądś zaczerpnąć wiedzę o narzędziach tortur, skoro sam je buduje. Może warto byłoby sprawdzić w księgarniach i bibliotekach, czy któryś z klientów/czytelników nie dowiadywał się albo nie zamawiał pozycji o tej tematyce.

Carol ponownie przeczytała akapity, które szczególnie ją zainteresowały podczas pierwszej lektury. Zdumiała się, że Tony tak szybko wchłonął i przetworzył wiedzę ze stosu akt, które mu przyniosła. Jakby tego było mało, na ich podstawie wyodrębnił kluczowe zagadnienia, dzięki którym w umyśle Carol zaczął się rysować, wprawdzie jeszcze niezbyt wyrazisty, obraz poszukiwanego przez nich człowieka.

Tekst rodził jednak pewne pytania. Odniosła chociażby wrażenie, że Tony pominął jedną możliwość. Carol zastanawiała się tylko, czy Tony zrobił to celowo, uznawszy ją za absurdalną. Ale musiała spytać. W dodatku w taki sposób, by nie poczuł się dotknięty.

Z 3,5-CALOWEJ DYSKIETKI O NAZWIE: KOPIA_ZA-PASOWA.007; PLIK MIŁOŚĆ.013

Przykro mi zostawiać Garetha w wisielczym nastroju, ale pozostaje mi pewna drobnostka do załatwienia. Mam kilka znalezionych w jego aucie kart świątecznych, już podpisanych, jakie firma, w której pracuje, rozsyła wśród zaprzyjaźnionych klientów. W środku jednej z nich, piórem, obok gotowego wzoru, krwią Garetha, piszę drukowanymi literami: *WESOŁYCH ŚWIĄT DLA WSZYSTKICH CZYTELNIKÓW; NIEPOWTARZALNY PREZENT ŚWIĄTECZNY CZEKA NA WAS W ZAROŚLACH CARLTON PARK ZA TRYBUNĄ. ŻYCZENIA OKOLICZNOŚCIOWE ŚLE SANTA CLAWS.* Niełatwo pisać krwią; krzepnie na stalówce i muszę ją czyścić co parę liter. Na szczęście na „atramencie" mi nie zbywa. Za to podpis napawa mnie dumą; zmiana jednej literki, z „Claus" na „Claws", i z banalnego „Świętego Mikołaja" robi się demoniczny „Święty Szpon".

Adresuję dużą, brązową kopertę do redaktora The Bradfield Evening Sentinel Times. Umieszczam w niej kartę oraz kasetę wideo, nagraną przed paroma miesiącami; już wtedy w mej głowie zaczynał świtać plan, czym uraczę Garetha. Wtedy również stało się jasne, że czas najwyższy na zmianę sposobu działania. W Temple Fields stanowczo robi się za gorąco; nawet gdyby tamtejsze cioty były pijane albo naćpane i ledwie widziały na oczy, policja będzie pilnie wypatrywała czegoś bardziej interesującego od pederastów ciupciających się po szaletach. Natomiast szlak wiodący przez zarośla Carlton Park niemal dorównuje Temple Fields złą sławą; to notoryczne miejsce homoseksualnych podrywów.

W deszczowy niedzielny poranek, kiedy miasto pustoszeje,

wyruszam do Carlton Park z kamerą. Zaczynam od trybuny z kutego żelaza. Okrążam ją i filmuję pod różnymi kątami. Nie potrwa długo, nim ktoś z redakcji BEST-u rozpozna tak charakterystyczny element krajobrazu. Bądź co bądź, Carlton Park to największy park w naszym mieście; od kwietnia do września co niedziela koncertują tam orkiestry dęte. Sprytnie trzymam kamerę na wysokości piersi, zamiast na ramieniu; często się czyta o przypadkach, gdy do trafnego oszacowania wzrostu wystarczył jedynie kąt, pod jakim robiono zdjęcia. Jeżeli jakiś biegły sądowy ma wyciągać wnioski z mojego nagrania, to chcę całkowitej pewności, że będą one chybione.

Zostawiam trybunę za plecami i idę szlakiem przyrodniczym w kierunku zarośli. Panoramuję okolicę, gdzie zamierzam porzucić ciało, po czym wyłączam funkcję nagrywania. Wracając do jeepa, nie widzę żywej duszy. Może to i lepiej, bo uśmiecham się od ucha do ucha rozmyślając, jak redakcja gazety nagłowi się nad moją wiadomością.

Mój prezencik dla gazety załatwi również dwie inne sprawy. Skróci czas potrzebny do zidentyfikowania zwłok Garetha, co oznacza, że media zyskają dostatecznie dużo pożywki, by przetrwać okołoświąteczny sezon ogórkowy. Po drugie, skłoni policję do podjęcia kolejnej pogoni za wiatrakami; będą chcieli ustalić, kto miał dostęp do firmowych kart bożonarodzeniowych.

Jadę do centrum miasta. Wolę nadać paczkę na poczcie głównej. W tłumie spóźnionych z wysyłką prezentów nie rzucam się w oczy. W drodze powrotnej zatrzymuję się przy nielicencjonowanym sklepie monopolowym, żeby kupić butelkę szampana. Zwykle nie piję przy pracy, ale to wyjątkowa okazja.

Garetha zastaję półprzytomnego i bełkoczącego niezrozumiale.

– Przyszedł Mikołaj – oświadczam wesoło, schodząc po schodkach. Strzelam korkiem od szampana i napełniam dwa kieliszki. Jeden niosę Garethowi i, wspinając się na palce, delikatnie unoszę mu głowę, która kołysze się bezwładnie. Podnoszę kieliszek do jego ust i delikatnie przechylam. – Będzie ci smakowało – mówię. – To Dom Perignon, dobry rocznik.

Raptem szeroko rozwiera oczy. Przez chwilę wygląda na oszołomionego, potem sobie przypomina i wlepia we mnie spojrzenie pełne szczerej nienawiści. Ale suszy go, więc pije szampana. Łyka chciwie, wcale go nie smakując. Potem z wyrazem dziwnej satysfakcji w oczach spluwa mi prosto w twarz.

– Szkoda go dla ciebie – fukam gniewnie. – Jak wszystkiego, co w życiu dobre. – Cofam się i rozbijam mu kieliszek na twarzy; naczynie rozbryzguje się o jego nos, tnie skórę policzka na pasy. Myślę, jak to dobrze, że cioteczka Doris już tu nie wróci. Dostała ten sześcioczęściowy komplet kryształowych kieliszków na srebrne gody i nigdy ich nie używała. Bała się, że któryś się stłucze. Jak widać, słusznie.

Gareth potrząsa głową.

– Jesteś złem – bełkocze. – Złem wcielonym.

– Nie, nie – odpowiadam łagodnie. – Jestem sprawiedliwością. Pamiętasz jeszcze, co to sprawiedliwość? Powinieneś stać na jej straży.

– Ty chore, nędzne bydlę – syczy.

Wierzyć mi się nie chce, że wciąż starcza mu sił na popisy. Pora pokazać, kto tu rządzi. Patrzę na jego dłonie, przyszpilone do krzyża. Wokół nich zakrzepnięta krew, czarna i zaschnięta. Teraz kolej na jego stopy.

Widzi, jak biorę narzędzia z ławki i w końcu pęka.

– Nie... – jęczy z rozpaczą. – Proszę. Jeszcze możesz mnie wypuścić. Nigdy cię nie znajdą. Nie mam pojęcia, gdzie jesteśmy. Nie wiem, kim jesteś, gdzie mieszkasz, z czego się utrzymujesz. Możesz wyprowadzić się z Bradfield i nigdy cię nie znajdą.

Zbliżam się o krok. Łzy cisną mu się pod powieki, wzbierają po brzegi i przelewają, spływając strumieniem po zakrwawionym policzku. To musi szczypać, ale on ani drgnie.

– Proszę – szepcze. – Nie jest za późno. Nawet jeśli to ty masz na sumieniu tamtych. To ty...? Ty zabijasz?

Cwany jest, to muszę mu przyznać. Za cwany, żeby mu to wyszło na dobre. Właśnie zapracował sobie na dodatkową porcję cierpienia. Odwracam się do niego plecami i rzucam przecinak oraz młotek na kamienną ławę. Niech myśli, że się

281

waham. Niech spędzi tę noc w przekonaniu, że okażę mu miłosierdzie. Tym słodszy będzie dzień Bożego Narodzenia.

Zamykam za sobą piwniczną klapę i idę na górę, kładę się do łóżka z kasetami wideo i ledwie napoczętą butelką dobrego szampana. To najlepsze święta w moim życiu. Pamiętam wszystkie tamte lata rozpaczliwej nadziei, modlenia się o to, by tym razem było wyjątkowo, by matka kupiła mi prezenty, jak w innych domach. Ale teraz już rozumiem, że jedyną osobą, jaka może mi podarować to, czego pragnę, jestem ja i tylko ja; wiem, że pierwszy raz w życiu mam widoki na takie święta, jakie dotąd dane były tylko innym, pełne niespodzianek, zadowolenia i seksu.

13

„I przyjrzawszy się jego postępowaniu w świetle milczących śladów, które po sobie zostawił, policja doszła do wniosku, że na samym końcu musiał swój czas zmarnować. A powód, którym się kierował, jest wstrząsający, ponieważ bezpośrednio wskazuje, że dopuszczenie się przez niego mordu nie było po prostu środkiem prowadzącym do celu, lecz również celem samym w sobie".

(przełożyła Magdalena Jędrzejak)

Wunch of Bankers był jednym z nielicznych lokali w centrum miasta, w którym Kevin Matthews czuł się bezpiecznie, spotykając się z Penny Burgess. Fajny pub z dudniącą rapową muzyką i wystrojem wzorowanym na operach mydlanych – „Rover's Return Snug", „Woolpack Easterie", „Queen Vic Lounge" i „Cheers Beer Bar" – był ostatnim miejscem, w którym spodziewałby się zobaczyć innego glinę, a Penny dziennikarza.

Kevin wykrzywił się, zaledwie jego kubki smakowe zetknęły się z mocną, gorzką kawą, która czaiła się pod warstwą piany, bardziej przypominającą odpad przemysłowy niż piankę na cappuccino. Gdzie ta Penny, do cholery? Zerknął na tarczę zegarka po raz dwudziesty. Obiecywała, że pojawi się najpóźniej o czwartej, a było już dziesięć po. Odsunął filiżankę z do połowy wypitą kawą i porwał swój modny płaszcz z pobliskiego stojaka. Miał już wstawać, kiedy obrotowe drzwi poruszyły się z sykiem i wypluły z siebie Penny. Pomachała ręką i ruszyła prosto do jego stolika.

– Mówiłaś czwarta – powitał ją Kevin.

– Boże, Kevin, na stare lata robisz się okropnie upierdliwy – poskarżyła się Penny, cmokając go w policzek i siadając na sąsiednim krześle. – Weź dla mnie którąś z tych wód mineralnych o zapachu owoców leśnych, jesteś kochany – rzuciła tonem kontrastującym z pretensjonalnością tego wyboru.

Kiedy Kevin wrócił z oszronioną szklanką, Penny gestem prawowitej właścicielki położyła mu rękę na wewnętrznej stronie uda.

– Mmm, dzięki – mruknęła, sącząc wodę. – Zatem co nowego? Skąd ten pośpiech?

– Przez dzisiejszą gazetę – odparł głucho. – Niezłe gówno wpadło w wentylator.

– O, to super – zakpiła Penny. – Może wreszcie doczekamy się jakiegoś konkretnego działania. Na przykład wytypowania podejrzanego, przeciwko któremu mielibyście jakieś dowody.

– Nie rozumiesz. Poleci czyjaś głowa. Komendant wezwał dzisiaj Brandona na dywanik i finał jest taki, że wydział spraw wewnętrznych wszczął dochodzenie w sprawie przecieku. Penny, musisz kryć mój tyłek – poprosił Kevin z rozpaczą. Penny bez pośpiechu przypaliła papierosa. – Słuchasz mnie? – ponaglił.

– Oczywiście, że tak, kotku – odparła Penny odruchowo, kojącym tonem; myślami była już przy artykule na rano. – Po prostu nie rozumiem, dlaczego tak się spinasz. Wiesz, że dobra dziennikarka nigdy nie ujawnia swoich źródeł. W czym problem? Uważasz, że nie jestem dobra?

Penny zmusiła się do wysłuchania odpowiedzi Kevina; przyszło jej to z pewnym trudem, bo przed oczami przesuwały się jej jutrzejsze nagłówki.

– To nie tak, że ci nie ufam – tłumaczył Kevin ze zniecierpliwieniem. – Martwi mnie wewnętrzna sytuacja w jednostce. Wszyscy będą wyłazić ze skóry, żeby się wybielić, więc każdy, kto o nas wie, pogalopuje z tą rewelacją do tych z wewnętrznego. A jak oni zwąchają, że my... no, wiesz? Będzie po wszystkim. Jestem ugotowany.

– Przecież nikt o nas nie wie. Przynajmniej ode mnie – zauważyła Penny spokojnie.

– Ja też tak myślałem. Ale potem Carol Jordan bąknęła coś takiego, że zaczynam myśleć, że ona owszem.

– I uważasz, że Carol podkabluje na ciebie wydziałowi spraw wewnętrznych? – spytała Penny tonem, który nie zdołał ukryć jej niedowierzania.

Wielokrotnie miała styczność z najbardziej atrakcyjną oficer śledczą w jednostce, ale na podstawie tego, co o inspektor Jordan słyszała, jakoś nie wyobrażała jej sobie w roli donosicielki.

– Ty jej nie znasz. Ona nie wie, psiakrew, co to litość. Chce się wdrapać na sam szczyt, łajza jedna, i wkopałaby mnie bez mrugnięcia okiem, gdyby uważała, że dzięki temu przeskoczy szczebel w górę.

Penny pokręciła głową, skrajnie rozdrażniona.

– Histeryzujesz. Nawet gdyby Carol Jordan odkryła w tajemniczy sposób, że się widujemy, to z pewnością jest na tyle zajęta napawaniem się chwałą, jaka spływa na nią z racji współpracy z doktorem Hillem, że nie w głowie jej donosy. Poza tym, jeżeli pomyślisz o tym na trzeźwo, to reputacja kapusia nie przysporzyłaby jej sympatii u chłopaków.

Kevin miał powątpiewającą minę.

– Czy ja wiem... Penny, nie masz pojęcia, jak to jest w tym fachu. Wszyscy tyramy po osiemnaście godzin na dobę, a tkwimy w martwym punkcie.

Penny pogłaskała go po udzie.

- Skarbie, jesteś zestresowany. Posłuchaj, wiesz co? Jeżeli sprawa w ogóle wyjdzie na jaw i ktoś wskaże cię palcem, ci z wydziału wewnętrznego na pewno do nas przyjdą i skonfrontują nas ze sobą. Będą szukali potwierdzenia. Jak do tego dojdzie, postaram się, żeby wyglądało na to, że moim źródłem była Carol Jordan, w porządku? To powinno zaciemnić obraz sprawy.

Warto chwilę powciskać kit, żeby zobaczyć uśmiech Kevina, uznała. Uśmiech oraz jedną czy dwie inne rzeczy. Wyraźnie w lepszym nastroju, poderwał się z krzesła.

- Dzięki, Pen. Słuchaj, muszę lecieć w jedno takie miejsce. Przedzwonię do ciebie niedługo, to się umówimy, OK?

Pochylił się i pocałował ją w usta, mocno i namiętnie.

- Nie zapomnij często się odzywać, kochasiu - powiedziała Penny łagodnie do jego oddalających się pleców.

Nim dotarł do drzwi, wstępniak nabrał w jej wyobraźni konkretnych kształtów. O tak, już to widziała.

Policja Bradfield ściąga pomoc do polowania na seryjnego zabójcę, który zgładził już cztery ofiary i stwarza dla mężczyzn zagrożenie o niespotykanej dotąd skali.

Jednak nowi funkcjonariusze nie dołączą do poszukiwań monstrualnego Homobójcy. Ich zadaniem będzie przeprowadzenie śledztwa pośród tych, którzy sami prowadzą śledztwa.

Wierchuszka policji jest tak zaalarmowana dokładnością artykułów na temat serii zabójstw, ukazujących się w *The Sentinel Times*, że postanowiła wszcząć zakrojone na szeroką skalę wewnętrzne dochodzenie, mające ujawnić źródła, dzięki którym powstały nasze reportaże. Zamiast ścigać zabójcę, policyjni tropiciele wolą ścigać kolegów, którzy podpisują się pod poglądem, że przerażeni ludzie mają prawo wiedzieć, co się dzieje.

Carol otworzyła drzwi do sekretariatu i oznajmiła:
- Skończyłam. Możemy porozmawiać?

Tony oderwał wzrok od monitora, spojrzał na nią z roztargnieniem, uniósł rękę i poprosił:

– Tak, jasne, tylko daj mi minutę.

Carol wycofała się, żeby poczekać, aż Tony skończy, i odetchnęła głęboko. Chciała zachowywać się w sposób profesjonalny, ale działał na nią jako mężczyzna i po prostu nie umiała sobie z tym poradzić. Powtarzać sobie, że powinna to lekceważyć, było łatwiej, niż wprowadzić w życie. Po paru chwilach Tony do niej dołączył. Przysiadł na skraju biurka z włosami sterczącymi na wszystkie strony jak u Denisa Rozrabiaki, bo zawsze kiedy się głęboko zamyślał, co rusz przegarniał je palcami.

– A więc – zaczął. – Jak brzmi twoja opinia?

– Robi wrażenie – wyznała. – Wszystko zaczyna łączyć się w spójną całość. Ale jest parę spraw...

– Tylko parę? – spytał Tony; zabrzmiało to niemal jak śmiech.

– Sporo tu mowy o tym, że musi być silny, żeby radzić sobie z ofiarami i przenosić je z jednego miejsca w inne. Jest tu też trochę domysłów, jak je podchodzi. Pomyślałam, że może nie działa w pojedynkę.

– Mów, mów – zachęcił Tony bez śladu oziębłości w głosie.

– Nie chodzi mi o drugiego mężczyznę. Mam na myśli kogoś, kto nie wydaje się niebezpieczny. Może nastoletniego chłopaka, albo, co bardziej prawdopodobne, kobietę. Sama nie wiem, może nawet kogoś na wózku inwalidzkim. Wspólnika. Jak Ian Brady i Myra Hindley. – Carol przetasowała kartki, żeby na powrót ułożyć je we właściwej kolejności. Tony milczał. Przez kilka chwil patrzyła na jego pozbawioną wyrazu twarz, po czym dodała: – Wiem, że najpewniej wcześniej na to wpadłeś. Po prostu zastanawiałam się, czy to hipoteza, jaką powinniśmy mieć na uwadze.

– Przepraszam, nie chciałem stwarzać wrażenia, że cię nie słucham – usprawiedliwił się Tony pośpiesznie. – Rozważałem tę myśl, zestawiałem ją z naszą wiedzą i ogólną charakterystyką sprawcy. Jedną z kwestii, które rozpatrzyłem w pierwszej kolejności, było to, czy działa solo, czy też nie. Uznałem, że najprawdopodobniej sam. Przypadki podobne do „mordów na wrzosowiskach", gdzie mamy parę zabójców, działającą razem i wspólnie popełniającą zbrodnie, zdarzają się bardzo rzadko, to po pierwsze. Po drugie, oczekiwałbym większego zróżnicowania metodologicznego i wyników sekcji, gdyby w grę wchodziły dwie osoby; trudno jest uwierzyć, by ich fantazje tak dokładnie się ze sobą pokrywały. Ale to interesujące, że podniosłaś tę sprawę. I w jednej kwestii masz rację. Jeżeli pomaga mu jakaś kobieta, to wyjaśniałoby fakt, że ofiary nie próbowały się bronić.

Tony wpatrywał się przed siebie, z brwiami ściągniętymi w skupieniu.

Carol siedziała nieporuszona. Po pewnym czasie Tony spojrzał na nią i oświadczył:

– Będę się upierał przy moim soliście. Twój pomysł jest interesujący, ale nie widzę dowodów, które przekonałyby mnie, że powinienem odstąpić od najbardziej prawdopodobnego scenariusza.

– W porządku, dotarło do mnie – powiedziała Carol spokojnie. – Idąc dalej, brałeś pod uwagę możliwość, że to transwestyta? Jak sam powiedziałeś, kobiecie łatwiej byłoby podejść potencjalną ofiarę. A gdyby to był mężczyzna w kobiecym przebraniu? Czy efekt nie byłby taki sam?

Tony przez chwilę sprawiał wrażenie zupełnie zaskoczonego.

– Może powinnaś zastanowić się nad zgłoszeniem kandydatury do tej nowej jednostki – powiedział, by zyskać na czasie.

Carol uśmiechnęła się szeroko.

– Pochlebstwa donikąd nie prowadzą.

– Mówię serio. Masz do tego zacięcie. Widzisz, nie jestem nieomylny. Tak się składa, że o transwestycie nie pomyślałem. Dlaczego pominąłem taką ewentualność? – zastanawiał się głośno. – Z pewnością istnieje jakiś powód, dla którego podświadomie odrzuciłem tę możliwość, zanim dojrzała w moim umyśle... – Carol chciała coś wtrącić, ale ubiegł ją słowami: – Nie, czekaj chwilę, proszę, daj mi to rozgryźć.

Przegarnął włosy; najeżone, ciemne kosmyki zmieniły położenie.

Umilkła, uznawszy w duchu, że Tony jest równie zarozumiały jak cała reszta facetów. Nie umie pogodzić się z myślą, że coś mogło ujść jego uwagi. Przestań się oszukiwać, wcale nie jest inny, upomniała się surowo.

– O właśnie! – odezwał się Tony z tryumfem. – Mamy do czynienia z sadystą seksualnym, zgoda?

– Zgoda.

– Sadomasochizm to osiąganie poczucia władzy poprzez używanie seksualnych fetyszy. Ale transwestytyzm stanowi jego skrajne przeciwieństwo. Mężczyźni transwestyci pragną wejść w poniekąd bardziej bierną rolę społeczną, jaką przypisuje się kobietom. Fundamentem transwetytyzmu jest przekonanie, że kobiety rozporządzają subtelną władzą, władzą przypisaną ich płci. Trudno o coś bardziej odbiegającego od zwierzęcego zestawienia bólu i władzy, jakiego łakną sadomasochiści. Te składniki wcale nie pojawiają się w seksualnych fantazjach transwestytów. Aby przekonać ofiarę, że nie ma do czynienia z przebranym mężczyzną, zabójca musiałby mieć ogromną biegłość w upodabnianiu się do kobiety. Jednakże, co w moim doświadczeniu z psychologii klinicznej stanowiłoby odosobniony przypadek, musiałby zarazem być sadystą seksualnym. A te dwie rzeczy po prostu nie idą w parze – wyjaśnił Tony takim tonem, jakby to zamykało spór. – To samo dotyczy transseksualistów. Prawdopodobnie nawet w większym stopniu, bo każda osoba, która chce operacyjnie zmienić płeć, musi przejść szereg specjalistycznych konsultacji.

– Czyli wykluczasz taką możliwość – podsumowała Carol, z niejasnych powodów czując się załamana.

– Nigdy niczego nie wykluczam. To byłoby kuszenie losu, żeby pozwolił mi wyjść na głupca. Myślę tylko, że jest dość nieprawdopodobna i bardzo niechętnie uwzględniłbym ją w profilu, bo już to mogłoby pchnąć dochodzenie w niewłaściwym kierunku. Natomiast koniecznie miej taką ewentualność na uwadze. Twoje rozumowanie jest najzupełniej logiczne. - Uśmiechnął się ze skruchą, bo nagle zrozumiał, jak protekcjonalnie to zabrzmiało. - Jak powiedziałem na samym początku, Carol, razem to rozgryziemy.

- Jesteś też absolutnie przekonany, że to nie kobieta? - spytała.

- Rysy psychologiczne zupełnie się nie zgadzają. Weźmy najbardziej oczywisty punkt: zabójca to obsesjonat, a natręctwa to z reguły męska domena. No, wiesz, dużo znasz kobiet, które kręcą się po dworcowych peronach w deszczu, spisując numery pociągów?

- A ten syndrom... tego, jak mu tam, kiedy ludzie dostają na punkcie kogoś bzika i zmieniają mu życie w koszmar? Sądziłam, że dotyka przeważnie kobiet?

- Zespół Clerambaulta - odparł Tony. - A i owszem, w większości przypadków to kobiety. Ale skupiają się na jednej osobie, a jeżeli komukolwiek grozi śmierć, to najczęściej samej chorej, gdyż wiele pacjentek z tym zespołem popełnia samobójstwo. Sęk w tym, że kobiece obsesje i natręctwa różnią się od męskich. Obsesje mężczyzn krążą wokół władzy; zbierają znaczki i je katalogują, kolekcjonują parę majtek każdej kobiety, jaką zaciągnęli do łóżka. Potrzebują trofeów. Obsesje kobiet związane są z uległością; przy zaburzeniach odżywiania obsesja przejmuje nad chorymi władzę i to ona rządzi nimi, a nie odwrotnie. Chora z syndromem Clerambaulta, która poślubiłaby obiekt pożądania, stałaby się prawdopodobnie ideałem żony wedle męskiego szowinisty. Ten schemat nie pasuje do naszego zabójcy.

- Rozumiem twój punkt widzenia - przyznała Carol, choć niechętnie wyrzekała się swojego skromnego udziału w proces szkicowania charakterystyki mordercy.

- Dodaj do tego tężyznę fizyczną, jaka tu jest konieczna - ciągnął Tony, widząc jej wahanie. - Jesteś wysportowana. Prawdopodobnie też dość silna jak na swój wzrost. Ja jestem niewiele wyższy. Jak daleko, twoim zdaniem, mogłabyś mnie zanieść? Ile czasu zajęłoby ci wyjęcie męskich zwłok z bagażnika samochodu i przerzucenie przez mur? Mogłabyś przenieść mnie na ramieniu przez cały Cartlton Park do tamtych zarośli? A nie zapominaj, że wszystkie ofiary były wyższe i cięższe ode mnie.

Carol posłała mu smętny uśmiech.

– W porządku, twoje na wierzchu. Przekonałeś mnie. Ale uderzyła mnie jeszcze jedna rzecz.

– Posłuchajmy.

– Kiedy czytałam, miałam wrażenie, że powód, którym tłumaczysz stałość odstępów czasowych między zabójstwami, jest średnio przekonujący – zaczęła ostrożnie.

– Też to zauważyłaś – podchwycił kwaśno. – Sam nie jestem do niego przekonany. Ale nie wpadłem na lepsze wyjaśnienie. Nigdy nie zetknąłem się z czymś podobnym, ani w praktyce zawodowej, ani w literaturze. Działania wszystkich seryjnych zabójców, o których mi wiadomo, cechowała eskalacja.

– Mam teorię, która załatwiłby sprawę – wyznała Carol.

Tony pochylił się do przodu, szczerze zainteresowany.

– Zmieniam się w słuch, Carol – zachęcił.

Carol nabrała tchu; czuła się jak złota rybka w akwarium. Wcześniej pragnęła skupić na sobie jego uwagę, lecz teraz, kiedy to się już stało, wcale nie była taka pewna, czy o to jej właśnie chodziło.

– Pamiętam, co parę dni temu mówiłeś na temat odstępów czasowych. – Zamknęła oczy i wyrecytowała: – „W przypadku większości seryjnych zabójców, odstęp czasowy między zabójstwami skraca się w zastraszającym tempie. Pierwotnym bodźcem do zabójstw są fantazje, ale rzeczywistość nigdy im nie dorównuje, obojętnie jak wyrafinowanymi metodami posługuje się zabójca. Im bardziej ekstremalnych środków się chwyta, tym bardziej stępia się jego wrażliwość i tym silniejszych bodźców potrzebuje, by odczuć seksualną gratyfikację, której uzyskaniu ma służyć zabójstwo. Toteż częstotliwość mordów musi się nasilić. Jak powiedział Szekspir: «Jakby w niej rosła żądza pieszczot w miarę zaspokajania jej»*". Niczego nie przekręciłam?

---

* „Hamlet" w przekładzie Paszkowskiego, Akt 1, scena 2 (przyp. tłum.).

- Niebywałe - zdumiał się Tony. - Pamięć wzrokową też masz fenomenalną, czy to tylko tak, ze słuchu?

Carol rozdrażniona uniosła oczy ku sufitowi.

- Tylko ze słuchu, obawiam się. Wracając do tematu, jak doszłam do akapitu, w którym sugerujesz, że może pracować przy komputerach, nagle mnie olśniło. Pytanie, którego nie zadałeś wprost, ale które wyraźnie cię męczy, brzmi: dlaczego te jego makabryczne filmy nie nudzą go coraz szybciej?

Tony pokiwał głową. Kwestia, którą Carol podniosła, była kluczowa; właśnie to go gryzło. Szukał w myślach odpowiedzi, która zadowoliłaby obie strony.

- Załóżmy dla uproszczenia, że pierwsze nagranie miało siłę podsycania fantazji przez okres dwunastu tygodni. Sprawca przymierzał się do porwania drugiej ofiary, ale dogodna okazja nadarzyła się wcześniej, zanim jeszcze zaczął odczuwać przymus zabijania. Sama pcha się mu w ręce, więc ulega. Po wszystkim uświadamia sobie, że od poprzedniego zabójstwa minęło osiem tygodni i postanawia, że odtąd będzie zabijał w ośmiotygodniowym cyklu. To tłumaczyłoby, dlaczego nie ma dotąd oznak eskalacji. Może to się niedługo zmieni.

Carol pokręciła głową.

- Może, ale mnie to nie przekonuje.

Tony wyszczerzył zęby w uśmiechu.

- I chwała Bogu. Mnie też nie. Musi istnieć lepsza teoria, ale pojęcia nie mam, jaka.

- Znasz się na komputerach? - spytała.

- Wiem, który przycisk służy do włączania i wyłączania tego urządzenia, umiem też obsłużyć program potrzebny do pracy. Nie licząc tego, jestem tuman.

- No, to tak samo jak ja. Ale mam brata, prawdziwego geniusza komputerowego. Jest wspólnikiem w firmie specjalizującej się w grach. Pracuje nad ostatnimi nowinkami w branży. Teraz razem ze wspólnikiem zajmują się niskonakładowym systemem, który pozwoli użytkownikom na wprowadzanie do gry własnych zdjęć. Innymi słowy, zamiast Arniego spuszczającego manto niedobrym misiom w Terminatorze II, będzie

Tony Hill. Albo Carol Jordan. Zmierzam do tego, że na rynku można już dostać sprzęt i oprogramowanie, przy pomocy których można zeskanować taśmę wideo i przenieść obrazy do komputera. To się nazywa bodajże „obrazy ucyfrowione", „digitized images", czy jakoś tak. W każdym razie, jak już są w komputerze, można je obrabiać wedle uznania. Pobawić się w fotomontaż z fragmentami zwykłych zdjęć albo klatek z innych filmów. Można nakładać obrazy na siebie. Kiedy jakieś pół roku temu po raz pierwszy dostali nowy sprzęt, Michael pokazał mi zmontowaną przez siebie sekwencję. Z nagrań z przemówieniami ministrów wyodrębnił same twarze i nałożył je na pornosa. – Carol parsknęła śmiechem na to wspomnienie. – Obraz był raz lepszy, raz gorszy, ale wierz mi, nigdy nie widziałeś, żeby John Major i Margaret Thatcher byli tacy zgodni! Hasło „politycy pieprzą głupoty" nabiera całkiem nowego znaczenia!

Tony wpatrywał się w Carol, zaskoczony i milczący.

– Żartujesz – powiedział w końcu.

– To by tłumaczyło, dlaczego nagrania wystarczają mu na tak długo.

– A nie musiałby być prawdziwym specem, jak twój brat?

– Chyba nie – odparła Carol. – Na ile się orientuję, obsługa takich programów nie jest skomplikowana. Za to sam sprzęt i akcesoria są niesamowicie drogie. Może tu chodzić o dwa czy trzy tysiączki za jeden program. Zatem albo nasz poszukiwany pracuje w firmie, w której jest taki sprzęt i możliwość używania go do swoich potrzeb, albo to hobbysta, który ma kasy jak lodu.

– Albo złodziej – dodał Tony pół żartem, pół serio.

– Albo złodziej – przytaknęła Carol.

– No, nie wiem – rzucił Tony z powątpiewaniem. – To by rzeczywiście wszystko wyjaśniało, ale sam pomysł jest jak z kosmosu.

– A Handy Andy nie jest?

– Och, jest, jest, ale czy aż taki pozbierany?

– Buduje machiny tortur. Gdyby dysponował odpowiednim programem komputerowym, miałby znacznie łatwiejsze życie.

Tony, dzięki czemuś działa w stałym, ośmiotygodniowym cyklu. Dlaczego nie dzięki temu?

– To *możliwość*, Carol, ale na tym etapie nic więcej. Posłuchaj, może byś się najpierw rozeznała, jak ma się twoja teoria do praktyki? Czy to w ogóle wykonalne?

– Nie uwzględnisz tego w profilu? – spytała Carol gorzko.

– Nie chcę podważać założeń, które uważam za znacznie bardziej prawdopodobne, dodając do nich coś, co jest palcem na wodzie pisane. Sama mówiłaś, że przyszło ci to do głowy, kiedy czytałaś jeden z kilku fragmentów, gdzie trochę spekuluję. Nie zrozum mnie źle, nie próbuję się na siłę czepiać twojej koncepcji. Uważam, że jest błyskotliwa. Ale i tak będziemy musieli cholernie się namęczyć, zanim pewne osoby przekonają się do korzystania z porad psychologa. Nawet ci, którzy popierają sam pomysł tworzenia portretów psychologicznych, będą mieli masę zastrzeżeń do hipotez, które zawarłem w tym profilu. Nie ułatwiajmy im życia. Same konkrety, podane jak na tacy. I tak będą szukali dziury w całym. Nie pomagajmy im w tym. Dobrze?

– Świetnie – mruknęła; w głębi serca wiedziała, że Tony ma rację. Sięgnęła po kartkę papieru i długopis. – Sprawdzić producentów sprzętu i akcesoriów komputerowych na terenie Bradfield i okolic – powiedziała, notując. – Spytać Michaela o producentów niezbędnego sprzętu/oprogramowania i przejrzeć u nich faktury sprzedaży. Sprawdzić zgłoszenia kradzieży w ostatnim czasie.

– Kluby komputerowe – podsunął Tony.

– Dzięki, to też – ucieszyła się Carol i dopisała do listy kolejną pozycję. – I posty w internecie. O raju, ci z HOLMES-a będą mnie nosić na rękach – jęknęła i wstała. – Będzie z tym od groma roboty. No, muszę lecieć. Zabiorę to na Scargill Street i przekażę Brandonowi. Będziemy chcieli, żebyś wpadł jeszcze i przejrzał wyniki.

– Żaden problem – odparł Tony.

– To super. Już myślałam, że wszystko jest problemem.

Tony patrzył przez okno tramwaju, śledząc migające za szybą, rozmyte w deszczu miejskie latarnie. Sterylnie białe wnętrze wagonu przypominało kokon. Ani śladu graffiti, ciepło, czysto; człowiek czuł się bezpiecznie. Dojeżdżając do sygnalizacji świetlnej, kierowca nacisnął klakson. Zadyszany sygnał przypominał swojski dźwięk zapamiętany w dzieciństwie, trochę jak pohukiwanie ciuchci z kreskówki.

Odwrócił twarz od okna i ukradkiem popatrywał na sześcioro współpasażerów. Wszystko, byle oderwać myśli od osobliwego uczucia pustki, którą odczuwał po ukończeniu pracy. Przecież jego udział w śledztwie na tym się nie kończy. Brandon polecił Carol, żeby codziennie się z nim konsultowała.

Żałował, że nie mógł przychylniej spojrzeć na jej teorię komputerową, jednak lata treningu i praktyki wpoiły mu nawyk ostrożności. Pomysł sam w sobie był błyskotliwy. I jak tylko Carol wykaże, że jej teoria jest wykonalna, Tony z największą radością doniesie o tym jej kolegom po fachu. Niemniej przez wzgląd na wiarygodność własnej metody, musiał dystansować się do pomysłów, które przeciętny glina uznałby za fantastykę naukową.

Był ciekaw, co się teraz dzieje na komisariacie. Kiedy Carol do niego dzwoniła, przebąkiwała, że ekipy wybierają się w teren; chcą przyjrzeć się bliżej stałym bywalcom Temple Fields i przekonać się, czy dzięki profilowi uda się wytypować podejrzanego. Przy odrobinie szczęścia może powtórzy się parę nazwisk figurujących w bazach HOLMES-a, wśród osób notowanych albo tych, na które zarejestrowane były samochody o numerach rejestracyjnych wprowadzonych do systemu.

– Następny przystanek Bank Vale. Za chwilę dojeżdżamy do Bank Vale – oznajmił elektroniczny głos z głośników. Tony drgnął; uświadomił sobie, że centrum miasta zostało daleko w tyle i wyłaniali się właśnie na drugim krańcu Carlton Park, parę kilometrów od jego domu. Tramwaj zatrzymał się na Bank Vale i ruszył dalej, Tony siedział bokiem, gotowy zerwać się do wyjścia, kiedy zostanie ogłoszony następny przystanek.

Dziarskim krokiem maszerował przez schludne, podmiejskie uliczki, wzdłuż szkolnych boisk, szerokim łukiem obchodząc skurczony zewłok tego, co kiedyś było zagajnikiem, od którego Woodside wzięło swoją nazwę. Zerknął w kierunku drzew i przyśpieszył, myśląc kwaśno, że ścieżka prostopadle przecinająca lasek niemal na pewno będzie całkowicie opustoszała. Pierwsze przestały nią chadzać kobiety samotnie wracające do domu. Potem dzieci, którym zabronili uczęszczania tędy niespokojni rodzice. Teraz zaś w Bradfield obawiać się o własne życie uczyli się mężczyźni.

Tony skręcił w ślepą uliczkę, przy której stał jego dom, i rozkoszował się ciszą. Jakoś przeżyje resztę wieczoru. Może wybierze się samochodem do supermarketu i kupi składniki na *byriani* z kurczaka. Wypożyczy film na wideo. Podgoni z lekturą.

W chwili gdy przekręcał klucz w zamku, w domu rozdzwonił się telefon. Tony rzucił aktówkę i popędził odebrać, kopniakiem zamykając za sobą drzwi. Podniósł słuchawkę, zanim jednak zdążył się odezwać, do ucha zaczął mu się sączyć ciepły, kojący głos.

– Anthony, skarbie, zasapałeś się. To do mnie tak wzdychasz?

Przez całą drogę powrotną nie pomyślał o niej ani razu, ale podświadomie wyczekiwał na jej telefon.

Brandon wyłączył lampkę nocną. Niecałą minutę później zadźwięczał sygnał telefonu.

– Wiedziałam, że tak będzie – mruknęła Maggie, gdy z żalem odrywał się od jej ciepłego, uległego ciała i schwycił słuchawkę.

– Brandon – warknął.

– Sir, tu inspektor Matthews – odezwał się zmęczony głos. – Przed chwilą namierzyliśmy Steviego McConnella. Chłopaki zgarnęli go na przystani promowej w Seaford. Najwyraźniej śpieszył się do Rotterdamu.

Brandon usiadł na łóżku, oplątany kołdrą, nie zważając na protesty Maggie.

– Co na to nasi?

– Ano, mówią, że niewiele dało się zrobić. Wyszedł za policyjną kaucją, więc nie mogli go capnąć za pogwałcenie warunków zwolnienia, bo do niego nie doszło. Miał się tylko stawiać na komisariacie.

– Zatrzymali go? – Brandon stał już przy łóżku i otwierał szufladę z bielizną.

– Tak, sir. Siedzi w biurze u chłopaków z cła.

– Pod jakim zarzutem?

– Napaść na funkcjonariusza policji. – Głos Kevina wywołał przed oczami Brandona obraz odcieleśnionego uśmiechu jak uśmiech Kota z Cheshire. – Zadzwonili do mnie z pytaniem, co zrobić, a że pan jest osobiście zainteresowany tą sprawą, więc sądziłem, że to pana powinienem zapytać pierwszego.

Nie przeginaj, pomyślał Brandon gniewnie. Jednak ograniczył się do stwierdzenia:

– To chyba oczywiste. Aresztować go za utrudnianie wymiaru sprawiedliwości i ściągnąć z powrotem do Bradfield.

Z wysiłkiem wbił się w bokserki i schylił po spodnie przewieszone przez oparcie krzesła.

– Rozumiem, że potem lecimy z tym do sędziego pokoju i domagamy się, żeby oddalił wniosek o zwolnienie za kaucją? – W głosie Kevina było tyle słodyczy, że poważnie wystawiał się na ryzyko utraty zębów, aczkolwiek nie z powodu próchnicy.

– W takiej sytuacji to standardowa procedura, inspektorze. Dziękuję, że mnie pan natychmiast powiadomił.

– Jeszcze jedno, sir – oznajmił Kevin przymilnym tonem.

– Co? – warknął Brandon.

– Chłopaki zmuszeni byli dokonać drugiego aresztowania.

– Drugiego? Kogo jeszcze, do diabła, musieli aresztować?

– Pana nadinspektora Crossa, sir. Najwyraźniej trochę go poniosło i zbyt energicznie próbował uniemożliwić McConnellowi wejście na prom.

Brandon zamknął oczy i policzył do dziesięciu.

– Czy McConnell jest ranny?

– Najwyraźniej nie, sir, tylko trochę wstrząśnięty. Za to pan nadinspektor ma podbite oko.

– Świetnie. Powiedz im, żeby puścili Crossa do domu.

I niech mu przekażą, by jutro do mnie zadzwonił, dobrze, inspektorze? – Brandon odłożył słuchawkę i pochylił się, żeby ucałować żonę, która tymczasem zawłaszczyła całą kołdrę i, szczelnie nią opatulona, spała jak suseł.

– Mmmm – wymamrotała Maggie sennie. – Musisz jechać?

– To dla mnie nie zabawa, wierz mi. Ale wolę być na miejscu, jak przywiozą więźnia. Nie chciałbym, żeby pod policyjną eskortą przypadkiem spadł ze schodów.

– Ma problemy z równowagą?

Brandon ponuro pokręcił głową.

– *On* nie. Ale inni bywają czasem niezrównoważeni. A dziś wieczorem mieliśmy już jednego takiego artystę. Nie zamierzam więcej ryzykować. Zobaczymy się, jak się zobaczymy.

Kwadrans później Brandon wpadł do pokoju sekcji zabójstw. Kevin Matthews pokładał się na biurku pod ścianą, tuląc głowę w ramionach. Kiedy Brandon podszedł do niego, usłyszał ciche pochrapywanie. Zastanowił się, kiedy któryś z jego ludzi normalnie przespał całą noc. A właśnie wtedy, gdy nie ma postępów, a ludzie są przemęczeni i rozdrażnieni, zdarzają się poważne wpadki. Brandon natomiast za nic nie chciałby znaleźć się w roli tego, który odpowiada za widowiskowe pogwałcenie sprawiedliwości, i gotów był na wszystko, by do tego nie dopuścić. Na przeszkodzie stał jeden drobny szkopuł, pomyślał kwaśno, siadając naprzeciwko Kevina. Aby do zakończenia śledztwa być na bieżąco, zmuszony jest pracować w tym samym nieracjonalnym systemie godzinowym, co jego ludzie. *Paragraf 22*. Czytał tę powieść kilka lat temu, kiedy Maggie postanowiła zapisać się na kursy wieczorowe i zrobić maturę, której jakoś nie dokończyła w szkole. Mówiła, że to cudowna książka, zabawna, szalona, kąśliwie satyryczna. Dla niego lektura była po prostu bolesna. Za bardzo przypominała mu o pracy. Szczególnie w noce takie jak dzisiejsza, kiedy ludzie o zdrowych dotąd zmysłach zachowywali się jak desperaci.

Rozdzwonił się telefon. Kevin drgnął, ale się nie obudził. Brandon ze współczującą miną sięgnął nad nim i podniósł słuchawkę.

– Wydział dochodzeniowy. Słucham, Brandon przy telefonie.

Chwila niezręcznej ciszy. Potem usłyszał podenerwowany głos:

– Sir? Sierżant Merrick z tej strony. Sir, są następne zwłoki.

Z 3,5-CALOWEJ DYSKIETKI O NAZWIE: KOPIA_ZA-PASOWA.007; PLIK MIŁOŚĆ.014

Przetransportowanie Garetha do Carlton Park wcale nie okazało się takie łatwe, jak można się było spodziewać. Po rzetelnym rozpoznaniu terenu, szokiem dla mnie było nieoczekiwane pojawienie się przeszkody na drodze dojazdowej, z której korzystali ogrodnicy. Sęk w tym, że trzeba było wziąć poprawkę na długą przerwę świąteczną: drogę zablokowano dwoma metalowymi słupkami, wbitymi w asfalt i zaplombowanymi. Prawdopodobnie udałoby mi się przejechać poboczem: mój jeep bez trudu spłaszczyłby niskie zarośla przy drodze. Ale w nieunikniony sposób pozostałyby ślady opon oraz, jak przypuszczam, mikroskopijne ślady lakieru na gałęziach. Nie mam zamiaru tracić przez Garetha wolności, toteż muszę zmienić plan.

Wysiadam z auta i robię małe przeszpiegi. Szopa odpada; ma alarm antywłamaniowy. Nagle bogowie się do mnie uśmiechają. Za rogiem szopy stoi niski drewniany wózek, taki, jakich używali niegdyś bagażowi na dworcowych peronach w czasach, gdy nie wszyscy jeszcze byli zdania, że targanie cudzych bambetli uwłacza ich godności. Podejrzewam, że ogrodnicy używają tego wózka do przewożenia roślin na terenie parku. Pcham go w stronę jeepa i przekładam nagie ciało Garetha. Obtykam je paroma czarnymi workami na śmieci, po czym szybko spryskuję osie obłoczkiem lubrykantu, bo okropnie piszczą, po czym cichaczem, jak złodziej, ruszam ku zaroślom.

I znowu uśmiecha się do mnie szczęście. Nikogo na hory-

zoncie. Pcham wózek za trybunę ku krzakom na górce. Ze skraju ścieżki spycham wózek na trawę, ku zaroślom. Następnie, aby uniknąć zostawienia śladów w miękkiej ziemi, wdrapuję się na wózek i z drugiego końca zrzucam ciało Garetha w krzaki. Wycofuję się i zeskakuję na ścieżkę, wózek ciągnę za sobą. Krzaki są nieco sponiewierane, ale Garetha nie widać. Trochę szczęścia i nikt go nie znajdzie, dopóki listonosz nie dostarczy mojego bożonarodzeniowego przesłania dla BEST-u.

Po upływie dziesięciu minut wózek stoi na swoim miejscu, a ja ostrożnie wyjeżdżam tylnym wyjściem w cichą ulicę naprzeciwko kościoła. Choć ryzyko, że ktoś mnie zauważy, jest znikome, czekam z zapaleniem świateł do chwili, gdy dostrzegam główną drogę. W przeciwieństwie do Temple Fields, ta dzielnica należy do miejsc, gdzie zawsze znajdzie się jakiś cierpiący na bezsenność ciekawski, który zauważy każdy obcy pojazd we wczesnych godzinach rannych.

Jadę do domu i śpię bite dwanaście godzin. Budzę się na tyle wcześnie, że mam parę godzinek, żeby popracować przy komputerze. Potem jadę do pracy. Na szczęście w natłoku zajęć mam czym zająć myśli, czekając na jutrzejsze wydanie The Sentinel Times.

Pękam z dumy; świetnie się spisali, pomimo krótkiego czasu, jaki mieli na rozszyfrowanie mojej wiadomości. Najwyraźniej od razu przysiedli fałdów i przekonali, kogo trzeba, że sprawę należy potraktować poważnie. Poświęcili mi pierwszą stronę, na której przedrukowali również moją kartę świąteczną, lecz bez czegokolwiek, co pozwoliłoby rozpoznać nadawcę.

ZABÓJCA ALARMUJE BEST!

Nagie i okaleczone ciało ofiary obłąkanego zabójcy zostało odnalezione w parku miejskim dzięki kuriozalnej przesyłce doręczonej The Sentinel Times.

Zabójca, który podpisał się jako „Santa Claws", ujawnił w swym makabrycznym liście, że porzucił zwłoki w Carlton Park.

Te przerażające nowiny zostały prawdopodobnie napisane krwią na firmowej karcie świątecznej jednej z najbardziej renomowanych firm prawniczych w mieście.

Dołączono do niego amatorskie nagranie wideo ukazujące miejsce porzucenia zwłok, w którym, dzięki charakterystycznej trybunie, pracownicy BEST-u natychmiast rozpoznali Park Hill.

Zaalarmowana przez reporterów BEST-u policja wysłała oddział funkcjonariuszy mundurowych oraz w cywilu w rejon parku wymieniony przez „Świętego Szpona", jak sam siebie nazywa.

Po krótkich poszukiwaniach w zaroślach na szlaku przyrodniczym, w niewielkiej odległości od trybuny, zgodnie ze wskazówkami z nagrania wideo, posterunkowy odnalazł ciało zamordowanego.

Nasi informatorzy w policji utrzymują, iż zwłoki były roznegliżowane. Zmasakrowana ofiara miała poderżnięte gardło.

Domniemuje się, że mężczyzna mógł być przed śmiercią torturowany.

Wprawdzie ta część Carlton Park znana jest ze swej popularności w kręgach homoseksualistów szukających szybkiego seksu, policja na obecnym etapie nie łączy tego zabójstwa z morderstwami, które wstrząsnęły opinię publiczną w ostatnich miesiącach; przypomnijmy, że niezidentyfikowany sprawca porzucił ciała dwóch młodych mężczyzn w Temple Fields na terenie określanym często jako „wioska gejów".

Tożsamość zamordowanego nie została jeszcze ustalona, policja zaś nie podała jak dotąd rysopisu ofiary, choć uważa się, że to mężczyzna trzydziesto– lub trzydziestoparoletni.

Przesyłka, nadana w Wigilię z Bradfield, dotarła do redakcji The Sentinel Times z dzisiejszą pocztą, zaadresowana do nowego redaktora wiadomości Matta Smethwicka.

Pan Smethwick komentuje: – W pierwszym momencie pomyślałem, że ktoś robi sobie chore żarty. Podejrzewałem nawet znajomego, który pracuje w tej kancelarii.

- Później przypomniałem sobie, że wyjechał za granicę na narty, zatem nie mógł przysłać tej paczki.

- Od razu zadzwoniłem na policję. Na szczęście, podeszli do sprawy bardzo poważnie.

No, ja myślę. Traktuję tę sprawę ze śmiertelną powagą. Wbrew zapewnieniom policji, myśl, że Gareth to numer trzeci w serii, musiała się zagnieździć w ich móżdżkach. Z pewnością nie uszła za to uwagi dziennikarzy, którzy posłużyli się najnowszym znaleziskiem jako pretekstem, by przypomnieć zabójstwa Adama i Paula. Nim ostatnie wydanie trafiło na ulice, wytrzasnęli nawet akademickiego najmitę od złotych myśli.

W UMYŚLE ZABÓJCY

Wybrany przez Home Office człowiek, pod którego dyktandem przebiega polowanie na seryjnego zabójcę, wypowiedział się dzisiaj na temat ostatniej rzezi, jaka zasiała strach w sercach gejowskiej społeczności miasta.

Psycholog sądowy Tony Hill od roku prowadzi finansowany przez rząd projekt powołania jednostki do spraw profilowania kryminalnego, podobnej do komórki FBI, którą mogliśmy oglądać w „Milczeniu owiec".

Doktor Hill (34 l.), szefował wcześniej zakładowi psychologii klinicznej przy Blamires Hospital, najpilniej strzeżonej placówce psychiatrycznej, miejscu odosobnienia najniebezpieczniejszych niepoczytalnych kryminalistów Wielkiej Brytanii, w tym masowego mordercy Davida Harneya oraz seryjnego zabójcy Keitha Ponda, pseudo „Szaleniec z autostrady".

Oświadczenie doktora Hilla brzmiało: - Nie byłem proszony przez policję na konsultację w żadnym z tych przypadków, więc wiem o nich niewiele więcej niż czytelnicy.

- Wolałbym powstrzymać się od pochopnych wniosków, skoro jednak nalegacie, powiem, że jest możliwe, a chyba i prawdopodobne, iż morderstw na Adamie Scotcie oraz na Paulu Gibbsie dokonała ta sama osoba.

– Ostatnie zabójstwo na pozór przedstawia się podobnie, choć nie brak i zasadniczych różnic. Po pierwsze, ciało zostało odnalezione w miejscu o zupełnie innym charakterze. Wprawdzie Carlton Park także słynie jako miejsce schadzek homoseksualnych par, ale atmosferą diametralnie różni się od zurbanizowanego rejonu Temple Fields.

– Ponadto fakt wysłania wiadomości do The Sentinel Times sam w sobie stanowi znaczącą zmianę w sposobie działania. Nic podobnego nie zdarzyło się we wcześniejszych przypadkach, a nadawca wiadomości nie wspomina o wcześniejszych zabójstwach.

– Totież skłaniałbym się ku poglądowi, iż możemy mieć do czynienia z przynajmniej dwoma działającymi niezależnie sprawcami.

Itepe, itede, a wszystko w tym samym duchu. Równie dobrze mogliby wywiesić neon: „Nie mamy bladego pojęcia, od czego zacząć". Nie sądzę, żeby obawa przed przenikliwością doktora Hilla nie pozwoliła mi spać po nocach. Po namyśle uznaję, że czas dać miłościwie panującym władzom parę lekcji, których szybko nie zapomną.

14

„Człowiek nie musi siłą rzeczy chować oczu, uszu i zdol-
ności pojmowania do kieszeni bryczesów, kiedy zetknie się
z mordem. Jeśli nie trwa w stanie całkowitej śpiączki, mu-
si, jak mniemam, dostrzec, że jedno morderstwo jest lep-
sze lub gorsze od innego, w kategoriach dobrego smaku.
Morderstwa mają swoje małe różnice i odcienie wartości,
podobnie jak rzeźby, obrazy, oracje, kamee, intaglia i co
tam jeszcze".

(przełożyła Magdalena Jędrzejak)

Tony wyciągnął się w wannie, ustawiwszy w zasięgu ręki koniakówkę z brandy, zmachany, ospały i odprężony zarazem. Nie pamiętał, kiedy ostatnio czuł się tak błogo, pełny optymizmu. Telefoniczna sesja z Angelicą oraz przekonanie, że odwalił kawał dobrej roboty, sprawiły, że odżyła w nim nadzieja. Może mimo wszystko nie jest skazany na wieczystą impotencję. Może nareszcie trafi w szeregi tych, którzy radzą sobie z życiem, uczą się na błędach, zamiast je rozpamiętywać, a świat kształtują tak, jak chcą go widzieć.

– Mogę odmienić swoje życie – powiedział z mocą.

Zabrzęczała słuchawka bezprzewodowego telefonu. Tony sięgnął po nią przeciągłym, leniwym ruchem; teraz nie kryła w sobie żadnych koszmarów. Dziwna rzecz, ale z czasem zaczął czekać na telefon od Angeliki zamiast się go obawiać.

– Halo – rzucił wesoło.

– Tony, tu John Brandon. Posyłam po ciebie samochód. Mamy następnego.

Tony poderwał się do pozycji siedzącej, woda w wannie zafalowała gwałtownie jak podczas jakiegoś eksperymentu w laboratorium morskim.

– To pewne?

– Carol Jordan i Don Merrick byli na miejscu pięć minut od zgłoszenia.

Tony zacisnął powieki.

– O Boże – jęknął. – Gdzie?

– Toalety publiczne przy Clifton Street. Temple Fields.

Tony podniósł się i wyszedł z wanny.

– Do zobaczenia na miejscu – powiedział głucho.

– Dobra, Tony. Samochód zajedzie pod ciebie za jakieś pięć minut.

– Będę gotowy.

Tony rozłączył się i wypadł z łazienki, po drodze wycierając się ręcznikiem. Zaprzątnięty myślami szybko wciągnął dżinsy, podkoszulek, założył koszulę, sweter i skórzaną kurtkę. Dołożył dodatkową parę skarpet, bo już wcześniej był na dworze niezły ziąb. Dzwonek do drzwi odezwał się w chwili, gdy Tony wiązał sznurowadła butów z cholewami.

Napięta atmosfera w policyjnym samochodzie nie pozwalała na spokojne zastanowienie się; mknęli przez nocne ulice, snopami niebieskiego światła przebijając nieziemskie pomarańczowe kręgi wokół sodowych latarni. Jego eskorta, para mrukliwych twardzieli z drogówki, była milcząca i nieprzystępna, co samo w sobie raczej nie zachęcało do rozmowy. Z piskiem opon wjechali w Clifton Street, kierowca przycisnął hamulec do dechy dopiero na widok taśm policyjnych, odcinających środkowy odcinek ulicy.

Ktoś uniósł taśmę, Tony przeszedł pod nią, kierując się do miejsca, gdzie w pozornie przypadkowym układzie stały policyjne samochody i karetka. Zbliżając się, dostrzegł neonowe kółko i trójkąt na tle posępnej, ciemnej ściany. Obok ambulansu zauważył Dona Merricka: rzucał się w oczy ze swoją zabandażowaną głową. Nie zatrzymywany przez biegających w tę i z powrotem funkcjonariuszy, Tony dopchnął się do Merricka, omawiającego coś przez komórkę. Machnięciem ręki dał znak Tony'emu, że go zauważył, i skończył rozmowę słowami:

– W porządku, dzięki, przepraszam, że robię ci kłopot.

– Witam, sierżancie – odezwał się Tony. – Szukam pana Brandona. Albo inspektor Jordan.

Merrick kiwnął głową.

– Oboje są w środku. Pan też będzie chciał rzucić okiem, jak przypuszczam.

– Kto znalazł ciało?

– Jedna z dziewczynek, co tu zwykle stoją na rogu. Mówi, że wszystkie damskie klopy były pozajmowane i dlatego weszła do kabiny dla niepełnosprawnych. Ja bym się tam założył, że była z klientem. Jak nic nawiał przy pierwszej zapowiedzi kłopotów.

Kątem oka Tony zobaczył Carol; wyszła z szaletu i bez wahania ruszyła w kierunku jego i Merricka.

– Dzięki, że się pokazałeś – rzuciła, zaledwie Merrick odsunął się i ponownie przykleił do telefonu.

– Gdybym powiedział, że nie darowałbym sobie czegoś takiego za żadne skarby świata, można by to zrozumieć opacznie – mruknął Tony kwaśno. – Jakie macie podstawy, żeby uważać, że to robota Handy'ego Andy'ego?

– Zamordowany jest nagi i ma poderżnięte gardło. Najwyraźniej został tu przywieziony na wózku inwalidzkim, a potem zepchnięty na podłogę. Do tego dochodzi ksero pierwszej strony wczorajszego *The Sentinel Times*, które leżało na zwłokach – wyjaśniła Carol; w jej głosie brzmiało napięcie, ale w oczach malowało się tylko zmęczenie. – Sprowokowaliśmy go, prawda?

– Nie my. Gazeta, być może, ale z pewnością nie my – wyjaśnił Tony ponuro. – Ale nie przewidywałem, że zareaguje tak szybko.

Merrick podszedł ponownie i obwieścił wesoło:

– Wygląda na to, że namierzyłem ten wózek inwalidzki. Dziś wieczorem jeden zniknął z izby przyjęć szpitala położniczego. Przy odrobinie szczęścia ktoś mógł coś widzieć.

– Dobra robota, Don – ucieszyła się Carol. – To jak, rzucimy okiem? – spytała Tony'ego.

Ten skinął i milcząco podążył za nią, kiedy przepychała się między pochłoniętymi pracą technikami w stronę wejścia do toalet. Tony powoli wszedł do korytarza, przeprowadzając w myślach szczegółową inwentaryzację. Rozejrzał się dookoła, odnotowując gumową wykładzinę podłogową, imitację czarnej terakoty z wypukłymi krążkami zdobień, pozornie przypadkowy rozkład szarych i czarnych płytek glazury na ścianach, czyjeś buntownicze graffiti, jakby piwniczne, zatęchłe powietrze, zapach środków dezynfekcyjnych ledwie maskujących smród szczyn. Potem korytarz się rozwidlał; panowie w lewo, panie w prawo. Toaleta dla niepełnosprawnych mieściła się po prawej, tuż przy tej dla pań. Brandon i Kevin Matthews zaglądali do środka przez otwarte drzwi. Tony podszedł do nich i przyłączył się do posępnej, milczącej lustracji. W samej toalecie fotograf metodycznie utrwalał na kliszy scenerię, która wstrząśnie ławnikami, jeśli ludzie Brandona zdołają doprowadzić Handy'ego Andy'ego na salę sądową. Co kilka sekund oślepiająco białe światło flesza odrysowywało makabryczne obrazy na siatkówkach patrzących.

Tony wpatrywał się w ciało rozciągnięte na podłodze. Było, jak Carol uprzedziła, nagie, ale nie czyste. Kolana, łokcie i jedna kostka ubrudzone smugami jakiejś ciemnej, oleistej substancji. Uwalane plamami krwi. Rana gardła szeroka, ale w ocenie Tony'ego nie na tyle głęboka, by spowodować zgon. O ile mógł ocenić, organy płciowe nie doznały uszczerbku, natomiast odbytnica oraz odbyt, jak również delikatna tkanka wokół niego były rozpłatane ostrym narzędziem. Przez Tony'ego przetoczyła się ciepła fala ulgi; dopiero teraz przyznał się przed samym sobą, czego się najbardziej obawiał. Podobnie jak Carol, drżał na myśl, że w jakiś sposób sprowokował Handy'ego Andy'ego do zabójstwa przed upływem ośmiu tygodni. Od telefonu Brandona strach towarzyszył mu stale, wisiał nad nim jak czarna chmura.

Tony zwrócił się twarzą ku Brandonowi i oświadczył prosto z mostu:

– To nie on. Macie naśladowcę.

Tom Cross, w płaszczu z podniesionym kołnierzem, wyłonił się z mroków na drugim końcu Clifton Street i dołączył do grona zjaw, które wyrastały jak spod chodnika; patrzył na znajomy rytuał oględzin miejsca zbrodni. Z ustami zaciśniętymi w powściągliwym uśmieszku na powrót wycofał się głębiej w ciemności. Z wewnętrznej kieszeni płaszcza wyjął kalendarz i wyrwał czystą kartkę. W słabym świetle latarni nagryzmolił: „Drogi Kevinie, założę się z tobą o złoty zegarek, że to nie jest robota Homobójcy. Najlepszego, Tom".

Incydent w Seaford był równie zawstydzający, co przykry, ale Tom Cross nie należał do osób, które pozwalają, by upokorzenie przeszkadzało im w osiągnięciu celu. Złożył liścik na pół, potem jeszcze raz na pół, po czym dopisał na wierzchu: „Inspektor Kevin Matthews. Do rąk własnych". Zbliżał się, lawirując w tłumie, póki nie ściągnął na siebie spojrzenia mundurowego zza policyjnej taśmy.

– Wiesz, kim jestem, prawda, synu? – zagrzmiał.

Posterunkowy skinął niepewnie, strzelając oczami na boki, nieszczególnie zachwycony publicznymi konszachtami z parszywą owcą jednostki.

Cross wyciągnął rękę z liścikiem.

– Dopilnuj, żeby to dotarło do inspektora Matthewsa, chłopcze.

– Tak jest, sir.

Posterunkowy pośpiesznie zacisnął liścik w obleczonej w rękawiczkę ręce; zdążył zastanowić się przelotnie, co to za kozak tak ślicznie podmalował Crossowi oko.

– Będę o tobie pamiętał, kiedy wrócę w kierat – rzucił Cross przez ramię, przepychając się przez tłum gapiów.

Cross na skróty wrócił do swojego volvo, zaparkowanego przed wyjściem ewakuacyjnym nocnego klubu. Dzisiejszy dzień stanowczo nie był satysfakcjonujący, daleko mu do tego, najbliższy ranek też nie zapowiada się lepiej. Jednak przeświadczenie, że wiadomość, jaką przesłał Kevinowi Matthewsowi, jest zgodna z prawdą, napełniła Toma Crossa poczuciem, że to, co robi, ma jakiś sens.

- Wyniki sekcji potwierdzą moje słowa - upierał się Tony. - Nie wiem, kto zabił tego faceta, ale z pewnością nie nasz seryjny zabójca.

Bob Stansfield gniewnie ściągnął brwi.

- Nie pojmuję, jak może pan być tego taki pewny z powodu kilku głupich plam oleju.

- Nie tylko o to chodzi, że ciało nie było obmyte. - Tony odliczał kolejne punkty na palcach. - Nie ta grupa wiekowa; miał góra dwadzieścia parę lat. Ani mu w głowie było kryć się z orientacją, przeciwnie, środowisko gejów doskonale go zna. Udało się go zidentyfikować jeszcze przed trzecią nad ranem.

Kevin Matthews pokiwał głową.

- Obyczajówka też. Niejaki Chaz Collins. Jako małolat kupczył tyłkiem, potem podjął pracę w barze, lubił ostrzejszy seks.

- No, właśnie - podchwycił Tony. - Ponadto nie ma okaleczeń na jego penisie czy jądrach, podczas gdy agresja zabójcy, skierowana przeciwko tym organom, stopniowo się zwiększa. Jak dotąd prasa dowiedziała się tylko tego, że ofiary odniosły obrażenia o charakterze seksualnym. Nie ujawnialiśmy szczegółów. Sprawca tego zabójstwa założył, że chodziło wyłącznie o okaleczenia okolic odbytu. Podejrzewam, że było mu to na rękę, bo odbył z ofiarą stosunek analny przed jej śmiercią, i chciał się upewnić, że do laboratorium nie trafi próbka jego nasienia.

Tony umilkł, by zebrać myśli. Nalał sobie kolejny kubek kawy z dzbanka, który przyjechał na wózku razem z resztą śniadania zamówionego przez Brandona na poranną konferencję.

- Do tego ten wózek inwalidzki - wtrąciła Carol. - Podjął duże ryzyko, kradnąc go ze szpitala położniczego. Nie sądzę, żeby to pasowało do ostrożności, jaką dotąd cechowały się działania tego seryjnego zabójcy.

- No i ofiara nie była torturowana - dodał Kevin przez wielki kęs bułki z kiełbasą i jajkiem. - A przynajmniej nic na to nie wskazuje.

W jego kieszeni spoczywała złożona na czworo kartka, która wpływała na jego poglądy w nie mniejszym stopniu, niż opinie, jakie tu usłyszał. Może i słusznie odsunęli Popeye'a od tej sprawy, ale Kevin bardziej dowierzał jego instynktowi niż argumentom kolegów.

Bob Stansfield natomiast ani myślał ustąpić.

– Dobra, dobra, a jeśli rozmyślnie zmienia sposób działania, bo chce, żebyśmy pomyśleli, że to robota jakiegoś naśladowcy? Jeśli nas świadomie podpuszcza? Do tego dochodzi gazeta, którą przy nim znaleźliśmy. A profil sporządzony przez doktora Hilla uwzględnia możliwość, że w sytuacji stresu wywołanego inną niż oczekiwana reakcją mediów może dojść do skrócenia cyklu zabójstw.

Tony nie przerwał starannego wypełniania bułki plastrami smażonego bekonu i sadzonymi jajkami. Wycisnął z butelki aureolę brązowego sosu dookoła żółtka, po czym oświadczył:

– To tylko jedna z hipotez. Jasne, jasne, mógł zamordować chociażby tylko po to, żeby zabłysnąć swoimi umiejętnościami. Zabójstwo byłoby zaplanowane z mniejszym wyprzedzeniem, więc i ofiara mogłaby bardzo różnić się od wcześniejszych. Ale podstawowy schemat działania byłby taki sam.

– No i jest – upierał się Stansfield. – Facet ma poderżnięte gardło, jak tamci. Zmasakrował go ten bydlak. Jak możecie mówić, że nie był torturowany? Nie widzieliście, jak wyglądają jego cztery litery?

– Gdybym lubił hazard, założyłbym się z panem sto do jednego, że Chaz Collins nie zmarł w wyniku poderżnięcia gardła. Obstawiałbym, że został uduszony gołymi rękami, a ranę gardła zadano dopiero po śmierci, żeby upozować go na kolejną ofiarę seryjnego mordercy. Zakładałbym raczej taki scenariusz, że kogoś poniosło podczas ostrzejszego seksu i sytuacja wymknęła się spod kontroli. Chaz szamotał się podczas stosunku analnego, kochanek chwycił go za szyję, żeby go uciszyć. W chwili orgazmu ściska odrobinę za mocno i ma nieboszczyka na koncie. Dochodzi do wniosku, że jedyna szansa, żeby się z tego wykaraskać, to stworzyć pozory, iż zabójstwo jest dziełem poszukiwanego przez policję seryjnego zabójcy, i na wypadek, gdybyśmy okazali nie dość bystrzy, dorzuca wczorajszą gazetę.

– Z pewnością nie można takiego scenariusza wykluczyć – orzekł Brandon, starannie wycierając palce z tłuszczu chusteczką higieniczną. Zawsze nosił ich kilka przy sobie.

– A ja uważam, że Tony ma rację – oznajmiła Carol nie znoszącym sprzeciwu tonem. – Najpierw pomyślałam, że to piąta ofiara z serii, ale im dłużej się nad tym zastanawiam, tym bardziej jestem przekonana, że się myliłam. Wiecie, co w moim poczuciu ostatecznie przesądza sprawę? – Cztery pary oczu wpatrzyły się w nią pytająco. Czuła na sobie nie mniejszą odpowiedzialność, jak wówczas, gdy zeznawała jako świadek podczas procesu. – Wczoraj nie był poniedziałek.

Tony uśmiechnął się od ucha do ucha. Stansfield wniósł oczy ku niebu. Kevin niechętnie pokiwał głową, Brandon zaś rzucił:

– Sądzisz, że dzień tygodnia jest dla niego tak istotny?

Carol przytaknęła.

– Niewątpliwie ma ważny powód, żeby wybierać poniedziałki, czy to praktyczny, czy też wiążący się z jakimś przesądem. I cokolwiek to jest, wiele dla niego znaczy. Nie sądzę, żeby odszedł od utartego schematu po to tylko, żeby zagrać nam na nosie.

– Zgadzam się z Carol – wtrącił Kevin. – I nie chodzi mi tylko o datę. O wszystko inne też.

Stansfield zrobił zaskoczoną minę.

– Cóż, najwyraźniej zostałem przegłosowany – stwierdził dobrodusznie. – Zatem inny sprawca. Kto się zajmie dochodzeniem?

Brandon westchnął.

– Pogadam ze śledczym Sharplesem z komendy głównej, niech on podejmie decyzję. Skoro nie ktoś z nas, to padnie na zastępcę.

– Jest na chorobowym – przypomniał Kevin z roztargnieniem.

– Racja. Cóż, zatem na pierwszego inspektora, jaki będzie miał pecha nawinąć się Sharplesowi pod rękę. Zmieniając temat, wiem, że wydarzenia ubiegłej nocy uniemożliwiły nam przestudiowanie dzieła doktora Hilla z należytą uwagą, toteż jestem zdania, że powinniśmy... - Przerwało mu pukanie do drzwi. - Proszę - rzucił, starając się, by w jego głosie nie słychać było irytacji.

Do środka wkroczył umundurowany sierżant dyżurny, niosący dwie koperty.

- Sprzed chwili, sir. Z laboratorium kryminalistycznego i od patologa - wyjaśnił, kładąc koperty na biurku przed Brandonem. Zniknął, zanim Brandon wyjął z każdej po pliku kartek.

Pozostali czekali niecierpliwie, aż Brandon skończy przeglądać wstępne ustalenia patologa.

- „Drogi Johnie" - odczytał głośno - „wiem, będziecie wielkim głosem domagać się jakichś konkretów, ponieważ sprawa z pozoru przedstawia się tak, jakby wasz seryjny zabójca nareszcie zostawił trochę śladów. Złe wieści są takie, że nie sądzę, aby to było jego dzieło. Ofiara najprawdopodobniej zmarła wskutek asfiksji, a rana gardła została zadana pośmiertnie. Przypuszczalnie została uduszona gołymi rękoma. Nie sądzę też, aby sprawca posługiwał się tym samym narzędziem, od którego zginęły wcześniejsze ofiary. Sądząc z kształtu obrażeń, tym razem użyto dłuższego i węższego ostrza przypominającego kuchenny nóż do siekania warzyw. W poprzednich przypadkach, jak oceniam i o czym was już informowałem, rany były zadawane narzędziem podobnym do noża, jakim filetuje się mięso. Czas śmierci szacowałbym na przedział między dwudziestą a dwudziestą drugą wczoraj. Doślę wam pełny raport jak tylko...". Ple, ple, ple. Cóż, wygląda na to, że miałeś rację, Tony.

- Całe szczęście, że w porę przyznałem wam rację, bo wyszedłbym na palanta - oznajmił ze śmiechem Bob Stansfield, podając Tony'emu rękę. - Dobra robota, doktorku.

Carol uśmiechnęła się pod nosem. Chwała Bogu, reszta zespołu zaczynała nareszcie rozumieć, że Tony może wnieść coś wartościowego do śledztwa. Zadziwiające, jak bardzo się zmieniła atmosfera, odkąd zniknął stąd Cross.

Kevin, który wiercił się jak na szpilkach, nie wytrzymał:

- Co piszą ci z laboratorium kryminalistycznego? Jest coś

o tej serii czy same wstępne pierdoły na temat Chaza Collinsa?

Brandon przekartkował drugi raport.

– Wstępne... wstępne... wstępne... – Raptem głośno wstrzymał oddech. – Jezu Chryste – rzucił, tłumiąc obrzydzenie.

– Co się stało, sir? – zaniepokoiła się Carol.

Brandon potarł dłonią pociągłą twarz i znowu zagapił się w dokument, jakby chciał się upewnić, czy coś mu się nie przywidziało.

– Przyjrzeli się oparzeniom na ciele Damiena Connolly'ego. Próbowali ustalić, czym sprawca się posłużył do ich wykonania.

Tony znieruchomiał z ostatnim kęsem kanapki w pół drogi do ust.

– Jak brzmi rozpoznanie? – spytał rzeczowo Bob Stansfield.

– To jest totalnie, psia mać, chore – rzucił Brandon zdławionym głosem. – Jedyne, z czym to się kojarzyło chłopakom z labu, to foremki do wycinania ciastek, dokładane do zestawów do lukrowania.

– No jasne – wyszeptał Tony z rozmarzeniem, w oczach błysnął mu cień uśmiechu. – Stąd te gwiazdki. To takie logiczne, kiedy już się na to wpadło.

Nagle uświadomił sobie, że cała czwórka wpatruje się w niego milcząco. Jedynie Carol sprawiała wrażenie zatroskanej. Na pozostałych twarzach gościły emocje, które rozpoznał bez trudu, bo widywał je aż nazbyt często. Czujność, odraza, niesmak, zakłopotanie.

– Szajbus na całego – orzekł Stansfield gorzko.

Nikt z zebranych nie był do końca pewny, kogo ma na myśli: zabójcę czy Tony'ego.

W dniu, gdy Penny Burgess objęła rubrykę kryminalną *The Bradfield Evening Sentinel Times*, poczyniła tajemne śluby, że będzie miała lepszych informatorów niż którykolwiek z jej poprzedników. Zdawała sobie sprawę z tego, że męskie rytuały w guście loży masońskiej czy wizyt w klubach go-go pozostaną dla niej niedostępnymi światami, niemniej jednak poprzysięgła sobie, iż nic nie wydarzy się bez jej wiedzy.

Nie było nic dziwnego w tym, że jej domowy telefon odzywał się dziś dwukrotnie między szóstą a siódmą rano. Dwaj uprzejmi funkcjonariusze niezależnie od siebie zadzwonili z informacją, że człowiek przesłuchiwany wcześniej w związku ze sprawą Homobójcy został aresztowany podczas próby ucieczki zagranicę. Żadnych nazwisk, po co nadstawiać karku, tylko tyle, że anonimowy podejrzany stanie jutro przed sędzią pokoju, a policja wniesie o ponowne osadzenie go w areszcie pod zarzutem utrudniania wymiaru sprawiedliwości. W zestawieniu z wiadomością o znalezieniu piątej ofiary – wiadomością, którą Penny uzyskała znacznie wcześniej i która nie pozwoliła jej się położyć przed drugą nad ranem – wnioski nasuwały się same.

Penny sennie uśmiechnęła się nad drugą filiżanką esencjonalnego earl greya. Dzisiaj też dostanie pierwszą stronę. O ile naczelnemu i temu prawnikowi nie zabraknie tupetu. Porzuciła filiżankę i miskę po płatkach śniadaniowych w zlewie i złapała płaszcz. Tak czy inaczej, dzień zapowiada się interesująco.

Carol miała pecha i to na nią spadła wątpliwa przyjemność w postaci wyprawy do sądu pokoju i dopilnowania, by wszystko przebiegło zgodnie z planem. Stansfield i Kevin mieli mnóstwo zaległości i musieli podgonić z robotą, a Tony wyjechał na umówione dużo wcześniej spotkanie z kanadyjskim psychologiem uniwersyteckim, który przyjechał do Leeds na konferencję. Tony chciał omówić jakiś ezoteryczny aspekt swoich badań, bodajże „conceptual mapping" czy jakoś tak. Wspominał o tym po odprawie grupowej, kiedy mieli chwilę na rozmowę.

Równie dobrze mógł powiedzieć „mechanika kwantowa", pomyślała cierpko, wbiegając po schodach do gmachu sądu pokoju, ubrana w płaszcz z podniesionym kołnierzem, bo wiał przenikliwy wschodni wiatr, który wróżył opad deszczu ze śniegiem przed kolacją. Będzie musiała wiele się jeszcze nauczyć, zanim będzie mogła poważnie pomyśleć o zgłoszeniu się do jednostki profilerskiej pod egidą Tony'ego.

Odechciało się jej tych rozważań, zaledwie przeszła przez bramkę kontrolną i skręciła w długi korytarz, przy którym mieściły się sale sądowe. Zamiast zobaczyć, jak zwykle, grupę zirytowanych i buńczucznych podsądnych, sprawców drobnych wykroczeń oraz ich przerażone rodziny, ujrzała tłum podnieconych dziennikarzy. Nigdy dotąd nie była świadkiem tak licznej reprezentacji mediów na sprawie wyznaczonej na sobotę rano, najspokojniejszą z reguły porę tygodnia. W samym środku tłumu wypatrzyła Dona Merricka, przyciśniętego plecami do drzwi sali sądowej, z zaszczutym wyrazem twarzy.

Carol błyskawicznie okręciła się na pięcie. Za późno. Została nie tylko zauważona, ale i rozpoznana przez jednego z miejscowych dziennikarzy, ginących w ciżbie zarozumiałych korespondentów ogólnokrajowych sieci telewizyjnych, które wywęszyły sensacyjny temat. Kiedy znikła za rogiem, rzucili się za nią – wszyscy oprócz Penny Burgess, ta oparła się o ścianę i posłała Donowi Merrickowi zmęczony uśmiech.

– Nie u pani jednej bladym świtem rozdzwonił się telefon – stwierdził cynicznie.

– Niestety nie, panie sierżancie. Ale widzę, że moi koledzy są bardziej zainteresowani pańską szefową niż panem.

– Jest bardziej fotogeniczna – odparł Merrick.

– O, nie powiedziałabym.

– Co nieco o tym słyszałem – uciął Merrick sucho.

Penny uniosła brwi.

– Musisz pozwolić, żebym kiedyś postawiła ci drinka, Don. Wtedy będziesz mógł sam się przekonać, czy to plotki, czy prawda.

Merrick pokręcił głową.

– Nie wydaje mi się, kotku. Żona by tego nie pochwaliła.

Penny uśmiechnęła się szeroko.

– Nie wspominając o szefowej. Cóż, Don, skoro cała horda pognała z wyciem za inspektor Jordan, pozwolisz mi na skorzystanie z mego demokratycznego prawa do działalności sprawozdawczej z przesłuchań sądów pokoju?

Don Merrick odsunął się od drzwi i machnął ręką.

– Śmiało – powiedział. – Proszę tylko nie zapominać, pani czy też panno Burgess, fakty i tylko fakty. Nie chcemy narażać niewinnych na niebezpieczeństwo, prawda?

– Chce pan powiedzieć, tak jak robi to Homobójca? – spytała ze słodyczą Penny i wkroczyła do sali.

Brandon z niedowierzaniem wpatrywał się w Toma Crossa. Twarz nadinspektora dosłownie tchnęła samozachwytem; mieniący się kolorami tęczy siniak pod okiem stanowił jedyny zgrzyt w tym obrazku przebiegłego zadowolenia.

– Między nami, John – puszył się właśnie – musisz przyznać, że z McConnellem utrafiłem w dziesiątkę. Ten wczorajszy umarlak to wcale nie była robota Homobójcy, co? Bo i nie mogła, skoro mój chłoptaś jest przymknięty i grzecznie siedzi na dołku. – Nie zważając na to, że w gabinecie naczelnika nie było popielniczek, Cross zapalił papierosa i radośnie wydmuchnął w powietrze kłąb dymu.

Brandon starał się, jak mógł, lecz nie zdołał znaleźć właściwych słów. Pierwszy raz w życiu odjęło mu mowę.

Cross rozejrzał się niedbale za czymś, do czego można by strząsnąć popiół, wybrał podłogę i czubkiem buta wtarł w dywan szary słupek popiołu.

– No, to kiedy pan chce, żebym wrócił do roboty? – spytał. Brandon rozparł się w fotelu i wpatrzył w sufit.

– Gdyby to zależało ode mnie, nigdy więcej nie dostałby pan pracy w tym mieście – odparł uprzejmie.

Cross zakrztusił się dymem. Brandon opuścił wzrok i napawał się tą chwilą.

– Ja cię kręcę, ty i te twoje żarty, John – wykrztusił Cross.

– W życiu nie mówiłem bardziej serio – stwierdził Brandon zimno. – Wezwałem pana tutaj, bo chcę ostrzec, żeby trzymał się pan od tej sprawy jak najdalej. To, jak wczoraj po południu potraktował pan Stevena McConnella, to pospolita napaść. Sprawa jest otwarta, nadinspektorze. Jeżeli jeszcze raz zacznie pan węszyć przy tym dochodzeniu, bez wahania wniosę przeciwko panu oskarżenie. Inaczej: zrobię to z przyjemnością. Nie pozwolę, aby reputację tej jednostki zszargał jeden funkcjonariusz, obojętnie czy będący w czynnej służbie, czy zawieszony.

Kiedy słowa Brandona zaczęły do Crossa docierać, nadinspektor pobladł, potem spurpurowiał ze złości i z upokorzenia. Brandon podniósł się.

– A teraz niech się pan wynosi z mojego gabinetu i z mojego komisariatu.

Cross podniósł się chwiejnie jak ofiara wypadku ze wstrząśnieniem mózgu.

– Pożałujesz tego, Brandon – wykrztusił z furią.

– Nie każ mi żałować tej decyzji, Tom. Dla własnego dobra, nie każ mi jej żałować.

Zastanawiając się w marszu, Carol prowadziła dziennikarzy do niewielkiej salki przed wejściem do kafeterii.

– Już dobrze, dobrze – odezwała się, próbując uciszyć wrzawę przesadnymi gestami. – Proszę posłuchać, jeśli zechcą mi państwo dać dwie minutki, wrócę i odpowiem na wszystkie pytania, zgoda?

Spoglądali na nią z niepewnymi minami; jedna czy dwie osoby stojące najdalej wyraźnie zastanawiały się, czy nie wymknąć się i nie wrócić przed salę sądową.

– Słuchajcie, ludzie – powtórzyła, delikatnie masując żuchwę – ja tu konam. Straszliwie boli mnie ząb. Jeśli przed dziesiątą nie zadzwonię do mojego dentysty, dziś mnie już nie przyjmie. Proszę. Dajcie żyć. Potem będę do waszej dyspozycji, obiecuję!

Carol wysiliła się na zbolały uśmiech i przemknęła do kafeterii. Dopadła do telefonu w głębi sali i chwyciła słuchawkę. Ostentacyjnie wyjęła notes i coś w nim sprawdziła, po czym z pamięci wykręciła dobrze znany numer.

– Z sądem numer jeden, poproszę. – Czekała na połączenie, potem, kiedy na linii ktoś się odezwał, rzuciła pośpiesznie: – Mówi inspektor Jordan. Czy mogę prosić z radcą prawnym?

Parę chwil później rozmawiała z prawnikiem Królewskiej Służby Oskarżycielskiej – „Crown Prosecution Service", w skrócie „CPS"*.

– Eddie? Carol Jordan z tej strony. Mam tu na karku parę dziesiątek hien czatujących na Stevena McConnella. Aż ich skręca, żeby wyciągnąć zupełnie nie te wnioski, co potrzeba, i pomyślałam, że może wolałbyś dotransportować go teraz, kiedy zajmę ich zaimprowizowaną konferencją prasową. Dasz radę to przepchnąć w kancelarii? – Czekała, aż prawnik skończy naradzać się z kimś półgłosem.

– Da się zrobić, Carol – odpowiedział. – Dzięki.

Nie wypadając z roli, Carol odwiesiła słuchawkę i nagryzmoliła coś w notesie. Następnie zrobiła głęboki wdech i ruszyła w stronę dziennikarzy.

Z 3,5-CALOWEJ DYSKIETKI O NAZWIE: KOPIA_ZA-PASOWA.007; PLIK MIŁOŚĆ.015

Damien Connolly, „Pan Plod" żywcem wyjęty z kreskówki. Nie sposób o lepszego kandydata, aby dać nauczkę policji, choćby szukać okrągły rok. Mimo to już wcześniej figurował na mojej liście, w mojej osobistej „Dziesiątce Złotych Przebojów". Trudniej mi go było śledzić niż jego poprzedników, bo pracował w godzinach, które kolidowały z moim czasem pracy. Choć, jak mawiała moja babcia, nic, co warto mieć, łatwo nie przychodzi.

Pułapkę zastawiam tę samą i z tym samym skutkiem; pełen sukces.

– Przepraszam, że sprawiam panu kłopot, ale samochód mi nawalił, a nie wiem, gdzie szukać budki telefonicznej. Czy

---

*Angielski i walijski odpowiednik prokuratury, powołany w 1985 r. (przyp. tłum.).

mogę skorzystać z telefonu, żeby wezwać pomoc drogową?

Wręcz śmiesznie łatwo obcej osobie przekroczyć próg ich domów. Zginęło trzech mężczyzn, a reszta w dalszym ciągu nie podejmuje najprostszych nawet środków ostrożności. Damiena prawie mi żal. On jeden mnie nie zdradził. Ale potrzebuję małej demonstracji sił, by uświadomić gliniarzom, jacy z nich żałośni nieudacznicy. Muszę przyznać, że tym razem, choć to mało przyjemne uczucie, w pełni zgadzam się z tak zwaną „społecznością gejowską". Mają stuprocentową rację, twierdząc, że dopóki giną domniemani homoseksualiści, policja nie raczy kiwnąć palcem w bucie. Śmierć gliniarza to jedyna rzecz, jaka może postawić ich na baczność, zmusić do ocknięcia się. Do okazania mi uwagi i szacunku, do których mam święte prawo.

Aby dobitnie dać im to do zrozumienia, planuję dla Damiena coś wyjątkowego. Nietypowy rodzaj kary, stosowany sporadycznie i niejako dla postrachu, pour discourager les autres. Wydaje się, że najczęściej stosowano ją wobec winnych zdrady stanu, spiskowców, którzy chcieli porwać się na życie króla. Pasuje jak ulał, moim zdaniem. Czyże bowiem jest Damien, jeśli nie jednym ze zgrai, która zdetronizowałaby mnie przy pierwszej sposobności?

Najwcześniejsza pisemna wzmianka o tej metodzie karania zdrajców na obszarze Anglii pochodzi z 1238 roku, kiedy to jakiś szlachetka włamał się do domku myśliwskiego w Woodstock z zamiarem zamordowania Henryka II, który przybył tam na łowy. Aby pokazać ewentualnym naśladowcom, że król poważnie podchodzi do zamachów na swoje życie, winnego skazano na włóczenie końmi, a następnie ścięcie głowy.

Ten sam los kolejnego niedoszłego zabójcę członka rodziny królewskiej spotkał w połowie osiemnastego wieku. Nazwisko zdrajcy i skrytobójcy nieudacznika brzmiało – nomen omen – François Damiens. Ugodził on nożem króla Ludwika XV w Wersalu. Wyrok brzmiał: „jego pierś, ramiona, uda i łydki rwane będą rozżarzonymi szczypcami; prawica, co dzierżyła nóż, którym dopuścił się rzeczonej napaści, przypiekana w siarce; wrzący olej, stopiony ołów, kalafonia i wosk z siar-

ką zmieszane, kat lać będzie w jego rany; później zaś jego ciało włóczone będzie za czwórką koni do rozczłonkowania"*.

Świadkowie egzekucji przysięgali, że ciemnobrązowe włosy Damiena całkiem posiwiały podczas tej tortury. Casanova,
drugi spośród największych kochanków świata, pisze w swoich wspomnieniach: „Patrzyłem na tę straszliwą scenę przez
cztery godziny, atoli po kilkakroć zmuszony byłem twarz od-
wrócić i uszy zatkać, kiedym słyszał jego rozdzierające krzyki, gdy połowę ciała od niego oddarto"**.

Oczywiście, nie sposób w piwnicy pomieścić czwórki koni, toteż wybieram skromniejsze rozwiązanie. Wystarcza
odrobina pomysłowości. Tworzę system sznurów i krążków
linowych, który mocuję do podłogi oraz do sufitu i podłą-
czam do potężnej wyciągarki jachtowej. Każdy sznur kończy
się stalową klamrą, która obejmie nadgarstek lub kostkę. To
poluzowując, to napinając sznury, podwieszam Damiena
w powietrzu z kończynami rozpostartymi w wielkie iks; jego
żałosne genitalia zwisają na środku jak nierozpoznawalny
ochłap mięsa w sklepie rzeźnickim.

Chloroform zniósł gorzej niż którykolwiek z jego poprzedników. Ledwie odzyskał przytomność, zwymiotował gwałtownie –
rzecz niełatwa, kiedy wisi się w pozycji pionowej niecałe półtora
metra nad ziemią. Dobrze, że udało mi się w porę wyjąć mu knebel z ust, bo byłby się udławił własnymi wymiocinami, mnie zaś
pozbawił zasłużonej satysfakcji z wymierzenia mu kary.

Jest zupełnie oszołomiony. Nie ma pojęcia, gdzie się znalazł i co się z nim dzieje.

– Miałeś pecha – wyjaśniam. – Po prostu niefortunnie wybrałeś posadę. Teraz będę cię przesłuchiwać tak, jak przesłu-
chuje się podejrzanego.

Wracam myślami do chwili, gdy szperając w kuchni cioteczki Doris – ot, tak, by przekonać się, czy znajdę cokolwiek,
co mogłoby się przydać – natykam się na zestaw do lukrowa-

---

*Tłum. M. J. Wyrok przeciwko Damiensowi, za wersją angielską.
**Tłum. M. J. „Pamiętniki" Casanovy, za wersją angielską.

nia ciast. Pamiętam ten zestaw. Każdego roku na święta Bożego Narodzenia piekła ciasta, prawdziwe cudeńka; wspinała się na szczyty artyzmu, któremu ciężko byłoby dorównać najlepszym piekarzom z Bradfield. Raz zdarzyło się, że wuj Henry wywołał ją z kuchni, nim skończyła lukrować ciasto - wówczas ja, brzdąc zaledwie sześcioletni, niepewnie biorę się do dzieła; tak strasznie chcę pomóc.

Kiedy wróciła, uporawszy się z jakimś żmudnym zadaniem na podwórzu farmy, gdzie akurat była potrzeba, i zobaczyła wynik moich starań, dostała białej gorączki. Chwyciła ciężki, skórzany pas, na którym wuj Henry wecował swoje zabójczo ostre brzytwy, i zlała mnie tak, że podarła mi koszulę. Następnie zamknęła w moim pokoju, bez kolacji, i zostawiła tam prawie dobę, wstawiwszy jeszcze wiadro do robienia siku. Wiem, że muszę znaleźć dla zestawu cioteczki Doris właściwy użytek.

W piwniczce nie zabrakło palnika, nad którego płomieniem rozgrzewam metalowe kształtki, by odcisnąć swe piętno na Damienie tak samo, jak kat na jego imienniku przed dwustu czterdziestu laty. Jest coś pięknego w sposobie, w jaki jego ciało wybucha gwiezdnymi konstelacjami w chwili, gdy rozgrzane do czerwoności metalowe rozety przylegają do jego jasnej skóry. Ponadto metoda okazuje się zadziwiająco skuteczna. Mówi mi wszystko, co chcę wiedzieć, oraz mnóstwo bzdur, które mam gdzieś. Żałuję tylko, że osobiście nie uczestniczył w śledztwie poświęconym moim wcześniejszym arcydziełom. Wiem, że policja jest w lesie, ale miło byłoby mieć potwierdzenie tego faktu z pierwszej ręki.

Jego doczesne szczątki złożę w Temple Fields. Mam całą listę miejsc, gdzie mogę bezpiecznie pozbywać się własnych robótek; po zabawie z Garethem było dość czasu na rekonesans. Podwórze za Queen of Hearts jest jak stworzone do moich celów; odludne i opustoszałe nocą. Za to za dnia tętni życiem, więc Damien nie będzie musiał zbyt długo leżeć w chłodzie.

Najwyższa pora na nową rozgrywkę. W przygotowaniu do niej, niedługo po rozprawieniu się z Adamem, udaję się na strych i otwieram kufer, który zawiera to z mojej przeszłości, czego nie chcę wymazać. Jedną z takich pamiątek jest skórzana kurtka, prezent od inżyniera z sowieckiej przemysłowej bazy rybackiej, zapłata za niezapomnianą noc. Z wyglądu i w dotyku różni się od tego, co się widuje w sklepach. Odrywam skrawki skóry z rękawa, dopóki nie stwierdzam z zadowoleniem, że mam w ręku strzępek, jaki mógłby pozostać po przypadkowym zahaczeniu rękawem o gwóźdź albo ostrą krawędź zamka. Chowam strzęp do szuflady, kurtkę drę na cienkie paski, upycham je do plastikowego worka ze skorupkami jajek i obierkami, po czym jadę do miasta i wyrzucam torbę do wielkiego kontenera na śmieci. Kiedy przyjdzie pora podrzucić gliniarzom mały prezencik, szczątki kurtki już dawno znikną pod zwałami śmieci na wysypisku bez nazwy.

Z dreszczykiem emocji myślę, ile roboczych godzin policja zmarnuje, próbując ustalić pochodzenie tego osobliwego kawałka skóry. Ze mną nie skojarzą go nigdy. W Bradfield nikt nie miał okazji ani razu oglądać mnie w tej kurtce.

Damien przyniósł mi więcej rozgłosu niż jego poprzednicy razem wzięci. Policja nareszcie przyznała, że wszystkie cztery zabójstwa są dziełem jednej osoby. W końcu do nich dotarło, że czas najwyższy zacząć mnie traktować z powagą.

Teraz, gdy Damien opuścił tę planetę – i przeniósł się do mojego komputera – muszę się rozprawić z jeszcze jednym niegrzecznym chłopczykiem, nim wrócę do mego pierwotnego projektu. Nie mogę zająć się szukaniem prawdziwego mężczyzny, godnego mnie, z którym będziemy dzielić życie na równych prawach i w atmosferze wzajemnego szacunku, zanim nie ukarzę tego, kto publicznie wypowiadał się o mnie z pogardą.

Doktora Tony'ego Hilla, głupca, który nie potrafił nawet wydedukować, że Gareth Finnegan to jedna z moich ofiar. I właśnie doktora biorę teraz na cel. Obraził mnie. Zmieszał z błotem, odmawiając mi zasług za moje czyny. Nie ma pojęcia, z jakiego kalibru umysłem próbuje rywalizować. I będzie musiał za swoją arogancję zapłacić.

Choć bowiem silę się na pobłażliwość, jego słowa odczytuję jako wyzwanie. Kto odczytałby je inaczej?

15

„Czyż nie mogą pozostać przy starym, uczciwym sposobie podrzynania gardeł, miast wprowadzać tak obmierzłe innowacje...?".

(przełożyła Magdalena Jędrzejak)

Ryk tłumu powitał Carol, gdy zamknęła za sobą drzwi mieszkania. Michael, wyciągnięty na sofie przed telewizorem, nie oderwał nawet oczu od transmisji meczu rugby.

– Cześć, siostra – mruknął. – Ale się biorą za łby. Dziesięć minut i jestem tylko twój.

Carol zerknęła na ekran telewizora, gdzie ubłocone olbrzymy w barwach Anglii i Szkocji tarzały się na murawie, zawiązawszy koślawy młyn.

– Bardzo w stylu „hi-tech" – skwitowała pod nosem. – Marzę o prysznicu.

Kwadrans później brat i siostra świętowali sukces przy butelce *cavy*.

– Mam dla ciebie wydruk – powiedział Michael.

Carol się ożywiła.

– Coś znaczącego?

Wzruszył ramionami.

– Nie wiem, co uznałabyś za znaczące. Wasz zabójca posłużył się pięcioma przedmiotami o różnych kształtach, żeby zrobić te ślady. Wychodzi na to, że jest pięć różnych wzorów. Coś jakby serce i kilka koślawych liter. A, D, G i P. Coś ci to mówi?

Carol zadrżała.

– O tak. Aż za wiele. Ten wydruk masz tutaj, w domu?

Michael kiwnął głową.

- W neseserze.

- Popatrzę sobie na niego przez chwilę. Ale najpierw dasz się naciągnąć na jeszcze jedną poradę fachową?

Michael opróżnił zawartość kieliszka i ponownie napełnił go szampanem.

- Nie wiem. Stać cię na to?

- Kolacja, nocleg i śniadanie w wybranym przez ciebie zajeździe w mój pierwszy wolny weekend - zaproponowała Carol.

Michael skrzywił się.

- No to całkiem możliwe, że wcześniej od mojego honorarium zacznę pobierać emeryturę. Co powiesz na prasowanie moich ciuchów przez miesiąc?

- Dwa tygodnie.

- Trzy.

- Właśnie ubiłeś targu. - Podała mu rękę, Michael uścisnął ją mocno.

- To co chcesz wiedzieć, siostra?

Carol przedstawiła w zarysie swoją teorię na temat komputerowej obróbki nagrań zabójstw.

- Co o tym myślisz? - spytała z niepokojem.

- Wykonalne - orzekł. - To nie ulega wątpliwości. Technologia jest dostępna, software nie należy do trudnych w obsłudze. Mógłbym to zrobić, stojąc na głowie. Ale mówimy o ciężkiej kasie. Powiedzmy trzy stówki za kartę wideo pozwalającą na przechwytywanie obrazu, cztery stówki za kartę ReelMagic, kolejne trzy do pięciu za przyzwoity digitizer wideo, plus minimum tysiączek za skaner spod igły. Ale zabójczo drogie to jest dopiero oprogramowanie. W grę wchodzi tylko jeden pakiet, który pozwala na uzyskanie przyzwoitej jakości tego, o czym mówisz. Vicom 3D Commander. Mamy takie cacko i kosztowało nas prawie cztery kawałki, a i to jakieś pół roku temu. Za ostatnią aktualizację beknęliśmy następnych osiem stów. Podręcznik jak cegła.

- Czyli nie jest to program, który można znaleźć w co drugim domu?

Michael parsknął ironicznie.

- Żebyś, psiakrew, wiedziała. To poważny kawał sprzętu. Mają go tylko ludzie z branży, studia nagrań i bardzo poważni hobbyści.

- A jak jest z dostępnością? Można go kupić w pierwszym lepszym sklepie? - sondowała dalej Carol.

- Raczej nie. My rozmawialiśmy bezpośrednio z Vicomem, chcieliśmy, żeby udostępnili nam pełne demo, zanim zobowiążemy się do wyłożenia takiego szmalu. Oczywiście, niektórzy dostawcy specjalistycznego sprzętu też to sprzedają, ale na pewno nie w hurtowych ilościach. Za zamówieniem pocztowym, w każdym razie. Jak większość sprzętu komputerowego.

- A tamte bajery, o których mówiłeś wcześniej? To rzeczy, jakie znajdę u co drugiej osoby?

- Do rzadkości nie należą. Z marszu powiedziałbym, jakieś dwu- albo trzyprocentowe przesycenie rynku gadżetami do obróbki wideo, może piętnastoprocentowe, jeśli chodzi o sam skaner. Ale jeśli chcesz upolować tego gada, to zacząłbym od Vicomu - poradził Michael.

- Jak, twoim zdaniem, będą się zapatrywać na udostępnienie nam faktur sprzedaży?

Michael ściągnął brwi.

- Wiem tyle, co ty. Nie jesteście konkurencyjną firmą, w dodatku to śledztwo w sprawie o morderstwo. Nigdy nie wiadomo, może radośnie pójdą na współpracę. W końcu jeśli ten gościu używa ich oprogramowania, zrobiliby sobie złą prasę, gdyby wam nie pomogli. Spróbuję wygrzebać nazwisko faceta, przez którego to załatwialiśmy. To był chyba dyrektor działu sprzedaży. Szkot. Jeden z tych, którzy tak się nazywają, że nie wiadomo, co jest imieniem, a co nazwiskiem. Wiesz, Grant Cameron, Campbell Elliott... Przypomnę sobie.

Kiedy Michael przetrząsał kalendarz z adresami, Carol dolała sobie szampana i rozkoszowała się musowaniem bąbelków; pękały, mile łaskocząc jej podniebienie. Miała dziwne wrażenie, że w ostatnim okresie przyjemności to w jej życiu towar deficytowy. Gdyby dzięki jej pomysłowi w śledztwie pojawił się nowy trop, całkiem możliwe, że wkrótce uległoby to zmianie.

– Mam! – wykrzyknął Michael. – Fraser Duncan. Przedzwoń do niego w poniedziałek rano i powołaj się na mnie. Najwyższy czas, żebyś miała trochę wytchnienia, siostrzyczko.

– Święte słowa – przytaknęła Carol gorąco. – I wierz mi, naprawdę na to zasłużyłam.

Kevin Matthews leżał na plecach w poprzek wymiętoszonego podwójnego łóżka i uśmiechał się do siedzącej na nim okrakiem kobiety.

– Mmm – zamruczał. – To było całkiem, całkiem.

– Lepsze od domowego obiadku, co? – dodała Penny Burgess, gładząc ciemnokasztanowe, kręcone włoski na torsie Kevina.

Kevin roześmiał się.

– Może trochę. – Sięgnął po resztki mocnego drinka z wódki z colą, jaki mu przyrządziła.

– Zdziwiłam się, że udało ci się dzisiaj wyrwać – wyznała Penny, pochylając się sennie do przodu tak, by musnąć sutkami pierś Kevina.

– Ostatnio mieliśmy tyle nadgodzin, że już się przyzwyczaiła, że wpadam do domu tylko po to, żeby się przekimać.

Penny opadła ciężko na Kevina, wyduszając z niego dech.

– Nie chodzi mi o Lynn – obruszyła się – ale o pracę.

Kevin chwycił ją za nadgarstki i ściągnął z siebie, choć się szamotała. Kiedy znieruchomieli, leżąc bok w bok, rozchichotani, wykrztusił:

– Roboty to akurat było średnio na jeża.

Penny parsknęła z niedowierzaniem.

– Ach, taak? Wczoraj wieczorem Carol Jordan znajduje ofiarę numer pięć, aresztujecie podejrzanego podczas próby opuszczenia kraju, a ty mówisz, że jeszcze ci mało? Nie żartuj, Kevin, to ze mną rozmawiasz, no!

– Wszystko ci się pokręciło, kochanie – wyjaśnił łaskawie Kevin. – Tobie i twoim kolegom. – Nieczęsto trafiała mu się okazja, by usadzić Penny i zamierzał się tą chwilą nacieszyć.

- Co masz na myśli? - Penny podparła się na łokciu, bezwiednie zasłaniając się kołdrą. To już nie były żadne śmichy chichy, ale praca.

- Po pierwsze. Zwłoki, które Carol znalazła wczorajszej nocy, nie są kolejnym dziełem naszego seryjnego zabójcy. To robota naśladowcy. Sekcja wykazała to w sposób nie budzący żadnych wątpliwości. Obleśny mordzik na tle seksualnym jakich wiele. Centrala powinna to wyjaśnić za kilka dni z małą pomocą obyczajówki - oświadczył Kevin, niezmiernie z siebie zadowolony.

Penny przełknęła tę gorzką pigułkę i słodkim tonem, choć przez zaciśnięte zęby, ponagliła:

- I...?

- I co, skarbie?

- Skoro „po pierwsze", to musi być i „po drugie".

Kevin uśmiechnął się z tak wyraźnym zadowoleniem, że Penny postanowiła, że spławi go, jak tylko znajdzie na jego miejsce jakieś znośne zastępstwo.

- A tak, po drugie. Stevie McConnell nie jest zabójcą, ani seryjnym, ani żadnym innym.

Raz w życiu Penny zabrakło słów. Wiadomość była szokująca. Ale jeszcze bardziej szokowało to, że Kevin, który o wszystkim wiedział, nie puścił wcześniej pary z ust. Milcząc zaś pozwalał, by jej gazeta brnęła w serię reportaży, w świetle których ich autorka wyjdzie ostatecznie na niedoinformowaną kretynkę.

- Czyżby? - spytała, przechodząc na elitarny akcent, jakiego nie używała, od kiedy radośnie pożegnała się ze szkolnym pensjonatem i podjęła decyzję, że przejdzie na akcent niższych sfer.

- A jak. Wiedzieliśmy o tym, zanim chciał dać nogę. - Kevin rozłożył się na poduszkach, nieświadomy pełnego nienawiści wzroku Penny.

- Czemu zatem, jeśli łaska, miał służyć poranny kabaret w sądzie? - spytała kategorycznie, modulując głos w sposób, który zachwyciłby jej nauczycielkę od dykcji.

Kevin uśmiechnął się drwiąco.

- No, większość z nas już wcześniej się domyśliła, że to nie McConnell. Ale Brandon uparł się, żeby chłopaki go obserwowały. Jak McConnell spróbował zwiać z kraju, chcąc nie chcąc, musieliśmy go zgarnąć. Ale wiedzieliśmy, że McConnell nie jest Homobójcą. Nie mówiąc o tym, że nie podchodzi pod opis sprawcy, jaki mamy od Tony'ego Hilla.

- Uszom nie wierzę - warknęła Penny.

Kevin w końcu zorientował się, że coś jest nie w porządku.

- Co? Masz jakiś problem, skarbie?

- Owszem, kurwa, maleńki - wycedziła Penny dobitnie. - Chcesz mi powiedzieć, że nie dość, że ponownie aresztowaliście niewinnego człowieka, to jeszcze pozwoliliście, żeby prasa na cały świat trąbiła, że jest wielce prawdopodobne, że to poszukiwany Homobójca?

Kevin podparł się łokciem i pociągnął duży łyk ze szklanki. Wolną ręką chciał zmierzwić Penny włosy. Uchyliła się gwałtownie.

- Robisz z igły widły - odparł protekcjonalnie. - Przecież nawet jakby coś w tym było, póki siedzi, nikt nie będzie nawoływał do linczu. Poza tym doszliśmy do wniosku, że jak między wierszami przemycimy komunikat, że zabójca trafił za kratki, to może sprowokujemy tego prawdziwego, żeby się z nami skontaktował. Będzie mu pewnie zależało, żebyśmy wiedzieli, że nadal jest na wolności.

- To znaczy, chcecie go skłonić do kolejnego zabójstwa? - spytała Penny, unosząc głos.

- Jasne, że nie - oburzył się Kevin. - Powiedziałem, do skontaktowania się z nami. Tak jak to zrobił po zamordowaniu Garetha Finnegana.

- Mój Boże - powiedziała Penny ze zdumieniem. - Kevinie, jak możesz patrzeć mi w oczy i mówić, że nic złego nie spotka Stevena McConnella, bo siedzi w więzieniu?

Podczas gdy Penny Burgess i Kevin Matthews wykłócali się o to, czy odesłanie Stevena McConnella do aresztu było czynem moralnym czy też nie, w skrzydle „C" państwowego więzienia Barleigh pod patronatem Jej Królewskiej Mości trzech mężczyzn kolejno pokazywało Stevenowi McConnellowi, co spotyka sprawców przestępstw seksualnych ze strony współwięźniów. Ze szczytu schodów przyglądał się temu znudzony strażnik, pozornie nieświadomy krzyków i błagań McConnella i tak obojętny, że można było pomyśleć, że jest kompletnie głuchy albo niedosłyszy, a przez zapomnienie wyłączył aparat słuchowy. Na wrzosowiskach za Bradfield natomiast ktoś inny, bezlitosny, cyzelował narzędzie tortur, za pomocą którego zamierzał jasno dowieść światu, że człowiek, który siedzi za kratami, nie ma na koncie czterech bezbłędnie wykonanych egzekucji.

Pokój HOLMES-a tętnił pracą; informatycy wpatrywali się w monitory i cicho stukali w klawiaturę. Carol zastała Dave'a Woolcotta w jego gabinecie, dziobiącego niestrudzenie porcję ryby z frytkami. Na jej widok podniósł wzrok i zdobył się na blady uśmiech.

– Myślałem, że masz wolną nockę – zagadnął.

– Przy odrobinie szczęścia jeszcze będę ją miała. Brat obiecał, że kupi mi całe wiadro prażonej kukurydzy i nawet się do niej nie dotknie, jeśli zdążę do multikina przed początkiem seansu. Wpadłam na chwilę, bo chcę obgadać z tobą jedną sprawę.

Postawiła na biurku Dave'a dwie plastykowe torby. Wylewały się z nich czasopisma o tematyce komputerowej, wydane na błyszczącym papierze.

– Mam pewną teorię – zaczęła. – No, nazwijmy to raczej przeczuciem. – Po raz trzeci Carol przedstawiła swoje przypuszczenie, że zabójca przenosi klatki z nagrań wideo i obrabia je, by podsycić chore fantazje.

Dave słuchał szczegółów i kiwał głową.

– Mnie przekonałaś – powiedział bez ceregieli. – Czytałem charakterystykę sprawcy, i to parę razy, ale jakoś nie kupuję wywodów doktora Hilla, że niby do stałości cyklu wystarcza zabójcy oglądanie nagrań z wcześniejszych morderstw. To się nie trzyma kupy. A twój pomysł, owszem, owszem. Czego ode mnie oczekujesz?

- Michael uważa, że ustalenie nabywców programu Vicom 3D Commander mogłoby nas do niego doprowadzić, o ile jesteśmy na dobrym tropie. Ja nie jestem tego taka pewna. Możliwe, że tym oprogramowaniem dysponuje firma, dla której on pracuje i tam właśnie dokonuje obróbki nagrań. Żeby jednak zbytnio nie ryzykować, musiałby całą robotę przy skanowaniu i ucyfrowianiu odwalać w domu. Toteż pomyślałam, że byłoby dobrze zainteresować się dostawcami konwerterów analogowo-cyfrowych i kart wideo umożliwiających przechwytywanie obrazu. Dostawców można namierzyć dzięki ogłoszeniom z czasopism, które tu przytargałam. Brat mówił, że praktycznie cały osprzęt komputerowy można kupić za zamówieniem pocztowym. Warto by też popytać się w tutejszych klubach komputerowych. To znaczy, o ile masz kogoś wolnego.

Dave westchnął.

- Marzenia, Carol. - Podniósł jedno z czasopism i przekartkował. - Ale mógłbym nad tym posiedzieć dziś wieczorem i jutro rano, a w poniedziałek skoro świt spróbowalibyśmy przekonać paru śledczych, żeby podzwonili tu i tam. Kiedy moi ludzie będą mieli czas wbić te dane do systemu? Tego nie wiem, ale dopilnuję, żeby to zrobili. W porządku?

Carol uśmiechnęła się szeroko.

- Jesteś skarbem, Dave.

- Jestem cholernym męczennikiem, Carol. Mojemu najmłodszemu dzieciakowi wyrżnęły się dwa ząbki, a ja ich jeszcze nie widziałem.

- Mogłabym zostać i pomóc ci wertować tę makulaturę - zaproponowała Carol z wahaniem.

- Och, spadaj. Idź się zabawić. Czas najwyższy, żeby jedno z nas przypomniało sobie, co to relaks. Na co się wybierasz?

Carol uśmiechnęła się krzywo.

- To sobotni specjalny: pokaz łączony „Manhuntera" i „Milczenia owiec".

Śmiech Dave'a rozbrzmiewał jej w uszach przez całą drogę do samochodu.

Przeciągłe wycie jakby dobywało się z głębi jego brzucha. Kiedy orgazm wstrząsnął nim z impetem wykolejonego pociągu, Tony doznał błogiego uczucia odprężenia.

– O Boże – westchnął.

– Och, taak, taak – pojękiwała Angelica. – Zaraz dojdę, znowu, och, Tony, Tony... – Jej głos przeszedł w urywany szloch.

Tony wyciągnął się na łóżku; pierś unosiła mu się gwałtownie, otaczał go zapach potu i seksu. Czuł się, jakby nagle zniknął ciężar, który przytłaczał go od tak dawna, że przestał go zauważać. Czy tego samego doświadcza człowiek cudem ozdrowiały? Nagle uwrażliwia się na światło i kolor, doznaje wrażenia, że zrzucił z barków przeszłość tak, jak ciska się wór węgla do ciemnej piwnicy? Czy właśnie tak czuli się jego pacjenci, gdy wylali z siebie wszystkie brudy?

W słuchawce słyszał jej urywany oddech. Po paru chwilach powiedziała:

– Och. Po prostu och. Nigdy nie było mi tak dobrze. Po prostu uwielbiam sposób, w jaki się ze mną kochasz.

– Mnie też było dobrze – zapewnił Tony szczerze.

Po raz pierwszy, od kiedy rozpoczęli to dziwne połączenie terapii i seksualnych gierek, nie miał problemów z erekcją. Od samego początku był twardy jak skała. Żadnego wiotczenia, żadnego flaczenia, żadnego wstydu. Po prostu pierwszy bezproblemowy seks od lat. No dobrze, może i Angelica nie jest w tym samym pomieszczeniu co on, ale i tak to olbrzymi krok we właściwym kierunku.

– To było jak najpiękniejsza symfonia, my dwoje – mruczała Angelica. – Nikt mnie nie podnieca tak jak ty.

– Z wieloma to robisz? – spytał Tony sennie.

Angelica zaniosła się ochrypłym, seksownym śmiechem.

– Pierwszy nie jesteś.

– Od razu się domyśliłem. Znasz się na rzeczy – schlebił jej Tony, nie całkiem nieszczerze. Dla niego była idealną terapeutką; przynajmniej w tej kwestii nie mijał się z prawdą.

– Jestem bardzo wybredna. Nie każdemu mężczyźnie pozwalam dzielić ze mną to doświadczenie – wyznała Angelica, po czym dodała: – Nie każdy docenia to, co mam do zaofiarowania.

– Tylko dziwak nie byłby zachwycony. Nie ukrywam, że mnie to sprawia wielką przyjemność.

– Cieszę się, Anthony. Nigdy nie zrozumiesz, jak bardzo. Muszę już kończyć – oznajmiła, raptownie przyjmując urzędniczy ton, który Tony nauczył się łączyć z końcem rozmowy. – Dzisiejszy wieczór był naprawdę wyjątkowy. Pogawędzimy niebawem.

W słuchawce zrobiło się głucho. Tony wyłączył telefon i przeciągnął się leniwie. Dzisiaj, dzięki Angelice, pierwszy raz w życiu czuł się przez chwilę otoczony czyjąś opiekuńczością i troską, które koiły, ale nie przytłaczały. Babcia – wiedział to, choć nigdy nie odczuł – kochała go na swój sposób i troszczyła się o niego, lecz ich rodzina nie należała do jawnie okazujących sobie uczucia, toteż była to miłość szorstka i praktyczna: obliczona raczej na zaspokojenie jej potrzeb niż tych wnuka. Kobiety, z którymi Tony wiązał się w dorosłym życiu, były, jak sobie niedawno uświadomił, widmowymi sobowtórami jego babki. Dzięki Angelice odważył się mieć nadzieję, że ten schemat zostanie przełamany; przez wszystkie te lata dosyć się nacierpiał.

Życie seksualne rozpoczął później niż większość równolatków, po części dlatego, że jego ciało dość długo opierało się procesowi dojrzewania. Jako siedemnastolatek był zdecydowanie najdrobniejszym i najniższym chłopakiem w klasie, skazanym na randki z trzynasto- i czternastolatkami, które bały się seksu jeszcze bardziej niż on. Potem, nieoczekiwanie, podskoczył o równo dwanaście i pół centymetra w niecałe sześć miesięcy. Kiedy szedł na uniwerek, był już po inicjacji: dziewictwo stracił, nieporadnie przeleciawszy swoją ówczesną dziewczynę na wąskim, pojedynczym łóżku, na kapie z szorstkiej bawełnianej przędzy, o którą poobcierał się tak dotkliwie, że skóra szczypała go jeszcze wiele dni po tym wydarzeniu. Dziewczyna, która z ulgą pozbyła się ostatniego piętna niewinności, rzuciła go przed upływem tygodnia.

Podczas studiów był zbyt nieśmiały i pochłonięty nauką,

żeby w sposób istotny powiększyć zasób doświadczeń erotycznych. Ponieważ jednak był również błyskotliwy i interesujący, wpadł w oko Patricii. Patricia nie kryła, że jest kobietą światową, podobnie jak nie robiła tajemnicy i z tego, że zdecydowała się na rozstanie, bo w łóżku kompletnie nie miał polotu. „Bądź ze sobą szczery, kotku" - powiedziała mu - „twój mózg może i jest materiałem na doktorat, ale pierdolisz tak, że nie przyjęliby cię do zerówki".

Potem to już była równia pochyła. Ostatnie partnerki Tony'ego uważały go za skończonego dżentelmena, który na siłę nie ciągnie kobiety do łóżka. Dopóki same go tam nie zaciągnęły i nie odkryły, jak rzadko można z niego cokolwiek wykrzesać. Już dawno zauważył, jak trudno jest przekonać kobietę, że to, że najzwyczajniej mu nie staje, nie ma z nią nic, a nic wspólnego.

- Po prostu wpadały przez ciebie w kompleksy i miały tego powyżej uszu - stwierdził na głos.

Może nareszcie znalazł sposób, by stawić czoło przeszłości i przejść nad nią do porządku. Jeszcze kilka wieczorów z Agelicą, takich jak dzisiejszy, i kto wie, może dojrzeje do próby na żywo. Nie był pewny, czy to wchodzi w zakres jej usług. Ale co by szkodziło rzucić kilka aluzji...

Brandon przebiegł wzrokiem treść dokumentu na biurku i potarł oczy; był tak niewyspany, że słyszał prawie, jak pod powiekami chrzęści piasek. Razem z Davem Woolcottem cały wieczór spędzili na wertowaniu raportów, które napływały w odpowiedzi na kwerendy wystosowane przed Dave'a po tym, jak zapoznał się z wynikami prac ekipy HOLMES-a. Choć obaj ślęczeli nad danymi, próbując doszukać się czegokolwiek, dzięki czemu jak po nitce do kłębka można by dotrzeć do zabójcy, nie wypatrzyli niczego, co zasługiwałoby na miano obiecującego tropu.

- Może cały ten pomysł Carol wybawi nas z opresji. - Dave ziewnął.

- Wszystkiego innego już żeśmy próbowali - mruknął

Brandon głosem równie przygnębionym jak wyraz jego twarzy. - Co szkodzi sprawdzić i to.

- Przytomna babka - zauważył Dave. - Będzie trzęsła całym tym interesem pewnego pięknego dnia.

W jego głosie nie było rozgoryczenia, tylko zmęczenie i podziw. Kolejne ziewnięcie niemalże przepołowiło mu twarz.

- Zbieraj się do domu, Dave. Kiedy ostatnio widziałeś Marion za dnia?

Dave jęknął.

- Niech pan nie zaczyna. I tak zamierzałem się urwać, bo zrobiło się trochę spokojniej. Będę jutro z rańca, popracuję nad listą dostawców sprzętu komputerowego.

- W porządku, ale rano, a nie bladym świtem, słyszysz? Niech rodzina ma święto. Zjedz z nimi śniadanie.

Sam zamierzał się zastosować do tej rady, jak tylko zapozna się z zeznaniami świadków i uwagami przesłuchujących ich funkcjonariuszy. Nie wierzył, że w takiej masie materiałów nie znajdzie się coś, co doprowadziłoby do pierwszego poważniejszego przełomu w śledztwie. Mniej więcej w połowie lektury pomyślał, że znalezienie motywacji, która pozwoliłaby mu brnąć przez resztę sterty, wymagałoby najprawdziwszego cudu. Wizja wtulenia się w ciepłe ciało Maggie kusiła jak diabli. Brandon westchnął i zajął się następnym dokumentem. Uważną lekturę przerwał natarczywy dzwonek telefonu.

- Brandon - odebrał z westchnieniem.

- Mówi sierżant Murray z dyżurki. Przepraszam, że przeszkadzam, sir, ale na komisariacie nie ma w tej chwili żadnego z inspektorów. Rzecz w tym, że tu na dole czeka pewien dżentelmen, z którym, jak myślę, chętnie pan porozmawia. To sąsiad Damiena Connolly'ego, sir.

Brandon zerwał się z fotela.

- Już idę - rzucił.

Na dole na drewnianej ławce pod ścianą siedział jakiś mężczyzna. Głowę miał opuszczoną, wzdłuż linii policzka widać było cień ciemnego zarostu. Kiedy Brandon wyłonił się zza podnoszonego blatu, mężczyzna podniósł wzrok. Brandon ocenił go na około trzydziestkę. Opalenizna z solarium, podkrążone oczy. Jakiś biznesmen, sądząc z drogiego, stonowanego w kolorze garnituru i jedwabnego krawata, przekrzywionego pod rozpiętym kołnierzykiem. Zarośnięty, z przekrwionymi oczami, miał wygląd kogoś, kto od tak dawna jest w podróży, że zapomniał już, jaki jest dzień i w jakim jest mieście. Widok nieszczęśnika, który wydawał się bardziej zmęczony, podziałał na Brandona jak zastrzyk świeżej energii.

– Pan Harding? – odezwał się wesoło. – Jestem naczelnik John Brandon. Kieruję dochodzeniem w sprawie śmierci Damiena Connolly'ego.

Mężczyzna kiwnął głową.

– Terry Harding. Mieszkam parę domów dalej za domem Damiena.

– Sierżant mówi, że ma pan dla nas pewne informacje.

– Zgadza się – przytaknął Terry Harding głosem schrypniętym ze zmęczenia. – Widziałem, jak ktoś obcy wyjeżdżał z garażu Damiena w noc jego zabójstwa.

Z 3,5-CALOWEJ DYSKIETKI O NAZWIE: KOPIA_ZAPASOWA.007; PLIK MIŁOŚĆ.016

Do rozpracowywania doktora Hilla zabieram się jeszcze przed pozbyciem się, w trybie przyśpieszonym, Damiena Connolly'ego. Za sprawiedliwość dziejową uważam to, że – podobnie jak nazwisko Damiena – nazwisko „Hill" także figurowało wcześniej na mojej liście partnerów. Nawet gdyby trzeba mi było dodatkowego potwierdzenia, że słusznie postępuję, wymierzając mu karę, oto ono: jest na mojej liście od samego początku.

Toteż tym razem nie muszę tracić czasu na ustalanie, gdzie mieszka, pracuje i jak wygląda. Wiem, o której wychodzi ra-

no z domu, jakim tramwajem jeździ do pracy i jak długo przesiaduje w swoim małym, uniwersyteckim gabinecie.

Z tego, jak gładko wszystko dotąd szło, zdaję sobie sprawę dopiero, gdy sprawy zaczynają zmierzać w kierunku, którego nikt by się nie spodziewał i który wcale mnie nie zachwyca. Przypuszczam, że mój błąd polegał na niedocenianiu głupoty przeciwników. Nie należę do naiwniaków, którzy wierzą, że funkcjonariusze policji Bradfield są obdarzeni porażającym intelektem, jednak nawet mną wstrząsnęły ostatnie wydarzenia. Aresztowali niewłaściwego człowieka!

Niewiarygodnemu wręcz brakowi inteligencji i spostrzegawczości, jakim wykazała się policja, dorównywała naiwność pismaków, zachowujących się jak stado baranów. Otóż oczom nie mogę uwierzyć, kiedy zajrzawszy do The Sentinel Times, czytam, że pewien mężczyzna został zatrzymany i pomaga policji w rozszyfrowywaniu moich zabójstw. Do aresztowania doszło w następstwie napaści na funkcjonariusza. Jak, do licha, mogło im się roić, że ktoś tak przezorny jak ja wdałby się w uliczną burdę w Temple Fields? To uwłacza mojej inteligencji. Naprawdę uważają, że mają do czynienia z jakimś przygłupim ulicznym rozrabiaką?

Czytam artykuł raz i drugi, nie pojmując ich bezdennej głupoty. Wzbiera we mnie gniew. Zalega w mych wnętrznościach niczym niestrawność, zmienia się w kolczastą bryłę. Chcę zrobić coś okropnego i na pokaz, coś, co udowodni im, jak bardzo się mylą.

Trenuję z hantlami, póki mięśnie nie zaczynają mi drżeć z wysiłku, a ubranie przesiąka potem, lecz straszliwy gniew nie chce wygasnąć. Jak burza biegnę na górę do sypialni i pracuję nad nagraniem Damiena, włączonym wcześniej do systemu. Kiedy kończę, mamy na koncie gimnastykę seksualną, której nie powstydziłaby się rosyjska ekipa narodowa. Ale nic mnie nie syci. Nic nie studzi gniewu.

Na szczęście, w przeciwieństwie do policjantów, ja mam swój rozum. Wiem, jak niebezpieczny może się okazać niekontrolowany upust złości. Muszę tę złość ujarzmić, zaprząc ją do twórczego działania i obrócić na swoją korzyść. Szukam dla furii konstruktywnego ujścia. Po aptekarsku obmyślam każdy etap pojmania doktora Tony'ego Hilla i tego, co z nim zrobię, kiedy go już dopadnę. Potrzymam go trochę w stanie zawieszenia – dosłownie.

Squassation i strappado. Hiszpańska inkwizycja wiedziała, jak najpełniej wykorzystać dostępne środki. Po prostu zaprzęgali do pracy najpotężniejszą siłę tej planety, grawitację. Potrzeba tylko kołowrotu, krążka linowego, kilku lin i ciężkiego kamienia. Ofierze wiąże się ręce za plecami i podwiesza za nie za pomocą krążka. Następnie u jej nóg przywiązuje się kamień.

W księdze Straszliwe okrucieństwa inkwizycji, wydanej w 1770 roku, John Marchant tak oto rozwodzi się nad tą metodą:

Tedy podciąga się go wysoko ku górze, póki głową nie sięgnie bloczka. W pozycji tej, podwieszony, tkwi dopóty, dopóki za sprawą kamienia, co ciąży mu u stóp, stawy i członki okrutnie nie zostaną rozciągnione, potem z nagła opuszczony poprzez postronka zluzowanie, lecz nie ku samej ziemi; wstrząs to tak wielki, iż ręce jego i nogi wprost trzaskają w stawach, skutkiem czego wybornej poddany jest męce; impet tak raptownie przerwanego upadku oraz ciężar do stóp jego przytroczony coraz silniej i okrutniej ciało jego napinają*.

Niemcy wprowadzili innowację, która przypadła mi do gustu. Za ofiarą umieszczali kolczasty walec, który podczas jej opuszczania, orał plecy i zdzierał z nich skórę, zmieniając ciało w krwawą, bezkształtną miazgę. Wprawdzie kusiło mnie, by zastosować to udoskonalenie, jednak mimo ustawicznej żonglerki obrazem, nie udało mi się stworzyć na komputerze projektu, który gwarantowałby płynne działanie urządzenia, o ile moja ofiara nie miałaby rąk skutych z przodu, co czyni

---

*Tłum. Magdalena Jędrzejak.

squassation i stappado znacznie mniej skutecznymi. Im prościej, tym lepiej, oto moje motto.

Równocześnie z planowaniem i budową machiny podejmuję kroki ku jeszcze szczelniejszemu zacieśnieniu sieci wokół doktora Hilla. Niech się łudzi, że może wejść z buciorami do mojej głowy, ale bardzo się myli. Jest dokładnie odwrotnie.

Nie mogę się doczekać. Odliczam godziny.

16

"»A więc, panno R., załóżmy, że około północy zjawiam się koło twojego łóżka uzbrojony w nóż do krajania mięsa, co byś wtedy powiedziała?«. Na to ta łatwowierna dziewczyna odparła: »Och, panie Williams, gdyby to był ktoś inny, przestraszyłabym się. Lecz usłyszawszy twój, panie, głos, natychmiast bym się uspokoiła«. Biedactwo! Gdyby tak szkicowo zarysowana sylwetka pana Williamsa została dopełniona i dokładniej uprzytomniona, to w tej trupiej twarzy z pewnością spostrzegłaby, a w złowieszczym głosie usłyszałaby coś, co zburzyłoby jej spokój na zawsze".

(przełożył Mirosław Bielewicz)

Kiedy zadzwonił telefon, pierwszą reakcją Carol było oburzenie. Dziesięć po ósmej w sobotni ranek – to może oznaczać tylko pracę. Poruszyła się z przeciągłym, gardłowym pomrukiem niezadowolenia, który sprawił, że Nelson zastrzygł uszami. Potem ręka Carol wypełzła spod kołdry i na chybił, trafił, przesuwała się po blacie stolika, póki palce nie spoczęły na słuchawce.

– Jordan – burknęła.

– Zamawiała pani budzenie. – Głos był podejrzanie wesoły, oceniła Carol, zanim rozpoznała jego właściciela.

– Kevin – jęknęła. – Lepiej, żebyś miał dobre wytłumaczenie.

– Dobre? Świetne. Co byś powiedziała na świadka, który widział zabójcę odjeżdżającego spod domu Damiena Connolly'ego?

– Co proszę? – wymamrotała.

Kevin powtórzył swoje oświadczenie: za drugim razem Carol poderwała się do pozycji siedzącej i przesunęła na skraj łóżka.

– Kiedy? – spytała pożądliwie.

– Facet zgłosił się wczoraj wieczorem. Był za granicą w interesach. Brandon go przesłuchał i zarządził odprawę o dziewiątej – relacjonował Kevin, podniecony jak dzieciak w Wigilię.

– Kevin, ty draniu, mogłeś wcześniej do mnie zadzwonić...

Zarechotał.

– Myślałem, że przydałoby ci się trochę snu dla urody.

– Chrzanić sen dla urody.

– No, dobra, sam jestem tu od raptem pięciu minut. Zgarniesz po drodze doktorka? Próbowałem się do niego dodzwonić, ale nie odbiera.

– W porządku, podjadę do niego i zobaczę, czy zdołam wywlec go z łóżka. Zauważyłam, że ma brzydki zwyczaj wyłączać telefon na noc. Łudzi się, że damy mu wyciąć numer ze spaniem do samego rana, jak Bozia przykazała. Od razu widać, że to nie glina – dodała cierpko.

Pospiesznie odłożyła słuchawkę i pomknęła pod prysznic. Znienacka olśniło ją, że Tony mógł wyłączyć telefon, bo jest z kobietą. Na samą myśl rozbolał ją brzuch.

– Ty głupia babo – mruknęła pod własnym adresem, odkręcając strumień wody.

Za dwadzieścia dziewiąta stała przed domem Tony'ego i do oporu wciskała dzwonek do drzwi. Po paru minutach drzwi otworzyły się. Wyjrzał zza nich Tony; oczy miał szkliste, zmagał się z paskiem od szlafroka.

– Carol?

– Przepraszam, że budzę – odparła urzędowym tonem. – Nie odbierałeś telefonu. Pan Brandon prosił, żebym cię podrzuciła. Odprawa zaczyna się o dziewiątej. Mamy świadka.

Tony potarł oczy; wydawał się rozbawiony.

- Lepiej wejdź. - Wycofał się w głąb holu, pozostawiając Carol zamknięcie drzwi. - Sorry za ten telefon. Późno się położyłem, więc wyłączyłem na wszelki wypadek. - Potrząsnął głową. - Poczekasz chwilę, żebym wziął prysznic i się ogolił? Jak nie, to sam załatwię jakiś transport. Nie chcę, żebyś się przeze mnie spóźniła.

- Poczekam - ucięła Carol.

W holu na wycieraczce leżała gazeta, wsunięta zapewne przez listonosza przez szczelinę w drzwiach; Carol podniosła ją i przekartkowała, oparta plecami o ścianę. Spodziewała się odgłosów, które świadczyłyby o obecności osoby trzeciej. Z irracjonalnym zadowoleniem stwierdziła, że niczego takiego nie słychać. Wiedziała, że taka reakcja jest po prostu dziecinna, ale trudno oczekiwać, że wyleczy się z tego z dnia na dzień. Po prostu będzie musiała się pilnować, dopóki jej nie przejdzie, bo tego, że z czasem przejść musi, była zupełnie pewna. Ciche nadzieje umrą śmiercią głodową, niepodsycane zainteresowaniem ze strony Tony'ego.

Dziesięć minut później Tony pojawił się w holu w dżinsach i sportowej koszulce, włosy miał wilgotne i tym razem przeczesane grzebieniem, a nie palcami.

- Przepraszam za to - odezwał się. - Mój mózg nie funkcjonuje, dopóki nie wezmę prysznica. A zatem, co to za afera ze świadkiem?

Carol powtórzyła mu wszystko, czego się dowiedziała, choć nie było tego wiele, po drodze do samochodu.

- To świetnie - odparł Tony z zapałem. - Pierwszy duży krok naprzód, prawda?

Carol wzruszyła ramionami.

- Zależy, ile będzie nam mógł powiedzieć. Jeśli tamten facet jechał czerwonym fordem escortem, to nadal tkwimy w miejscu. Potrzebujemy jakiegoś konkretu. Chociażby z tymi komputerami, wiesz, coś takiego.

- A tak, słynna teoria komputerowa. Coś ustaliłaś?

- Omówiłam ją z bratem. Jego zdaniem jest spokojnie do

zrealizowania – odpowiedziała Carol zimno; miała wrażenie, że Tony traktuje ją z wyższością.

– Bomba! – ucieszył się szczerze. – Oby coś z tego wyszło. Przykro mi było wylewać na ciebie kubeł zimnej wody, wiesz? Muszę się opierać na rachunku prawdopodobieństwa, a twój pomysł wykraczał poza parametry, które przyjąłem. Naprawdę uważam, że powinnaś poważnie się zastanowić nad zgłoszeniem swojej kandydatury, jak już ruszymy z tym obwoźnym cyrkiem.

– Myślałam, że po tym ostatnim współpraca ze mną nie będzie ci się szczególnie uśmiechać – stwierdziła Carol; palce zacisnęła na kierownicy, oczy wlepiła w jezdnię.

Tony zrobił głęboki wdech.

– Nie znam w policji nikogo, z kim chętniej bym pracował niż z tobą.

– Mimo że naruszam twoją przestrzeń osobistą? – spytała gorzko; nienawidziła się za to, że ciągle do tego wraca, lecz było to coś odruchowego, jak rozdrapywanie starego, irytującego strupka.

Tony westchnął.

– Chyba stanęło na tym, że możemy być przyjaciółmi? Bo ja wiem, że mogę...

– Jasne – ucięła, żałując, że w ogóle zaczęła rozmowę. – Niech będzie przyjaźń. Jak oceniasz szanse Bradfield Victoria w Pucharze?

Zdumiony Tony wykonał osobliwy półobrót na siedzeniu dla pasażera i zagapił się w Carol. Zobaczył, że kąciki ust drgają jej od powściąganego uśmiechu. Nagle oboje się roześmiali.

Najnowsze rządowe groźby wobec służb więziennych oznaczały, że funkcjonariusze „HM Prison Barley"* są o krok od strajku włoskiego. To z kolei oznaczało, że więźniowie bę-

---

* „Her Majesty's Prison" – więzienie podlegające „Her Majesty's Prison Service" organowi nadzoru nad więziennictwem państwowym, rozliczany z działalności przez Home Office. Natomiast „Her Majesty's Chief Inspector of Prisons" nadzoruje więziennictwo prywatne (przyp. tłum.).

dą kisić się w czterech ścianach po dwadzieścia trzy godziny na dobę. Stevie McConnell leżał na piętrowej pryczy w celi, którą miał do swojej wyłącznej dyspozycji. Po napaści, po której zostały mu lima pod oczami, para pękniętych żeber, więcej siniaków, niż potrafił zliczyć, oraz obrażenia natury seksualnej, jakie myśl o siadaniu czyniły bolesną, poprosił o przeniesienie do izolatki i prośbę jego spełniono.

Nie miało znaczenia, że ciągle się zarzekał, iż nie jest Homobójcą. Nikogo to nie obchodziło, ani tych, co siedzieli, ani klawiszy. Z tego, że strażnicy więzienni czuli do niego taką samą pogardę jak współwięźniowie, zdał sobie sprawę w chwili, gdy usłyszał chlupot niosący się przez całe skrzydło budynku; grzeczni więźniowie równocześnie opróżniali swoje nocniczki. Jednak żaden strażnik nie otworzył drzwi jego celi, by pozwolić mu na opróżnienie śmierdzącego wiadra z moczem i fekaliami: stało sobie w rogu, cuchnąc silniej i z niepojętych przyczyn bardziej obrzydliwie niż którykolwiek z publicznych szaletów, w jakich Stevie podrywał facetów na szybki numerek.

Na ile umiał sięgnąć wzrokiem w przyszłość, rysowała się ona w czarnych barwach. Już samo to, że wylądował w kiciu, wystarczało, by w oczach opinii publicznej stał się winny. Zapewne cały świat wierzył święcie, że Homobójca nie odbierze już nikomu życia, skoro Stevie McConnell jest za kratkami. Kiedy zwolniono go za kaucją po pierwszej serii przesłuchań, był boleśnie świadomy tego, że w pracy wszyscy, koledzy i klienci, omijają go szerokim łukiem i unikają patrzenia mu w oczy. Wypad na jednego drinka do Temple Fields, w barze, w którym często bywał, aż nadto boleśnie uzmysłowił mu, że na solidarność ze strony innych gejów także nie ma co liczyć. Policja i dziennikarze, to akurat było jasne, uważali go za psychopatę. I dopóki nie złapią prawdziwego Homobójcy, Stevie McConnell nie będzie w Bradfield mile widziany. Kiedy myślał o wyjeździe do Amsterdamu, gdzie miał siłownię jego były, pomysł wydawał mu się całkiem sensowny. W głowie mu nie postało, że mogą go śledzić.

A wszystko zaczęło się od tego, że stanął w obronie funkcjonariusza. Ironia sytuacji Steviemu bynajmniej nie umknęła. Zaniósł się gorzkim śmiechem. Szkocki przystojniaczek i, jak się później okazało, sierżant, zapewne wznosi teraz dziękczynne modły, że skończyło się tylko na oberwaniu cegłówką po łbie, bo myśli, że dzięki temu wywinął się przed wystąpieniem w roli najnowszej ofiary Homobójcy. Prawda zaś jest taka, że jedyną ofiarą owego dnia był Stevie McConnell. I to się nie zmieni. Nawet jego wstrząśnięta rodzina „wolała nie wiedzieć", by zacytować adwokata.

Leżał na pryczy i beznamiętnie analizował swoją przyszłość. Wtedy też podjął decyzję. Z grymasem bólu sturlał się z pryczy i zdjął koszulę, kuląc się, gdy żebra zaprotestowały jeszcze bardziej rozdzierającym bólem. Zębami i paznokciami, z anielską cierpliwością, porozdzierał szwy, które spajały kawałki dżinsu. W kilku miejscach naddarł skraj materiału o sprężynę wystającą z materaca, uzyskane bryty porwał na pasy, które splótł w ciasny warkocz, by były wytrzymalsze. Jeden koniec prowizorycznego powrozu obwiązał wokół szyi tak, żeby utworzyć ciasną pętlę, i wgramolił się na górną pryczę. Drugi koniec przywiązał do metalowej poręczy.

Potem zaś, o dziewiątej siedemnaście w słoneczny niedzielny poranek, rzucił się z górnej pryczy głową naprzód.

Niczym w kulejącym przedsiębiorstwie, które wbrew wszelkiemu prawdopodobieństwu wygrało przetarg mogący postawić je na nogi, na Scargill Street zapanowało gorączkowe ożywienie. W samym jego sercu znajdował się pokój HOLMES-a, gdzie informatycy wlepiali wzrok w monitory, procesując nowe informacje, oszacowując nowe zestawienia danych, jakie nieustannie wypluwał z siebie system.

W swoim gabinecie Brandon odbywał właśnie naradę wojenną z czwórką inspektorów oraz Tonym; każdy uczestnik narady ściskał w garści kserokopię notatek Brandona z przesłuchania Terry'ego Hardinga. Naczelnik miał za sobą mizerne pięć godzin snu, jednakże perspektywa posunięcia dochodzenia naprzód dodała mu energii. Tylko ciemne sińce pod głęboko osadzonymi oczami zdradzały jego zmęczenie.

– Zatem, podsumujmy – mówił Brandon. – W przybliżeniu kwadrans po siódmej wieczorem w dniu śmierci Damiena Connolly'ego jakiś mężczyzna wyjechał z jego garażu dużym samochodem terenowym o napędzie na cztery koła, nieustalonej marki, ciemnego koloru. Wysiadł z terenówki, żeby zamknąć bramę garażową, i właśnie wtedy nasz świadek miał najlepszą okazję, żeby mu się przyjrzeć. Dysponujemy następującym rysopisem: biały mężczyzna, wzrost między metr siedemdziesiąt osiem a metr osiemdziesiąt, w wieku od dwudziestu do czterdziestu pięciu lat, możliwe, że ma długie włosy, ale spięte w kucyk. Białe obuwie sportowe, dżinsy i długi impregnowany płaszcz. W nocy z wczoraj na dziś zespół operatorów HOLMES-a sprawdzał pojazdy namierzone w Temple Fields i odpowiadające opisowi pojazdu. Większość kierowców była wcześniej przesłuchiwana, ale teraz, kiedy mamy zeznanie Terry'ego Hardinga, wszyscy zostaną ponownie ściągnięci na komisariat i poddani bardziej szczegółowemu przesłuchaniu. Bob, chcę, żebyś się tym zajął. Tym i sprawdzeniem ich alibi.

– Jasne, szefie – odparł Stansfield, zdecydowanym ruchem strzepując popiół z papierosa.

– Och, jeszcze jedno, Bob. Możesz dopilnować, żeby ktoś sprawdził, czy Harding naprawdę cały tydzień siedział w Japonii w interesach? Chcę być pewny, żeśmy nie przeoczyli niczego.

Stansfield kiwnął głową.

– O jedenastej podeślę samochód po Hardinga– oznajmił Brandon, zerkając na listę, którą spisał na kuchennym stole o siódmej rano. – Carol, ty go przesłuchasz. Sprawdź, z jakiej korporacji taksówkowej korzystał, żeby dostać się na lotnisko; przekonamy się, czy da się nieco bardziej zawęzić margines czasowy. Tony, chciałbym, żebyś był świadkiem przesłuchania. Może doradzisz nam jakąś strategię, która odświeżyłaby mu pamięć. Przydałoby się wycisnąć z niego bardziej szczegółowy rysopis sprawcy.

– Zrobię, co w mojej mocy – zapewnił Tony. – Przynajmniej postaram się odróżnić to, co rzeczywiście zapamiętał, od tego, co mu się wydaje, że pamięta.

Brandon posłał mu dziwne spojrzenie, ale przeszedł do następnego punktu programu.

– Kevin, chcę, żebyś skrzyknął ekipę, która przeleci się po salonach sprzedaży aut. Zbierzcie tyle ulotek i posterów z terenówkami z napędem na cztery koła, ile tylko się da, to pokażemy je panu Hardingowi. Może rozpozna konkretny model.

– Się zrobi, sir. Chce pan, żebyśmy się przeszli po sąsiadach poprzednich ofiar i popytali, czy nie zauważyli w okolicy terenowego samochodu? – spytał Kevin gorliwie.

Brandon rozważał tę myśl.

– Zobaczymy, jak przebiegnie przesłuchanie – odparł po kilku chwilach. – Żeby ponownie przeprowadzić wywiad środowiskowy, trzeba by wysłać w teren mnóstwo ludzi, no i trwałoby to szmat czasu, a zachodzi możliwość, że to już nie okaże się konieczne. Choć pewnie warto by zamienić słówko z resztą sąsiadów z ulicy Connolly'ego. Teraz mamy do nich konkretne pytanie. Dobry pomysł, Kevin. Teraz ty, Dave. Co możesz dla nas zrobić?

Woolcott przedstawił pokrótce czynności, którymi zajmował się zespół operatorów HOLMES-a. Potem dodał:

– Korzystając z tego, że jest niedziela, wstrzymuję się z telefonem do Swansea, dopóki nie spróbujemy uzyskać bardziej szczegółowych danych na temat tego pojazdu. Im więcej informacji będziemy mogli podać, tym mniej wariantów trzeba będzie wziąć pod uwagę. Jeśli ten gość Harding poda nam markę, model i rocznik, albo chociaż wykluczy część modeli, od razu uderzymy do DVLC* z prośbą o spis wszystkich takich pojazdów na terenie Zjednoczonego Królestwa. Później będziemy mogli ruszyć ze zbieraniem zeznań zarejestrowanych właścicieli, najpierw Bradfield, potem okolice. Roboty od cholery, ale powinniśmy się czegoś dokopać.

---

*Driver and Vehicle Licensing Centre (skrót DVLC) – Centrala Ewidencji Kierowców i Rejestracji Pojazdów (przyp. tłum.).

Brandon z uznaniem pokiwał głową.

– Ktoś jeszcze?

Tony uniósł rękę.

– Skoro tak czy inaczej przesłuchujecie sąsiadów, może warto by rozszerzyć nieco krąg zainteresowań. – Wszyscy wlepili w niego oczy, ale on był świadomy jedynie wzroku Carol. Po tym, co między nimi zaszło, jeszcze bardziej chciał przyczynić się do ujęcia Handy'ego Andy'ego. – Ten facet to typ prześladowcy, chyba nikt nie będzie się z tym spierał. Sądzę, że śledził Damiena Connolly'ego przez dłuższy czas. Biorąc pod uwagę, że to środek zimy i pogoda nie jest idealna do przesiadywania na dworze, istnieje spora szansa na to, że większość obserwacji prowadził z samochodu. Niemal na pewno nie parkował na osiedlowej uliczce pod domem ofiary, tam za bardzo rzucałby się w oczy. Gdybym miał strzelać, obstawiałbym, że parkował przy ulicy, która biegnie obrzeżem osiedla, gdzieś, skąd miał widok na dom Connolly'ego. Może ktoś stamtąd zauważył nieznajomy pojazd, który pojawia się co pewien czas i godzinami stoi w miejscu.

– Dobre rozumowanie – pochwalił Brandon. – Kevin, zajmiesz się tym?

– Się robi, sir. Wydeleguję chłopaków.

– I dziewczyny – uzupełniła Carol tonem słodkim jak miód. – Ale może powinno się ich uprzedzić, żeby nie ograniczyli się do aut z napędem na cztery koła. Jeżeli ten facet jest taki ostrożny, jak mamy podstawy uważać, to możliwe, że terenówki używał tylko dla porwań, a obserwacje prowadził z innego samochodu na wypadek, gdyby zainteresował się nim jakiś natręt.

– Jak ty to widzisz, Tony? – spytał Brandon.

– Wcale bym się nie zdziwił – wyznał Tony. – Ważne, żebyśmy nie zapominali, jaką przebiegłością wykazywał się do tej pory. Całkiem możliwe, że używa wypożyczonego auta.

Dave Woolcott jęknął.

– Boże, niech mi pan tego nie robi!

Bob Stansfield podniósł wzrok znad notesu, w którym nagryzmolił nazwiska członków swojej ekipy.

- Rozumiem, że inne kierunki śledztwa, które sugerował wcześniej doktor Hill, schodzą teraz na drugi plan?

Brandon ponuro zasznurował usta. Uczucie uniesienia, które rozpierało go na początku odprawy, ulotniło się niepostrzeżenie. Ogrom czekającej ich pracy wydawał się nie do ogarnięcia, myśl o ujęciu zabójcy niemal równie odległa jak przed zeznaniami Terry'ego Hardinga.

- Zgadza się. Nie gniewaj się, Tony, ale twoje wskazówki to hipotezy, a my nareszcie doczekaliśmy się faktów.

- Nie ma sprawy - odparł Tony. - Konkrety mają pierwszeństwo nad teorią.

- A pomysł Carol? Mamy dalej iść tym tropem? - spytał Dave.

- Patrz punkt wyżej - odparł Brandon. - To przeczucie, a nie fakt, toteż na razie także idzie w odstawkę.

- Z całym szacunkiem, sir - wtrąciła Carol z poczuciem, że sama jest spychana na boczny tor. - Nawet jeżeli Terry Harding rozpozna markę i model pojazdu, możemy nie ruszyć się z miejsca. Potrzebujemy więcej kryteriów eliminacyjnych, żeby zawęzić pole dochodzenia. Jeśli mam rację co do obróbki komputerowej, wycinek populacji, który musielibyśmy przeczesać, byłby tak mały, że nawet drobiazg miałby kolosalne znaczenie.

Brandon przez chwilę ważył jej słowa, po czym pochwalił łaskawie:

- Trafna uwaga, Carol. W porządku, zatem dalej podążamy tym torem, Dave, ale nie traktujemy tej kwestii priorytetowo. Tylko o ile i kiedy będziemy mieć wolnych ludzi spośród pracujących przy głównym dochodzeniu. A więc, czy każdy ma jasność co do zadania, jakie przypada mu w udziale? - Rozejrzał się wyczekująco i z zadowoleniem odnotował serię potakujących skinięć. - No, wiara - powiedział surowo Brandon. - Bierzemy się do roboty.

- I niech Moc będzie z wami - rzucił Kevin półgłosem do Carol, kiedy wyszli z gabinetu szefa.

- Lepiej Moc niż prasa brukowa - ucięła zgryźliwym tonem, odwracając się do niego plecami. – Tony, poszukamy spokojnego kąta i obmyślimy strategię przesłuchania?

– Jedyny sposób, żebyś więcej z niego wycisnęła, to poddać go hipnozie – orzekł Tony, gdy rozmawiali z Carol w korytarzu po pierwszej godzinie z Terrym Hardingiem.

– Potrafisz to zrobić? – spytała Carol.

– Znam podstawy tej techniki. Sądząc z ruchów gałek ocznych i mowy ciała, nie kłamał, nie zmyślał ani nie przesadzał, ale być może, że w stanie hipnozy przypomniałby sobie więcej szczegółów. Byłoby dobrze, gdybyśmy mogli podeprzeć się jakimiś zdjęciami.

Dziesięć minut później Carol powróciła z naręczem broszur, które zespół Kevina wysępił od dealerów samochodowych na mieście.

– Mogą być?

Tony skinął głową.

– Są idealne. Na pewno chcesz, żebym pokusił się o próbę?

– Zawsze warto próbować – zapewniła Carol.

Wrócili do pokoju przesłuchań; Terry Harding dopił kubek kawy.

– Mogę już iść? – spytał melancholijnym tonem. – Chodzi o to, że jutro lecę do Brukseli, a nawet nie zdążyłem rozpakować walizki.

– To już nie potrwa długo, proszę pana – pocieszyła Carol, zasiadając przy stole. – Doktor Hill chciałby poddać pana małemu eksperymentowi.

Tony uśmiechnął się pokrzepiająco.

– Mamy trochę zdjęć terenówek podobnych do tej, jaką widział pan wyjeżdżającą z garażu Damiena. Otóż chciałbym teraz, o ile pan się zgadza, wprowadzić pana w płytki trans hipnotyczny i poprosić, żeby je pan obejrzał.

Harding zmarszczył czoło.

– Czemu nie mogę ich obejrzeć tak, jak jest?

– Wzrosłyby szanse na to, że rozpozna pan konkretny model – wyjaśnił Tony kojącym tonem. – Rzecz w tym, panie

Harding, że od razu widać, że zapracowany z pana człowiek. Od tamtego wydarzenia odbył pan podróż na drugi koniec świata, serię ważnych spotkań biznesowych i, jak przypuszczam, stale nie dosypiał. Wszystko to oznacza, że pańska świadomość prawdopodobnie powierzyła już wszystko, co widział pan zeszłej niedzieli, bankowi pamięci. Przy użyciu hipnozy mogę panu dopomóc w odzyskaniu tych informacji.

Mina Hardinga wyrażała powątpiewanie.

– Czy ja wiem... Zakładając, że w ogóle zdołałby mnie pan zahipnotyzować, mógłby pan również włożyć mi dowolne słowa w usta.

– Niestety, nie tak to działa. W przeciwnym razie każdy hipnotyzer byłby milionerem – zażartował Tony. – Jak już mówiłem, sprawa sprowadza się do odkopania w pańskiej pamięci tego, co uznał pan za nieistotne.

– Co miałbym robić? – spytał Harding podejrzliwie.

– Po prostu niech pan wsłucha się w mój głos i robi to, o co poproszę – objaśniał Tony. – Poczuje się pan trochę dziwnie, jakby lekko oszołomiony, ale ani na chwilę nie straci pan kontroli nad sytuacją. Stosuję technikę określaną mianem programowania neurolingwistycznego. To bardzo odprężające, daję panu słowo.

– Muszę się położyć czy jak?

– Nic takiego nie jest konieczne. Nie będę też machał panu przed nosem moim zegarkiem. Jest pan skłonny pokusić się o próbę?

Carol wstrzymała oddech, obserwując Hardinga; wyraz twarzy zmieniał mu się jak w kalejdoskopie. W końcu skinął głową.

– Wątpię, żeby zdołał mnie pan zahipnotyzować – uprzedził. – Jestem odporny na sugestię. Ale zgadzam się spróbować.

– W porządku – odparł Tony. – Chcę, żeby się pan odprężył. Proszę zamknąć oczy, jeśli dzięki temu poczuje się pan bardziej komfortowo. A teraz chcę, aby wejrzał pan w siebie...

Upojeni wspólnym sukcesem Tony i Carol wpadli do pokoju sekcji zabójstw. Bob Stansfield stał przy oknie i gapił się na ociekające od deszczu ulice, zgarbiony, z zapomnianym papierosem dopalającym się w ręce. Zerknął w stronę drzwi, a wówczas Carol zawołała:

– Uśmiechnij się, jutro będzie lepiej.

Stansfield okręcił się gwałtownie i rzucił z goryczą:

– Najwyraźniej nie słyszeliście wieści z ostatniej chwili.

– Jakich wieści? – spytała Carol, podchodząc.

– Stevie McConnell strzelił samobója.

Carol zachwiała się i zatoczyła w stronę biurka. W uszach jej dzwoniło i pomyślała, że zaraz zemdleje. Tony odruchowo doskoczył do niej i podprowadził do krzesła.

– Oddychaj głęboko, Carol. Głęboko i powoli – poprosił łagodnie, pochylając się nad nią, wpatrzony w jej pobladłą twarz.

Zamknęła oczy, wbiła paznokcie w skórę dłoni, ale posłuchała.

– Przepraszam – bąknął Stansfield. – Mnie też to zwaliło z nóg.

Carol podniosła wzrok i odgarnęła włosy z nagle powilgotniałego czoła.

– Co się stało?

– Wygląda na to, że wczoraj dostał porządne manto. Specjalny numerek dla przestępców seksualnych, wedle relacji świadków. Więc dziś rano podarł więzienną koszulę i się powiesił. Pierdoleni strażnicy niczego nie zauważyli, niby z racji tego, że bawią się w strajk włoski – dodał z wściekłością.

– Biedny skurczybyk – szepnęła Carol.

– Kroi się prawdziwe piekło – zapowiedział Stansfield. – Cieszę się, kurwa mać, że nie miałem z tym nic wspólnego. Nie moje dupsko będzie skwierczeć nad ogniem. No, wiecie, Brandon jest bomboodporny, więc za wszystko beknie jakiś inspektor. Z góry biednemu sukinkotowi współczuję.

Carol spojrzała na niego tak, jakby miała ochotę go walnąć.

– Czasami, Bob, naprawdę mnie wkurwiasz – wycedziła zimno. – Gdzie Brandon?

– W pokoju HOLMES-a. Zapewne chowa się przed komendantem.

Zastali Brandona z Davem Woolcottem za zamkniętymi

drzwiami kanciapy przy pokoju HOLMES-a; Woolcott często tam urzędował.

– Udało się zidentyfikować markę, sir – oznajmiła Carol; entuzjazm w niej przygasł pod wpływem wiadomości Stansfielda. – Wiemy, jaki samochód prowadził.

Penny Burgess skręciła z głównej drogi w wytyczony przez leśników szlak w głąb lasu. Kierowała się ku parkingowi i terenowi piknikowemu w samym środku leśnej głuszy. Było to jedno z jej ulubionych miejsc wypadowych; uwielbiała przedzierać się między drzewami i piąć w górę ku nagim zrębom piaskowca, gdzie hulał wiatr zdolny porwać ze sobą całe znużenie nagromadzone w ciągu tygodnia. Bardzo tego potrzebowała po ostatniej kilkudniowej harówce, sensacyjnych reportażach i niewyspaniu.

W radiu skończyła się piosenka i przemówił prezenter:

– A teraz łączymy się z agencją informacyjną na cogodzinny skrót wiadomości.

Po zajawkach jakaś kobieta radosnym głosem kontrastującym z treścią komunikatu obwieściła:

– Cogodzinny serwis informacyjny Northern Sound. Mężczyznę przesłuchiwanego wcześniej w związku z serią zabójstw, która wstrząsnęła miastem, znaleziono dziś w godzinach porannych martwego w jego celi w więzieniu Barleigh.

Zszokowana Penny zdjęła nogę z gazu, silnik zgasł i szarpnęło nią do przodu.

– Cholera! – zaklęła i błyskawicznie pokręciła gałką, zwiększając siłę głosu.

– Steven McConnell przypuszczalnie popełnił samobójstwo, wieszając się na pętli zrobionej z ubrania. McConnell, kierownik miejscowej siłowni dla kulturystów, w ubiegłym tygodniu trafił do aresztu w następstwie burdy ulicznej z udziałem funkcjonariusza w cywilu na terenie bradfieldzkiej „gejowskiej wioski" – ciągnęła prezenterka tonem, który za nic nie pasował do podawanego komunikatu, natomiast doskonale sprawdziłby się podczas ogłaszania wyników konkursu Eurowizji. – Został zwolniony za kaucją i niewiele później ponownie osadzony w areszcie. Zatrzymanie nastąpiło podczas próby ucieczki z kraju. Rzecznik Home Office zapowiada, że zostanie wszczęte drobiazgowe śledztwo mające na celu wyjaśnienie okoliczności śmierci mężczyzny.

– Gospodarka nigdy nie miała się lepiej, oznajmił dzisiaj premier...

Penny przekręciła kluczyk w stacyjce i brawurowo zawróciła na wąskiej dróżce, po czym wdepnęła pedał gazu i pomknęła ku drodze głównej. Właściwie to lepiej, pomyślała, że już wcześniej postanowiła rzucić Kevina. Nie wyobrażała sobie, by po reportażu, jaki zamierzała napisać, chciał ją więcej widzieć.

Tony siedział w taksówce, bębniąc palcami o tył fotela kierowcy, zdjęty dziwnym niepokojem. Niełatwo mu było wyjść ze Scargill Street, ale wiedział, że w tej chwili jest tam potrzebny jak piąte koło u wozu; lepiej pozwolić policji zająć się pierwszym konkretnym dowodem. Ostatnim, czego ekipa śledcza potrzebowała między wyrzutami sumienia a ukierunkowanym działaniem, to obecność Tony'ego, przypominająca, jak wiele argumentów wytoczył, że Steven McConnell nie jest jednak tym, kogo szukają.

Pocieszał się myślą, że Angelica z pewnością dziś do niego zadzwoni. Kiedy taksówka śmigała mokrymi, opustoszałymi ulicami, Tony przygotowywał się do tej rozmowy. Przepełniała go na nowo odnaleziona pewność siebie, niezłomna wiara w to, że wieczorem nie będzie miał najmniejszych problemów, że wreszcie pozbył się swoich demonów dzięki osobliwej terapii erotycznej, jaką ta kobieta mu zafundowała. Powie jej, że ona nawet sobie nie wyobraża, ile dla niego znaczą te telefony. Że nie znajduje słów, by wyrazić, jak bardzo mu pomogła. Zadowolony, że wszystko znowu znalazło się pod kontrolą, Tony westchnął błogo i wyrzucił Handy'ego Andy'ego ze swoich myśli.

Penny Burgess otworzyła puszkę guinessa, zapaliła papierosa i włączyła komputer. Wykonała parę telefonów, które potwierdziły wersję zdarzeń, jaką znała z radia. Teraz przepełniał ją płomienny entuzjazm płynący z przeświadczenia, iż słuszność jest po jej stronie, entuzjazm, jaki jedynie politycy, dziennikarze i kaznodzieje potrafią zaprząc na użytek prywatnej kariery.

Wciągnęła do płuc smugę dymu, pomyślała chwilę, po czym zaczęła uderzać w klawisze.

Terroryzujący Bradfield seryjny zabójca zgładził swoją piątą ofiarę wczoraj (niedziela) – w chwili, gdy homoseksualny kulturysta Stevie McConnell skutecznie targnął się na własne życie w więziennej celi.

Policja stwarzała pozory, że McConnell jest poszukiwanym Homobójcą, lecz była to jedynie cyniczna zagrywka, mająca na celu sprowokowanie prawdziwego zabójcy do zagrania w otwarte karty.

Ta chora prowokacja doprowadziła do tragedii, kiedy McConnell (32 l.) powiesił się na prowizorycznym powrozie w izolatce na terenie więzienia Barleigh; powróz, zrobiony z własnej koszuli, przywiązał do poręczy górnej pryczy i oddał śmiertelny skok. Zmarł wskutek uduszenia.

A wczoraj wieczorem funkcjonariusz policji biorący udział w poszukiwaniach Homobójcy przyznał otwarcie: – Wiedzieliśmy od kilku dni, że Stevie McConnell nie jest poszukiwanym przez nas zabójcą.

Na krótko przed śmiercią McConnell poprosił personel więzienny o przeniesienie go do izolatki, dzień po barbarzyńskiej napaści ze strony współwięźniów.

Nasz informator z więzienia Barleigh relacjonuje: – Zebrał porządne cięgi. Zaraz po jego przybyciu rozeszło się po celach, że to Homobójca, tylko policja nie ma jeszcze dość dowodów, żeby postawić go w stan oskarżenia.

– Więźniowie nie lubią sprawców zabójstw na tle seksualnym i zwykle dają temu wyraz. McConnellowi brutalnie wbili tę prawdę do głowy. Został ciężko pobity i wykorzystany seksualnie.

Mówi się, że strażnicy przymknęli oko na barbarzyńskie

pobicie McConnella. Wczoraj zaś (niedziela), wymawiając się strajkiem włoskim, funkcjonariusze służb więziennych pozostawili go bez nadzoru na dość długo, by zakończył swoje życie. Rzecznik Home Office zapowiada, że wszczęte zostanie dochodzenie w tej sprawie.

McConnell prowadził śródmiejską siłownię „Bodies", do której regularnie uczęszczała trzecia ofiara zabójcy, radca prawny Gareth Finnegan.

Sam McConnell zostałby oskarżony o pobicie po tym, jak pospieszył na ratunek policyjnemu tajniakowi w stopniu sierżanta, zaatakowanemu przez nieznanego policji trzeciego mężczyznę na terenie „gejowskiej wioski" w Bradfield.

Zwolniony za kaucją i zobowiązany do stawiennictwa na komisariacie McConnell usiłował następnie zbiec z kraju. Policja dokonała wtórnego zatrzymania, kiedy szykował się do wejścia na pokład promu płynącego do Holandii, i zaapelowała do sędziego pokoju o ponowne osadzenie go w areszcie. Wniosek został rozpatrzony pozytywnie.

Policyjny informator ujawnia kulisy sprawy: – To, co zrobiliśmy, kazało ludziom wierzyć, że McConnell jest seryjnym zabójcą, którego ścigamy, a właśnie to chcieliśmy osiągnąć.

– Seryjni zabójcy są bardzo próżni i mieliśmy nadzieję, że nasz poszukiwany tak się obruszy faktem, iż winę przypisaliśmy komuś innemu, że się odkryje i nawiąże z nami kontakt.

– Sprawy wzięły tragiczny obrót.

Znajomy McConnella powiedział nam wczoraj: – Policjanci z Bradfield są mordercami. Jeśli o mnie chodzi, to oni zabili Stevie'ego.

– Policja strasznie go wałkowała o tę serię zabójstw. Wywierali na niego najróżniejsze naciski.

– Chociaż po wszystkim go wypuścili, to takie bagno do człowieka przywiera. Wszyscy na niego patrzyli wilkiem, i w pracy, i w barach dla gejów.

– Właśnie dlatego chciał dać nogę. To tragedia. Gorzej, to bezsensowna tragedia.

- Jego śmierć o milimetr nie przybliżyła policji do ujęcia prawdziwego zabójcy.

Penny zapaliła kolejnego papierosa i przebiegła wzrokiem
swoje dzieło.

- Udław się tym, Kevin - powiedziała miękko, paroma ude-
rzeniami w klawisze zapisując plik i przesyłając go za pośrednictwem modemu do redakcyjnego komputera. Potem, jakby
po namyśle:

Memo do Newsdesku,
Od: Penny Burges, rubryka kryminalna.
Jutro (poniedziałek) biorę dzień wolny w miejsce nadgodzin z ze-
szłego tygodnia i z dzisiaj. Mam nadzieję, że nie sprawiam nazbyt
dużego kłopotu!

- Land rover discovery, szary metalik albo ciemnoniebie-
ski? - upewnił się Dave Woolcott, notując coś na kartce.
- Tak przynajmniej facet mówił - odparła Carol.
- Racja. Mamy niedzielę, więc dzisiaj nie wybębnię ze Swansea pełnego zestawienia takich pojazdów w naszym rewirze.
- Moglibyśmy natomiast zebrać ekipę, która przeszłaby się
po większych salonach sprzedaży i auto komisach, prosić
o dane wszystkich, którzy taki model kupili - zaproponował
Kevin. Udzieliło mu się powszechne podniecenie, przygaszo-
ne nieco pod wpływem tragicznej wiadomości z Barleigh.
- Nie - uciął Brandon. - Szkoda czasu i ludzi. Nie ma gwa-
rancji, że zabójca kupił pojazd w okolicy. Czekamy do jutra
rana. Potem walimy z grubej rury.

Wszyscy mieli rozczarowane miny, choć argumentacja
Brandona była nie do podważenia.

- Skoro tak, sir - odezwała się Carol - to chciałabym popracować z Davem nad listami dostawców sprzętu i oprogramowania komputerowego, żebyśmy mogli ruszyć z tym pełną parą, jak tylko znajdzie się kilka wolnych osób do posadzenia
przy telefonach.

Brandon pokiwał głową.

– Dobre rozumowanie, Carol. A my może wrócilibyśmy do domów i na nowo odkryli, jak one wyglądają?

Tony wyciągnął się na sofie. Leżał, usiłując sobie wmówić, że rozkoszuje się luksusem oglądania telewizji, kiedy odezwał się dzwonek do drzwi. Z nadzieją, że przybywa ktoś znajomy, kto wybawi go od podszytej niepokojem nudy, zerwał się jak wystrzelony z katapulty i popędził do holu. Otworzył drzwi, gotów rozciągnąć usta w powitalnym uśmiechu.

Uśmiech sczezł gdzieś w pół drogi, zaledwie Tony stwierdził, że szczęście mu nie dopisało. W progu stała jakaś kobieta, ale nie była to żadna z jego znajomych ani koleżanek z pracy. Wysoka, grubokoścista, o masywnych, topornych rysach i mocno zarysowanej, kanciastej żuchwie. Odgarnęła długie włosy i powiedziała:

– Strasznie przepraszam, że sprawiam panu kłopot, ale popsuł mi się samochód, a nie wiem, gdzie tu jest publiczny telefon. Zastanawiałam się, czy mogłabym skorzystać z pańskiego telefonu, żeby wezwać pomoc drogową? Zapłacę za rozmowę, rzecz jasna... – urwała i uśmiechnęła się przepraszająco.

Z 3,5-CALOWEJ DYSKIETKI O NAZWIE: KOPIA_ZA-PASOWA.007; PLIK MIŁOŚĆ.017

W chwili, gdy w Sackville Arms zauważam sierżanta Merricka, robi mi się słabo. Boję się, że zaraz zemdleję. Naturalnie wiem, że do tego lokalu często przychodzą śledczy ze Scargill Street – właśnie dlatego jestem tu teraz. Zachciało mi się posłuchać ploteczek krążących w ekipie dochodzeniowej na mój temat. Słuchać, jak rozmawiają o mnie i o moich dokonaniach. Ale w głowie mi nie postało, że zobaczę znajomą twarz.

Siedzę sobie cichutko w kącie sali, gdy nagle widzę wchodzącego Merricka. Biję się z myślami czy nie wyjść, ale dochodzę do wniosku, że to mogłoby ściągnąć na mnie uwagę. A ostatnią rzeczą, jakiej chcę, jest żeby mnie rozpoznał i polazł za mą ze znanych tylko sobie powodów. Poza tym niby dlaczego mam pozwolić, żeby jakiś glina wypłoszył mnie z ustawowej przerwy na lunch?

Mimo to nie mogę zapanować nad skurczami żołądka, ilekroć pomyślę, że mógłby mnie przyuważyć i podejść na rozmowę. Nie boję się go, ale po prostu nie chcę zwracać na siebie uwagi. Szczęśliwie przyszedł w towarzystwie i wszyscy troje są zajęci omawianiem czegoś – zapewne moich dokonań, choć o tym nie wiedzą – żeby zainteresować się czymkolwiek innym. Kobietę znam ze zdjęć w gazetach. Inspektor Jordan. Na żywo wygląda ładniej niż na fotografiach, pewnie dlatego, że jej jasne włosy mają śliczny odcień. Tego drugiego mężczyznę widzę pierwszy raz w życiu, ale na wszelki wypadek staram się zapamiętać jego twarz. Marchewkoworude włosy, blada karnacja, piegi, chłopięce rysy. No i oczywiście Merrick, bijący ich na głowę, w dodatku na głowę ozdobioną jakimiś białymi zwojami. Czyżby się biedak uderzył?

Nie czuję nienawiści do Merricka – choć gardzę jego koleżkami po fachu – mimo że parę razy osobiście wsadzał mnie do kicia. Nigdy nie był wobec mnie nieuprzejmy. Nigdy ze mnie nie szydził. Ale i tak jestem dla niego rzeczą, zerem nie zasługującym na szacunek. Kiedy aresztował mnie, myślał, że się puszczam z marynarzami, bo to lubię. Nie wiedział, że mam swoje powody, ważne powody. Zresztą moje dawne postępowanie nie ma tu nic do rzeczy. Jestem innym człowiekiem. Zajścia z Seaford wydają się tak pozbawione związku z teraźniejszością i tak odległe jak scena z dawno oglądanego filmu.

O dziwo, przebywanie w jednym pomieszczeniu z funkcjonariuszami, którzy mnie ścigają, jest dość podniecające. To niezły kop adrenaliny, siedzieć tak blisko myśliwych, nie przeczuwających nawet, że zwierzyna jest tuż. Nie mają polotu za grosz. Nie widzą, iż tuż pod ich nosem dzieje się coś niezwykłego. Nawet ta Carol Jordan. Tyle w kwestii sławetnej „kobiecej intuicji". Postanawiam traktować tę sytuację jako swoistą próbę sił, test, czy zdołam zwieść na manowce tych, co mnie tropią. Choć nie umiem sobie wyobrazić, by takie kmiotki mogły mnie złapać.

Przez resztę dnia czuję, że mogę przesuwać góry. Nazajutrz rewelacje z gazety walą się na mnie jak wór piachu: w głównej sali komputerowej, na biurku któregoś z młodszych inżynierów, leży poranne wydanie The Sentinel Times. Z pierwszej strony krzyczy nagłówek PIĄTA OFIARA SZAŁU HOMOBÓJCY.

Chcę szaleć i wrzeszczeć, ciskać szpargałami przez okna. Jak mogą?! Przecież moje dzieła są niepowtarzalne, jak śmieją mnie porównywać z nieudolnym naśladowcą?

Trzęsąc się z tłumionej furii, wracam do gabinetu. Mimo wszystko nie pożyczę gazety od jej prawowitego właściciela. Boję się, że zdradzi mnie brzmienie głosu. Marzę o tym, żeby natychmiast pobiec do najbliższego kiosku, porwać z lady egzemplarz tego szmatławca. Jednak byłaby to niewybaczalna słabość. Tajemnica sukcesu, powtarzam sobie z mocą, to zachowywać się jak zawsze. Nie robić niczego, co nasunęłoby kolegom podejrzenie, że w moim życiu coś się wydarzyło.

- Cierpliwość - powtarzam sobie - jest kardynalną cnotą. - Ślęczę za biurkiem i grzebię się przy beznadziejnie schrzanionym programie; właściwie powinno się go napisać od nowa. Ale nie przykładam się do pracy i wiem, że dziś nic nie usprawiedliwia mojej wysokiej pensji. Kiedy dochodzi czwarta, jestem u kresu wytrzymałości. Łapię za słuchawkę i wybieram numer serwisu, pod którym można odsłuchać wiadomości nadawane przez Bradfield Sound. „Zamordowany mężczyzna, znaleziony w rejonie Temple Fields we wczesnych godzinach porannych nie jest piątą ofiarą seryjnego zabójcy, jaki sieje strach w kręgach gejowskiej społeczności Bradfield - ujawniła policja dziś po południu". Kiedy słowa prezentera docierają do mej świadomości, czuję, jak gniew się wypala, pozostawiając po sobie przeraźliwą pustkę.

Nie czekając na ciąg dalszy, rzucam słuchawkę. Raz powiedzieli coś do rzeczy. To nie zmienia jednak faktu, że ich kretyńska pomyłka oznaczała dla mnie cztery godziny piekła. Ślubuję sobie w duszy, że każda godzina moich cierpień o godzinę przedłuży męki doktora Tony'ego Hilla.

Albowiem policja Bradfield tym razem wspięła się na wyżyny absurdu: doktor Tony Hill, półgłówek, który nie potrafi nawet rozpoznać mojego niepowtarzalnego stylu, został oficjalnie mianowany konsultantem policyjnej ekipy dochodzeniowej. Biedni głupcy, oszukują samych siebie. Jeśli to on jest ich największą nadzieją, to jest to nadzieja płonna.

17

„W wypadku morderstwa zaspokajającego wyłącznie rozkosz, całkowicie bezinteresownego, w którym nie chodziło o usunięcie niebezpiecznego świadka ani o zdobycie dodatkowego łupu, ani też o zaspokojenie uczucia zemsty, pośpiech oczywiście wszystko by zepsuł".

(przełożyła Magdalena Jędrzejak)

To było jak agonia, męka tak przejmująca, że Tony wolał wierzyć, że śni jakiś straszliwy koszmar. Dopiero teraz uświadomił sobie, jak wiele rodzajów bólu istnieje. Tępe pulsowanie pod czaszką; palenie w gardle, jakby ktoś przejechał mu po przełyku papierem ściernym; zmuszające do krzyku, przeszywające rwanie w barkach; ostrza skurczów dźgających mięśnie jego ud i łydek. W pierwszej chwili ból stłumił wszystkie inne wrażenia. Kurczowo zaciskał powieki, nie docierało do niego nic oprócz tego, że cierpi dotkliwie, a pot perlił mu się na czole.

Stopniowo uczył się znosić skrajność tej męczarni. Uzmysłowił sobie, że jeśli przeniesie ciężar ciała na stopy, to skurcze powoli ustępują, a straszliwy ból barków zaczyna słabnąć. Kiedy udręka stała się nieco znośniejsza, uprzytomnił sobie, że robi mu się słabo, poczuł mdłości wzbierające w żołądku i grożące wylaniem się zalegającej w nim treści. Bóg jeden wie, od jak dawna wisiał w tej pozycji.

Powoli, lękliwie otworzył oczy i uniósł głowę ostrożnym ruchem, na który jego kark i barki zareagowały upiornie bolesnym skurczem. Tony rozejrzał się mętnym wzrokiem i natychmiast pożałował, że to zrobił. Już wiedział, gdzie jest. Pomieszczenie było dobrze oświetlone: w blasku reflektorków umocowanych na suficie i ścianach ujrzał pobieloną izbę o posadzce z surowego kamienia, uwalanej ciemnymi plamami. I bez fachowych analiz wiedział, że to ślady krwi, zlewającej się w kałuże, bryzgającej na wszystkie strony. Z naprzeciwka obserwowało go nieruchome oko kamery osadzonej na trójnogim statywie. Czerwona dioda wskazywała na to, że jego dociekania są utrwalane na taśmie. Na ścianie w głębi pas ze starannie dobraną kolekcją noży. W rogu pomieszczenia zobaczył to, co uznał za narzędzia tortur. Łoże sprawiedliwości i dziwne, podobne do krzesła urządzenie, które wyglądało znajomo, choć początkowo nie potrafił sobie przypomnieć jego nazwy. Coś związanego z religią? Luźno kojarzącego się z chrześcijaństwem? Coś zdradzieckiego, innego, niż by się wydawało? Judaszowe krzesło, oto jak brzmi jego nazwa. A za nim olbrzymi, drewniany krzyż ukośny, w ohydnej, groteskowej parodii świętej relikwii.

Teraz, kiedy wiedział najgorsze, oszacował własną sytuację. Był nagi, a piwniczny chłód sprawił, że na całym ciele miał gęsią skórkę. Ręce związane za plecami, dokładniej zaś, sądząc z ostrych krawędzi wrzynających się w nadgarstki, skute kajdankami, które z kolei naprężał sznur, łańcuch lub cokolwiek bądź innego, co w oczywisty sposób przymocowane było do sufitu. Powróz był naprężony na tyle, że Tony był zgięty w pół i wychylony do przodu od pasa w górę. Spróbował unieść się na palce i pookręcać na boki. Kątem oka dojrzał mocną, nylonową linę niknącą za jego plecami: przechodziła przez krążek linowy, wzdłuż sufitu, potem przez następny krążek i do kołowrotka.

– Jezu Chryste... – zaskrzeczał. Bał się spojrzeć na swoje stopy, niemniej zmusił się do opuszczenia wzroku. Tak jak podejrzewał, kostki, każda oddzielnie, tkwiły w skórzanych pasach. Pasy z kolei przytwierdzone były do kołyski, w której spoczywała gruba, kamienna płyta chodnikowa. Targnął nim dreszcz przerażenia, a umęczone mięśnie naprężyły się boleśniej. Wiedział, czego się spodziewać, bo żeby skuteczniej leczyć swoich pacjentów, przestudiował historię sadyzmu. Jednak nawet w chwilach najczarniejszej depresji nie przypuszczał, że może go czekać tak potworny los.

Bezwiednie, gorączkowo wybiegł myślami w przyszłość. Zostanie podciągnięty pod sam sufit. Mięśnie naprężą się i zaczną rwać, stawy naciągną do granic wytrzymałości. Wtedy kołowrót zostanie zwolniony, a jego ciało bezwładnie runie w dół; w ostatniej chwili, gdy znajdzie się kilka stóp nad posadzką, oprawca blokuje linę. Ciężar płyty chodnikowej, nadal zmierzającej ku ziemi z przyśpieszeniem ponad dziewięciu metrów na sekundę, zwieńczy dzieło: zgruchoce mu wszystkie stawy i zmieni jego ciało w bezkształtny wór. Jeśli mu się poszczęści, szok i ból pozbawią przytomności. Strappado, metoda, z której Hiszpańska Inkwizycja uczyniła dyscyplinę sztuk pięknych. W dziedzinie tortur nie potrzeba najnowszej techniki.

Podjął próbę ucieczki przed oślepiającą paniką, na której skraj przywiodła go wiedza, i zmusił się do tego, by wrócić myślami do zdarzeń poprzedzających jego mękę. Kobieta przed drzwiami, oto od czego wszystko się zaczęło. Kiedy Tony wpuścił ją do domu, pomyślał niespokojnie, że wydała mu się dziwnie znajoma. Był przekonany, że musiał ją wcześniej widzieć, z drugiej strony nie wyobrażał sobie, by widział kogoś tak niepowtarzalnie brzydkiego i później tego nie pamiętał. Ruszył przez hol w stronę gabinetu. Potem zaleciała go nieskończenie lekka woń, jakby chemiczna, osobliwie kojarząca się z lekami, i krzepkie ramię podstępnie oplotło jego szyję, do twarzy przywarł zimny, obrzydliwy kompres. Kopniak w staw kolanowy wystarczył, by nogi się pod nim ugięły, i runął na ziemię. Szamotał się, ale przygniotła go całym swoim ciężarem i po chwili stracił przytomność.

Później dryfował na styku światła i ciemności, to wynurzając się, to niknąc pod powierzchnią, nieświadomy niczego oprócz kompresu, który uparcie spychał go w omdlenie, ilekroć z wysiłkiem docierał na obrzeże świadomości. Dopóki, nareszcie, nie oprzytomniał. W komnacie tortur Handy'ego Andy'ego. W jego głowie znikąd pojawił się cytat: „Wierzaj mi, panie, kiedy człowiek wie, że za dwa tygodnie zawiśnie, jego umysł nabywa przecudownej jasności"*. Potem uderzyła go myśl, że w tym, co się zdarzyło, kryje się jakaś wskazówka, która dopomoże mu w ucieczce przed tym, co jeszcze przed chwilą wydawało się nieuniknione.

Czyżby jego wnioski były całkowicie chybione? Czy kobieta, która go porwała, jest Handym Andym? Czy ona i Handy Andy to jedna i ta sama osoba? A może to tylko przynęta, dobrowolna wspólniczka, poddana, czerpiąca podnietę ze zbrodni swego pana? Zaczął porządkować strzępy wspomnień, szperać w pamięci. Przywołał przed oczy obraz kobiety. Najpierw ubranie. Beżowy mackintosh o kontynentalnym kroju, taki, jaki nosi Carol, biała koszula z wystarczającą liczbą rozpiętych guziczków, by odsłonić zarys pełnych piersi i głęboki dekolt. Dżinsy, sportowe buty; ta sama marka i model, jak jego własnych. Ale to wszystko szczegóły bez znaczenia, uznał Tony. Zewnętrzne przejawy ostrożności Handy'ego Andy'ego. Elementy stroju zostały dobrane tak, by ewentualne włókna czy nitki, jakie mogliby po fakcie wyodrębnić technicy, nie zostały uznane za pochodzące z ubrania sprawcy, lecz z odzieży Carol albo jego własnej. A Carol bywała w jego domu dość często, by zostawić mikroślady.

Twarz, którą zapamiętał, też bliżej mu się nie kojarzyła.

*Tłum. Magdalena Jędrzejak za wersją angielską.

Porywaczka była bardzo wysoka, zadziwiająco wysoka jak na kobietę: miała prawie metr osiemdziesiąt wzrostu, do tego masywny kościec i muskularną budowa ciała. Rodzona matka nie nazwałaby jej atrakcyjną, nie z tą potężną szczęką, lekko kalafiorowatym nosem, szerokimi ustami i szeroko rozstawionymi oczami. Choć była umiejętnie, może trochę przesadnie, umalowana, niewiele mogła wskórać z takim materiałem wyjściowym. Tony był pewny, że nigdy nie przebywał z nią w jednym pomieszczeniu, choć nie wykluczał, że minął ją kiedyś na ulicy, na przystanku tramwajowym albo na kampusie.

Te buty. Z jakiegoś powodu nieustannie wracał do kwestii butów. Gdyby tylko ból ustał na dość długo, mógłby się należycie skupić. Tony usztywnił nogi w kolanach, usiłując ulżyć koszmarnie naprężonym mięśniom ramion. Ułamkowi centymetra, o który udało mu się podźwignąć, daleko było do przyniesienia zamierzonego skutku. Przeraźliwy strach targnął jego wnętrznościami. Tony zamrugał, by odegnać łzy.

Co z tymi butami? Tony wezwał na pomoc całą przenikliwość, na jaką mógł się zdobyć, po czym raz jeszcze przywołał obraz kobiety. Nagle odetchnął przeciągle, bo uświadomił sobie, w czym rzecz. Miała za duże stopy. Nawet jak na kobietę tego wzrostu, miała za duże stopy. Zaledwie to pojął, przypomniał sobie również jej dłonie. Najpierw w czarnych skórzanych rękawiczkach, potem w cienkich, lateksowych, przez które widać było zarys grubych, mocnych palców. Osoba, która go tu sprowadziła, nie była kobietą od dnia swoich narodzin.

Carol ponownie nacisnęła dzwonek. Gdzie on się, do diabła, szwenda? Światła się paliły, zasłony były zaciągnięte. Może wymknął się po pizzę, poszedł wysłać list, kupić butelkę wina albo wypożyczyć film na wideo? Ze zrezygnowanym westchnieniem zawróciła, doszła na koniec ulicy i skręciła w wąską alejkę dzielącą dom Tony'ego od sąsiednich budynków. Zajrzała na podwórko za domem; poprzedni właściciel wyburzył jedną ścianę i wybetonował połowę placu pod miejsce parkingowe.

Samochód Tony'ego stał na swoim miejscu, dokładnie tam, gdzie powinien.

– A niech to szlag! – zirytowała się Carol. Przecisnęła się obok samochodu i zajrzała przez okno kuchenne. Drzwi do holu były otwarte i kuchnię spowijała blada poświata. Żadnych oznak życia. Żadnych brudnych naczyń, pustych butelek.

Bez szczególnej nadziei spróbowała otworzyć tylne drzwi. Nic z tego.

– Pieprzone chłopy – burknęła, zamaszystym krokiem wracając do swojego auta. – Pięć minut, koleś, a potem znikam – oświadczyła i energicznie rozsiadła się za kierownicą.

W ślimaczym tempie minęło dziesięć minut, ale nikt się nie pojawił. Carol uruchomiła silnik. Kiedy szykowała się, by wjechać na główną drogę, zwróciła uwagę na pub po drugiej stronie jezdni. Nie zaszkodzi spróbować, pomyślała. Po niecałych trzech minutach krążenia po zadymionych, zatłoczonych salach miała pewność, że gdziekolwiek w tej chwili przebywa Tony Hill, to nie w Farewell to Arms.

Gdzie indziej, dokąd można dojść pieszo, mógłby być o dziewiątej w sobotę wieczorem? Wszędzie – odpowiedziała samej sobie. Niemożliwe, żebyś była jedyną przyjazną mu duszą na świecie. Nie spodziewał się ciebie; po prostu wpadłaś po drodze, żeby umówić się z nim na jutro.

Carol poddała się i pojechała do domu. Mieszkanie było puste. Michael, jak sobie przypomniała, wybrał się na kolację z jakąś babką, którą poznał na targach komputerowych. Postanowiła wypiąć się na wszystko i wszystkich i walnąć do łóżka. Najpierw jednak nagra Tony'emu wiadomość na sekretarce. Gdyby przez dwa dni z rzędu pojawiała się niezapowiedziana pod jego drzwiami, gotów stracić cierpliwość. Automatyczna sekretarka uruchomiła się po paru sygnałach, ale zamiast komunikatu powitalnego rozległa się seria trzasków poprzedzających sygnał wiadomości.

– Cześć, Tony – zaczęła. – Nie wiem, czy twoja sekretarka działa jak należy, więc nie jestem pewna, czy odbierzesz tę wiadomość. Jest dziewiąta dwadzieścia i zanosi się na to, że raz w życiu wcześnie się położę. Będę w pracy z samego rana, pośleczę trochę nad listą dostawców sprzętu komputerowego. Pan Brandon wyznaczył odprawę jutro na trzecią. Jeśli chcesz się zobaczyć wcześniej, uprzedź mnie telefonicznie. Będę w pokoju HOLMES-a, gdybyś nie zastał mnie w sztabowym.

Siadając z Nelsonem na kolanach i mocnym drinkiem w zasięgu ręki, Carol rozmyślała o tym, ile ma przed sobą pracy. Lista firm sprzedających sprzęt, na którym Handy Andy mógłby tworzyć własne filmy, była przygnębiająco długa. Wymogła na Dave'ie wstrzymanie się z robotą, dopóki nie pogada z producentami oprogramowania. Lista uzyskana z tego źródła powinna być krótsza, ponadto będą już mieli gotowe zestawienie nabywców modelu discovery, z którym można ją będzie porównać. Jedynie wówczas, gdyby to nic nie dało, zagoni się ludzi z zespołu Dave'a do telefonów, żeby podzwonili pod tuziny numerów, które dziś zestawiła.

– Damy radę, Nelson – pocieszyła kota. – Oby się tylko nie okazało, że skórka nie jest warta wyprawki.

Stukot wysokich obcasów na kamiennej posadzce uciął męczarnie gładko jak nóż. Swojski odgłos, który zabrzmiał jak groźba. Tony nie miał pojęcia, czy jest dzień, czy noc, ile czasu upłynęło od chwili, gdy został wyrwany ze swojego życia. Zmusił się do czujności, gdyż stukot obcasów wyraźnie się zbliżał; schodziła po schodach. U ich podnóża urwał się nagle. Rozległ się cichy, gardłowy śmiech. Potem znowu kroki, powolne, wciąż za jego plecami, ale coraz bliżej. Czuł się bacznie lustrowany.

Nie spieszyła się. Obeszła go leniwie, aż znalazła się na linii jego wzroku. Tony zdumiał się; miała wspaniałe ciało. Od szyi i w dół nadawałaby się na modelkę, jedną z tych, których zdjęcia widuje się w świerszczykach. Stała na rozstawionych nogach, z rękami wspartymi na biodrach. Poły powłóczystego, czerwonego kimona z jedwabiu rozchylały się, odsłaniając czerwony, skórzany gorsecik z otworkami na sutki oraz pęknięciem na kroczu. Czarne pończochy spowijały kształtne, umięśnione nogi w czarnych szpilkach. Nawet przez materiał kimona dostrzegał wyraźny zarys silnych, muskularnych ramion i barków. Choć z jego „punktu wiszenia" wydawała się równie ponętna jak porcelanowa figurka.

– Już się wszystkiego domyśliłeś, *Anthony*? – spytała przeciągle, tonem ciepłym od tłumionego śmiechu.

Nie „Tony". Sposób, w jaki wypowiedziała jego imię, podziałał na jego pamięć jak ostatnie, zamykające grę przekształcenie kostki Rubika. Umysł Tony'ego wszedł na najwyższe obroty.

– Przypuszczam, że nie mam szans na parę tabletek paracetamolu, Angelico? – powiedział z wysiłkiem.

Znowu ten gardłowy śmieszek.

– Cieszę się, że nie straciłeś poczucia humoru.

– Nie, tylko godność. Nie spodziewałem się tego, Angelico. W naszych rozmowach telefonicznych nie padło ani jedno słowo, które pozwoliłoby mi się domyślić, że planujesz dla mnie coś takiego.

– Nie miałeś pojęcia, kim jestem, prawda? – spytała Angelica z wyraźną nutą dumy.

– I tak, i nie. Nie wiedziałem, że to ty zabiłaś wszystkich tych ludzi. Ale wiedziałem, że jesteś kobietą dla mnie.

Angelica zmarszczyła czoło, jakby zastanawiała się, co odpowiedzieć. Odwróciła się i sprawdziła kamerę wideo.

– Długo do tego dochodziłeś. Masz pojęcie, ile razy rzucałeś słuchawką? – W jej głosie pobrzmiewała złość, a nie ból.

Tony wyczuł niebezpieczeństwo. Gorączkowo szukał słów, które by ją udobruchały.

– Rzucałem, bo miałem problem. Nie chodziło o ciebie.

– Miałeś problem ze mną – żachnęła się, podchodząc do kamiennej ławy pod ścianą. Wzięła kasetę i wróciła do kamery.

Tony spróbował jeszcze raz.

– Wręcz przeciwnie – zapewnił. – Zawsze miałem kłopoty w relacjach z kobietami. To dlatego na początku nie wiedziałem, jak się do ciebie odnosić. Ale już jest lepiej. Wiesz, że tak. Wiesz, że było nam cudownie. Dzięki tobie czuję się, jakbym wszystkie swoje problemy miał już za sobą. - Modlił się, by nie wychwyciła niezamierzonej ironii w jego słowach.

Angelica nie była głupia.

- Sądzę, że możesz śmiało tak powiedzieć, Anthony - odparła z kwaśnym uśmieszkiem.

- Okazałaś się sprytniejsza ode mnie, wiesz? Byłem przekonany, że zabójcą jest mężczyzna. Powinienem być mądrzejszy.

Angelica zmieniła kasetę w kamerze. Potem odwróciła się błyskawicznie i oświadczyła:

- Nigdy byś mnie nie złapał. A jak ty przestaniesz wchodzić mi w paradę, nie złapie mnie nikt.

Nie zważając na tę groźbę, Tony ciągnął dalej rozmowę. Wysilał się, by jego głos brzmiał ciepło i spokojnie.

- Powinienem był się domyślić, że jesteś kobietą. Ta subtelność, dbałość o szczegóły, skrupulatność, z jaką zacierałaś za sobą ślady. Byłem głupi, nie poznałem, że za tym wszystkim kryje się umysł kobiety, nie mężczyzny.

Angelica uśmiechnęła się pogardliwie.

- Wszyscy jesteście tacy sami, wy psycholodzy. - Ostatnie słowo nieledwie wypluła, jakby było czymś obleśnym. - Brak wam wyobraźni.

- Ależ ja wcale nie jestem taki jak inni, Angelico. Przyznaję, popełniłem ogromny błąd, ale założę się, że wiem o tobie więcej, niż komukolwiek udało się dowiedzieć. Bo odsłoniłaś przede mną swój umysł. I nie tylko poprzez te zabójstwa. Pokazałaś mi prawdziwą kobietę, kobietę, która wie, czym jest miłość. A zgaduję, że oni wcale cię nie rozumieli, prawda? Nie wierzyli ci, kiedy mówiłaś, że masz duszę kobiety, że jesteś uwięziona w męskim ciele. Och, przypuszczam, że udawali, że ci wierzą, przypuszczam, że klepali cię po ramieniu i patrzyli na ciebie z góry. Ale w głębi duszy mieli cię za dziwadło, prawda? Wierz mi, ja nigdy tak o tobie nie myślałem.

Pod koniec nie tyle mówił, co skrzeczał, bo w ustach zaschło mu ze strachu. Wciąż czuł posmak chloroformu. Dobre i to, że adrenalina tętniąca w jego żyłach działała jak środek przeciwbólowy.

- Co o mnie wiesz? - rzuciła szorstko; wyraz bólu na jej twarzy dziwnie kontrastował z zalotną pozą, w jakiej znieruchomiała.

- Potrzebuję się czegoś napić, skoro mamy rozmawiać - zaryzykował Tony w nadziei, że narcyzm obudzi w niej chęć pochwalenia się dokonaniami, że zechce też słuchać o sobie z cudzych ust. Jeżeli miał zyskać szansę na ujście z życiem z tej kabały, musi nawiązać z nią emocjonalną łączność. Podanie mu czegoś do picia byłoby równoznaczne z położeniem pierwszej cegły, na której może stanąć most porozumienia. Wszystko, byle zaczęła w nim widzieć jednostkę, a nie kolejny numer z serii; wtedy będzie miał jakąś szansę.

Angelica podejrzliwie ściągnęła brwi. Potem odrzuciła długie włosy z ramion tak gwałtownym ruchem, że zawirowały, odwróciła się i podeszła do zlewozmywaka. Odkręciła kurek i rozejrzała się za jakimś naczyniem.

- Przyniosę szklankę - mruknęła; ominęła Tony'ego i, stukając głośno szpilkami, powędrowała po schodkach na górę.

Tony powitał swoje małe zwycięstwo potężnym przypływem ulgi. Angeliki nie było krócej niż pół minuty: wróciła z masywnym białym kubkiem. Kuchnia na parterze, wydedukował Tony, kiedy szła do zlewozmywaka. Na cienkich, wysokich obcasach poruszała się bardzo sprawnie, wyważonym krokiem i kobieco. Interesujący szczegół, skoro najwyraźniej powraca do bardziej „męskiego" sposobu poruszania się w chwilach stresu, kiedy dokonuje porwań i zabójstw. Tylko to tłumaczyłoby przekonanie Terry'ego Hardinga, że osobą, którą widział przy garażu Damiena Connolly'ego, był mężczyzna.

Angelica napełniła kubek i ostrożnie zbliżyła się do Tony'ego. Złapała go za włosy, brutalnym gestem odchyliła mu głowę i nalała do ust lodowatej wody. Po brodzie spłynęło mu nie mniej niż do gardła, mimo to ulga była odczuwalna.

- Dzięki - westchnął, kiedy się odsunęła.

- Gościnność rzecz święta - stwierdziła szyderczo.

- Mam nadzieję, że zostanę twoim gościem jeszcze przez

pewien czas - podchwycił Tony. - Wiesz, podziwiam cię. Masz klasę.

Ponownie ściągnęła brwi.

- Nie wciskaj mi kitu, Anthony. Nie rozmiękczysz mnie idiotycznymi pochlebstwami.

- To nie żaden kit - zaprotestował. - Dniami i nocami rozmyślałem nad twoim kunsztem. Niemalże siedzę w twojej głowie, jak mógłbym cię nie podziwiać? Jak mógłbym nie być pod wrażeniem? Tamci przede mną nie mieli pojęcia, kim jesteś, co potrafisz.

- To prawda, niech ci będzie. Byli jak oseski, jak przerażone, głupie oseski - odparła Angelica z pogardą. - Nie rozumieli, co kobieta taka jak ja mogłaby dla nich zrobić. Zdradzieccy, lubieżni głupcy.

- To dlatego, że nie znali cię tak dobrze jak ja.

- Ciągle to powtarzasz. Udowodnij to. Udowodnij, że cokolwiek o mnie wiesz.

Teraz rękawica została rzucona, ostatecznie, na całego, pomyślał Tony. Może i cienko w tej chwili śpiewasz, ale gadanie może ci uratować życie. Otóż i jego poligon, miejsce, w którym miał się ostatecznie przekonać, czy psychologia jest nauką, czy zwykłym wciskaniem kitu.

- Fraser Duncan? Halo, mówi inspektor śledcza Carol Jordan z policji miejskiej w Bradfield - przedstawiła się.

Carol nigdy nie przywykła do wypowiadania swojego pełnego tytułu. Czuła się tak, jakby lada chwila ktoś miał się zerwać i krzyknąć: „O nie! Wcale że nie! W końcu cię zdemaskowaliśmy". Na szczęście, najwyraźniej nie dziś.

- Tak? - Głos był ostrożny, pojedyncza sylaba rozciągnięta w pytanie.

- Prawdę mówiąc, brat, Michael Jordan, podpowiedział, że mógłby mi pan dopomóc w dochodzeniu, które obecnie prowadzimy.

- Och, tak? - Atmosfera się ocieplła. - Jak się miewa Michael? Oprogramowanie mu się podoba?

- O ile wiem, to jego ulubiona zabawka - zapewniła Carol. Fraser Duncan roześmiał się.

- Kosztowna zabawka, pani inspektor. Co zatem mogę dla pani zrobić?

- Chciałabym z panem porozmawiać o programie Vicom 3D Commander. Poufnie, sam pan rozumie. Prowadzimy duże śledztwo w sprawie o morderstwo i jedna z hipotez zakłada, że zabójca mógł używać oprogramowania pańskiej firmy do edytowania własnych nagrań wideo, być może nawet do montowania ich z innych materiałów. To byłoby wykonalne, prawda?

- Nawet więcej. Byłoby to całkowicie zgodne z przeznaczeniem tego programu.

- A prowadzą państwo może rejestr klientów? - dociekała Carol.

- Tak. Nie prowadzimy sprzedaży bezpośredniej, rzecz jasna, ale nabywcy Commandera najczęściej rejestrują u nas swój zakup, bo dzięki temu uzyskują bezpłatny dostęp do specjalnej linii telefonicznej, przy której dyżurują nasi konsultanci. Oznacza to również, że są w pierwszej kolejności zawiadamiani o nowych aktualizacjach pocztą elektroniczną. - Duncan wyraźnie stał się bardziej wylewny. - Czyżbym słyszał zawoalowaną prośbę o dostęp do bazy naszych klientów?

- Otóż to. Widzi pan, prowadzimy śledztwo w sprawie o wielokrotne morderstwo i te informacje mogą się okazać bardzo ważne. Czy wolno mi także podkreślić, że wszystko odbędzie się w całkowitej tajemnicy? Osobiście ręczę panu za to, że dane zostaną usunięte z naszego systemu, jak tylko z nimi skończymy - dodała Carol; usiłowała nadać głosowi takie brzmienie, które nie przywodziłoby na myśl żebraniny.

- Bo ja wiem... - odparł Duncan z wahaniem. - Nie jestem pewny, czy podoba mi się myśl o pani i pani kolegach dobijających się do drzwi moich klientów.

- To by tak nie wyglądało, panie Duncan. Nie ma mowy. Ograniczylibyśmy się do wprowadzenia nazwisk pańskich klientów do HOLMES-a, wie pan, policyjnej bazy danych, i krzyżowego porównania tej listy z wcześniej zgromadzonymi informacjami. Odwiedzilibyśmy tylko te osoby, których nazwiska będą się powtarzać.

– Szukacie tego seryjnego zabójcy? – spytał raptem Duncan. Jakiej odpowiedzi oczekuje, przebiegło Carol przez myśl.

– Tak – zaryzykowała.

– Pozwoli pani, że za moment oddzwonię, pani inspektor. Tylko żeby upewnić się, że jest pani osobą, za którą się podaje.

– Nie ma sprawy. – Podała mu numer głównej centrali policyjnej. – Niech pan poprosi, żeby przełączyli pana do mnie, jestem w pokoju operatorów HOLMES-a w komisariacie przy Scargill Street.

Następne pięć minut warowała przy telefonie w stanie gorączkowego podniecenia. Odebrała, nim przebrzmiał pierwszy sygnał i rzuciła w słuchawkę:

– Inspektor Jordan.

– Wisisz mi przysługę, siostrzyczko.

– Michael!

– Właśnie opowiadałem Fraserowi Duncanowi, jaka czcigodna z ciebie osoba i że wbrew temu, co słyszał o policji, może ci zaufać.

– Jesteś kochany. Ale rozłącz się już i daj temu człowiekowi ze mną porozmawiać!

W ciągu godziny dane z Vicomu zostały wprowadzone do sieci komputerowej HOLMES-a, dzięki Dave'owi Woolcottowi i cudom nowoczesnej techniki. Carol przekazała mu słuchawkę, ustaliwszy z Fraserem Duncanem podstawowe zasady dotyczące wykorzystywania danych, i, niewiele rozumiejąc, przysłuchując się Dave'owi. Rzucał pozaziemskimi sformułowaniami w rodzaju „ilość bodów" i „pliki ASCII".

Carol nie odstępowała Dave'a ani na chwilę, od kiedy zasiadł przy jednym z terminali.

– No dobra – westchnął, odłożywszy telefon. – Jest lista ze Swansea z nazwiskami wszystkich posiadaczy modelu discovery w promieniu czterdziestu kilometrów od Bradfield. Mamy także od Vicomu spis osób, które kupiły ich oprogramowanie. Naciskam ten klawisz, przewijam menu do opcji „wildcard match", a teraz siadamy wygodnie i dajemy tej maszynie pogadać samej ze sobą.

Przez jedną upiorną minutę nic się nie działo. Potem ekran zrobił się czarny i rozbłysnął na nim komunikat: „Obiektów znalezionych [2]. Wylistować wyniki wyszukiwania?". Dave potwierdził klawiszem „y" – „yes" – i na ekranie wyświetliły się dwa nazwiska z adresami.

    1: Philip Crozier, 23 Broughton Crag, Sheffield Road, Bradfield BX4 6JB
    2: Christopher Thorpe [kryterium sortowania I]/Angelica Thorpe [kryterium sortowania II], 14 Gregory Street, Moorside, Bradfield BX6 4LR

– Co to znaczy? – spytała Carol, wskazując pozycję z numerem drugim.

– Discovery jest zarejestrowany na Christophera Thorpe'a, a oprogramowanie kupiła Angelica Thorpe – wyjaśnił Dave. – Korzystanie z opcji „wildcard" oznacza, że komputer sortował wedle kryterium zarówno adresu, jak i nazwiska. Czy z tej mąki będzie chleb, to się dopiero przekonamy.

Penny Burgess spacerowała zamaszystym krokiem po szorstkiej, popękanej skale wapiennej Malham Pavement. Niebo miało intensywnie niebieski kolor, jak to się często zdarza wczesną wiosną, szorstkie trawy wrzosowisk zaczynały zmieniać kolor z brązowego na zielony. Od czasu do czasu skowronki wystrzeliwały w niebo, wyśpiewując swoje piosenki.

Istniały dwa typy sytuacji, w których Penny odżywała. Pierwszy, kiedy była na tropie sensacyjnego reportażu. Drugi, kiedy znajdowała się na górskich wrzosowiskach Yorkshire Dales albo Derbyshire Peak District. W plenerze, na otwartej przestrzeni, czuła się wolna jak te skowronki, wolna od wszelkiej presji. Nikt z *newsdesku* nie domagał się reportażu „na godzinę temu", żadne „źródło" nie wymagało udobruchania, nie trzeba było ustawicznie oglądać się przez ramię, by mieć pewność, że nie dogania jej nikt z konkurencji. Tylko niebo, wrzosowisko, niesamowity krajobraz wyryty w wapieniu i ona.

Nagle, bez powodu, w jej myśli wdarł się Stevie McConnell. Już nigdy nie zobaczy nieba, nie przejdzie się po wrzosowiskach, by patrzeć, jak zmieniają się pory roku. Chwała Bogu, że w mocy Penny leżało dopilnowanie, by ktoś zapłacił za tę straszną krzywdę.

Dom Philipa Croziera okazał się wąskim, trzykondygnacyjnym, nowoczesnym segmentem z garażem zajmującym niemal cały parter. Carol siedziała w samochodzie, oglądając budynek od góry do dołu.

– Wchodzimy, szefowo? – spytał młody posterunkowy zza kierownicy.

Carol zastanowiła się szybko. Gdyby wszystko poszło zgodnie z wymarzonym scenariuszem, Tony towarzyszyłby jej podczas przesłuchiwania osób, których nazwiska wypluł system komputerowy. Dzwoniła do niego do domu, ale nie odbierał. Claire mówi, że dotąd nie pokazał się w biurze i jest tym bardzo zdziwiona, bo był umówiony na dziewiątą trzydzieści. Carol podjechała pod jego dom, ale wszystko wyglądało dokładnie tak samo, jak wieczór wcześniej. Wypuścił się gdzieś z przyjaciółką, uznała. Może się wreszcie czegoś nauczy, jak przegapi ostateczne starcie z Handym Andym, pomyślała złośliwie i zawstydziła się swojej dziecinnej reakcji. Z braku Tony'ego, dobry byłby i Don Merrick. Ten jednak przebywał w terenie, podążając za innymi tropami, które wypłynęły dzięki zidentyfikowaniu właścicieli modelu discovery. Jedynym, kogo udało się jej znaleźć – i kto nie był pilnie potrzebny przy czymś innym – był posterunkowy Morris, przeniesiony do dochodzeniówki raptem dwa miesiące temu.

– Właściwie moglibyśmy sprawdzić, czy jest w domu – postanowiła Carol. – Ale chyba jeszcze nie wrócił z pracy.

Szybko podeszli do drzwi. Carol skrupulatnie odnotowywała w pamięci szczegóły: skoszony trawnik, przemyślna kolorystyka. Ten dom absolutnie nie pasował do charakterystyki sporządzonej przez Tony'ego. Bardziej przypominał domy ofiar pod względem wartości i prestiżu, niż siedzibę kogoś, kto do takiego statusu dopiero dążył. Carol nacisnęła dzwonek i odsunęła się od drzwi. Mieli już sobie odpuścić i wrócić do auta, gdy dały się słyszeć dudniące kroki; najwyraźniej ktoś zbiegał po schodach. Drzwi otworzyły się na oścież i ukazał się w nich krępy Murzyn ubrany w szare dresowe spodnie i szkarłatną koszulkę; był boso. Trudno sobie wyobrazić kogoś, kto bardziej by odbiegał od rysopisu, jaki podał Terry Harding. Carol podłamała się, ale pomyślała zaraz, że może Crozier nie mieszka sam. Może kto inny korzysta z oprogramowania i samochodu kupionych na jego nazwisko. Mimo wszystko warto go przesłuchać.

– Czego? – burknął.

– Pan Crozier?

– A niby kto. A kto chce wiedzieć? – mówił zblazowanym tonem, z silnym miejscowym akcentem.

Carol pokazała nakaz i przedstawiła się.

– Zastanawiałam się, czy moglibyśmy wejść na słówko, proszę pana?

– O co idzie?

– Pańskie nazwisko wypłynęło podczas rutynowego dochodzenia i chciałabym zadać panu kilka pytań w celu wykluczenia pana z kręgu osób, które nas interesują.

Brwi Croziera zbiegły się.

– Jakiego dochodzenia?

– Gdybyśmy mogli przejść do środka, proszę pana...

– Nie, chwila, moment, o co w tym wszystkim biega? Ja tu próbuję pracować.

Morris dał krok do przodu i stanął obok Carol.

– Nie ma powodów się stawiać, proszę pana, to tylko rutynowa procedura.

– Pan Crozier się nie stawia, panie posterunkowy – osadziła go Carol chłodno. – Na pańskim miejscu miałabym identyczne odczucia, panie Crozier. Pański samochód odpowiada opisowi auta, którego kierowca doprowadził do wypadku drogowego, i chcemy pana wykluczyć z kręgu podejrzanych.

Rozmawiamy z wieloma osobami w związku z tym docho-dzeniem. Nie zabierzemy panu dużo czasu.

- Jak tak, to trudno - westchnął Crozier. - Może lepiej chodźmy do środka.

Zaprowadził ich na górę po schodach wyłożonych prak-tyczną sizalową wykładziną, do przestronnego salonu z otwartą kuchnią. Salon umeblowany był w kosztownym, choć nieostentacyjnym stylu. Pan domu machnięciem ręki wskazał im dwa skórzane fotele na stelażach z drewna, a sam opadł na skórzany puf na lśniącym parkiecie. Morris wyciąg-nął notes i ostentacyjnie otworzył go na czystej stronie.

- Rozumiem, że pracuje pan w domu? - zagadnęła Carol.

- A jak. Na zlecenie. Jestem rysownikiem.

- Kreskówki? - spytała Carol.

- Przeważnie animacje naukowe. Potrzebuje pani czegoś na kurs Uniwersytetu Otwartego, co by pokazywało, jak zderza-ją się atomy, to trafiła pani na właściwego człowieka. No, to co jest grane?

- Ma pan land rovera discovery?

- A jak. Stoi w garażu.

- Zechce mi pan powiedzieć, czy prowadził go pan wieczo-rem w ubiegły poniedziałek? - sondowała Carol. Boże, to na-prawdę było tydzień temu?

- Mogę. Nie prowadziłem. Byłem w Bostonie. Tym w Mas-sachusetts.

Przebrnęła przez rutynowe pytania, dzięki którym dokład-nie ustaliła, co Crozier wtedy robił i u kogo można te infor-macje sprawdzić. Potem zaczęła się zbierać. Czas na kluczo-we pytanie, ale było ważne, by sprawiało ono wrażenie rzu-conego mimochodem.

- Dziękuję za pańską pomoc, panie Crozier. Jeszcze jedna sprawa: czy ktokolwiek oprócz pana może wejść do pańskie-go domu? Ktoś, kto mógłby bez pańskiej wiedzy pożyczyć sa-mochód?

Crozier pokręcił głową.

- Mieszkam sam. Nie ma nawet kota ani kwiatów, więc

nikt mi się tu nie kręci, nawet jak jestem na wyjeździe. Mam jedyny komplet kluczy.

– Jest pan pewny? Żadnej sprzątaczki, kolegi, który wpada skorzystać z pańskiego komputera?

– Jasne, że jestem pewny. Sam po sobie sprzątam, pracuję solo. Parę miesięcy temu rozstałem się z dziewczyną i wymieniłem zamki, w porządku? Nikt oprócz mnie nie ma kluczy. – W głosie Croziera zaczynała pobrzmiewać nuta irytacji.

Carol nalegała:

– I nikt nie mógł tych kluczy pożyczyć bez pańskiej wiedzy i wyrobić drugiego kompletu?

– Nie wiem jak. Nie mam zwyczaju zostawiać ich gdzie popadnie. A samochód jest ubezpieczony na mnie i nikomu innemu nie dałbym siąść za kółkiem – warknął Crozier, wyraźnie nie w humorze. – Słuchajcie, jeśli ktoś zrobił coś nie tak w samochodzie z moimi numerami, to używał podrobionych tablic rejestracyjnych, kapujecie?

– Przyjmuję do wiadomości pańskie zapewnienie, panie Crozier. Obiecuję panu, że jeśli informacje, których nam pan udzielił, potwierdzą się, to więcej się do pana nie odezwiemy. Bardzo dziękujemy za poświęcony nam czas.

Już w samochodzie Carol rzuciła:

– Znajdź mi jakiś telefon. Chcę jeszcze raz zadzwonić do doktora Hilla. Nie mogę uwierzyć, że nawiał, kiedy potrzebujemy go najbardziej.

Z 3,5-CALOWEJ DYSKIETKI O NAZWIE: KOPIA_ZA-PASOWA.007; PLIK MIŁOŚĆ.018

Śmiechu warte. Człowiek, który nie ma dość rozumu, żeby odróżnić moje dzieła od kiepskiej imitacji, ma pomagać policji. Co za brak szacunku. Mogli przynajmniej zatrudnić kogoś niegłupiego, przeciwnika na miarę moich talentów, a nie idiotę, któremu nawet się nie śni, z kim ma do czynienia.

Woleli mnie obrazić. Doktor Hill ma rzekomo stworzyć moją charakterystykę psychologiczną, analizując popełnione przeze mnie zabójstwa. Kiedy niniejszy dziennik ukaże się w druku, wiele, wiele lat po mojej śmierci – w łóżku, z przyczyn naturalnych – historycy będą porównywać ten tak zwany „profil" jego autorstwa z rzeczywistością i śmiać się, jak mało warta jest ta pseudonauka.

Nigdy nie zbliży się do prawdy. Dla jasności teraz ją przedstawię.

Urodziłam się jako chłopiec w hrabstwie Yorkshire, w mieście portowym Seaford, gdzie mieściły się jedne z najruchliwszych rybackich i handlowych doków w kraju. Mój ojciec był marynarzem: pływał na statkach handlowych, jako pierwszy oficer na tankowcach przewożących ropę. Podróżował po całym świecie, a potem wracał do domu, do nas. Ale moja matka równie marnie sprawdzała się w roli żony, co w roli matki. Teraz rozumiem, że w domu zawsze panował bałagan, posiłki były nieregularne i niesmaczne. Jedyne, w czym była dobra, co mogli robić razem, to picie. Gdyby istniała olimpijska konkurencja dla par moczymordów, moi rodzice zgarnęliby złoto.

Kiedy miałam siedem lat, ojciec przestał wracać do domu. Oczywiście, matka winiła za wszystko mnie, że jestem niedobrym dzieckiem. Powiedziała, że to przeze mnie ojciec odszedł. Powtarzała, że odtąd jestem jedynym mężczyzną w rodzinie, głową domu. Ale nigdy nie potrafiłam jej zadowolić. Zawsze chciała więcej, niż potrafiłam z siebie dać, rządziła mną raczej naganami niż pochwałami. Więcej czasu spędziłam zamknięta w szafie niż w innych domach płaszcze.

Kiedy zabrakło pensji ojca, matce musiało wystarczyć, co skapywało z opieki społecznej, a tego było tak mało, że ledwie starczało na życie, a co dopiero na uchlanie się do nieprzytomności. Kiedy spółdzielnia przejęła nasz dom, przez pewien czas mieszkałyśmy kątem u krewnych w Bradfield, ale matka nie mogła znieść ich narzekań, więc wróciłyśmy do

Seaford. Właśnie wtedy skłoniła się ku drugiej świetnie prosperującej branży naszego miasta: prostytucji. Przyzwyczaiłam się do procesji obleśnych, pijanych marynarzy, jaka przewijała się przez obskurne mieszkania czy kawalerki, w których wtedy we dwie mieszkałyśmy. Zawsze zalegałyśmy z czynszem i najczęściej kończyło się to tak, że której nocy, kiedy komornicy zaczynali naprawdę się naprzykrzać, wyprowadzałyśmy się cichaczem.

Z czasem znienawidziłam ohydną, odmierzaną stęknięciami kopulację, jakiej naoglądałam się aż nazbyt często. Spędzałam poza domem jak najwięcej czasu, często sypiałam na gołej ziemi gdzieś przy dokach. Coraz częściej zaczepiałam młodsze dzieciaki i wyciągałam od nich forsę na jedzenie. Szkoły zmieniałam równie często jak z matką mieszkania, więc nauka nigdy nie szła najlepiej, choć wiedziałam, że inteligencją na głowę biję większość bachorów. Były najzwyczajniej głupie.

Zaraz po moich szesnastych urodzinach wyjechałam z Seaford. Nie powiem, żeby serce mi krwawiło. W końcu nie zostawiałam za sobą mnóstwa przyjaciół, no bo i jak miałam się z kimś zaprzyjaźnić, w przerwach między przeprowadzkami? Na mężczyzn napatrzyłam się dość, żeby wiedzieć, że nie chcę wyrosnąć na kogoś takiego jak oni. Poza tym wewnętrznie czułam się inna. Pomyślałam, że jeżeli przeprowadzę się do większego miasta, takiego jak Bradfield, łatwiej mi będzie określić, czego tak naprawdę chcę. Jeden z kuzynów matki załatwił mi posadę w firmie elektronicznej, w której sam robił.

Mniej więcej w tamtym czasie odkryłam, że przebieranie się w damskie fatałaszki sprawia, że czuję się lepiej. Wynajęłam kawalerkę, żeby móc to robić zawsze, kiedy tylko będę miała ochotę, i bardzo mnie to wyciszyło. Zaczęłam uczyć się informatyki na kursach wieczorowych i z czasem dorobiłam się całkiem przyzwoitych kwalifikacji. Po pewnym czasie matka odziedziczyła po swoim bracie dom w Seaford.

Jeszcze później zaproponowano mi pracę w Seaford: prywatna firma telefoniczna szukała kogoś do obsługi systemów komputerowych. Wcale nie chciałam wracać na stare śmieci, ale proponowali takie warunki, że grzechem byłoby nie skorzystać. Nie zbliżałam się do matki. Myślę, że nawet nie wiedziała, że tam jestem.

Jedną z nielicznych zalet Seaford jest prom kursujący do Holandii. Pływałam tam co drugi weekend, bo w Amsterdamie mogłam wszędzie pójść ubrana jak kobieta i nikt się na mnie nie gapił. Na wyjazdach poznałam wielu transseksualistów i transwestytów. Dużo z nimi rozmawiałam i pojęłam, że ze mną jest podobnie. Byłam kobietą uwięzioną w męskim ciele. To wyjaśniało, dlaczego nie interesowałam się dziewczynami. I aczkolwiek mężczyźni mnie pociągali, wiedziałam, że nie jestem pedałem. Brzydzę się pedałami, tym ich wiecznym udawaniem normalnych związków. Każdy przecież wie, że tylko mężczyzna i kobieta idealnie się nawzajem dopełniają.

Byłam w Jimmym*, gdzie na operację zmiany płci zjeżdżają się chętni z całej północy kraju, ale lekarze mnie odrzucili. Szpitalni psycholodzy okazali się równie głupi i krótkowzroczni jak cała reszta medycznej sitwy. W końcu znalazłam w Londynie prywatnego lekarza, który przepisał mi wymarzoną terapię hormonalną. Oczywiście, nie mogłam, jakby nigdy nic, chodzić do pracy, ale porozmawiałam z szefem i obiecał, że da mi dobre referencje, żebym po operacji, jako kobieta, mogła szybciej znaleźć nową posadę.

Żeby przejść tę operację, musiałabym wyjechać za granicę. Okazała się też znacznie droższa, niż przewidywałam. Pojechałam do matki i spytałam, czy nie wzięłaby pożyczki pod hipotekę, żeby dać mi pieniądze, ale roześmiała się tylko.

Postąpiłam w sposób, którego nauczyłam się od niej. Zaczęłam się sprzedawać w dokach. To zadziwiające, ile forsy marynarze skłonni są zapłacić za travesti. Dosłownie wariują, tak bardzo podnieca ich ktoś, kto ma piersi i kutasa. Nie byłam taka jak inne kurwy; nie wydawałam wszystkiego na go-

---

*Jimmy's – potoczna nazwa St James' University Hospital, słynnego szpitala w Leeds (przyp. tłum.).

rzałę, narkotyki czy alfonsa. *Odkładałam każdego pensa, aż zgromadziłam całą sumę na operację.*

Kiedy przyjechałam do Seaford, nawet matka mnie nie poznała. Zaledwie kilka dni później doszło do tragicznego wypadku: przypadkowo przedawkowała mieszankę alkoholu i prochów. Nikt się nie dziwił. Tak, doktorze, może ją pan dopisać do listy moich ofiar.

Dzięki kwalifikacjom, doświadczeniu i referencjom od poprzedniego szefa, objęłam wkrótce posadę starszego analityka systemów komputerowych w firmie telekomunikacyjnej w Bradfield. Za pieniądze ze sprzedaży domu w Seaford kupiłam domek w Bradfield i zaczęłam się rozglądać za wartościowym mężczyzną, z którym mogłabym dzielić życie.

A doktor Tony Hill schlebia sobie, że mnie rozumie, choć nie ma o tym wszystkim zielonego pojęcia? Cóż, w bardzo bliskiej przyszłości podzielę się z nim moją wiedzą. Jaka szkoda, że nie będzie miał okazji wszystkiego sobie zanotować.

18

„Prawda jest taka, że bardzo wymagający ze mnie człowiek
we wszystkim, co wiąże się z morderstwem; i być może, że
z tym wydelikaceniem posuwam się nazbyt daleko".

(przełożyła Magdalena Jędrzejak)

Don Merrick wszedł do pokoju HOLMES-a, pałaszując grubego na osiem centymetrów podwójnego burgera z serem i bekonem z grilla.

– Jak ty to robisz? – zdumiał się Dave Woolcott. – Jak wpływasz na te mimozy z kantyny, żeby przygotowały ci coś jadalnego? Filiżankę herbaty umiałyby przypalić, księżniczki cholerne, a ty zawsze potrafisz je sobie owinąć wokół małego palca.

Merrick mrugnął.

– Wrodzony wdzięk chłopaka z Geordielandu – odparł z powagą. – Po prostu wybieram najbrzydszą i mówię jej, że przypomina mi matkę z czasów młodości. – Usiadł i rozprostował długie nogi. – Sprawdziłem te pół tuzina land roverów discovery, których numery dostałem od twojego sierżanta. Właściciele są czyści jak łza. Połowa to kobiety, dwóch ma żelazne alibi na przynajmniej dwa morderstwa, jeden ma stwardnienie rozsiane, więc siłą rzeczy trudno go podejrzewać, a szósty sprzedał auto u dealera z Midlands przed trzema tygodniami.

– Świetnie – odparł Dave głucho. – Przekaż listę jednemu z operatorów, żebyśmy mogli uaktualnić plik.

– Gdzie szefostwo?

– Carol czy Kevin?

Merrick wzruszył ramionami.

– Ja to tam dalej uważam inspektor Jordan za swoją szefową.

– Jest w terenie, szuka wiatru w polu – mruknął David.

– A co, jakieś nazwisko się powtórzyło? – ożywił się Merrick.

– Nawet dwa.

– Zerknijmy na nie – poprosił Merrick.

Dave pogmerał w stercie kartek i wydobył trzy, złączone zszywką. Na pierwszej wydrukowane były dwa znalezione wyniki. Merrick zmarszczył czoło i przełożył ją tak, by odsłonić następną. Były to wyniki poszukiwania w bazie danych wcześniejszych notowań Philipa Coziera. „Brak danych". Pośpiesznie przeszedł do trzeciej, na której wylistowanych było dwóch Christopherów Thorpe'ów. Jeden miał ostatni znany adres w Devonie i kilka wyroków za włamania. Przy drugim, jako ostatni znany adres, podana była miejscowość Seaford. Miał na koncie serię młodocianych wykroczeń: napaść na wuefistę sędziującego w meczu piłki nożnej, wybicie szyby w oknie szkoły, kradzież sklepowa. I pół tuzina wyroków po osiągnięciu pełnoletności, wszystkie za nagabywanie przechodniów. Merrick raptownie wstrzymał oddech i wrócił do pierwszej strony.

– Ja pierdolę – rzucił głucho.

– Co się stało? – zaniepokoił się Dave, nagle czujny.

– Ten tutaj. Christopher Thorpe, ten z Seaford?

– No? Carol wydedukowała, że to nie ten, którego szukamy. Znaczy się, ma wyroki za męską prostytucję, ale ten z Bradfield najwyraźniej ma żonę, bo kobieta mieszkająca pod tym samym adresem nosi to samo nazwisko. No i nie oszukujmy się, chłopaczki z doków, które na życie zarabiają własnymi czterema literami, nie rozbijają się po całym mieście takimi drogimi brykami jak discovery.

Merrick pokręcił głową.

– Nie, ja o czym innym. Ja znam tego Christophera Thorpe'a z Seaford. Pracowałem w tamtejszej obyczajówce, zanim przeniosłem się tutaj, pamiętasz? Sam go zgarnąłem za nagabywanie, i to dwa razy. Christopher Thorpe był wtedy w pół drogi do stania się kobietą. Miał cycki i w ogóle, próbował zarobić na operację. Zgadnij, pod jakim pseudo pracował? Słuchaj mnie, Dave, Christopher Thorpe nie jest *mężem* Angeliki Thorpe, on *jest* Angelicą Thorpe.

– Ja pierdolę. – Dave'a zatkało.

– Dave, gdzie, do diabła, jest Carol?

Angelica stała przed nim z dłońmi na biodrach, przygryzając kącik ust.

– Nie możesz, prawda? Nie możesz tego udowodnić, bo nic o moim życiu nie wiesz.

– W jednym względzie masz całkowitą słuszność, Angelico. Nie znam faktów z twojego życia – przyznał Tony ostrożnie – ale orientuję się, jak z grubsza wyglądało. Matka nie okazywała ci miłości. Może za często zaglądała do kieliszka, łykała jakieś proszki, a może po prostu nie rozumiała potrzeb dziecka. Tak czy inaczej, nie czułaś się kochana. Pomyliłem się?

Angelica gniewnie zmrużyła oczy.

– Nie przerywaj sobie. Kopiesz swój własny grób.

Tony poczuł u nasady czaszki ukłucie strachu. A jeśli się pomylił? Jeśli ta kobieta stanowi wyjątek od wszystkich statystycznych pewników, na jakich Tony opierał się od początku śledztwa? A jeśli to jedyna seryjna zabójczyni wywodząca się ze szczęśliwej, kochającej rodziny? Tony odrzucił te wątpliwości jako luksus, na który nie mógł sobie teraz pozwolić. Brnął dalej:

– Ojciec rzadko bywał w domu, kiedy dorastałaś, i nigdy nie okazał, że jest z ciebie dumny, choć robiłaś, co mogłaś, by dać mu powody do dumy. Starałaś się być dobrym synem. Matka za dużo od ciebie wymagała, mówiła, że jesteś głową rodziny i dawała ci nieźle popalić, ilekroć zachowałaś się jak dziecko, którym przecież wtedy byłaś, a nie jak mężczyzna, którego chciała w tobie widzieć.

Po twarzy Angeliki przemknął bolesny skurcz; pamiętała. Tony zawiesił głos.

– Mów dalej – wycedziła przez zaciśnięte zęby.

– Niełatwo mi mówić, kiedy jestem zgięty w pół. Nie możesz trochę poluzować tego sznura, pozwolić, żebym wyprostował grzbiet?

Pokręciła głową, usta odęła jak naburmuszone dziecko.

– W tej pozycji nie mogę na ciebie normalnie patrzeć – spróbował Tony z innej beczki. – Masz bajeczne ciało, chyba sama wiesz. Skoro będzie ostatnią rzeczą, jaką zobaczę na tej ziemi, pozwól mi się przynajmniej nim nacieszyć.

Przekrzywiła głowę, jakby powtarzała w myśli jego słowa, oceniając, czy są szczere, czy też kryje się w nich podstęp.

– No, dobrze – zgodziła się łaskawie. – Ale to nie znaczy, że cokolwiek się zmieniło – dodała. Mimo to podeszła do kołowrotu i odblokowała go. Poluzowała sznur.

Tony zacisnął zęby, lecz nie zdołał pohamować krzyku, kiedy potworny ból przeszył jego ramiona; równocześnie zelżało napięcie, które kazało mięśniom naprężać się do granic możliwości.

– To minie – burknęła Angelica szorstko, wracając na swoje stanowisko przy kamerze. – Mów, mów – rozkazała. – Zawsze lubiłam bajki.

Ostrożnie wyprostował plecy, zmagając się z bólem.

- Byłaś bystrym dzieciakiem - rzucił na wydechu. - Bystrzejszym niż cała reszta. Niełatwo się z kimś zaprzyjaźnić, kiedy jest się mądrzejszym od wszystkich dookoła. Może w dodatku często się przeprowadzałaś. Nowe sąsiedztwo, nowe szkoły.

Angelica zdążyła odzyskać panowanie nad sobą. Słuchała jego wywodów z beznamiętnym wyrazem twarzy.

- W wieku nastu lat też właściwie nie miałaś przyjaciół. Wiedziałaś, że jesteś inna niż wszyscy, wyjątkowa, ale początkowo nie wiedziałaś, na czym ta inność polega. Nie byłaś taka jak reszta chłopaków, bo wcale nie byłaś chłopakiem. Dziewczyny nie interesowały cię pod względem seksualnym, ale rozumiałaś, że to nie homoseksualizm. Nigdy w życiu. Zrozumiałaś, że tak naprawdę to sama jesteś dziewczyną. Dokonałaś odkrycia, że przebieranie się w damskie ubrania sprawia, że wszystko wraca na swoje miejsce, że jest tak, jak być powinno. - Urwał i posłał jej krzywy uśmiech. - Jak mi idzie?

- Bardzo to ciekawe, doktorze - odparła chłodno. - Jestem pod wrażeniem. Proszę sobie nie przerywać.

Tony poruszył mięśniami ramion i z ulgą stwierdził, że nie doznały chyba trwałego uszczerbku. Przenikliwe mrowienie na plecach było błahostką w porównaniu z horrorem, jaki przeżywał wcześniej. Odetchnął głęboko i podjął wątek:

- Postanowiłaś stać się osobą, którą wewnętrznie czułaś się od dawna, kobietą, którą, to już wiedziałaś, powinnaś się urodzić. Boże, Angelica, nawet nie wiesz, jak cię szanuję za to, że wytrwałaś. Wiem, jak trudno jest znaleźć lekarza, który poważnie podchodzi do takich spraw. Cała ta terapia hormonalna, elektrolizy, życie pół mężczyzny, pół kobiety do czasu operacji, potworny ból pooperacyjny. - Pokręcił głową w zadziwieniu. - Nie miałbym odwagi przez to przejść.

- Nie było łatwo. - Te słowa wyrwały się Angelice z ust, wyraźnie wbrew jej woli.

- Wierzę ci - zapewnił Tony ze współczuciem. - A już najgorsze, to po tym wszystkim przyłapać się na myśli, że wcale nie jesteś pewna, czy było warto, kiedy ostatecznie sobie uświadomiłaś, że głupota, niewrażliwość i zupełny brak przenikliwości, jakie wcześniej dostrzegłaś u mężczyzn, nie znikły, choć już stałaś się kobietą. Pozostali tą samą zgrają łajdaków, nie potrafią rozpoznać wyjątkowej kobiety, nawet kiedy ta podaje im miłość i ciepło jak na tacy.

Urwał i w napięciu studiował jej twarz, rozważając, czy przyszła pora na najbardziej ryzykowną zagrywkę. Chłód zniknął z jej oczu, ustępując miejsca wyrazowi graniczącemu z żałością, toteż ściszył głos i nadał mu łagodne brzmienie. Proszę, Boże, niech lata nauki się opłacą!

– Oni cię odtrącili, prawda? Adam Scott, Paul Gibbs, Gareth Finnegan, Damien Connolly. Zwodzili, a potem odtrącali.

Angelica gwałtownie pokręciła głową, jakby chciała odrzucić to, co było.

– Nie zwodzili, ale *zawiedli*. Wszyscy mnie zawiedli. Zdradzili.

– Opowiedz mi o tym – poprosił Tony łagodnie, modląc się, by akurat teraz nie zawiodły techniki, które tak często stosował w pracy. – Opowiedz mi.

– Czemu miałabym to zrobić? – krzyknęła, dając krok do przodu i policzkując go z taką siłą, że poczuł na języku krew z rozciętego o zęby policzka. – Ty nie jesteś lepszy. A ta larwa? Ta blond suka, pierdolona szmata, którą ostatnio posuwasz?

Tony przełknął ciepłą, słonawą krew, która napływała mu do ust.

– Chodzi ci o Carol Jordan? – powiedział, by zyskać na czasie. Jak to rozegrać? Powiedzieć prawdę czy skłamać?

– Świetnie wiesz, o kogo mi chodzi. Wiem, że z nią byłeś, więc nawet nie próbuj mi tu, kurwa, kłamać – wysyczała, ponownie unosząc rękę do ciosu. – Ty zdradziecki, wiarołomny bękarcie. – Kantem dłoni rąbnęła w twarz, tak mocno, że usłyszał, jak zatrzeszczało mu w karku.

Łzy zakręciły mu się w oczach. Prawdą nic tu nie wskóra. Sprowokowałby ją tylko do kolejnego napadu furii i został za to ukarany. Modląc się, by kłamstwo zabrzmiało przekonująco, Tony rzucił błagalnie:

– Angelica, to był tylko towar do rżnięcia, swędziało mnie,

a ona była pod ręką. Byłem taki napalony po twoich telefonach. Nie wiedziałem, kiedy znowu zadzwonisz, ani nawet czy w ogóle to zrobisz. - Pozwolił, by w jego głosie pojawił się gniew. - To ciebie chciałem, ale nie mówiłaś, co mam zrobić, żeby cię mieć. Angelico, to było jak z tobą i tamtymi. Zapełniałem czas oczekiwania na kobietę, która będzie mi równa. Nie wierzysz chyba, że byle gliniara potrafiłaby urzeczywistnić moje fantazje? Powinnaś to wiedzieć, ty też miałaś swojego gliniarza.

Angelica cofnęła się; wyglądała na zszokowaną. Wyczuwając, że dokonał się w niej jakiś przełom, Tony nie przestawał osaczać jej słowami:

- Z nami było inaczej, z tobą i mną. Tamci nie byli ciebie godni. Ale my tworzyliśmy wyjątkową parę. Musisz to wiedzieć. Te nasze telefony... nie mów, że nie poczułaś, że łączy nas coś wyjątkowego? Że tym razem będzie inaczej? Czyż nie tego właśnie pragnęłaś? Nie chcesz zabijania. Wcale nie. Ginęli tylko dlatego, że okazywali się ciebie niegodni, bo cię zawiedli. To, czego naprawdę pragniesz, to godny ciebie mężczyzna. To, czego pragniesz, to miłość. Angelico, wszystkim, czego pragniesz, jestem ja.

Rozdziawiła usta i przez długi czas wpatrywała się w niego szeroko otwartymi oczami. Potem nad innymi uczuciami górę wzięło zakłopotanie, równie czytelne dla Tony'ego jak zaloty prostytutki.

- Nie wypowiadaj przy mnie tego słowa, ty gnoju - wybełkotała. - Nie waż się go, kurwa, wypowiadać!

Odpowiedź przerodziła się w niski, gardłowy wrzask. Potem Agelica odwróciła się gwałtownie i wybiegła z podziemia, stukając szpilkami o kamienne schodki.

- Kocham cię, Angelico - zawołał za nią Tony rozpaczliwie, wsłuchany w milknące kroki. - Kocham cię!

Carol i posterunkowy Morris stali przed drzwiami niewielkiego segmentu przy Gregory Street. Carol nie musiała być psychologiem, by wiedzieć, co wyraża mowa ciała jej towarzysza: Morris miał powyżej uszu włóczenia się po okolicy, bo ją tknęło jakieś kretyńskie przeczucie.

– Pewnie oboje są w pracy – zauważył po czwartym ataku na dzwonek.

– Na to wygląda – przyznała niechętnie Carol.

– Może wrócimy później?

– Pokręćmy się trochę po okolicy, popukajmy do drzwi – zaproponowała Carol. – Przekonajmy się czy zastaniemy kogoś z najbliższych sąsiadów. Może oni będą wiedzieć, kiedy państwo Thorpe wracają z pracy.

Morris miał taką minę, jakby wolał trafić w szeregi sił porządkowych podczas studenckiej zadymy.

– Tak, pani inspektor – mruknął znudzonym głosem.

– Ty bierzesz drugą stronę ulicy, ja zajmę się tą.

Carol patrzyła, jak przechodził przez jezdnię: powłóczył nogami niczym górnik po całodziennej szychcie. Z westchnieniem pokręciła głową, po czym skupiła uwagę na numerze dwunastym. Wygląd domu i podwórka znacznie bardziej odpowiadał opisowi terytorium zabójcy wedle przewidywań Tony'ego. Na samą myśl o Tonym Carol znowu się nachmurzyła. Gdzie on się, do diabła, podziewa? Naprawdę potrzebowała dziś jego pomocy, nie wspominając o odrobinie poparcia dla pomysłu, jaki jej koledzy uważali chyba za zwykłą stratę czasu. Nie mógł sobie wybrać gorszego momentu, by powiększyć grono osób zaginionych. Powinien chociaż zadzwonić do sekretarki, żeby nie musiała kręcić, jak ktoś zadzwoni i spyta o szefa.

Przy wejściu do dwunastki nie było dzwonka i Carol posiniaczyła sobie knykcie, bębniąc o drzwi z solidnego drewna. Kobieta, która je otworzyła, wyglądała jak karykatura postaci z opery mydlanej. Po czterdziestce, z makijażem za mocnym nawet na wieczorną galę w Los Angeles, a co dopiero w samo południe na przedmieściu Bradfield. Ufarbowane na platynowy blond włosy, spiętrzone w wysoki kok, przywodziły na myśl obraz przekrzywionego ula. Ubrana była w czarny, obcisły sweterek z owalnym dekoltem odsłaniającym skórę o fakturze pomarszczonej bibuły, błyszczące, obcisłe jak druga skóra, niebieskie legginsy, do tego białe szpile i cienki złoty łańcuszek na kostce. Z kącika ust dyndał papieros.

– O co się rozchodzi, serdeńko? – spytała przez nos.

– Przepraszam, że panią nachodzę – odparła Carol, błyskając nakazem. – Inspektor Carol Jordan. – Próbuję skontaktować się z pani sąsiadami spod czternastki, z państwem Thorpe, ale chyba nie ma ich w domu. Nie wie pani przypadkiem, o której wracają z pracy?

Kobieta wzruszyła ramionami.

– Żebym to ja wiedziała, serdeńko. Ta krowa wychodzi i przychodzi o najróżniejszych porach.

– A pan Thorpe? – spytała Carol.

– Jaki pan Thorpe? Tam nie mieszka żaden pan Thorpe, serdeńko. – Zaniosła się skrzeczącym rechotem. – Łatwo poznać, żeś jej nawet na oczy nie widziała. Mężczyzna, który by się z nią ożenił, musiałby być ślepy i w piekielnej potrzebie. No, to jakiego macie na nią haka?

– To tylko rutynowe dochodzenie – migała się Carol.

Kobieta parsknęła ironicznie.

– Tere-fere – mruknęła. – Niech pani nie plecie bzdur. Widziałam tyle odcinków „The Bill", żeby wiedzieć, że w sprawie rutynowego dochodzenia to się inspektorów w teren nie wysyła. Czas najwyższy, żebyście wsadzili tę krowę do kicia, jeśli kogoś ciekawi moje zdanie.

– A czemu to, pani...?

– Goodison, Bette Goodison. Jak Bette Davies. Bo to szpetne, nietowarzyskie krówsko, oto czemu.

– Obawiam się, że to nie zbrodnia, pani Goodison.

– Nie, ale morderstwo nią jest, nieprawdaż? – zapiała tryumfalnie pani Goodison.

Carol przełknęła ślinę. Modliła się, by sposób, w jaki podziałało na nią to słowo, nie okazał się widoczny dla jej rozmówczyni.

– To bardzo poważne oskarżenie.

Bette Goodison po raz ostatni zaciągnęła się papierosem, po

czym z wielką wprawą pstryknęła niedopałkiem w poprzek wąskiego chodnika; trafiła dokładnie w środek rynsztoka.

– Cieszę się, że pani też tak uważa. Bo pani koledzy z Moorside najwyraźniej byli innego zdania.

– Przykro mi, jeśli ma pani poczucie, że moi koledzy nie zachowali się tak, jak powinni – podchwyciła Carol zatroskanym tonem. – Może gdyby zechciała pani przedstawić tę sprawę nieco bliżej...? – Proszę, Boże, oby nie było jak z Rozpruwaczem z Yorkshire, gdzie na policję zgłosił się najlepszy przyjaciel zabójcy i doniósł o swoich podejrzeniach, ale policja to zbagatelizowała.

– Prince. Oto o kim mówię.

Przez jedną szaloną chwilę Carol miała wizję drobniutkiego amerykańskiego gwiazdora pogrzebanego na podwórku za małym segmentem na obrzeżach Bradfield. Wzięła się w garść i spytała:

– Prince?

– Nasz owczarek niemiecki. Ciągle na niego psioczyła ta Angelica Thorpe. Oczywiście bez powodu. Przysługę jej pieseczek robił. Jak się ktoś kręcił koło domu, pies od razu dawał człowiekowi znać. Wywaliła fortunę na alarm antywłamaniowy równie skuteczny jak ten pies. W każdym razie, kilka miesięcy temu... sierpień wtedy był, weekend przed wolnym poniedziałkiem, wracamy z pracy, Col i ja, a Prince jakby się pod ziemię zapadł. Wykluczone, żeby przeskoczył parkan, a rzuciłby się na każdego, kto wszedłby do środka. Jest tylko jeden sposób, żeby stąd zniknął, a ten sposób to to, że został zamordowany – oświadczyła pani Goodison, dla efektu palcem dźgając Carol w klatkę piersiową. – Otruła go, a potem pozbyła się zwłok, żeby usunąć jedyny dowód. To morderczyni!

W zwykłych okolicznościach Carol wiele by dała, byle uniknąć tej rozmowy, teraz jednak ścigała Handy'ego Andy'ego i o wszelkich dziwactwach słuchała z chciwą uwagą.

– Skąd pewność, że to pani Thorpe? – spytała.

– Czysta logika. Nikt oprócz niej na niego nie pomstował. W dodatku w dniu jego zaginięcia oboje z Colem byliśmy w pracy, a ona cały dzień siedziała w domu. Kiedy zapukaliśmy do niej, żeby spytać, czy cokolwiek wie, tylko się na nas gapiła z uśmiechem od ucha do ucha na tej swojej szpetnej gębie. Już ja bym jej tę buźkę przefasonowała - żołądkowała się pani Goodison. - No i co pani z tym zrobi?

- Obawiam się, że bez dowodów niewiele możemy zdziałać - wyznała Carol współczującym tonem. - Zatem jest pani pewna, że pani Thorpe mieszka sama?

- A kto by tam chciał mieszkać z taką krową. Nawet goście do niej nigdy nie przychodzą. I nie dziwota, powiem pani, wygląda jak murowany sracz owinięty w damskie ciuchy.

- Nie wie pani przypadkiem, jaki ma samochód? - sondowała Carol.

- Jeden z tych cholernych terenowych grzmotów, za którymi przepadają wszyscy nowobogaccy gówniarze. Pytam się pani, po co komu kobylasty jeep, jak się mieszka w samym środku Bradfield? To nie farma, żeby drogi były dziurawe, prawda?

- Wie pani może, gdzie ona pracuje?

- Nie wiem i nie obchodzi mnie to. - Zerknęła na zegarek. - A teraz, jeśli nie ma pani nic przeciwko temu, zaczyna się mój serial.

Carol patrzyła, jak za Bette Goodison zamykają się drzwi, a w głowie zaczynało jej kiełkować nader nieprzyjemne podejrzenie. Nim zdążyła zadzwonić pod dziesiątkę, jej pager zaczął piszczeć niemiłosiernie. „Zadzwoń do Dona na Scargill Street. Bardziej niż pilne" - odczytała.

- Morris! - zawołała. - Zawieź mnie do najbliższego telefonu. Chybcikiem. - Cokolwiek działo się przy Gregory Street, mogło poczekać. Don najwyraźniej nie.

Wycieńczony Tony zapadł w koszmarną, deliryczną drzemkę. Chluśnięcie lodowatą wodą prosto w twarz brutalnie przywróciło go do udręczonego stanu czuwania; z bolesnym pośpiechem uniósł głowę.

- Auua - zakwilił.

- Pobudka, pobudka - rzuciła Angelica szorstko.

- Miałem rację, prawda? - wyskrzeczał Tony przez opuchnięte wargi. - Zastanowiłaś się na spokojnie i wiesz, że mam rację. Chcesz skończyć z zabijaniem. Oni musieli umrzeć, zasłużyli na śmierć. Zawiedli cię, zdradzili, nie byli ciebie warci. Ale wszystko to może się teraz zmienić. Ze mną może być inaczej, bo ja cię kocham.

Stężała maska skruszała na jego oczach, twarz Angeliki połagodniała, stała się niemal tkliwa. Uśmiechnęła się do niego.

- Nigdy nie chodziło o seks, wiesz. Seks miałam, kiedy chciałam. Mężczyźni płacili, żeby mnie mieć. Słono płacili. Tak uzbierałam na operację, wiesz. Zawsze mnie pragnęli. - W jej głosie pobrzmiewała dziwna mieszanina dumy i gniewu.

- Nie dziwię się im - zełgał Tony, układając twarz w wyraz, jak miał nadzieję, pożądliwości i podziwu. - Ale tym, czego pragnęłaś w głębi duszy, była miłość, prawda? Chciałaś czegoś więcej niż wyzutego z miłości seksu na ulicy czy anonimowego seksu przez telefon. Zasługujesz na nią. Na Boga, naprawdę na nią zasługujesz. A ja mogę ci ją dać. Miłość nie sprowadza się do fizyczności, do atrakcyjności, choć Bóg mi świadkiem, że jesteś atrakcyjna. Ale miłość to przede wszystkim szacunek, podziw, fascynacja, a właśnie to do ciebie czuję. Angelico, możesz mieć to, czego pragniesz. Możesz to wszystko znaleźć we mnie.

Sprzeczne odczucia odmalowały się na jej twarzy. Widział, że po części rozpaczliwie chce mu wierzyć, uciec w świat normalnych par. Jednak ta część jej jestestwa musiała walczyć z potwornie niską samooceną: Angelica nie wierzyła, by mógł ją pokochać ktoś, kto byłby godzien jej miłości. A wszystko to podszyte podejrzeniem, że Tony próbuje zastawić na nią pułapkę.

- My razem? Jak? - spytała ochryple. - Szczułeś mnie. Współpracujesz z glinami. Jesteś po ich stronie.

Tony potrząsnął głową.

- To było, zanim zrozumiałem, że jesteś tą samą kobietą, w której się zakochałem przez telefon. Angelico, miłość to jedyne uczucie, jakie przeważa nad poczuciem obowiązku. Jasne, pracowałem z policjantami, ale nie jestem jednym z nich.

– Kto kładzie się z psami, ten wstaje z pchłami – zaszydziła. – Próbowałeś mnie wsadzić do paki, Anthony. Oczekujesz, że teraz ci uwierzę? Musisz myśleć, że jestem strasznie głupia.

– Wręcz przeciwnie. Jak chcesz porozmawiać o głupich, porozmawiajmy o policji. W większości to jednowymiarowi, nudni bigoci, niezdolni zainteresować sobą psychologa dłużej niż przez pięć minut. Nie mam z nimi nic wspólnego – dowodził z desperacją.

Pokręciła głową, bardziej ze smutkiem niż ze złością.

– Pracujesz dla Home Office. Twój zawód polega na łapaniu seryjnych przestępców i leczeniu ich, robisz to, od kiedy rozpocząłeś karierę. I oczekujesz, żebym uwierzyła, że ni stąd, ni zowąd przejdziesz na drugą stronę i będziesz lojalny wobec mnie? Przestań, Anthony, nie nabiorę się na taką głupią gadkę.

Tony czuł, jak uchodzą z niego siły. Jego mózg nie pracował już wystarczająco szybko, by skutecznie skupić jej uwagę. Rzucił żałośliwie:

– Nie zrobiłem kariery na łapaniu ludzi, ale na ich leczeniu. Musiałem to robić, czy ty tego nie rozumiesz? Jedynie w placówkach, w których pracowałem, mogłem znaleźć umysły na tyle złożone, by mnie zainteresowały, nigdzie indziej, tylko tam. To jak wycieczka do zoo. Każdy by wolał zobaczyć zwierzęta w ich naturalnym środowisku, ale skoro jest tak, że albo w zoo, albo wcale, to idzie się do tego zoo. Właśnie tak było ze mną: zawsze musiałem czekać, aż znajdą się w niewoli, żeby móc je badać. Ale ty, ty nadal jesteś na wolności, niepohamowana, mistrzyni w swoim rzemiośle. Tamci się do ciebie nie umywają. Jesteś najlepsza z najlepszych. Jesteś wyjątkowa. Chcę przez resztę mojego życia zachwycać się złożonością twego umysłu. Nie wierzę, byś kiedykolwiek mogła mi się wydać nudna. – Przerażająca, być może, ale nie nudna.

Wysunęła dolną wargę, rozmyślnie przywołując na twarz wyraz rozdrażnienia. Skinęła głową w kierunku jego krocza, skąd zwisał zwiotczały penis.

- Skoro uważasz mnie za taką atrakcyjną, to czemu tego nie widać?

Było to jedyne pytanie, na jakie Tony nie potrafił znaleźć odpowiedzi.

- Co my właściwie mamy, Carol? - spytał Brandon wyzywającym tonem.

Carol krążyła nerwowo po gabinecie Brandona, wyliczając na palcach kolejne punkty.

- Transseksualistę. Nie transseksualistę, który przeszedł kontrolowaną, zalecaną przez Narodową Służbę Zdrowia terapię, ale takiego, jak twierdzi Don, którego komisja odrzuciła jako kandydata do zmiany płci i który musiał ją sfinansować za granicą, uprawiając seks za pieniądze. Zatem od samego początku wiemy, że mamy do czynienia z kimś, kto został poddany badaniom psychiatrycznym i uznany za jednostkę z zaburzeniami psychicznymi. Mamy wiedzę, że ten transseksualista jeździ pojazdem identycznym z tym, w którym widziano podejrzanego o zamordowanie Damiena Connolly'ego. Mamy sąsiadkę, która jest przekonana, że Angelica Thorpe wykończyła jej psa. Psa zabito na dwa tygodnie przed pierwszym morderstwem. Mamy kupione przez Angelicę Thorpe oprogramowanie, które pozwalałoby jej na przenoszenie nagrań wideo do komputera, co odpowiada mojej teorii, popartej przez naszego eksperta, na temat zachowań zabójcy. Zgadzają się nawet warunki mieszkaniowe, wszystko jest tak, jak przewidział Tony - przekonywała Carol z żarem.

- Już jako Christopherowi zdecydowanie brakowało jej paru klepek - wtrącił Don.

- Wolałbym, żebyśmy to skonsultowali z Tonym - powiedział Brandon marudnym tonem, żeby zyskać na czasie.

- Ja również - wycedziła Carol przez zęby. - Ale on najwyraźniej znalazł sobie na dziś jakieś ważniejsze zajęcie. - Nagłe podejrzenie wstrząsnęło Carol z taką siłą, jakby na jej kark spadł wór pełen piachu. Kolana się pod nią ugięły i opadła na najbliższe krzesło z jękiem: - O mój Boże...

- Co ci jest? - zatroskał się Brandon.

- Tony. Nie kontaktował się z nikim, odkąd wyszedł stąd wczoraj wieczorem. Jego sekretarka mówi, że miał na dziś umówione dwa spotkania w sprawie tej nowej jednostki, ale nie pokazał się w pracy, ani nawet nie zadzwonił. Wczoraj nie było go w domu, teraz nie ma go tutaj.

Słowa Carol wisiały w powietrzu jak chmura trującego dymu. Żołądek podszedł jej do gardła i zrobiło się jej słabo. Cudem się opanowała, czując na sobie skupione spojrzenie Brandona.

Drżącymi palcami podniosła charakterystykę mordercy z biurka Brandona. Pośpiesznie przewróciła kilka kartek, póki nie znalazła tego, czego szukała.

- „Możliwe, że następnym celem również będzie funkcjonariusz policji, być może nawet któryś z oficerów biorących udział w tym śledztwie. To samo w sobie nie będzie dla sprawcy wystarczająco silną motywacją do dokonania takiego, a nie innego wyboru; przyszła ofiara musi przede wszystkim spełniać ściśle określone kryteria doboru, aby akt zabójstwa mógł nabrać pełnego znaczenia. Stanowczo zachęcałbym funkcjonariuszy, którzy odpowiadają profilowi ofiary, aby zachowywali wzmożoną czujność: zwracali szczególną uwagę na podejrzane pojazdy zaparkowane w pobliżu ich domów oraz sprawdzali, czy nie są śledzeni w drodze do i z miejsca pracy oraz na imprezy towarzyskie". Niech się pan nad tym zastanowi. Nad profilem ofiary. Sir, Tony pasuje do niego jak ulał.

Nie chcąc w to uwierzyć, Brandon żachnął się tylko:

- Przecież nie minęło osiem tygodni. Jeszcze nie czas!

- Ale *jest* poniedziałek. Proszę nie zapominać, Tony uprzedzał, że „grafik" mordercy może ulec zmianom, jeśli przydarzy mu się coś wstrząsającego. Stevie McConnell, sir. Proszę pomyśleć o całej tej wrzawie w mediach. Kto inny zgarnął zasługi za jego zbrodnie. Proszę spojrzeć, sir, wszystko tu jest, czarno na białym: „Inny scenariusz: przypisanie niewinnej osobie jego czynów. Byłby to dla niego taki afront, że cykl uległby skróceniu i do kolejnego morderstwa mogłoby dojść znacznie wcześniej niż przed upływem ośmiu tygodni". Sir, musimy zacząć działać!

Brandon złapał za słuchawkę, zanim jeszcze Carol zdążyła wypowiedzieć ostatnie zdanie.

Frontowe drzwi prowadziły bezpośrednio do domu. Parter nie mógłby wyglądać zwyczajniej. Mały salon był umeblowany tanio, ale przytulnie: dwuosobowa sofa i fotel od kompletu, tapicerowane zgniłozielonym dralonem. Do tego telewizor, magnetowid, wieża stereo ze średniej półki cenowej oraz niski stolik, na którym leżał numer *Elle*. Na ścianach wisiała para oprawionych w ramki posterów z wielorybami. Samotna półka na książki mieściła wybór klasyków gatunku fantastyki naukowej, dwie czy trzy powieści Stephena Kinga oraz trójcę ociekających seksem czytadeł Jackie Collins.

Carol, Merrick i Brandon ostrożnie przeszli przez salon, minęli schody i zajrzeli do kuchni. Lśniła chirurgiczną czystością jak sala ekspozycyjna w drogim salonie meblowym. Na ociekaczu stał jeden kubek, jeden talerz, jeden widelec, jeden nóż. Brandon prowadził. Carol z Merrickiem podążyli za nim na piętro wąskimi schodami, wciśniętymi między dwa pomieszczenia na parterze. Pierwsza sypialnia była różowa i spieniona od falbanek jak koktajl truskawkowy. Różowa była nawet toaletka o nerkowatym blacie obrzeżonym koronką.

– Barbara Cartland spuchłaby z zazdrości – mruknął Merrick.

Brandon otworzył szafę i przewertował kolekcję damskich strojów. Carol zainteresowała się szufladami różowej komódki, zaczynając od górnej: nie zawierały niczego bardziej niepokojącego od asortymentu kiczowatej bielizny z przewagą czerwonej satyny.

To Merrick pierwszy przypomniał sobie o drugiej sypialni. Zaledwie otworzył drzwi, wiedział już, że nikt nie będzie podnosił rabanu w gazetach o tym, jak to sądy pokoju wydają nakazy na podstawie nieistniejących dowodów.

– Sir? – zawołał. – Myślę, że trafiliśmy w dziesiątkę.

Pomieszczenie było przerobione na gabinet. Na dużym biurku stał komputer i szereg peryferiów, których żadne ze śledczych nie potrafiło zidentyfikować. Obok telefon podłączony do nowoczesnego magnetofonu. Małe stanowisko do edycji wideo mieściło się w rogu, przy szafce na dokumenty. Na innej, wyposażonej w kółka, stały telewizor i magnetowid, najnowocześniejsze sprzęty dostępne na rynku i z najwyższej półki cenowej. Wzdłuż dwóch ścian ciągnęły się półki pełne gier komputerowych i wideo, kaset oraz dyskietek w pudełkach opatrzonych etykietami i schludnie podpisanych zamaszystymi, dużymi literami. Jedynym niepasującym przedmiotem w pomieszczeniu był skórzany fotel wypoczynkowy o obiciu zwisającym luźno ze stalowej ramy, co upodobniało go do hamaka.

– Bingo – rzucił Brandon bez tchu. – Dobra robota, Carol.

– O żeż ty, od czego zaczynamy? – zapalił się Merrick.

– Czy któreś z was potrafi obsłużyć ten komputer? – spytał Brandon.

– Myślę, że powinniśmy to zostawić specjalistom – podpowiedziała Carol. – Możliwe, że został zaprogramowany na skasowanie wszystkich danych, gdy spróbujemy się zalogować.

– W porządku. Don, zajmij się szafką na dokumenty, ja biorę się za kasety wideo, a ty, Carol, za magnetofonowe.

Carol podeszła do półek. Pierwszych parę tuzinów kaset sprawiało wrażenie całkiem zwyczajnych, z albumami od Lizy Minelli po U2. Następny tuzin oznakowany był literami „AS" i ponumerowany od jedynki do dwunastki. Kolejnych czternaście opatrzono literami „PC", następnych piętnaście – „GF", osiem – „DC" i sześć z literami „AH". Zbieżność inicjałów bezdyskusyjnie wykraczała poza ramy zwykłego przypadku. Carol sięgnęła po pierwszą kasetę z inicjałami „AH" i, z sercem ciężkim od złych przeczuć, włożyła ją do magnetofonu. Chwyciła podłączone do niego miniaturowe słuchawki i, roztrzęsiona, wetknęła je do uszu. Usłyszała dzwonek telefonu, potem głos brzmiący tak znajomo, że omal się nie rozpłakała.

– Halo? – Głos Tony'ego był lekko zniekształcony, jakby na linii były zakłócenia.

– Halo, Anthony. – Drugi głos nie był Carol zupełnie obcy.

- Kto mówi? - Znowu Tony.

Śmiech, gardłowy i seksowny.

- Nigdy nie zgadniesz. Choćby i za milion lat. - Mam cię, pomyślała Carol. Głos z automatycznej sekretarki.

- OK, ty mi powiedz - poprosił Tony zaciekawionym, przyjaznym tonem; włączył się do gry.

- A kim byś chciał, żebym była? Gdybym mogła być każdą osobą na świecie?

- Czy to jest jakiś dowcip? - zaniepokoił się Tony.

- W życiu nie byłam bardziej poważna. Jestem tu, aby spełnić twoje marzenia. Jestem kobietą z twoich fantazji, Anthony. Twoją telefoniczną kochanką.

Przez moment cisza, potem odgłos odkładanej słuchawki. Sygnał wybierania i głos tej dziwnej kobiety:

- *Hasta la vista*, Anthony.

Carol dźgnęła przycisk „stop" i gwałtownie wyciągnęła słuchawki z uszu. Odwróciła się i ujrzała Brandona zmienionego w słup soli na widok Adama Scotta, rozciągniętego na łożu tortur, nagiego i najwyraźniej nieprzytomnego. Patrzyła, ale jeszcze nie rozumiała, co właściwie widzi. Zło, zdążyła pomyśleć, powinno ociekać krwią, a nie wyglądać z ekranu telewizora gdzieś na przedmieściach.

- Sir - wykrztusiła z trudem. - Te taśmy. Ona śledziła Tony'ego.

Tony spróbował się zaśmiać. Zabrzmiało to bardziej jak szloch, ale mimo to próbował dalej.

- Oczekujesz, że będę miał erekcję? Dyndając pod sufitem? Angelico, odurzyłaś mnie chloroformem, porwałaś i zostawiłaś tu samego, żebym ocknął się w izbie tortur. Przykro mi cię rozczarowywać, ale nie mam doświadczenia w tych wiązankach. Mam za wielkiego pietra, żeby mi stanął.

- Nie pozwolę ci odejść, wiedz to. Nie po to, żebyś od razu pobiegł do nich.

- Nie proszę, żebyś mnie wypuściła. Uwierz mi, jestem szczęśliwy będąc twoim więźniem, jeśli to jedyny sposób, bym mógł spędzać z tobą czas. Chcę cię poznać, Angelico. Chcę ci udowodnić, co do ciebie czuję, pokazać ci, czym jest miłość. Chcę ci pokazać, po czyjej naprawdę jestem stronie.

Tony usiłował włączyć uśmiech z rodzaju tych, jakie najbardziej działają na kobiety.

– No to mi pokaż – rzuciła Angelica wyzywającym tonem.

Jedną dłonią powiodła pieszczotliwie po ciele; palce zatrzymały się na sutkach, potem delikatnie przesunęły ku kroczu.

– Będę potrzebował twojej pomocy. Tak jak potrzebowałem cię wtedy, gdy rozmawialiśmy przez telefon. Dzięki tobie czułem się tak dobrze, czułem się jak prawdziwy mężczyzna. Proszę, pomóż mi i teraz – błagał Tony.

Dała krok w jego stronę, poruszając się wężowo jak striptizerka.

– Chcesz, żebym cię podnieciła? – spytała przeciągle w upiornej parodii uwodzenia.

– Nie sądzę, żeby mi się udało w takich warunkach – mówił Tony. – Nie z rękoma unieruchomionymi za plecami.

Angelica zatrzymała się i gniewnie ściągnęła brwi.

– Powiedziałam, nie wypuszczę cię.

– A ja mówiłem, że o to nie proszę. Proszę tylko o to, żebyś skuła mi ręce z przodu. Żebym mógł cię dotknąć. – Ponownie zmusił się do łagodnego uśmiechu.

Przyglądała mu się z namysłem.

– Skąd mam wiedzieć, że mogę ci zaufać? Musiałabym zdjąć ci kajdanki, żebyś mógł przełożyć ręce, zanim znowu bym cię skuła. Może próbujesz mnie podejść.

– Nie zrobię tego. Daję ci słowo. Jeśli będziesz się czuła bezpieczniej, znowu użyj chloroformu. Zrób to, kiedy będę nieprzytomny – rzucił Tony, ponownie wystawiając się na wielkie niebezpieczeństwo. Jej reakcja pozwoli mu ocenić szanse przetrwania.

Angelica stanęła za jego plecami. Ekstatyczny głos w jego głowie wykrzyknął: „Tak!". Poczuł ciepłą rękę wsuwającą się między jego przeguby; mocno chwyciła kajdanki i gwałtownie szarpnęła je w górę.

– O rany! – wrzasnął Tony, kiedy strzały bólu przeszyły jego ręce po same barki. Usłyszał szczęk metalu i otworzyła się obręcz łącząca sznur z kajdankami. Kiedy Angelica wysunęła je z obręczy, Tony runął na kolana. Nogi miał jak z waty. - Jezu Chryste! - krzyknął, padając na twarz, czując, jak kamienie orzą mu policzek.

Angelica błyskawicznie rozpięła jedną obręcz kajdanek, złapała go za włosy tuż nad karkiem i pociągnęła ku górze. Nie wypuszczając tej, z której zwisały kajdanki, obeszła go, bezceremonialnie chwyciła drugą, tuż pod bicepsem, i szarpnęła ku sobie. Kilka sekund później obie tkwiły w kajdankach. Klęczał jak pokutnik; jego zażenowanie podwajała obecność skórzanych pasów zapiętych na kostkach.

– Widzisz? – wykrztusił. – Mówiłem, że nie będę próbował żadnych sztuczek.

Lekko zdyszana Angelica stanęła przed Tonym, szeroko rozstawiając nogi.

– No, pokaż mi – zażądała.

– Będziesz musiała pomóc mi wstać. Sam nie dam rady – zaprotestował słabo.

Pochyliła się, znowu złapała go za włosy i targnęła ku górze, aż dźwignął się na nogi, których mięśnie rozdygotały się z wysiłku, by utrzymać go w pozycji pionowej. Stali w odległości zaledwie kilku centymetrów od siebie; czuł na dłoniach muśnięcia jej jedwabnego kimona. Czuł ciepło jej oddechu owiewającego rozorany policzek.

– Pocałuj mnie – powiedział miękko. Kurwy nigdy nie całują, wyjaśnił sobie w duchu. To wszystko zmieni.

W oczach Angeliki pojawił się dziwny błysk, ale pochyliła się nad nim, puściła jego włosy i przyciągnęła jego twarz do swojej. Wezwał na pomoc całą siłę woli, by nie skulić się, kiedy zbliżyła wargi do jego ust, zgłębiała ich wnętrze, dotykała zębów i języka. Od tego zależy twoje życie, powtarzał w myśli. Trzymaj się planu. Tony zmusił się do odwzajemnienia pocałunku. Wepchnął język do jej ust, powtarzał sobie, że na świecie zdarzają się gorsze rzeczy, chociażby to, co spotkało jego poprzedników z rąk tej baby.

Po pocałunku, który wydał mu się najdłuższym w życiu, Angelica oderwała się od niego i spojrzała krytycznie na jego krocze.

– Będę przy tym potrzebował niewielkiej pomocy – rzucił Tony. – To nie był łatwy dzień.

– Jakiego rodzaju pomocy? – spytała Agelica, oddychając ciężko przez rozchylone usta. Było oczywiste, że sama bez trudu osiąga pobudzenie seksualne, które pozostawało całkowicie poza jego zasięgiem.

– Zrób mi laskę. To jedyne, co zawsze skutkuje, kiedy mam z nim kłopoty. Posmakowałem już twoich ust i wiem, że będziesz rewelacyjna. Proszę, ja naprawdę chcę się z tobą kochać.

Nie skończył jeszcze mówić, a już wylądowała na klęczkach, pieszcząc palcami jego jądra. Z czułością uniosła skurczonego penisa i wzięła go do ust, nie odrywając wzroku od twarzy Tony'ego. On zaczął gładzić ją po włosach. Potem, ruchem tak powolnym, iż wydawał się trwać całą wieczność, przyciągnął jej głowę do siebie i popchnął w dół, tak że nie mogła już na niego patrzeć.

Następnie Tony zmobilizował resztkę sił, uniósł ręce i na odlew rąbnął Angelicę kajdankami w tył głowy.

Cios zupełnie ją zaskoczył. Runęła do przodu między jego nogami, kalecząc zębami jego członka; bolało nie z tej ziemi. Tony opadł na plecy, czując rozdzierający ból w kostkach, których budowa nie uwzględniała ruchu w tym kierunku. Kiedy już leżał zgięty w pół, złapał Angelicę za głowę i zaczął bębnić nią o kamienną posadzkę, dopóki nie przestała wić się jak piskorz i znieruchomiała, rozciągnięta na brzuchu.

Podciągał się, przytrzymując się jej ciała, aż zdrętwiałymi palcami sięgnął do pasów wokół kostek. Z nieporadnością, która doprowadzała go do obłędu, gmerał przy nich, próbując rozpiąć sprzączki i pozbyć się ciążącej mu u stóp kamiennej płyty. Wydawało mu się, że upłynęły całe godziny, nim nareszcie tego dokonał. Kiedy spróbował wstać, kostki odmówiły posłuszeństwa. Poszybował ku posadzce, a jego nogami targnął taki ból, jakby jakiś szaleniec dźgał je nożem. Kwiląc, zaczął pełznąć ku kamiennym schodom. Pokonał zaledwie kilka metrów, gdy dał się słyszeć zdławiony jęk. Angelica uniosła głowę; krew i śluz przeobraziły jej twarz w koszmarną maskę, w sam raz na Haloween. Kiedy go zobaczyła, ryknęła jak ranne zwierzę i zaczęła gramolić się na nogi.

Poszukiwania śladu, który doprowadziłby ich do kryjówki, gdzie Angelica dokonywała zabójstw, przebiegały coraz bardziej gorączkowo, bo wszyscy bali się i martwili o Tony'ego. Wyrzucili na podłogę całą zawartość szafki na dokumenty. Dokładnie przeanalizowali każdy, najmniejszy nawet skrawek papieru w nadziei, że znajdą bodaj cień wskazówki, gdzie szukać piwnicy ukazanej na makabrycznym nagraniu. W identyczny sposób potraktowali faktury, gwarancje, rachunki i kwity. Carol wertowała właśnie zawartość teczki z oficjalną korespondencją, licząc na to, że natknie się na dane dotyczące dzierżawy lub hipoteki, czegokolwiek, co dotyczyłoby innej nieruchomości. Merrick wertował teczki z dokumentacją dotyczącą zmiany płci, jaką przeszedł Christopher Thorpe. Brandon zdążył już zaliczyć jeden fałszywy alarm, kiedy w ręce wpadły mu listy od radcy prawnego piszącego o jakiejś posiadłości w Seaford; okazało się, że pismo traktuje o sprzedaży domu po nieżyjącej matce Thorpe'a.

To Merrick odnalazł klucz do całej sprawy. Uporał się z dokumentacją dotyczącą zmiany płci i zabrał do kolekcji listów figurujących w archiwach pod hasłem „Podatki". Przeczytał jeden i oniemiał; na wszelki wypadek przeczytał go jeszcze raz, zanim upewnił się, że nic mu się nie przywidziało.

– Sir – odezwał się ostrożnie. – Chyba mamy to, czego szukamy.

Podał pismo Brandonowi, który odczytał nagłówek na firmówce: „Pennant, Taylor, Bailey and Co., Kancelaria prawnicza". „Drogi panie Thorpe" – brzmiał początek. – „Otrzymaliśmy od Pańskiej ciotki, pani Dorris Makins, przebywającej obecnie w Nowej Zelandii, pismo upoważniające nas do przekazaniu Panu kluczy do farmy Start Hill, Upper Tontine Moor, koło Bradfield, W. Yorkshire. Jako jej pełnomocnicy, zostaliśmy upoważnieni do przekazania Panu dostępu do rzeczonej posiadłości celem jej doglądania i zabezpieczenia przed intruzami. Prosimy o uzgodnienie z naszym biurem dogodnego terminu odebrania kluczy...".

– Dostęp do odludnej wiejskiej posiadłości – odezwała się nagle Carol, zaglądając Brandonowi przez ramię. – Tony uprzedzał, że zabójca może dysponować czymś takim. I teraz go tam więzi.

Przetoczyła się przez nią fala gniewu, która ugasiła płomyk strachu tlący się w niej od chwili, gdy odkryli makabryczne tajemnice tego pozornie zwyczajnego gabinetu.

Brandon na sekundę przymknął oczy, po czym odparł powściągliwie:

– Tego nie wiemy, Carol.

– A nawet jak go dorwała, Tony to bystry facet. Jeśli ktokolwiek może wykaraskać się z opałów, mieląc ozorem, to właśnie Tony – pocieszył Don.

– Darujmy sobie takie gdybanie. Może wam poprawia humor, ale poza tym niczego nie zmienia – rzuciła Carol ostro. – Gdzie, do diabła, leży farma Start Hill? I jak szybko możemy się tam dostać?

Tony rozejrzał się z rozpaczą. Pas z nożami wisiał na lewo, niemożliwie wręcz wysoko. Kiedy Angelica podniosła się na kolana, uczepił się kamiennej ławy i podciągnął do pionu. Palce zacisnęły mu się na rękojeści noża w chwili, gdy chwiejnie dźwignęła się na nogi i zaszarżowała ku niemu, rycząc jak krowa, której zabrano cielaka.

Ciężar jej ciała i siła zderzenia sprawiły, że Tony gwałtownie pochylił się do tyłu i zawisł plecami nad ławką. Okrwawione palce sięgnęły ku jego szyi i zacisnęły na krtani tak szczelnie, że przed oczami roztańczyły mu się plamy białego światła. Dokładnie w chwili, gdy pomyślał, że dłużej nie wytrzyma, poczuł zapach krwi, równocześnie na brzuch wytrysnął mu strumień ciepłego, lepkiego płynu, a chwyt Angeliki stał się tak słaby, jakby miał na szyi mokry szalik.

Zanim cokolwiek do niego dotarło, na kamiennych schodach zadudniły kroki. Jak w szalonej wizji raju, do piwnicy wpadł Don Merrick, za nim zaś John Brandon, któremu szczęka opadła na widok scenki rodzajowej, która ukazała się jego oczom.

– O kurwa... – rzucił bezgłośnie.

Carol przepchnęła się obok nich. Wpatrywała się w obraz jak z jatki mięsnej, najwyraźniej nic z tego nie rozumiejąc.

– Nie spieszyliście się zbytnio – wykrztusił Tony resztką tchu.

Ostatnim, co usłyszał, nim zemdlał, był własny histeryczny śmiech.

Epilog

Carol pchnęła drzwi szpitalnej sali. Tony półleżał na stercie poduszek; lewą część twarzy miał opuchniętą i posiniaczoną.

– Hej – odezwał się z bladym uśmiechem, bo na nic więcej nie mógł sobie pozwolić bez narażania się na ból. – Wchodź śmiało.

Carol zamknęła za sobą drzwi i usiadła na krześle przy łóżku.

– Przyniosłam ci to i owo – oznajmiła, rzucając na kołdrę reklamówkę i wypchaną kopertę.

Tony sięgnął po reklamówkę, a Carol skuliła się w duchu na widok wianuszków z sińców na zaczerwienionej skórze nadgarstków. Wydobył egzemplarz *The Esquire'a*, puszkę napoju aqua libra, drugą pistacji oraz egzemplarz „Dzieł wybranych" Dashiela Hammetta.

– Dzięki.

– Nie byłam pewna, co lubisz – powiedziała przepraszająco.

– No, to jesteś dobra w zgadywaniu. Idealna funkcjonariuszka nowej jednostki profilerskiej.

– Nawet jeśli z kiepściutkim refleksem – powiedziała Carol z goryczą.

Tony pokręcił głową.

– John Brandon był tu wcześniej. Opowiedział mi, jak do wszystkiego doszłaś. Nie wyobrażam sobie, żebyście mogli pojawić się na miejscu choć trochę szybciej.

- Powinnam wiedzieć, że nie odstawiłbyś numeru ze znikaniem w krytycznym momencie. Właściwie powinnam się była zorientować, że byłbyś idealnym celem i podjąć odpowiednie kroki, by cię chronić, jak czytałam profil.

- Gadasz, Carol. Jeżeli ktokolwiek dał plamę, to tylko ja. Ty odwaliłaś kawał cholernie dobrej roboty.

- Gdybym miała głowę na karku, to pojawilibyśmy się w porę, żeby uchronić cię przed koniecznością... koniecznością zrobienia tego, co zrobiłeś.

Tony westchnął.

- Masz na myśli to, że ocalilibyście życie Angelice? Po co? Żeby latami siedziała w pilnie strzeżonym szpitalu psychiatrycznym? Spójrz na plusy tej sytuacji, Carol. Dzięki wam państwo zaoszczędziło fortunę. Obyło się bez kosztownego procesu, bez lat więzienia i terapii, za które trzeba by płacić. Cholera, jeszcze wam dadzą medal.

- Nie to miałam na myśli, Tony - zaprotestowała Carol. - Chodziło mi o to, że nie musiałbyś żyć ze świadomością, że kogoś zabiłeś.

- Tak, cóż, nie będę udawał, że to idealne zakończenie, ale nauczę się z tym żyć. - Zmusił się do uśmiechu. - Nie zrozum mnie źle, ale pierwszą rzeczą, jaką zrobię po wyjściu stąd, będzie wyprawa na miasto i kupienie ci nowego płaszcza - wyznał nagle. - Ilekroć spojrzę na tego twojego mackintosha, chce mi się wrzeszczeć.

- Dlaczego? - Carol ze zdumienia uniosła brwi.

- To nie wiesz? Miała na sobie taki sam, kiedy zapukała do moich drzwi. Dzięki temu, nawet gdyby na miejscu zostały pojedyncze włókna, ci z laboratorium założyliby, że to pamiątki po tobie.

- Fantastycznie - mruknęła Carol. - A jak tam twoje kostki?

Tony przybrał zbolałą minę.

- Nie sądzę, by kiedykolwiek mogły znowu grać na skrzypcach. Doczłapałem jakoś do kibla, o kulach, ale musiałem przysiąść na krawędzi wanny, żeby się wysikać. Lekarze mówią, że prawdopodobnie nie doszło do żadnych trwałych okaleczeń, choć trochę czasu minie, zanim więzadła się wygoją. Jak ci minął dzień?

Carol przybrała równie zbolały wyraz twarzy.

– Makabra. Podejrzewam, że byłbyś w swoim żywiole. Miałeś rację z tym napędzaniem fantazji. Ona, on, ono... ma taśmy magnetofonowe. Nagrywała sesje telefonicznego seksu, który uprawiała ze wszystkimi ofiarami, i kradła taśmy z komunikatami powitalnymi z automatycznych sekretarek. Włamanie się do jej komputera zajęło naszym genialnym specom trochę czasu. Nie mieliśmy nikogo, kto by się na tym naprawdę znał, ale mój brat Michael podjechał do nas i wybawił nas z kłopotu.

Tony posłał jej krzywy uśmiech.

– Wtedy nie chciałem nic mówić, ale przez jedną, szaloną chwilę poważnie się nad twoim bratem zastanawiałem.

– Nad Michaelem? Żartujesz?!

Tony zawstydzony skinął głową.

– To było wtedy, gdy wpadłaś na pomysł z komputerową obróbką nagrań wideo. Michael ma niezbędny „know-how", to pewne. Pasuje do grupy wiekowej, mieszka z kobietą, z którą nie utrzymuje stosunków seksualnych, ma dostęp do informacji na temat pracy policji i techników kryminalistycznych, wykonuje typowany przeze mnie zawód, ponadto doskonale wie, co zamierza policja i ma poniekąd okazję uczestniczyć w śledztwie. Gdybyśmy na czas nie wpadli na Angelicę, próbowałbym wyżebrać od ciebie zaproszenie na kolację, żeby go sobie obejrzeć.

Carol potrząsnęła głową.

– Już rozumiesz, co miałam na myśli z tym kiepskim refleksem? Dysponowałam tymi samymi informacjami co ty, a mimo to w głowie mi nie postało, że to może być Michael.

– Nie jest to szczególnie zaskakujące. Znasz go na tyle, żeby wiedzieć, że nie jest psychopatą.

Carol wzruszyła ramionami.

– A znam? Nie byłby to pierwszy raz, kiedy członek najbliższej rodziny myli się w ocenie.

– No, ale zwykle albo sami się oszukują, albo są niezrównoważeni emocjonalnie i w jakiś sposób zależni od zabójcy. Ani jedno, ani drugie nie ma zastosowania w tym przypadku. – Uśmiechnął się ze zmęczeniem. – Tak czy siak, opowiedz mi lepiej o odkryciach twojego Michaela.

– Ten komputer okazał się prawdziwą kopalnią złota. Prowadziła dziennik, w którym opisywała, jak śledziła i mordowała kolejne ofiary. Wspomniała nawet, że chciałaby, aby został opublikowany po jej śmierci. Potrafiłbyś przebić coś takiego?

– Z łatwością – odparł Tony. – Przypomnij mi, żebym ci pokazał niektóre z rozpraw z mojej kolekcji poświęconej seryjnym zabójcom.

Carol przebiegły ciarki.

– Dzięki, ale wolę nie. Przyniosłam ci wydruk tego pamiętnika. Pomyślałam, że cię to zainteresuje. – Wskazała kopertę. – Jest w środku. Poza tym, zgodnie z twoją hipotezą, nagrywała zabójstwa na wideo, a następnie, jak wam sugerowałam, przenosiła nagrania do komputera i obrabiała je, by podsycać swoje rojenia. To niewyobrażalna makabra, Tony. Senny koszmar to przy tym małe piwo.

Tony skinął głową.

– Nie powiem, że człowiek się do tego przyzwyczaja, bo nie przyzwyczaisz się nigdy, o ile masz się do czegokolwiek w tym zawodzie nadawać. Ale z czasem uczysz się o tym nie myśleć, blokować wspomnienia, żeby nie dopadały cię znienacka i nie mieszały w głowie.

– Czyżby?

– To w teorii. Spytaj mnie jeszcze raz za kilka tygodni – rzucił ponuro. – Jest tam coś o wybieraniu ofiar?

– Tylko jeden urywek, cholera – wyznała Carol z rozgoryczeniem. – Szykowała się do tego miesiącami, zanim wytypowała pierwszą. Była zatrudniona w firmie telekomunikacyjnej na stanowisku analityka systemów komputerowych. Wygląda na to, że wcześniej, jeszcze w Seaford, pracowała w niewielkiej prywatnej firmie z tej samej branży i tam zdobyła doświadczenie, dzięki czemu dostała posadę w Bradfield. Była bodajże administratorką systemu, więc miała dostęp do praktycznie wszystkich danych. Wykorzystała firmowy komputer, żeby wyodrębnić wszystkie lokalne numery, spod których regularnie dzwoniono do seks-linii w okresie ostatniego roku. - Carol zrobiła pauzę, pozwalając, by oczywiste pytanie zawisło w powietrzu.

– To była praca badawcza – wyjaśnił ze znużeniem Tony. – Opublikowałem rozprawę o roli usług konwersacyjnych typu „chat line" w kształtowaniu się fantazji seksualnych seryjnych przestępców. Ktoś powinien przestrzec Angelicę przed wyciąganiem pochopnych wniosków.

Carol odczytała tę uwagę jako zawoalowany wyrzut.

– Zestawiła je z listą wyborczą i tak wyłoniła numery samotnie mieszkających mężczyzn. Potem już tylko podglądała ich, obserwowała domy. Miała jasne wyobrażenie, jak powinien wyglądać jej luby, oczywiście luby z własnym domkiem, przyzwoitymi dochodami i widokami na karierę. Dajesz wiarę?

– Aż nazbyt łatwo – przytaknął Tony posępnie. – Własne postępowanie tłumaczyła sobie tym, że wcale nie chce zabijać, chce tylko kochać. To oni zmuszali ją do mordu, bo ją zdradzili. Wmawiała sobie, że w gruncie rzeczy pragnie jedynie znaleźć mężczyznę, który by ją kochał i z nią żył.

A która by tego nie chciała, pomyślała Carol, ale pominęła to milczeniem.

– Tak czy owak, jak już trafiła na obiecującego kandydata, przełamywała pierwsze lody, świntusząc z nim przez telefon. W ten sposób wodziła was za nos, bo jesteście zbereźnicy i nie potraficie odmówić propozycji anonimowego seksu.

– Och. – Tony skulił się, jakby coś go zabolało. – Na swoją obronę muszę dodać, że moje zainteresowanie w dużej mierze miało charakter czysto akademicki. Interesowała mnie psychika kobiety, która dobrowolnie robi takie rzeczy.

Carol uśmiechnęła się wstydliwie.

– Przynajmniej teraz już wiem, że mówiłeś prawdę, zarzekając się, że nie znasz kobiety, która zostawia ci seksowne wiadomości na sekretarce.

Tony odwrócił wzrok.

– Odkrycie, że mężczyzna, który wpadł ci w oko, podnieca się wyuzdanymi pogaduszkami telefonicznymi z nieznajomą, musiało cię szczerze zachwycić.

Carol milczała. Nie wiedziała, co powiedzieć.

– Przesłuchałam taśmy – przyznała po chwili. – Te z tobą bardzo różnią się od całej reszty. To jasne, że często czułeś się skrępowany. Choć to nie moja sprawa.

Tony nie zdobył się na to, by odwzajemnić jej spojrzenie. Kiedy przemówił, jego głos był urywany i beznamiętny.

– Mam problemy natury seksualnej. Ściślej biorąc, mam problem z uzyskaniem i utrzymaniem erekcji. Szczera prawda jest taka, że jedynie po części odbierałem te telefony z zainteresowaniem profesjonalisty. W nie mniejszym stopniu próbowałem je wykorzystać jako coś w rodzaju terapii. Wiem, że w świetle tych wyznań wychodzę na zboczeńca, ale jednym z minusów mojego fachu jest to, że znalezienie terapeuty, którego ceniłbym i któremu mógłbym zaufać, a przy tym niezwiązanego ze środowiskiem, gdzie pracuję, graniczy z cudem. Choć sami bardzo chętnie podkreślają potrzebę zachowania tajemnicy w relacji pacjent-terapeuta, wolałbym się nie narażać na takie ryzyko.

Rozumiejąc, jak trudno Tony'emu przyszło to wyznanie, Carol delikatnie nakryła jego dłoń swoją.

– Dziękuję, że mi powiedziałeś. Nie wyjdzie to poza te cztery ściany. I jeśli to choć trochę poprawi ci humor, tylko dwie osoby odsłuchały te taśmy w całości, ja i John Brandon. Nie musisz się martwić o to, co ludzie z naszej jednostki gadają za twoimi plecami.

– To już coś, prawda? No, opowiadaj dalej. Powiedz mi o rozmowach Angeliki z innymi ofiarami.

– Było oczywiste, że ci mężczyźni sądzili, że to seks bez żadnych zobowiązań ani konsekwencji. Angelica za każdym razem dochodziła do wręcz odwrotnych wniosków. Wmawiała sobie, że zachowania mężczyzn dowodzą, że są oni na najlepszej drodze, aby się w niej zakochać. Na nieszczęście dla nich, sytuacja przedstawiała się inaczej. Przy pierwszej oznace zainteresowania jakąkolwiek kobietą automatycznie podpisywali na siebie wyrok śmierci. To znaczy, z wyjątkiem Damiena. Jego zabiła po to, żeby dać nam nauczkę. Ty miałeś być następny.

Tony zadrżał.

– Nic dziwnego, że musiała wyjechać za granicę na operację zmiany płci. Psycholodzy, u których się konsultowała, mieli chyba niezłe używanie. Pacjentka z takim oglądem świata i z takimi aspiracjami...

– Najwyraźniej uznali, że nie kwalifikuje się na kandydatkę do zmiany płci ze względu na brak sprecyzowanej tożsamości seksualnej. Wywnioskowali, że mają do czynienia z homoseksualnym mężczyzną, nie radzącym sobie z własną seksualnością wskutek uwarunkowań kulturowych i wychowania, jakie odebrał. Zalecili terapię u seksuologa zamiast operacyjnej zmiany płci. Skończyło się to paskudną sceną. Wyrzuciła jednego przez szklane drzwi – wyznała Carol.

– Szkoda, że nie wniósł oskarżenia – mruknął Tony.

– Fakt. Zapewne ucieszysz się, kiedy ci powiem, że ciebie też nikt o nic nie oskarży.

– No, ja myślę! Już mówiłem, policz sobie, ile oszczędziłem pieniędzy z kieszeni podatników. Może powinniśmy wybrać się na kolację, żeby to uczcić, kiedy stąd wyjdę? – spytał niepewnie.

– Chętnie. Cała ta historia ma jeden dodatkowy plus – dodała nagle Carol.

– A mianowicie?

– Penny Burgess wzięła wczoraj dzień wolny, żeby powędrować po dolinach. Wygląda na to, że samochód jej nawalił i przesiedziała noc w lesie. Przegapiła całą imprezę. W dzisiejszym wieczornym *Sentinelu* jest tuzin artykułów na ten temat, ale pod żadnym nie ma jej nazwiska.

Tony ułożył się na plecach i zapatrzył w sufit. To jak zakrywanie pęknięć w ścianie tapetą, pomyślał. Oboje nadrabiają miną, i tyle. Podejrzewał, że Carol wie o tym równie dobrze jak on sam, ale doceniał to, że się dziewczyna stara. Po prostu miał już wszystkiego dość. Zamknął oczy i westchnął.

– O Boże, przepraszam – zreflektowała się Carol i błyskawicznie zerwała na nogi. – Nie pomyślałam. Musisz być wykończony. Słuchaj, to ja już zmykam. Zostawiam ci te papiery do przeczytania, jak poczujesz się na siłach. Mogłabym jutro wpaść, jeśli chcesz...

– Myślę, że bym chciał... – odparł Tony ze zmęczeniem. – Po prostu czasem to mnie dopada, falami.

Odgłos kroków, potem szczęknięcie drzwi.

– Trzymaj się – powiedziała Carol.

Zaledwie drzwi się za nią zamknęły, Tony zaczął przesuwać się ku wezgłowiu, aż wsparł się na poduszkach. Sięgnął po wypchaną kopertę. Nie miał siły na gadanie, ale ciekawość nie pozwalała mu zlekceważyć pamiętnik Angeliki. Wyciągnął gruby plik papieru formatu A4.

– Przyjrzyjmy ci się bliżej – powiedział miękko. – Jaka jest twoja historia? Czym się przed sobą usprawiedliwiałaś, od czego chciałaś się odciąć? – Zaczął chciwie czytać.

W normalnych okolicznościach taplanie się w żalach, jakie wylewali z siebie psychicznie chorzy, było dla Tony'ego rutynowym zajęciem, częścią pracy badawczej. Jednak z tym pamiętnikiem było inaczej, jak uświadomił sobie po zaledwie kilku akapitach. Z początku nie potrafił określić, na czym to polega. Te zwierzenia były bardziej wyważone, uporządkowane i bezpośrednie niż większość bezładnych wynurzeń jego pacjentów, lecz to nie tłumaczyło jeszcze jego nietypowej reakcji. Przebrnął przez kilka stron z fascynacją pomieszaną z odrazą. Nie było tu ani mniej, ani więcej obsesyjnego egocentryzmu niż w pamiętnikach innych szaleńców, jakie zdarzyło mu się czytać, choć w tym wyczuwało się mrożącą krew w żyłach lubość, która już sama w sobie była czymś niezwykłym. Większość zabójców, których wynurzenia na piśmie przeglądał, bardziej skupiała się na chwalebnej w swoim mniemaniu, krwawej roli, mniej chętnie wracała do tego, co robiła ze swoimi ofiarami i co one wtedy czuły. Z tych jednak stronic wyzierała osoba, która przez pryzmat ofiar określała własną tożsamość. Ale nawet to spostrzeżenie nie do końca wyjaśniało, dlaczego jest taki poruszony. Jakikolwiek był tego powód, z każdą linijką miał coraz mniejszą ochotę na dalszą lekturę, choć zwykle było odwrotnie. Jeszcze niedawno obsesyjnie zależało mu na zgłębieniu umysłu zabójcy, którego ochrzcił „Handym Andym", ale teraz, kiedy miał go – a właściwie ją – jak na tacy, nagle przestało go to wszystko interesować.

Kiedy zmusił się, by czytać dalej, w myśli odhaczając trafne hipotezy spośród tych zawartych w profilu, stopniowo docierało do niego, że jego odczucia mają wymiar osobisty. Lektura była wstrząsająca, bo życie opisane na tych kartach zderzyło się z jego własnym z brutalnością, jakiej Tony nigdy wcześniej nie doświadczył. Stąpał śladami tej, na której wspomnienie przebiegał go lodowaty dreszcz, i nie była to podróż przyjemna.

Odrzucił zadrukowane kartki na kołdrę. Nie miał siły dłużej tego ciągnąć, oglądać własną przyszłość w zdruzgotanych ciałach, które z namaszczeniem opisywała Angelica. Sęk w tym, że jako psycholog wiedział doskonale, co się z nim dzieje. Nadal jest w szoku, w fazie zaprzeczania. Wprawdzie nie potrafi wyrzucić z pamięci tego, co wydarzyło się w tamtej piwnicy, ale same wspomnienia są odległe, jakby Tony przyglądał się wszystkiemu z wielkiego dystansu. Pewnego dnia koszmar tamtej nocy powróci z przeraźliwym rykiem, w stereo, rozbryźnie się przed oczyma na panoramicznym ekranie wyobraźni. Wobec tej wiedzy obecne odrętwienie było jak błogosławieństwo. Już teraz, przeczuwał to, jego automatyczna sekretarka pęka zapewne w szwach od chcących hojnie zapłacić za wyłączne prawa do historii o tym, jak to szczuty zwierz stał się drapieżnikiem. Przyjdzie taki dzień, kiedy będzie musiał tę historię opowiedzieć. Miał tylko nadzieję, że starczy mu siły woli, by zachować ją dla uszu psychiatrów.

Pocieszanie się myślą, że skoro raz zapolował na niego seryjny zabójca, to można z dużym statystycznym prawdopodobieństwem założyć, że to się nigdy nie powtórzy, nie było wielką pociechą. Jego myśli krążyły nieustannie wokół godzin spędzonych w lochu, desperackiego przetrząsania całego zasobu wiedzy i doświadczenia w poszukiwaniu magicznych słów, które dadzą mu kilka dodatkowych minut na znalezienie klucza do wolności.

I tamten pocałunek. Pocałunek dziwki, pocałunek zabójczyni, pocałunek kochanki, pocałunek zbawczyni, stopione w jedność. Pocałunek ust, które uwodziły go tygodniami, ust, z których padły słowa, jakie dały mu nadzieję na przyszłość, a potem miały osłodzić pożegnanie z życiem. Przez długie lata mozolnie szukał dostępu do umysłów tych, co zabijają, by stać się jednym z nich za sprawą pocałunku. Pocałunku Judasza.

– Wygrałaś, prawda, Angelico? – przemówił łagodnie. – Chciałaś mnie i teraz mnie masz.

Kolejna powieść Val McDermid
ukaże się
we wrześniu 2005 roku.